Dieter Kühns berühmtes Buch über Oswald von Wolkenstein, den Tiroler Ritter und Abenteurer, Handels- und Weltreisenden, den Dichter, Komponisten und Sänger an der Wende vom Spätmittelalter zur Frühen Neuzeit, ist beides: durch wissenschaftliche Forschungen abgesichert und voll sprühender Phantasie. Oswald von Wolkenstein (1377–1445), der neben Wolfram von Eschenbach und Walther von der Vogelweide als bedeutendster deutscher Autor des Mittelalters gilt, wird aus den verschiedensten Blickwinkeln beleuchtet und inmitten seiner Lebensumstände als Haudegen, Frauenheld und Künstler geschildert. Dieter Kühns Biographie mit zahlreichen eigenen Wolkenstein-Übertragungen, die »einem rote Ohren machen« (Adolf Muschg), ist ein Lesevergnügen, belehrend und unterhaltend, Abenteuer- wie Kulturgeschichte.

In der *Süddeutschen Zeitung* schrieb Jörg Drews über den dritten Band der *Trilogie des Mittelalters:* »Dieter Kühn bringt die richtigen Voraussetzungen mit: Fabulierlust und Skrupel, historisches Interesse und ein fast journalistisches Gespür für eine gute Story, eine germanistische Vorbildung und die vergnügte Bereitschaft, sich mit Sorgfalt und Elan in Recherchen zu stürzen und umsichtig und aufgeräumt davon zu berichten. Und es wäre eigentlich zu wünschen, daß es solche zwar nicht wissenschaftlichen, aber wissenschaftlich abgesicherten Bücher über große Autoren der Vergangenheit häufiger gäbe, als eine Art begeisternde Einführung in das Werk von Autoren und in Epochen der deutschen Literatur und Geschichte.«

Dieter Kühn, geboren 1935, lebt als freier Schriftsteller in Köln. Für seine Romane, Biographien, Erzählungen, Hör- und Schauspiele wurde er mit zahlreichen Literaturpreisen ausgezeichnet. Zuletzt veröffentlichte er die Biographie *Clara Schumann, Klavier* (1996, S. Fischer). Die beiden ersten Bände seiner *Trilogie des Mittelalters* über Wolfram von Eschenbach und Neidhart von Reuental werden ebenfalls als Fischer Taschenbücher neu aufgelegt; bereits erschienen sind seine Kinderbücher *Es fliegt ein Pferd ins Abendland* (Bd. 80009) und *Prinz Achmed und die Pferde des Sultans* (Bd. 80111).

Dieter Kühn

Ich Wolkenstein

Biographie

Fischer Taschenbuch Verlag

Trilogie des Mittelalters: Dritter Band

Für die vorliegende Neuausgabe hat der Autor Kürzungen vorgenommen;
der Inhalt blieb jedoch (bis auf gelegentliche kleine Revisionen) unverändert.

Veröffentlicht im Fischer Taschenbuch Verlag,
Frankfurt am Main, Mai 1996

© 1977, 1980, 1988 Insel Verlag Frankfurt am Main
Für diese überarbeitete Neuausgabe:
© 1996 Fischer Taschenbuch Verlag GmbH, Frankfurt am Main
Gesamtherstellung: Clausen & Bosse, Leck
Printed in Germany
ISBN 3-596-13334-3

Gedruckt auf chlor- und säurefreiem Papier

Von Köln nach Wolkenstein – längst schon liegt die Reiseroute fest: von Köln nach München, von München nach Herrsching, von dort über Partenkirchen, Innsbruck ins Grödnertal, Val Gardena, am Ende dieses Tals der Ort Wolkenstein, italienisch Selva, und hier die Burgruine Wolkenstein: die Stammburg, sozusagen, der Wolkensteiner. In dieser Burg hat Oswald von Wolkenstein mehrfach gewohnt, wenn auch kaum für lange Zeit, aber in einem Liedtext zeigt sich etwas wie Heimweh nach dieser Burg, die ich bisher nur auf einer alten Fotografie gesehen habe: eine senkrechte, mehrere hundert Meter hohe Felswand, und auf dem Geröllsockel, in eine Einwölbung hineingebaut, diese Burg, ein Felsnest. Als ich das Foto zum erstenmal sah, hatte ich Assoziationen an eine Pueblofestung.

Von Köln nach Wolkenstein: Flugsteigkopf B, Ausgang 4. Ich lehne mich an eine Leichtmetallbarriere vor der Glasfront, schaue auf das Heck des City-Jet, den Servicewagen, die Männer in Overalls. LH 622 nach München, abgekürzt MUC. Das grüne Lichtsignal über dem Ausgang des Warteraums noch nicht eingeschaltet, die Bordkarte in der Lederjacke. Ich fliege zu einer Lesung nach München, und weil ich dort ungefähr dreiviertel der Strecke Köln – Wolkenstein hinter mir habe, will ich mit einem Auto weiterfahren nach Südtirol, Norditalien: in Oswalds Region. In meinem Bewußtsein längst schon das neue Buchprojekt, es fordert mehr und mehr Raum: eine Biographie über Oswald von Wolkenstein. Ist es nicht selbstverständlich, daß ich mir die Orte, die Burgen anschaue, die in seinem Leben wichtig waren: Burg Wolkenstein, Burg Hauenstein, Burg Schöneck, Burg Neuhaus, die Trostburg und Greifenstein? Weiter gäbe es da noch die Burg Forst bei Meran, Vellenberg bei Innsbruck, aber in diesen Burgen ist Oswald nicht freiwillig gewesen, dorthin hatte man ihn überführt, in Fesseln.

Zwei grüne Lichtpunkte, wechselweise an- und abgeschaltet; zweiter Aufruf, second calling. Durch den Teleskopgang zum Flugzeug; ein Fensterplatz. Die Betonplatten wasserstumpf, grellhell, gleich wieder stumpf – rasch und tiefziehende Wolkenballen. Böen drücken das kurze Gras flach neben der Piste. Die Beschleunigung, das Abheben, spürbare Einwirkung der Böen, schon sind die ersten Kilometer der Strecke Köln–Wolkenstein hinter mir. Unter mir: Grün wassersatt, Straßen und Dächer naßdunkel. Schon Wolkenbänke, die wir durchfliegen, Turbulenzen. Das Durchstoßen der Wolkenschicht, rasches Auflichten des diffusen Grau, letzte Wolkenschleier, Wolkenfetzen; Quellweiß. Einige Wolkenlöcher: jeweils ein Ausschnitt Feldmuster, Straßenlinien, Siedlungsformen; bald schon bleibt die Wolkendecke geschlossen.

Ich lese von einem alten Gasthaus, und stolz erkläre der Wirt den Gästen, aus einer Dachrinne laufe das Regenwasser ab zur Sill, damit letztlich ins Schwarze Meer, auf der anderen Seite in den Eisack, damit zum Mittelmeer. Ich lese von der Säbener und Salurner Klause. Lese von einem Brauch: War der Bauer gestorben, so ging der Hauptknecht durch alle Räume des Bauernhauses, sagte: Der Bauer ist tot, sagte auch in den Ställen: Der Bauer ist tot, an den Bienenstöcken: Der Bauer ist tot. Und ich lese von Kornfeldern, die so steil sind, daß im Frühjahr die vom Schmelzwasser abgeschwemmte Erde in Körben wieder hinaufgetragen werden muß. Lese Wörter wie: Einbrennsuppe, Milchsuppe, Gerstensuppe, Fridattensuppe, wie Schwarzplenten und Schlutzkrapfen, wie Schnalser Nudeln und Innicher Sterz, wie Sauerkraut-Türteln und Topfennocken. Und Beinschinken wurden eingelegt in eine Beize von Trester mit Salz, Pfeffer, Salpeter, Lorbeerblättern, Knoblauch, Wacholderbeeren; danach wurde der Schinken wochenlang geräuchert.

Ich lege die Zeitschrift weg, schaue zum Fenster hinaus: eingeebnetes Quellweiß, auf der Tragfläche ein gleißender Lichtreflex. Von Düren über Köln nach Wolkenstein ist auch Oswald gereist, auf dem Rückweg der Reise von Wolkenstein über Köln nach Aachen; er wird für eine Strecke mehrere Wochen gebraucht haben; für mich ist es nur jeweils ein Tag – Zugfahrt, Flug, Autofahrt zusammengerechnet. Ich versuche mir vorzustellen, was es damals hieß, bis nach Litauen zu kommen, auf die Krim, in die Türkei, ins Heilige Land, nach Nordafrika, Portugal, Spanien, Südfrankreich, nach England, Schottland, Irland. So hat er einen weiten Kreis gezogen, auf verschiedenen Reisen, um eine recht kleine Region, die sich mit wenigen Namen markieren läßt: Kastelruth, Seis, Ratzes, und in diesem Gebiet ein Punkt, der für Oswald zentral war: die Burg Hauenstein. Er hatte diese Burg besetzt, als sie ihm nur zu einem Drittel gehörte, danach jahrelanger Streit mit dem Besitzer, Oswald wurde schließlich gekidnappt, eingesperrt, gefoltert, aber seinen Anspruch auf diese Burg gab er nicht auf. Ihre topographische Umgebung hat er in verschiedenen Liedern benannt: die Zuordnung dieser Namen auf einer Karte genügt mir freilich nicht, ich möchte wissen, wie lange man von der Burg Hauenstein nach Ratzes geht und ob man von der Burg aus Kastelruth sehen kann, das Oswald in zwei Liedern genannt hat, und wie weit es von Hauenstein hinauf zur Seiser Alm ist, auf der er Weideland besaß.

Eine Durchsage: Wir überfliegen Frankfurt. Voraussichtlich der Publikationsort des Buchs. Das Erscheinungsjahr ist in meinem Bewußtsein schon fixiert: 1977, da ließe sich Oswalds 600. Geburtstag feiern. Sechshundert Jahre – diese Zahl kann eigentlich nur entmutigen, zugleich ist hier eine Herausforderung: möglichst viele Informationen sammeln, sie zusammensetzen zu einem biographischen Bericht, zugleich zu einem Bild, wenigstens zu einer Skizze seiner Zeit. Dazu würde ich mich kaum aufraffen, wenn mir Oswald nicht seit längerem nah, beinah gegenwärtig wäre in einigen seiner Liedtexte, vor allem im Hauenstein-Lied: Nach vielen Reisen sitzt er fest in Ratzes am Schlern, auf seinem »Kofel«, von dichtem Wald umschlossen, und er sieht nur hohe Berge, tiefe Täler, sieht Felsbrocken, Gesträuch, Baumstubben, Schneestangen, wörtlich: Schneestangen, und statt des gewohnten gesellschaftlichen Umgangs Kälber, Geißen, Böcke, Rinder und »knospot leut«, also grobe, plumpe Leute, und die beschreibt Oswald als schwarz, häßlich, als verrußt oder verrotzt, je nach Lesart, und die eigenen Kinder fallen ihm auf die Nerven, er wird aggressiv, und Eselschreien, Pfauenkreischen, ein tosender Wildbach – vor fünfzehn Jahren etwa hatte ich diesen Liedtext zum erstenmal gelesen: einer der Anstöße, mich genauer mit Oswald zu beschäftigen, und nun, September 75, ist es soweit; das Bewußtsein fixiert auf diesen Mann, eine erste Mappe mit Manuskriptblättern gefüllt.

Auslösend auch das Porträtgemälde, das ich in kleiner Reproduktion seit langem schon kenne: der massige Schädel, die gedrungene Nase, das rechte Auge geschlossen, die Narbe auf der Unterlippe, die pelzverbrämte Kappe, das prunkvolle Gewand mit Orden auf diagonalem Brustband – müßte man über jemand, den man so genau vor sich sieht, nicht Zutreffendes sagen können, wenn man genügend Informationen sammelt? Dazu, als weitere Schreibmotivation: Beschäftigung mit einem Mann, der verschiedene, zuweilen gegensätzliche Möglichkeiten verwirklicht hat, in seinem Leben, in seinen Arbeiten. Und zugleich wieder: Bewußtsein der Distanz, die sich kaum überspringen läßt. Und wiederum: Herausforderung durch das Andersartige, Fremde.

Die Reise nach Wolkenstein wird die Distanz zu Oswald von Wolkenstein kaum verkürzen. Zu sehen, was Oswald gesehen hat, als Kind, als Erwachsener: Landschaften, die ihn jahrelang umgaben und die mich nun für einige Tage umgeben werden – kann ich dort Rückschlüsse ziehen? Was hat er von diesen Landschaften gesehen? Wieweit war sein Sehen vorgeprägt von Wahrnehmungsweisen seiner Zeit? Beispielsweise Abgeschiedenheit, die uns heute aufatmen läßt in einer Welt, die enger und enger wird – hat ein Oswald sie gesucht, war sie ihm gleichgültig, hat er sie gemieden? Ich mache mir deutlich: ich reise nicht nach Südtirol, Norditalien, um aus Sichtbarem Rückschlüsse zu ziehen, ich will mir seine Umgebung nur mal anschauen, als Zusatzinformation.

Das Hinabschrägen zur Wolkenschicht, bald wischt es hellgrau am Fenster vorbei: Wolkenkuppen; die Lichtmulden schrumpfen. Diffuses Grau, Licht absorbierend. Das Flugzeug gerüttelt; ein paar Dutzend Köpfe an den Rücklehnen hin und her pendelnd. Druck in den Ohren, schlucken. Auf einem Baggersee Wellen, sogar Schaumkronen. Einzelnstehende Bäume von Böen gezaust; ausgleichende Klappenbewegungen an der Tragfläche. Ins Weidegrün werden großflächige Windmuster gepreßt. Erste Leitlampen. Grasfläche, gesehen durch mein Fenster, durch das gegenüberliegende Fenster, durch mein Fenster. Hartes Aufsetzen. Ausrollen. Losschnallen.

Durch den langen Korridor gehend, auf die Rolltreppe zu, vorbei an Plakaten, die für bayerische Fremdenverkehrsorte werben, wünsche ich mir, die Plakatflächen wären mit Reproduktionen von Oswalds Porträtgemälde bedeckt, im Vierfarbendruck: Der massige, runde Schädel, das geschlossene rechte Auge, die kurze, gedrungene Nase, der große, in den Winkeln herabgezogene Mund, das Doppelkinn und wieder: Der massige, runde Schädel, das geschlossene rechte Auge, die kurze, gedrungene Nase, der große, in den Winkeln herabgezogene Mund, das Doppelkinn und wieder: Der massige, runde Schädel...

Am frühen Nachmittag ein Gespräch im Bayerischen Rundfunk. Zwischendurch frage ich mich, ob ich mal zur Musikabteilung gehen soll, ich kenne einen der Redakteure, wenn auch nur flüchtig: anfragen, ob man für das nächste oder übernächste Jahr an einer Sendung über Oswald von Wolkenstein interessiert wäre, mit ausgewählten Liedbeispielen – einige seiner Lieder längst schon als Ohrwürmer in meinem Kopf: *Wach auff mein hort... Es fügt sich do ich was von zehen jaren alt...* Auch seine Musik als Auslöser dieser Biographie.

Kein Besuch in der Musikredaktion. Die Lesung. Bier, Doppelkorn. Mit der S-Bahn nach Herrsching. Am Wochenende arbeite ich weiter an der Übersetzung eines Liedtextes.

Und dann, am Montagmorgen, der Aufbruch. Der Tag wie mit mächtigem Gongschlag eröffnet: WOLKENSTEIN! Aus dem Fenster schauend, weil das Wetter nun Reisewetter ist, registriere ich: föhnblauer Himmel, intensives Licht.

Die Tasche in den Wagen gelegt, die Autokarte, die Route liegt fest: Weilheim, Partenkirchen, Mittenwald, Zirler Berg, Innsbruck, Brenner, Brixen, Abfahrt Grödnertal, Val Gardena. Wie auf Werbeprospekten von Fremdenverkehrsorten ist der Ortsname WOLKENSTEIN dick gedruckter Mittelpunkt in einem Netz von Linien, die heranführen von Zürich, Brüssel, Amsterdam, von Hamburg, Berlien, Wien, von Triest, Florenz, Genua: WOLKENSTEIN, SELVA.

Die Kreisstadt Weilheim. Gebirgskulisse, davor Dörfer, Wiesen, Fichten, Birken. Das Hinweisschild Mittenwald. Ortsumgehung Mittenwald, die Häuser rechts in einer Mulde; links, wenn ich hochschaue, das Karwendelgebirge: die Konturen wie frisch herausgebrochen. Der Grenzübergang. Zirler Berg, schon geht es nach

Innsbruck – Straßenbauten für die Olympischen Winterspiele 76. Hier in Innsbruck ist Oswald mehrfach gewesen. Und außerhalb, oberhalb der Stadt, war er eingesperrt, in Vellenberg bei Axams; das muß irgendwo zur Rechten am Hang liegen, aber ich mache keinen Abstecher, in meinem Bewußtsein wird der Ortsname WOLKEN-STEIN immer größer.

Innsbruck rasch umfahren. Innsbruck ausschnittweise im Rückspiegel; wenn ich mich umschaue, sehe ich die Bergkulisse nordwärts, im linken Seitenfenster kurz die Sprungschanze Bergisel, wie der Pfeiler einer riesigen Autobahnbrücke, die einmal über Innsbruck hinweggeführt werden soll. Nach der Bergisel-Brücke der Bergisel-Tunnel, die Sonnenburgbrücke, die Europabrücke, die Hauptmautstelle Schönberg; ich bezahle, erhalte einen Prospekt über die Brenner-Autobahn: die wichtigste europäische Nord-Süd-Verbindung, offen auch bei extremen Witterungsverhältnissen; 40 Notrufsäulen; elektronische Glatteiswarnung; Kommandozentrale; TV-Kameras; von Psychologen ausgesuchte Farbabstufungen an den Leitplanken sollen das Unterbewußtsein der Fahrer so beeinflussen, daß sie die Geschwindigkeit verringern – wirkt sich bei mir nicht aus, ich will nach WOLKENSTEIN! Luft wummert durch das halb geöffnete Seitenfenster, staut sich im Gehäuse: es ist sommerlich warm, ich fahre ohne Schuhe, in Jeans und Hemd. Föhngereinigtes Blau. Bergzüge, Bergmassive rechts, Bergzüge, Bergmassive links. Die Gschleiers-Brücken, die Mützener-Brücken, die Gschnitztal-Brücke, die Autobahn fast völlig leer, off-season, kein winkender »Wachlsepp« macht mich ungeduldig, knallrot, mit einer Fahne Vorsicht signalisierend. Schon die Felperbrücke. Bergmassive, Burgen – Sichtmarkierungen auf dem Weg nach Wolkenstein! Abfahrt Nößlach, Gries, Obernberg, bald schon der LKW-Stauraum, Geldwechsel, der Obernberger Talübergang und Ausfahrt Brennersee, Brenner-Ort, der Brenner-Paß. Engführung: die Autobahntrasse ganz nah an der Straße, auf der Oswald geritten ist: »Von Wolkenstein brach ich nach Köln auf, gut gelaunt.« Südwärts bleiben Autobahntrasse, Eisenbahntrasse und Fluß nah beisammen, Verkehrsadern, gebündelt: pro Jahr überqueren rund 8 Millionen Reisende den Brenner – mein geringer Beitrag zur Statistik. Von Köln nach Wolkenstein reise ich, gut gelaunt.

Wieder zahlreiche Brücken, die Namen in den beiden Landessprachen dieser »Autonomen Provinz Bozen«: jetzt kann es wirklich nicht mehr lange dauern, bis ich abbiege ins Grödnertal, Val Gardena. Schon ist Brixen, Bressanone, angezeigt; dieses Brixen, dessen Domtürme auftauchen im Flirrlicht, ist für mich jetzt nur der Name des Orts, in dem die Gedenktafel steht aus dem Jahre 1408: Oswald lebensgroß als Kreuzritter, mit Schwert und Wimpel, mit Harnisch und Kampfrock, mit gepanzerten Schuhen auf den Wappen der Familien Wolkenstein und Villanders; sein rechtes Auge geschlossen, sein Bart wie onduliert, regelmäßige Löckchen auch auf dem Haupt; in seiner linken Hand ein Helm, Pfauenfederschmuck. Fotografien dieser Tafel habe ich mir genau angeschaut, neue Informationen wird mir diese Marmortafel nicht bringen – dennoch, in meinem Bewußtsein dehnt sich diese Tafel aus, überdeckt fast das Stadtbild: auf dieser Tafel hat Oswald sich selbst gesehen; als er sie herstellen ließ, war er etwa dreißig Jahre alt, hatte noch knapp vier Jahrzehnte zu leben.

Nicht einmal wegen dieser Gedenktafel schwenke ich von der Autobahn ab, ich werde sie mir später anschauen, jetzt erst Wolkenstein, WOLKENSTEIN. Von Köln nach Wolkenstein reise ich, gut gelaunt. Brixen im Seitenfenster, Brixen im Rückspiegel. Der Druck des Gedenksteins läßt nach, sein Volumen verringert sich, denn schon ist Klausen angezeigt und Waidbruck, damit wächst ein anderer Name in meinem Bewußtsein, TROSTBURG; zugleich das Bild, das ich mir nach Fotos von dieser Burg gemacht habe.

Die Autobahnausfahrt, eine Brücke über den Eisack: Umleitung. Aber sie hat einen Vorteil: auf der anderen Seite des Tals sehe ich hoch am Hang eine Burg, erkenne sie sofort – die Trostburg! Ich halte, schaue hinauf: eine Schloßburg mit zahlreichen Fensterläden, rot und weiß gestrichen, der Turm mit Dachhaube, Schießscharten. Ein mächtiger Akzent gesetzt in diese Landschaft: WIR VON WOLKENSTEIN! Das Besichtigen dieses Gebäudes verschiebe ich: erst Wolkenstein, Selva. Zurück über den Eisack, auf schmaler Brücke, über die Eisenbahntrasse, über den PLATZ OSWALD VON WOLKEN-

STEIN: Hier bin ich richtig, hier werden Plätze und Straßen nach Oswald benannt!

Ich fahre unter der Autobahn durch, eine Brücke zwischen zwei Tunnelröhren: deshalb also keine Ausfahrt hier bei Waidbruck, sondern schon vorher bei Klausen. Das Grödnertal ist zunächst eng: Felsen, naß von Sickerwasser; die Straße in Windungen am Wildbach entlang.

Bald weitet sich das Tal, St. Ulrich, Ortisei, St. Christina, S. Cristina, und nun ist es angezeigt: Wolkenstein, Selva. Ungeduld, obwohl es bloß noch ein paar Kilometer sind. Das Ortsschild WOLKENSTEIN, SELVA, blau und weiß. Mit diesem Schild rückt der Satz, der mich begleitet, in die Vergangenheitsform: Von Köln nach Wolkenstein reiste ich gut gelaunt. Während ich in den Ort hineinfahre, Staunen: ein Hochplateau, ringsum Berge. Vor mir, in Fahrtrichtung quergestellt, ein riesiges Bergmassiv.

Ein geschlossenes, vergammelt aussehendes Hotel, vor dem ich den Wagen abstelle. Aussteigend sehe ich den Namen ALBERGO OSVALDO. Na bitte. Wieder ein Rundblick: Hangflächen, Bergwände, Felsmassive – ja, *das* ist ein Herkunftsort!

Im Ort selbst, durch den ich gehe, um mir eine Regionalkarte zu kaufen, weist nichts auf Vergangenheit hin: eine Ansammlung von Hotels, weitere Hotels werden hinzugebaut; Wolkenstein, so habe ich in einer Zeitung gelesen, wurde in den sechziger Jahren zu einem der »Zentren der Winterurlaubsindustrie«. Hinweisschilder für Pensionen, Hotels, Wanderwege und Seilbahnen; Andenkenläden, Boutiquen. Knapp vor der Mittagspause kann ich noch eine Karte kaufen: das quergestellte Massiv am Talende ist die Große Sella-Gruppe, höchste Spitze 3151 Meter; südwärts führt am Fuß des Massivs die Straße zum Sellajoch, nordwärts zum Grödner Joch; südlich vom Dorf der Langkofel, 3181 Meter. Das Dorf selbst in einer Höhe von etwa 1500 Metern. Eine Burg Wolkenstein ist nicht eingezeichnet.

Aber ganz in der Nähe der Albergo Osvaldo ein Wegweiser: Schloß Wolkenstein. Ich fahre vorbei an einem Feuerwehrhaus, auf dem riesig der Familienname-Ortsname steht: Oswald als gefeiertes Vorbild der Feuerwehr von Wolkenstein? Oswald gehörte zu denen, die eher Feuer legten als Feuer löschten: seine ruppigen, oft harten Methoden, beispielsweise im Kampf um die Burg Hauenstein – in einem der Bücher, die ich über ihn gelesen habe, wird er als abenteuerliche Verbrechernatur bezeichnet. Aufgepaßt also: sich nicht bestechen lassen durch die Naturtheaterszene einiger seiner Auftritte!

Auf schmaler Straße fahrend, warte ich darauf, daß ein Bergmassiv an die Straße heranrückt; aber das Tal bleibt sanft, grün, weitgeschwungen. Ich frage. Ja, das Schloß sei ganz in der Nähe, in der Mulde, man könne es nach wenigen hundert Metern schon sehen, von oben. In einer Wiesenmulde? Es ist die Fischburg, die, wie ich später lese, ein Nachkomme von Oswalds Bruder Michael gebaut hat, Engelhard Dietrich von Wolkenstein. Die Burg schaue ich mir gar nicht erst an, ich frage nach der Burgruine Wolkenstein, und die liegt ganz woanders, drüben im Langental.

Ein weites Tal, abgeschlossen und eingefaßt von bewaldeten Bergrücken, dahinter Karstschrägen, darüber Felsmassive. Ein Weg mit vielen Windungen; Felsbrocken, Fichtengruppen. In der Talsohle, rechts unten, ein breiter Weg, ein Sportplatz, eine Kaserne, eine Auslauffläche einer Abfahrtspiste, die leeren Gehäuse der Zeitanzeiger. Wenn ich mich umdrehe, sehe ich den Ort und jenseits des Orts, südlich, über dem ersten, noch bewaldeten Bergzug das kahle Felsmassiv des Langkofel, des Sassolungo, und links davon das Sella-Massiv, wiederum links davon die Berge auf der anderen Seite des Tals: immer deutlicher die zeitweilige Umgebung Oswalds!

Endlich sehe ich die Burgruine, nach erneuter Wegkrümmung, und bleibe stehen: senkrecht die Stevia-Wand, und dort, wo die Geröllschräge, auf der ich stehe, an das Massiv stößt, das Gemäuer der Wolkensteinburg. Enttäuschend klein! Ob sehr viel Mauerwerk abgebrochen, ins Tal gerutscht ist?

Im Zickzack hinauf, nur die Andeutung eines Pfads. »Von Wolkenstein brach ich nach Köln auf, gut gelaunt.« Ja, und bei diesem gutgelaunten Aufbruch war er durch die Maueröffnung herausgekommen, durch die ich nun hineingehe in den Vorhof der wirklich sehr kleinen Burg. Ich schaue mich um: Wolkenstein ist jetzt nicht mehr bloß ein Name, den ich dutzendfach gelesen und auch schon mehrfach geschrieben habe, das ist nun ein Raum, der mich umschließt, wenn auch nicht mehr vollständig.

Ich schaue mich im Vorhof um: über der Toröffnung Fensterchen, Schießscharten; der Vorraum etwa vier, fünf Meter im Geviert; ein Türbogen. Ich gehe geduckt hinein und bin gleich wieder draußen, weil nur die Frontmauer stehengeblieben ist, Kulisse einer Burg. Ich steige auf einen Felsblock, der wahrscheinlich schon außerhalb des Burggrundrisses lag, schaue hoch: die Burg ist unter einen Felsüberhang gebaut, der Fels zugleich als Dach. Die Türöffnung und die beiden größeren, schräg übereinanderliegenden Fenster der stehengebliebenen Mauer zeigen die Stärke des Mauerwerks an: etwa ein Meter. Seitenbänke aus Stein in diesen Fensternischen, größere Flächen Verputz: aus Oswalds Zeit? Wahrscheinlich, denn diese Burg wurde dann nicht mehr lang bewohnt, verfiel rasch.

Der Grundriß muß dreieckig gewesen sein: die Mauer südwärts steht noch; die zweite Mauer fehlt; der Fels als dritte Wand. Wahrhaftig ein Felsnest, wenigstens fünfzig Meter über der Talsohle – ich denke wieder an Pueblo-Indianer, an Verteidigungsbauten von Höhlenbewohnern.

Höhlenähnlich müssen die Räume der Burg gewesen sein; bei diesem sehr kleinen Grundriß waren es wohl drei Räume übereinander, und nach oben kam man nur mit Leitern, für eine Treppe war hier wahrhaftig kein Platz. Hatte man diese Felswand verputzt? Spuren von Bearbeitung sind nicht zu sehen, nichts glattgehauen, abgeschliffen – wurden Felle oder Teppiche vor diese im Sommer kühle, im Winter kalte Felswand gehängt?

Die Fensternischen: dort saß man wohl meist. Schaute man hinaus, ›genoß den Ausblick‹? Das wäre höchstens im Sommer möglich gewesen, im Winter wurden die Fensteröffnungen zugemacht, durch geöltes Pergament in Holzrahmen, durch Bretter. Die Wolkensteiner als Höhlenbewohner, zumindest in dieser Burg, und ganz gewiß im Winter: an der Felswand wahrscheinlich Kondenswasser, von unten Küchendüfte und die Leitern rauf und runter: Kinder, Verwandte, Besucher – es muß ein ziemliches Gedrängel gewesen sein! Nichts also von der Ruhe, die mich jetzt hier umgibt:

in diesen Fensternischen wird Oswald kaum an Liedern gearbeitet haben, der sonst so robuste Mann war sehr geräuschempfindlich – jedenfalls in seinen Selbstdarstellungen.

Wiederholt schaue ich, von ›innen‹ her, an der Wand hoch: Risse im Mauerwerk – irgendwann einmal wird sich auch diese Südwand vom Fels lösen, wird die Geröllschräge hinabrutschen. So mache ich mehr Fotos als geplant, Detailaufnahmen: etwa, wie oben das Mauerwerk anschließt an den überkragenden Fels. Dort, im obersten Raum, mußte man sich fast schon bücken, um an das Fenster heranzukommen, jedenfalls hätte ich mich bücken müssen, während Oswald wahrscheinlich klein, gedrungen war. Ich fotografiere die Mauer vom Vorraum aus, der überdacht war, wie Balkenlöcher anzeigen: gewiß war hier der Stall für Pferde und Maultiere, dazu der übliche Hühnerstall, Taubenschlag. Ich fotografiere von außen die Vormauer. Gehe durch beide Maueröffnungen zurück in den ehemaligen Innenraum der Burg, fotografiere von hier aus die Umgebung: pompöse Bergregion, Panorama von 180 Grad.

Wie zur Betonung des Außerordentlichen dieser Umgebung wächst hinter der Großen Sella-Gruppe eine Gewitterwand auf, graublau; das Bergmassiv ist noch beleuchtet von der inzwischen recht tief stehenden Sonne: rotgrau die Bergwände, Karstschrägen. Wolken aufziehend auch am Langkofel, der Gipfel dieses Bergklotzes zeitweise verhüllt, die Wolken dann wieder als riesige Schleppe. Das Sella-Massiv über dem schwarzgrünen Fichtensockel stumpfgrau; die Gewitterfront quecksilberhell durchästelt, fernes Grummeln. Und wieder, wie mit Scheinwerfern, die teilweise Ausleuchtung des Felsmassivs, ein sattes Rot.

Oswalds Urgroßvater hieß Randolt von Villanders, war Richter auf der Trostburg, Verwalter der bischöflichen Burg Säben. Im April 1293 kaufte er von den Brüdern Maulrapp die Burg Wolkenstein samt Ländereien. Geschützt von dieser Burg, begann er die Anwohner auszuplündern, auszurauben. Gerichtsleute von Gufidaun, Villanders und Feldthurns beschwerten sich später gemeinsam über Randolt beim Landesfürsten zu Innsbruck – in dessen Hoheitsrechte hatte der Burgbesitzer ebenfalls eingegriffen. Wohl im Jahre 1318 wurde ein Protokoll über seine Vergehen aufgenommen. Ich lese im vierten Band des *Tiroler Burgenbuchs*, in Rasmos Artikel über Wolkenstein: »Die Klagen reichen von der eigenmächtigen Einschränkung von Wald- und Weiderechten, der Rodung neuer Höfe auf Gemeindegrund, von willkürlichem Steuerdruck und Parteilichkeit der Richter, bis zu rohen Gewaltakten: Beraubung, Mißhandlung und Einkerkerung von Untertanen, sogar Überfälle auf Frauen und Mädchen, die sich auf den Kirchtagen nicht mehr zu zeigen wagten. Der Burggraf von Wolkenstein nehme den Bauern das Heu vom Rücken weg.« Rasmo bezeichnete Wolkenstein denn auch als »Urbild« der Raubritterburg; sie sei »nicht zum Schutze strategischer Verbindungen oder gemeinschaftlicher Interessen, sondern zur Verteidigung lokaler Machtansprüche geschaffen« worden.

Von dieser Burg aus hatte Oswalds Urgroßvater sicher auch Kaufleute ausgeraubt. Denn sie lag am alten Hangweg (»Heiden-Weg«) zwischen den beiden Grödner Pässen (Grödner Joch und Sellajoch) und dem Eisacktal; dieser Weg hatte in einer Schlinge (um dem feuchten oder sumpfigen Talgrund auszuweichen) bis in die Öffnung des Langentals geführt, und das hieß: er verlief unterhalb der Burg Wolkenstein. Kaufleute kamen mit ihren Waren auf den Saumtieren also fast bis ›vor die Tür‹.

Oswalds Großvater Konrad, auch er Richter und Verwalter, wurde 1319, nach dem Tod seines Vaters, vom Landesfürsten mit Wolkenstein belehnt: offizielle Bestätigung des Besitzwechsels. Aber erst für das Jahr 1370 läßt sich zum erstenmal der Geschlechtsname »von Wolkenstein« urkundlich nachweisen; Konrad schrieb sich auch noch Konrad von Villanders, oder: von Säben.

Konrad wandelte den Zinnenschnitt im Wappen der Maulrappen um in das diagonale Wolkenband. Allerdings, der Name Wolkenstein hat ursprünglich nichts mit Wolken zu tun; mit »Walchenstein« wurde die Gebirgsregion der Welschen bezeichnet – romanische Flüchtlingsgruppen, die sich im Langental angesiedelt hatten. Erst später die volksetymologische Umdeutung des Namens.

Oswalds Vater, Friedrich, entschied sich für den Familiennamen

Wolkenstein, siegelte aber noch mit dem Wappen der Familie Villanders: Tiroler Landadel aus der Umgebung des Dorfes Villanders, am Osthang des Ritten. Man wohnte dort nicht in Burgen, sondern in großen, befestigten Bauernhöfen, den »Ansitzen«.

Besonders reich waren Urgroßvater, Großvater und Vater nicht, aber Friedrich heiratete Katharina von Villanders, und die brachte ein reiches Erbe ein. Friedrich besaß also Lehnsgut und Gericht Wolkenstein, besaß die Trostburg, besaß Bauernhöfe und Ländereien, die zur Burg Hauenstein bei Seis gehörten, besaß die Pfandherrschaft Kastelruth, besaß Güter in den Pfarreien Rodeneck und Villanders – Gebiete zwischen Eisack und Dolomiten.

Sieben Kinder aus seiner Ehe mit Katharina, vier Töchter, drei Söhne. Die Namen der Töchter, in alphabetischer Reihenfolge: Anna, Barbara, Martha, Ursula. Der erstgeborene Sohn hieß Michael, es folgte Oswald, dann Leonhard.

Keine präzisen Angaben, mit denen sich Oswalds Biographie eröffnen ließe; weder liegt sein Geburtsjahr genau fest noch sein Geburtsort. Vorsichtige Autoren geben an, Oswald sei zwischen 1376 und 1378 geboren; am wahrscheinlichsten ist das Jahr 1377.

Und wo wurde er geboren? Hier gibt es vier Angebote: Säben, Trostburg, Wolkenstein, Schöneck. Setzt man als Geburtsjahr 1377 an, so wird Oswald auf der Burg Schöneck geboren sein; in diesem Jahr siegelte sein Vater eine Urkunde als »Hauptmann von Schöneck«.

Wolkenstein und Schöneck: deutlicher könnten die Unterschiede kaum sein! Dieses Schöneck ist an einem Wiesenhang gebaut, auf kleiner Felskuppe, die Büsche, Bäume fast völlig verdekken; sanft geschwungene Höhenzüge ringsum. In das Pustertal blickend, ostwärts, sehe ich, was sich seit Oswalds Kindheit kaum verändert hat: nur ein paar Häuser in der Mulde, Bauernhöfe, eine Mühle, von der zumindest der Name geblieben ist, und: Fichtenhänge, Fichtenhänge, weit geschwungen.

Was Natur ist – mußte das Oswald als Kind in Schöneck nicht auf entschieden andere Weise erlebt haben als in Wolkenstein? Alles sanft hier, bewachsen, keine Felswand im Rücken, keine Felsmassive im Halbkreis des Blickfelds. Wie Oswalds emotionale Beziehungen zu diesen so unterschiedlichen Wohnsitzen, Umgebungen waren, ich weiß es nicht. Gefiel ihm das Felsennest Wolkenstein, oder war (auch) ihm diese Umgebung zu karg, schroff und er zog (schon als Kind beeinflußt von Vorlieben seiner Zeit) mildere Regionen vor, wie hier in Schöneck?

Ich würde die Burgruine gern näher beschauen. Aber der jetzige Besitzer hat ein offenbar ausgeprägtes Eigentumsbewußtsein: Lattenzaun, Stacheldraht, am Tor die Anschrift: Cani cattivi, böse Hunde. Die höre ich im Gemäuer röhren. Ich klingle nicht, sage nicht ins Sprechgerät, ich interessierte mich seit längerem für Oswald von Wolkenstein, würde gern mal die Burganlage besichtigen, ich lasse mich abschrecken. (Später, als der Besitzer dies in einem Zeitungsvorabdruck liest, lädt er mich sogleich zu einem Tiroler Weißen ein und zur Besichtigung.) Einen Viertelkreis gehe ich um diesen Besitz herum, bis zur kleinen Waldschlucht mit Bach, hinter der Burg. Der Turm ist restauriert, ein Dach aufgesetzt, darunter Schlagläden, rot und weiß gestrichen, alle geschlossen.

Oswald als Kind auf Schöneck, auf Wolkenstein, auf der Trostburg: Felsen, Burgtürme, Kellerverliese; Wälder, Bäche, Wiesen – verbanden sich damit Kindheitserinnerungen? Kein Bericht darüber, kein Hinweis darauf – nur eine Lücke in der Überlieferung?

In einem französischen Lied des 14. Jahrhunderts werden die Lebensalter mit Jahreszeiten, mit Monaten verglichen: dabei werden die ersten sechs Jahre gleichgesetzt mit dem Januar. Und in einem französischen Lied des 13. Jahrhunderts heißt es, ein sechsjähriges Kind könne kaum etwas wert sein, doch solle man es gut versorgen, gut ernähren, wer keinen guten Anfang habe, werde auch kein gutes Ende finden.

Philippe Ariès zitiert in seiner *Geschichte der Kindheit* diese Liedtexte, zeigt vor allem an Gemälden des Mittelalters, wie man damals Kinder sah: als kleine Erwachsene – gleiche Physiognomie, gleiche

Kleidung, nur Größenunterschiede. Ariès zieht den Schluß, daß man das Spezifische der Kindheit noch nicht realisierte; was nicht im Bewußtsein war, konnte auch nicht auf Bildern erscheinen. Die Kindheit war wie nicht vorhanden: Januar, der mußte nur überstanden werden. Diese Neutralität wird motiviert durch die sehr hohe Kindersterblichkeit: man wußte, daß höchstens die Hälfte der Kinder durchkam. Das war so im Hohen Mittelalter, war so in Oswalds Zeit, blieb so bis ins siebzehnte, ja achtzehnte Jahrhundert. Montaigne: »Sie sterben mir alle als Säuglinge weg.« Starke emotionale Bindung an das neugeborene Kind konnte man sich kaum leisten: zu groß wäre mit jedem Todesfall die Belastung geworden. Ein Kleinkind war wie ein Probestück innerhalb einer größeren Serie, war noch halb anonym, konnte jederzeit wieder verschwinden.

Erst ab sieben Jahren etwa begann man zu zählen und wurde auch gleich zu den Erwachsenen gezählt. Ein zehnjähriger Junge, zum Beispiel, war kein Kind mehr, sondern ein kleiner Erwachsener mit einer hellen Stimme, und der mußte beim Bauern mit auf dem Feld und im Stall arbeiten, beim Handwerker in der Werkstatt, und als Sohn eines Adligen erlernte er möglichst rasch das Kriegshandwerk.

Die ersten zehn Lebensjahre: ein kurzes Kapitel in dieser Biographie! Es ließe sich ausweiten durch Informationen über eine durchschnittliche Kindheit im Mittelalter, etwa wie folgt: Kinder und Erwachsene trugen meist ein langes, hemdartiges Gewand, dicker oder dünner, je nach Jahreszeit; man hängte Kindern vielfach ein Amulett um, wegen der hohen Sterblichkeit; es gab auch in Burgen keine räumliche Trennung zwischen Kindern und Erwachsenen (›Kinderzimmer‹); kleine Kinder hatten zwar ihre eigenen Spiele, Reifentreiben und Kreiselschlagen, Ballspiel und Fangspiel, Reigen und Plumpsack, aber Kinderspiele wurden recht bald identisch mit Erwachsenen-Spielen, die allerdings, nach unserer Vorstellung, vielfach recht kindhaft, ja kindisch waren; beliebt war im 14. Jahrhundert unter Erwachsenen und Kindern vor allem das Froschspiel: der ›Frosch‹ saß auf dem Boden, die anderen jagten um ihn herum, der ›Frosch‹ mußte hüpfend versuchen, einen Mitspieler zu fangen. Ebenfalls beliebt waren bei Erwachsenen wie bei Kindern: Schneeballschlachten, Versteckspiele.

Weitere Informationen ließen sich zusammenstellen, es gibt Untersuchungen auch zu diesem Thema, aber: für Oswald wie für seine Zeitgenossen werden solche Details bedeutungslos gewesen sein. Und so will ich in diesem Abschnitt nur noch erwähnen, was über Oswalds Kindheit berichtet wird.

Das erste: Oswald sei, wie seine Brüder, von einem Geistlichen unterrichtet und erzogen worden. Selbst wenn es standesüblich war (zumindest unter reichen Adligen), einen Hausgeistlichen einzustellen: ob auch Friedrich von Wolkenstein einen Pfarrer im Personal hatte, müßte erst einmal nachgewiesen werden.

Wahrscheinlich wurde Oswald, wie seine Brüder, in eine der beiden Schulen geschickt, die in der Nähe der Trostburg lagen: die Domschule von Brixen oder die Klosterschule von Neustift. Da die Familien Villanders und Wolkenstein dem Kloster zuweilen fromme Stiftungen machten, werden die Söhne in die Stiftsschule gegangen sein, eine Art Internat. Oswalds Schulzeit dürfte freilich nur recht kurz gewesen sein.

Das zweite, das über Oswalds Kindheit berichtet wird: Bei einem Fastnachtstreiben auf der Trostburg sei ihm versehentlich das rechte Auge ausgeschossen worden. Keine dokumentierte Nachricht – also ein Familienhistörchen? Ich werde später auf diesen Punkt eingehen.

Ich stelle den Wagen ab auf der PIAZZA OSWALD VON WOLKENSTEIN, gehe den Schloßweg hinauf zur Trostburg. Reste einer Pflasterung, in mehreren Steinplatten sehe ich Radrinnen.

Steile Wiesenschräge, Obstbäume, einige Bauernhäuser; Wald oberhalb der Burg. Sie ist ziemlich groß: mehrere Stockwerke hoch das Wohngebäude mit weiß und rot gestrichenen Schlagläden.

Die Trostburg ist nach Oswalds Zeit erheblich verändert worden, durch Engelhard Dietrich von Wolkenstein, zu Beginn des 17. Jahrhunderts. Den Wohnturm, der auf dem vorgeschobenen Felskopf stand, baute er um in einen Bergfried. Schießscharten für Kanonen. Oberhalb der Burganlage ein kleiner Turm, ich sehe ihn zwischen Bäumen: der Römerturm, zur Sicherung eines Felshügels, der die Burg überragt – von dort aus hätten Belagerer die Anlage leicht beschießen können. Freiherr Engelhard baute auch einen Wehrgürtel mit drei Türmen und äußerem Turmzwinger, Kanonenscharten in den Türmen, Sturmpfähle an den Mauern. Die Burg, die Oswald mehrfach besucht hat, sie wurde weitgehend umgestaltet. Dennoch, ich steige hinauf, Äpfel essend, die ich von Ästen reiße: diese Burg war wichtig in der Familiengeschichte der Wolkensteiner, schon Vater Friedrich hatte sie besessen, und Michael, als Ältester, hatte sie übernommen.

Der Pflasterweg führt zu einer Türöffnung. Auf einem Pfad gehe ich um das Schloßgebäude herum; links die Wehrmauer. Ein Weinfaß, senkrecht aufgestellt, ein Schlauch hängt herein, Wasser läuft über den Rand. Eine Frau klammert Wäschestücke an die Leine, beachtet mich nicht, geht in den Bau, durch eine offenstehende, schwarz gestrichene Eisentür. Hühner, kein Hund. Ich gehe weiter, oberhalb des Schloßgebäudes, innerhalb des Wehrmauerrings: ein Wiesenpfad. Von den Fenstern des Wohntrakts wird man weiten Blick haben ins Eisacktal, vor allem südwärts, Richtung Bozen. Offenbar sind Besichtigungen dieser Burg nicht vorgesehen.

Ich gehe zu einem Turm, im Süden – dort führt ein asphaltierter Weg herauf. Einen Burgweg muß es hier schon zu Oswalds Zeit gegeben haben, denn im Turm hinter dem Michelstor sehe ich in halber Höhe den Rest einer Steinplatte: die stilisierten Wolkensäcke des Familienwappens, ein »chel von wolkenstain« – also dürfte Oswalds älterer Bruder diesen Turm erbaut haben, und sein Nachkomme Engelhard Dietrich hat diese Steinplatte nicht herausreißen oder mit Verputz überdecken lassen: so etwas wie eine Sichtverbindung zum Vorfahren, dem Stammvater des Trostburger Zweiges der Familie.

Um mehr zu sehen von alter Bausubstanz, müßte ich in den inneren Burgbereich kommen. Die einzige Öffnung zwischen Umfassungsmauer und Schloßgebäude ist die schwarz gestrichene Eisentür, die halb offensteht. Ein Gewölbedurchgang. Rechts einige Stufen hinab, eine Tür, auch sie steht halb offen; in einem ziemlich dunklen Raum sitzen zwei ältere Frauen, ein Mann, schweigend löffeln sie Suppe. Ich grüße, sie grüßen nicht zurück, hocken am Tisch, Wachstuch, sie löffeln. Ich sehe vor mir, was ich in manchen Filmsequenzen gesehen, wovon ich auch gelesen habe; verschlossene Landleute. Mich wundert also nicht, daß eine der Frauen auf meine Frage nur mit einem Wort antwortet: Nein. Ein klares, ruhiges, entschiedenes Nein. Ich frage nicht weiter, sie sagen nichts weiter, stumm wird die Suppe gelöffelt. Ich steige zum Gewölbegang hoch, gehe ein paar Schritte burgeinwärts: ein schmaler Gang zwischen Mauern, auf den Turm zu, links Sensen an Holzstangen, Pferdehalfter. Hühner laufen herum. Ich nehme an, einer der stummen Suppenlöffler behält mich im Blick; ich gehe zurück zur Eisentür.

Vier Jahre später: der Bau erschließt sich mir vom windfauchenden Turmraum bis zu den stockfinsteren Verliesen. Ein Fernsehinterview der RAI, über Oswald, die Trostburg als Kulisse. Dann folge ich dem Team in die Burg; einige Innenaufnahmen, wohl für Zwischenschnitte.

Der Renaissance-Saal mit Figuren der Familiengeschichte, Oswald, zweiäugig und ätherisch, der Bauherr selbst und nach ihm, an der Südseite des Saals, Sockel für die Figuren zukünftiger Burgherren der Familie, aber die haben dieses Angebot nicht mehr wahrgenommen. Helle Räume mit Blick westwärts und südwärts in das Eisacktal. Räume mit dunkelbrauner Holztäfelung, mit Fensternischen in den etwa zwei Meter starken Mauern. Ein Raum mit gotischer Holztäfelung, Holzdecke – während einer Pestepidemie war er gekälkt worden, zur Desinfektion, nun sind von den Restauratoren letzte Kalkreste entfernt worden, schließlich mit Fingernägeln und Nadeln, aus Holzritzen, Wurmlöchern. Ein kleines Nebenzimmer, von dem aus der bucklige Kachelofen geheizt, in dem vielleicht auch etwas aufgewärmt, rasch zubereitet wurde, eine gotische ›Teeküche‹.

Die Kapelle, die Engelhard Dietrich ausgestalten und ausmalen ließ: rustikale Frührenaissance. Ein Nebenraum, leer: hier hatte Engelhard seine große Reliquiensammlung aufbewahrt; in einem weiteren Zimmer, wohl der früheren Sakristei, ein bäuerlich bemalter Schrank, wandbreit und deckenhoch. Öffnet man die rechte Tür, löst man eine Arretierung, zieht man einige der Bodenbretter nach vorn, so zeigt sich ein Ausschlupf: ein gelenkiger Flüchtling konnte von hier aus durch einen Hohlraum zwischen dem Kapellenboden und der Decke des tieferen Stockwerks in den Speicher kriechen, konnte auf einer Seitentreppe, Nebenstiege nach unten, nach draußen kommen.

Gespräch mit einem der Studenten, die hier Renovierungsarbeiten durchführen, er zeigt mir Räume und Bereiche, in die Besucher sonst nicht geführt werden. Wir steigen eine Wendeltreppe hoch zum Turmraum, einer der Fensterläden wird nach innen geöffnet, wir blicken ostwärts auf ein Wiesenplateau mit Grasrampen – der frühere Lustgarten. Diesem Wiesenplateau die Rücken zuwendend, sehen wir ein Fresko, arg verwittert: eine kahlköpfige Lady sitzt am Fenster, durch das wir hinausgeschaut haben, schaut auf den Lustgarten, dessen Grundfläche wir eben gesehen haben, jetzt wieder sehen, vergleichend hin- und herschauend zwischen dem gemalten und dem realen Fenster, zwischen dem bunt gemalten Lustgarten und der grasgrünen Lustgartenfläche.

Der Fensterladen wieder geschlossen, es geht die Wendeltreppe hinunter, geht wieder auf den Hof, der eng und feucht ist, mit dem Fresko-Stammbaum auf einer der Galeriebrüstungen, es geht zur Schloßküche, und hier sehen wir nun, was zu Oswalds Zeit kaum anders ausgesehen hat: ein Gewölberaum mit völlig schwarzer Decke; Ruß, der sich im Lauf von Jahrhunderten angesetzt und zu Kohlenstoff verwandelt hat, steinhart, lackglänzend; drei Plattformen: für das Braten in Pfannen, für das Kochen in Kesseln, für das Grillen am Spieß; ein Backofen für die Brotfladen, die zweimal im Jahr gebacken wurden; Stapel von Brennholz, denn hier wird noch immer geräuchert, ein Metzger aus Waidbruck.

Ein Raum nebenan, in dem die »schwarze Köchin« gewohnt hat, in diesem Jahrhundert dann auch die Gräfin, weil er sich gut heizen ließ. Die Nebenräume: helle Höhlen, in denen Nahrungsmittel gelagert wurden, früher abgeliefert von den Bauern der Umgebung. Hinter der Küche eine Treppe, die unter einer Decke endet; eine Öffnung in einem hohlen Tragpfeiler, Gewölbebogen; eine geheimnisvolle, jetzt noch geheimnisvolle Inschrift auf einem Balkenstück.

Und weiter: ein Wachraum, eine Säule in der Mitte, an ihr Holzrahmen mit Holzzapfen, an denen wohl Helme, Rüstungsstücke, Waffen hingen; ein schmaler Fenstersitz. Jenseits eines kleinen Gangs der Gefängnisraum. Auch hier: nur ein Lichtschlitz. Eine Bodenklappe, eine Bodenöffnung – die beiden Verliese. Mit einer Taschenlampe hineinleuchten. Ins erste Verlies führen einige Stufen hinunter; der Grundriß so knapp, daß sich hier auch kleinwüchsige Gefangene nicht ausstrecken konnten, sie mußten kauern, auf dem Boden oder auf der ersten Stufe. Im zweiten Verlies konnten auch kleine Gefangene nicht stehen, hier konnte man nur liegen – ein vergrößerter Sarg, im Fels. Und früher noch dies: faulendes Stroh, Urin, Scheiße; völlige Finsternis unter der Bodenklappe des allenfalls dämmrigen Raums.

Mit dieser Besichtigung, aufrecht und gebückt, gehend und tappend, wird der Burgbau präsent: die hellen Wohnräume oben, die schwarze Räucherhöhle unten, die stockfinsteren Verliese, und all diese Gegensätze eingefaßt von massigen, vielfach feuchten Mauern.

Die Südtiroler Sage von *Eisenhand* beginnt mit einer Weissagung: Oswalds Mutter wird verkündet, ihr Sohn werde ein großer Sänger, falls er das Harfenspiel erlerne, aber es werde dann kein Glück, keinen Frieden mehr für ihn geben. Davor möchte die Mutter den Sohn bewahren, wie die meisten Mütter ihre Söhne davor bewahren wollen, Sänger oder Dichter zu werden; sie trägt den noch kleinen Jungen hinauf ins Felsgebirge Kedùl, läßt dort von wilden Frauen seine Hände verzaubern: sie werden stark für Schwert und Lanze, zu grob für jedes Instrument.

Das zeigt sich, als Oswald, einige Jahre älter geworden, die Musik von Spielleuten hört: Begeisterung, er möchte ebenfalls musizieren; Spielleute versuchen, ihn zu unterrichten, aber den Fiedeln zerfetzt er, den Harfen zerreißt er die Saiten, Instrumente zerbrechen in seinen Händen. Man nennt ihn nun »Eisenhand«.

Und Eisenhand erlernt das Kriegshandwerk, wird Jäger. Meist pirscht er allein in Bergwäldern. Einmal steigt er hinauf in die Berge (südlich der Seiser Alm), wandert am Molignon-Massiv (2852 m) entlang, kommt zur Mittagsstunde an eine große Bergwiese, hört Gesang und Saitenspiel. Seine Ohren sind nicht verzaubert, er schleicht sich näher heran: eine Elfe, in einem selbstverständlich silberglänzenden Gewand, spielt eine kleine Harfe, singt. Singt so betörend schön, daß Oswald atemlos lauscht. Stundenlang hört er ihr zu. Als Schatten in die Bergtäler wachsen, verschwindet die Sängerin, löst sich die Blumenwiese auf.

Am nächsten Tag ist Oswald wieder dort oben, und die Blumenwiese ist wieder da und die Elfensängerin auf der Blumenwiese, und sie spielt wieder Harfe, singt wieder, und Oswald ist wieder in Bann geschlagen, lauscht stundenlang, versteckt. Selbstverständlich hat ihn die Elfe längst bemerkt. An sechs Tagen singt sie, an sechs Tagen hört er ihr zu; am siebten Tag ruft sie zu ihm hinüber, sie habe ihn durchaus bemerkt. So kommt man ins Gespräch: Oswald gesteht ihr, wie gern er das Harfenspiel erlernen würde, aber seine Hände seien zu schwer, zu grob, zu hart. Die Elfe weiß, was Oswald noch nicht weiß, er hat es als kleiner Junge nicht bemerkt: daß seine Hände verzaubert wurden. Und die Elfe sagt ihm, dieser Zauber könne nur gebrochen werden durch großes Leid; sie wünscht ihm freilich, daß er dieses Leid niemals erfahre.

Als der junge Mann Oswald einige Zeit darauf seine Mutter besucht, erzählt er ihr vom sehr schönen Fräulein dort oben im Gebirge; er habe sich mit ihr verlobt. Natürlich möchte Mutter Wolkenstein wissen, wer dieses Fräulein ist, aber darüber kann Oswald nichts sagen, nicht einmal ihren Namen kann er nennen. Er steigt wieder in die Berge, wandert am Molignon entlang, trifft die Elfe, fragt sie nach dem Namen. Sie antwortet, er dürfe nie erfahren, wie sie heiße – sobald er ihren Namen besitze, müsse sie sich von ihm trennen.

Oswald berichtet dies bei nächster Gelegenheit seiner Mutter. Die weiß sofort, um welche Art Fräulein es sich handeln muß, und warnt den Sohn: es gebe keine wahre Gemeinschaft zwischen Menschen und Berggeistern.

Monate vergehen. Oswald streift allein durch die Wälder, durchs Gebirge. Einmal kehrt er spät zurück, es ist schon finster, er sieht Feuerschein in einer entlegenen Bergwaldregion, schleicht sich heran: Bergmenschen, wilde und weise Cristànes, sitzen am Feuer, sprechen aus, was Oswald nicht hören darf: die alte Wolkenstein habe durchaus recht gehabt, als sie Sohn Oswald die Hände verzaubern ließ, aber nun, seit er Antermòya kennengelernt habe, bestehe Gefahr, daß der Zauber wieder gebrochen werde. Jetzt kennt, besitzt Oswald ihren Namen: Antermòya.

Und Oswald trifft Antermòya wieder, vergißt sich, spricht ihren Namen aus. Antermòya, auch sie verliebt, klagt und weint: nun müsse sie sich von ihm trennen, müsse fort für immer. Sie sagt Lebewohl, schenkt ihm zum Abschied ihre Harfe, geht in die Mitte der Blumenwiese, singt das Lied, das Oswald als erstes von ihr hörte, schon bricht der Boden auf, schon quillt Wasser hoch, schwarzes Wasser, in dem sie eintaucht, versinkt, und mit ihr die Blumenwiese: Ü te kash leek spari'l adüm la trónyora florida ü bèla tjantarina, heißt es in der Ladiner Mundart.

Was bleibt, ist ein Bergsee (Lago Antermoia). Drei Tage lang geht Oswald um den See herum, trauernd. Dann nimmt er die Harfe, beginnt wieder zu spielen, zu singen: ein Klagelied. Er spielt und singt vollendet: das Leid hat den Zauber gebrochen.

Aber damit erfüllt sich auch diese Weissagung: daß er nun ruhelos in der Welt umherziehen muß, kein Glück, keinen Frieden findet.

Über die Zeit zwischen (etwa) seinem zehnten und (ungefähr) vierundzwanzigsten Lebensjahr wissen wir nur, was uns Oswald selbst berichtet, in seinem großen autobiographischen Lied: *Es fügt sich...* Für diesen Abschnitt der Biographie sind vor allem die ersten beiden Strophen wichtig.

Es kam dazu, daß ich, an die zehn Jahre alt,
mir ansehn wollte, wie die Welt beschaffen ist.
In Not und Armut, manchem heißen, kalten Land
hab ich gehaust bei Christen, Heiden, Orthodoxen.
Drei Pfennig in dem Beutel und ein Stückchen Brot,
das nahm ich mit daheim, auf meinem Weg ins Elend.
Bei Fremden, Freunden ließ ich manchen Tropfen Blut,
ich glaubte mich zuweilen schon dem Tode nah.
Ich lief zu Fuß, als seis zur Buße. Dann verstarb
mein Vater. Vierzehn Jahre, immer noch kein Pferd.
Nur eins mal, halb gestohlen, halb geraubt – ein Falber.
Auf gleiche Weise wurd ichs leider wieder los!
War Laufbursch, war sogar mal Koch und Pferdeknecht,
und auch am Ruder zog ich, es war reichlich schwer,
bei Kreta und auch anderswo, und dann zurück.
So mancher Kittel war mein bestes Kleid.

Nach Preußen, Litauen; zur Krim; Türkei; ins Heilge Land;
nach Frankreich, Spanien; Lombardei. Mit zwei Königsheeren
(ich zog umher im Liebesdienst, doch zahlte selbst!),
mit Ruprecht, Sigmund: beide mit dem Adlerzeichen.
Französisch und arabisch, spanisch, katalanisch, deutsch,
lateinisch, slawisch, italienisch, russisch und ladinisch –
zehn Sprachen habe ich benutzt, wenns nötig war.
Auch konnt ich fiedeln, flöten, trommeln und trompeten.
Ich habe Inseln, Halbinseln und manches Land umfahren
auf Schiffen, deren Größe mich bei Sturm beschützte;
so bin ich auf den Meeren hin und her gereist.
Das Schwarze Meer, es lehrte mich ein Faß umklammern,
als (großes Pech!) die Brigantine unterging.
Da war ich Kaufmann, kam davon mit heiler Haut,
ich und ein Russ; in dem Getose fuhr mein Kapital
samt Zins zum Meeresgrund; ich aber schwamm zur Küste.

Kann der Biograph hier ablesen, daß Oswald früh seine Eltern verließ, offenbar heimlich, weil er die Welt kennenlernen wollte, daß er

länger als ein Jahrzehnt umhervagabundierte in verschiedenen Ländern, mehrere Tätigkeiten, Berufe ausübte, und es wird aufgezählt: Laufbursche, Koch, Pferdeknecht, Kaufmann?

Diese Story wurde oft erzählt und ausgesponnen, vor allem im neunzehnten Jahrhundert, aber noch in unserer Zeit wurde hier naiv Wunderliches berichtet.

Beispielsweise über den Aufbruch; da heißt es zuweilen, den Jungen habe Abenteuerlust hinausgetrieben, und man fragt, wovon oder von wem diese Abenteuerlust geweckt worden sei, und ich lese, in einem sonst keineswegs romanhaften biographischen Bericht, Oswald habe schon als Knabe von den Ritterromanen seiner Zeit geschwärmt. Ein anderer Autor, der diese Fiktion übernimmt, meint bestätigend: Dies erkläre Oswalds abenteuerlichen Hang, in die Gefahren des Lebens hinauszuziehen und Ritter zu werden. Und es wird ergänzt: Damals sei unter Adligen die Lektüre deutscher Ritterepen und französischer Ritterromane beliebt gewesen – am prasselnden Kamin, während draußen der Schneesturm heulte oder das Käuzchen schrie? Welche Ritterromane waren das, bitte schön? In welchen Handschriften lagen die damals vor im Tiroler Raum? Besaß Friedrich von Wolkenstein eine Privatbibliothek? Brachte der Hausgeistliche aus seinem Stammkloster solche Lektüre mit, zum Vorlesen? Abgesehen davon: woher will man wissen, ob Oswald, falls auch er von Artus, Iwein oder Lancelot hörte, bei diesen Geschichten ins Schwärmen geriet, daß hier Nachfolgelust entstand? Wir können höchstens voraussetzen, daß in Oswald ein Impuls, ein wohl starker Impuls war, in die Welt jenseits der umliegenden Wälder und Berge aufzubrechen; er hätte sich vor diesem Aufbruch ja auch drücken können, dafür gibt es genügend Beispiele: das bequeme »Verliegen«.

Was sich in Oswalds Kopf festgesetzt hatte, bevor er die elterliche Burg verließ, wir können es nicht wissen. Und wir dürfen schon gar nicht unsere Vorstellungsmuster in das 14. Jahrhundert übertragen! Etwa nach dem Klischee: Ein Junge, der es in seiner Umgebung nicht aushält, und er entzieht sich ihr zuerst durch Lektüre, haut dann wirklich ab, etwa um Seemann zu werden, auf möglichst fernen Meeren, oder Fremdenlegionär, der schießend, saufend, hurend ein knallbuntes Leben führt. Die Umwelt, in der Oswald aufwuchs, war alles andere als (bürgerlich) gesichert – es wurde überfallen, geraubt, niedergestochen, angezündet, geviertelt. Wollte der Junge nun in Länder, in denen noch mehr überfallen, geraubt, niedergestochen, angezündet, geviertelt wurde?

Um richtig zu verstehen, was Oswald schreibt, müssen wir uns fragen, wie seine Liedtexte damals von den Zuhörern verstanden wurden. Wer aber waren seine Zuhörer?

Diese Frage ist wichtig, sie wird noch genauer zu erörtern sein. Vorwegnehmen läßt sich dies: Oswald war kein Berufsdichter, kein fahrender Sänger, der sich sein Publikum suchen mußte, Oswald bezog als Adliger keine Einkünfte aus dem Liedermachen und Liedersingen, er machte Lieder, trug sie vor, wenn er Lust dazu hatte. Seine Zuhörer werden vor allem Mitglieder der Gesellschaftsschicht gewesen sein, der er selbst angehörte. Wir müssen uns also an einen Informationsstand heranarbeiten, in einen Bewußtseinshorizont zurückversetzen, der ungefähr dem Informationsstand, Bewußtseinshorizont seiner damaligen Zuhörer entsprach.

Hierbei kann uns vor allem dieses Buch helfen: Norbert Mayr, *Die Reiselieder und Reisen Oswalds von Wolkenstein.* Wie wird hier der Aufbruch des Jungen interpretiert? Mayr weist darauf hin, daß es in adligen Familien jener Zeit üblich war, die Söhne im Alter von etwa vierzehn, fünfzehn Jahren hinauszuschicken, zur Fortsetzung der bisherigen Erziehung und Ausbildung; sie wurden entweder Edelknaben bei Hof oder wurden einem fahrenden Ritter mitgegeben, dem die Eltern vertrauten.

Wenn Oswald nun erzählend sang, daß er mit zehn Jahren in die Welt aufbrach, so werden das seine adligen Zuhörer durchaus als standesgemäßen Aufbruch verstanden haben. Außergewöhnlich konnte ihnen höchstens das Alter erscheinen. Aber warum sollte ein Junge nicht früher als üblich einem Ritter mitgegeben werden, wenn es sich so ergab, und vor allem: wenn der Junge das so wünschte? Es ist, statistisch gesehen, also recht unwahrscheinlich, daß Oswald heimlich oder sogar gegen den Willen seiner Eltern hinauszog.

Nun gibt es einige Details im Lied, die hier störend wirken könnten. Vor allem Oswalds Angabe, er sei mit drei Pfennigen im Beutel und ein wenig Brot losgezogen. Wer so wenig von zu Hause mitnimmt, der bricht wohl kaum offiziell auf! Wäre hier nicht vorstellbar, daß er einem Ritter nachgelaufen ist, nachdem ihm die Eltern erklärt hatten, er sei noch zu jung für die erste Reise in die Fremde? Ließe sich auf diese Weise nicht beides verbinden: der offenbar frühe, demnach eigenwillige Aufbruch und die standesübliche Ausbildung durch einen fahrenden Ritter?

Solche Phantasie-Verbindungsstücke sind nicht notwendig, wenn man Mayrs Ausführungen folgt: Oswald macht hier keine exakten Angaben über Bargeld und Wegzehrung, diese drei Pfennig, dieses Stückchen Brot waren vielmehr Glücksgaben der Eltern an das hinausziehende Kind: der »Notpfennig«, das »Heimwehbrot«. Diese Hinweise auf die symbolischen Gaben signalisierten den Standesgenossen, daß hier das Übliche geschah, auch bei Oswald, der verkürzend erzählt und mit einseitiger Betonung. Seinen Zuhörern wäre es gewiß überflüssig erschienen, hätte Oswald seine Reiseausstattung aufgezählt: Hosen, Wämser, Brot und Schinken, den genauen Geldbetrag.

Und so zog er sicher auch nicht allein, als junger Vagabund, umher, sondern als Begleiter des einen oder anderen »fahrenden« Ritters: die zogen von Hof zu Hof, warteten auf die Gelegenheit, an einem Feldzug (damals: »reise«) teilnehmen, sich dabei auszeichnen und bereichern zu können. Ein Schildknecht folgte solch einem »reisigen« Ritter meist zu Fuß, und diese ausgedehnten Märsche auf staubigen oder verschlammten Wegen konnten durchaus mit Bußmärschen verglichen werden.

Wenn Oswald seinen Zuhörern singend berichtete, er sei Laufbursche, Koch und Pferdeknecht gewesen, so wurde auch dies richtig verstanden: all das gehörte zu den Pflichten eines Edelknaben. Der mußte jede Arbeit tun, die ihm aufgetragen wurde: er war Kammerdiener und Laufbursche, mußte das Pferd versorgen, mußte unterwegs Feuer machen, kochen. Und wurde oft noch streng behandelt.

Oswald lag offenbar daran, zu zeigen, daß er zum ›harten Kern‹ der Ritterschaft gehörte; deshalb wohl hat er Not, Entbehrung, Strapaze, Gefahr so deutlich herausgestellt.

Die Welt an den Grenzen Europas, außerhalb Europas: märchenhafte Bereiche zu Oswalds Zeit! Das zeigt die Reisebeschreibung des John Mandeville, im damaligen Europa so etwas wie ein ›Bestseller‹: viele Abschriften und Übersetzungen. Eine dieser Übersetzungen von Hans Vintler, einem Verwandten Oswalds.

Wer Mandeville gewesen sein mochte, wie weit er überhaupt die Welt erkundet hat, diese Fragen sollen hier nicht erörtert werden. Wahrscheinlich hat hier jemand ein geschicktes Kompendium verschiedener Reisebeschreibungen hergestellt. Der große Erfolg zeigt, welche Erwartungen in der Öffentlichkeit bestanden, und die wurden nun bestätigt, bestärkt.

Märchenhaftes wird bereits im neunten Kapitel erzählt: die Tochter des Hippokrates ist in einen Drachen verzaubert, einhundert Klafter lang – »sagen die Leute, denn ich habe es nicht gesehen«, schreibt Mandeville, aber ernsthaft erzählt er, wie alle zwei, drei Jahre dieser Drache aus seiner Höhle unter einer alten Burg herauskommt, und er möchte unbedingt einen Kuß, am liebsten von einem Ritter, dann wäre er standesgemäß erlöst, aber die Angst der Männer vor einem Drachen ist doch zu groß! Beispielsweise ein Johanniter, der will den erlösenden Kuß wagen, aber als er den riesigen Drachen sieht, fällt er vor lauter Schreck mit seinem Pferd vom hohen Fels ins tiefe Meer. Später kommt ein junger Mann auf die Insel, soll Süßwasser holen für das Schiff, und er trifft eine hübsche junge Frau, will gleich mit ihr schlafen, aber sie macht ihm die Spielregeln klar: am nächsten Tag wird sie ihm in Drachengestalt begegnen, dann soll er sie beherzt auf den Mund küssen, ihm werde dabei nichts zustoßen, sie aber werde dadurch erlöst, werde ihm gehören, und das Land noch dazu. Auf diesen Vorschlag geht der junge Mann ein, aber als er am nächsten Tag den Drachen sieht, graust es ihm, er reißt aus, der Drache hinter ihm her, jämmerlich schreiend.

Weiterhin Märchenhaftes, Wundersames. So gibt es auf Zypern Wein, der ist im ersten Jahr rot, im zweiten weiß. Und wenn der Sultan mit einem Fremden, einem Gast redet, so stehen ringsumher Diener mit erhobenen Schwertern, Äxten, Spießen, um den Gast sofort in Stücke zu hauen, falls er etwas sagt, das der Sultan nicht hören will. Und in Äthiopien gibt es Leute, die nur einen Fuß haben, aber mit diesem einen Fuß laufen sie schneller als die üblichen Zweibeiner; dieser Fuß ist sehr breit und sehr lang – wenn einer, der auf so großem Fuße lebt, sich auf den Rücken legt und ihn hochhebt, hat er ausreichend Schatten. Und auf der Insel Tschampa gibt es Schnecken mit derart großen Schneckenhäusern, daß sie von Menschen bewohnt werden können, nachdem man sich am Schneckenfleisch sattgegessen hat. Auf der Insel Caffo werden Kranke einfach am nächsten Baum aufgeknüpft. Auf einer anderen Insel in jener Weltregion hetzt man Hunde auf die Siechen, sie werden totgebissen, aufgefressen – dies allerdings von Verwandten.

Und auf den Andamanen-Inseln, insgesamt vierundfünfzig, gibt es die absonderlichsten Erscheinungen: Menschen riesengroß, mit einem Auge mitten auf der Stirn; auch gibt es Menschen, die überhaupt keinen Kopf haben: ihre Augen an den Achseln und ihr Mund, hufeisenförmig, mitten auf der Brust; andere wiederum haben Augen und Mund auf dem Rücken.

Nach Preußen, Litauen« – hier nennt Oswald in seiner Lebensballade zwei Länder und verzichtet auf jeden Kommentar. Für damalige Zuhörer war mit diesen Namen freilich einiges gesagt; heute müssen wir uns informieren, beispielsweise in der *Geschichte Preußens* von Johannes Voigt.

Kriegszüge von Preußen nach Litauen – davon könnte Oswald bereits als Kind gehört haben, sie wurden sicher häufig erörtert unter Adligen. Denn fast jedes Jahr zogen Ritter aus dem deutschen Reich, aus Frankreich, aus den Niederlanden, auch aus England, Schottland nach Preußen, um freiwillig teilzunehmen an den blutigen ›Missionierungs‹-Expeditionen.

Der Deutsche Orden hatte sich einiges einfallen lassen, um möglichst viele Ritter anzulocken; beispielsweise gab es die Ehrentafel. An diesem beinah jährlich gedeckten Tisch durften Ritter, von denen man besondere Leistungen erwartete, mit dem Hochmeister des Deutschen Ordens speisen: eine neue Form der Artus-Runde. Wer sich bewährte mit seinen Leuten, wurde (auch) nach dem Kriegszug gefeiert; er erhielt als besondere Auszeichnung den Ehrensold: silberne Schalen, mit Goldstücken gefüllt.

Selbstverständlich wurde auch der religiöse Aspekt betont: hier kämpften schließlich Christen gegen Heiden. Ablässe für die Teilnahme an solch einer »Heidenfahrt«, für das Abschlachten von Litauern: kein Götze durfte an Preußens Grenze angebetet werden! Das war offenbar auch Tirolern und Schotten wichtig. Natürlich mußte sich solch eine »Heidenfahrt« auch materiell lohnen, für die Ritter wie für das Fußvolk: wiederholt wird von Plünderungen berichtet.

Diese Feldzüge, Beutezüge machen die alte Bedeutung des Tätigkeitswortes »verheeren« bewußt: alles wegfressen, wegsaufen, plündern, niederbrennen, vergewaltigen, gefangennehmen, niedermachen!

Beispielsweise der Feldzug von 1391. Damals war Oswald etwa 14 Jahre alt, konnte also durchaus schon zum Gefolge eines jener reisigen Ritter gehören, die nach Königsberg zogen. Unter den »Kriegsgästen« diesmal zahlreiche Engländer und Schotten. Weil sie nicht rasch genug voneinander abgelenkt werden konnten durch gemeinsames Töten von Litauern, fielen sie übereinander her – Verwundete, Tote. Die Franzosen, die ebenfalls eine alte Feindschaft mit den Engländern verband, mischten sich ein – Verwundete, Tote. Der Hochmeister mußte den Aufbruch des Heeres beschleunigen. Als erstes wurde die Festung Wissewalde gestürmt: Gefangene, Tote. Weiter nach Wilna.

Hier hatten die Verteidiger vier bis fünf Meilen rund um die Stadt alles zerstört, niedergebrannt. Kein Holz also für das Auffüllen der Gräben, für den Bau von Belagerungsmaschinen, kein Futter, keine Lebensmittel – das Heer schwenkte ab. Um das Aktionspotential der Männer zu nutzen, ließ der Hochmeister zwei Burgen bauen, im Werder. Dazu stellten die Ritter gewiß ihre Knappen, Pagen, Knechte – so hätte denn Oswald gebuddelt, Holz geschleppt, Steinbrocken zurechtgemeißelt. Die Herren gingen solange jagen, machten Streifzüge ins Hinterland, plünderten aus, vergewaltigten, töteten, steckten in Brand. Oswald, vierzehnjährig, als Augenzeuge auch solcher Mordbrennereien? Wurde er zur Belohnung für fleißiges Gräbengraben, Balkenschleppen, Steinemeißeln schon mal mitgenommen? Durfte er mitplündern?

Im nächsten Jahr, 1392: wieder eine Möglichkeit für ihn, im Gefolge eines Ritters an solch einer »Heidenfahrt« teilzunehmen. Selbst wenn die leitenden Herren des Deutschen Ordens keine Lust mehr gehabt hätten, alle Jahre wieder durch Staub, Schlamm oder Schnee Richtung Wilna zu reiten, die Kriegsgäste trafen ein, wollten ihren Kriegszug haben, denen konnte man nicht sagen: Tut uns leid, dieses Jahr nicht. Es kamen vor allem wieder Kriegsgäste aus dem deutschen Reich, aus den Niederlanden, aus Frankreich. Und das Wetter war günstig, vom militärischen Standpunkt aus: früher Winterbeginn, in Preußen erfror zu Michaeli der Wein, die Maulbeerbäume verloren ihre Blätter, aber nun waren die vom Herbstregen aufgeweichten Wege passierbar, sogar die Sumpfgebiete.

Der Ordensmarschall Werner von Tettingen, Komtur zu Christburg, an der Spitze des Heeres. Wie immer die Fahne mit dem heiligen Georg, die Marienfahne, die Ordensfahne, die Fahnen der Kriegsgäste. Und erst mal wieder, als beinah schon übliche Vorspeise, die Belagerung einer Burg: Garten. Die Belagerung zog sich freilich entschieden länger hin als geplant. Und drei Tage lang dauerte denn der »Hauptsturm«. Als die Burg endlich ›geknackt‹ war, ging dieser Kriegszug zu Ende: Erschöpfung, hohe Verluste, man kehrte um. Immerhin brachte man rund 3000 Gefangene nach Preußen. Weite Gebiete waren verheert.

Ein Hochmeister folgte dem anderen, und Kriegszug.auf Kriegszug – längst schon ein selbständig gewordener Vorgang, hier mochte der jeweilige Hochmeister denken, wie er wollte. Auch 1394 (nun war Oswald etwa 17) fanden sich zahlreiche Kriegsgäste ein; also war ein neuer Kriegszug fällig. Die Kriegsziele: die von den Litauern eroberte und zerstörte Burg Ritterswerder wieder aufbauen, und, natürlich, Belagerung und Erstürmung der Stadt Wilna.

Aufbruch Ende Juli: über Königsberg zur Küstenstadt Labian. Marschierte Oswald mit, staubschluckend? Mit Schiffen wurde das Heer dann über das Kurische Haff zur Memel transportiert. Ein Orkan, Verluste an Kriegsmaterial. Mitte August Landung auf dem Werder. Aber die Litauer wollten den Neubau der Festungsanlage nicht zulassen, sie zogen mit großem Heer heran. Gefechte, Kämpfe. Die burgundischen Bogenschützen bestätigten ihren Ruf, die Litauer zogen sich zurück, etwa 15 000 Mann.

Das Ordensheer mit den Kriegsgästen hatte offenbar Blut geleckt, man zog nach Wilna, ohne vorher die Burg aufzubauen. Ein Litauer wurde gefangengenommen, zum Reden gebracht, man erfuhr, daß alle Waldwege in der geplanten Marschrichtung durch Verhaue und Geschütze gesperrt waren; Fallen, Hinterhalte. So zog das Heer auf einem Umweg weiter nördlich, durch Waldgebiete, die zuvor kaum jemand durchquert hatte: Wegschneisen mußten geschlagen, Knüppeldämme und Brücken gebaut werden – hier mußte auch Oswald ran, falls er dabei war. Überfälle, immer wieder, durch größere und kleinere Trupps der Litauer. Mehrfach wurden Trupps, die Futter und Proviant besorgen sollten, niedergemacht. Zahlreiche Pferde, mitgetriebenes Schlachtvieh ging in den Sümpfen verloren. Der langwierige, äußerst mühsame, verlustreiche Weg nach Wilna.

Dort gab es für das Heer erst mal eine kurze Erholungspause. Dann sollte die Stadt eingeschlossen werden, aber das gelang den Ordensrittern und Kriegsgästen nicht; wiederholte Ausfälle der Belagerten. Die burgundischen Bogenschützen zeichneten sich zwar aus, aber weitere Ausfälle konnten nicht verhindert, der Belagerungsring konnte nicht geschlossen werden. Wachsende Verluste unter den Trupps, die im Hinterland fouragierten.

Der Ordensmarschall persönlich zog mit einer größeren Einheit aus, zum Räubern, aber es gab nur Verluste. Die Lebensmittel wurden knapp, der Nachschub war schwierig, dennoch setzte man die Belagerung fort: Aufwerfen von Wehrschanzen, Bau von Belagerungstürmen, die an die Stadtmauer herangerollt werden sollten, so hoch wie die Mauerkrone. Wiederholt machten die Belagerten Ausfälle, auch nachts. Feuer im Lager des Ordensheeres: Zelte, Lagerhütten brannten nieder, große Verluste an Lebensmitteln und Futter.

Fortsetzung der Belagerung: Abschnitte des Grabens vor der Stadtmauer wurden mit Holz aufgefüllt, man versuchte, das Wasser abzuleiten. Aber gerade diese Vorbereitungen wurden durch Ausfälle gestört, hohe Verluste unter den Belagerern. Beginnende Demoralisierung. Hunger. Der Hochmeister brach die Belagerung ab. Rückmarsch. Das Waldgebiet, das man auf dem kürzesten Weg durchqueren mußte, war von Litauern versperrt: eine Erdschanze. Das erschöpfte Heer konnte nicht noch einmal auf einen Umweg geführt werden, so blieb nur der Sturmangriff. Vor allem die burgundischen Bogenschützen schossen den Weg frei; hohe Verluste. Das Heer setzte über die Memel, zwei Monate nach dem Aufbruch. Ein erfolgloser Feldzug: Ritterswerder hatte man nicht aufbauen, Wilna nicht stürmen können. Selbst die Beute war mager.

An welchem dieser Litauenfeldzüge (die noch fortgesetzt wurden!) Oswald auch teilgenommen haben mochte: er wird beim Berichten oder Singen den Namen Litauen kaum mit Enthusiasmus hervorgehoben, mit Pathos betont haben. Eher mag es so geklungen haben: Preußen, Litauen, naja…

Realität Krieg, Realität Zerstörung, Realität Tod: der Junge wird etliches davon gesehen haben bei den Feldzügen, und womöglich war er auch direkt an Kämpfen beteiligt, in mehr oder weniger großer Distanz zu den Rittern vorn, die schossen, schlugen, stachen. Wie hat Oswald auf Kriegseindrücke, Kriegserfahrungen reagiert? Waren da Alpträume? Entstanden Empfindlichkeiten, Reizbarkeiten, Anfälligkeiten?

Oswald als Schildknappe – hier muß ich ergänzendes Material heranziehen. 1975 erschien im Selbstverlag der Unterprima des Kaiser-Karl-Gymnasiums in Aachen das Buch: *Mit 15 an die Kanonen*. Untertitel: »Eine Fallstudie über das Schicksal der als ›Luftwaffenhelfer‹ (LwH) eingesetzten Oberschüler in den Sperrfeuerbatterien (Flak Abt. 514) rund um Aachen während der anglo-amerikanischen Luftoffensiven der Jahre 1943/44.« Befragt wurden 52 ehemalige Luftwaffenhelfer: können uns die ausgewählten, abgedruckten Auskünfte weiterhelfen?

Fast alle Befragten berichteten, daß sie eigentlich froh waren, als man sie von der Schule nahm und hinausschickte zu den Flakbatterien. Stichworte, die sich wiederholen, die charakteristisch scheinen: »Abwechslung«, »Abenteuer«. »Wir haben ein gewisses Abenteuer darin gesehen«, »Das war so 'n bißchen Abenteuer spielen«. Ein weiterer, wichtiger Punkt: das Selbstbewußtsein wurde gehoben – die Jungen, bisher in der Hitlerjugend, trugen nun eine Soldatenuniform: »Du hattest das Gefühl, du wirst ernst genommen.« Das »Erschrockensein«, den »Widerwillen« der Erwachsenen verstand man nicht; bedauert werden wollte man nicht; nur ungern ließ man sich dispensieren, auf Wunsch der Eltern, durch ärztliches Attest: wer nicht mit dabei war, fühlte sich ausgeschlossen, abgewertet. »Wir hatten einen, der hatte bei einem Chemieversuch ein Auge verloren, der war furchtbar traurig, daß er nicht mitdurfte.« Hätte man ihn dennoch aufgenommen, vielleicht hätte er besonders angestrengt versucht, ›seinen Mann zu stehen‹, sich zu ›bewähren‹, womöglich auszuzeichnen. Die Aufnahme in diese militärische Organisation war fast so etwas wie ein Initiationsritus: »Ganz stolz waren wir auf das Koppelschloß, das mit dem Luftwaffenadler versehen war.« Einer der ehemaligen Luftwaffenhelfer sprach von einem »vorgezogenen Männlichkeitsbewußtsein«, ein anderer erklärte: »Jungen in diesem Alter stimmen in jedem Fall zu, wenn sie mit Aufgaben betraut werden, die weit über ihre Altersmöglichkeiten hinausgehen.«

Ist so etwas nur für eine bestimmte historische Situation kennzeichnend, oder ist hier Typisches, das sich auf frühere Zeiten übertragen läßt? Erwartung von Abwechslung, Hoffnung auf Abenteuer auch bei den Schildknappen des 14. Jahrhunderts? Und Stolz, wenn ihnen Aufgaben gestellt wurden, die »über ihre Altersmöglichkeiten« hinausgingen?

Die Luftwaffenhelfer kriegsrechtlich als »Wehrmachtsgefolge«, die Troßbuben, Schildknappen als Rittergefolge: halb Kinder, halb Erwachsene, lebten sie in einer Zwischenposition. Es kam gelegentlich vor, daß Luftwaffenhelfer in der Geschützstellung Versteck spielten, Nachlaufen, Räuber und Gendarm – gab es Entsprechendes bei Jungen im Gefolge von Rittern? Und die unmittelbaren Kampferfahrungen? Wie die sich auswirkten auf Jugendliche, wie die nachwirkten, darüber erfahre ich fast gar nichts von den ehemaligen Luftwaffenhelfern, danach wurde vielleicht gar nicht gefragt.

Zu erfahren ist nur, wie sich Luftwaffenhelfer bei Bombenangriffen auf die Stellungen verhielten: man warf sich auf den Boden, zog eine Plane über sich, man nahm den Kopf zwischen die Arme, man begann zu beten: »Es war oft so, daß wir richtiggehend gebetet haben, auch laut. Da ist auch keiner von uns gewesen, der sich als Held gefühlt hat. Wir sind danach alle sehr kleinlaut gewesen.« Aus einem anderen Bericht: »Man betete und hoffte, daß es einen selbst nicht traf. Man fürchtete den Tod nicht so sehr als das Verstümmeltwerden: Bauchschuß, Blindwerden. Der Tod war etwas, das nicht in den Bereich des Möglichen gezogen wurde.« Und das erklärt einer der Kommentatoren dieser Dokumente so: Die Verwundeten, Verstümmelten sah man nachher noch, die Toten wurden sofort begraben.

Hatte auch Oswald Angst, verstümmelt zu werden, Angst, vielleicht auch noch das linke Auge zu verlieren?

Oswald nach vielen Reisejahren wieder in Tirol – nach wie vielen? Setzt man voraus, daß er 1377 geboren wurde, und glaubt man ihm, daß er tatsächlich mit zehn Jahren in die Welt hinausgezogen war, so hätte er im Jahr 1387 die Burg verlassen, die seine Eltern damals bewohnten. 1399 starb sein Vater. Für das Jahr 1400 läßt sich Oswald zum ersten Mal dokumentarisch in Tirol nachweisen. Also ein rundes Dutzend Jahre zwischen Aufbruch und Heimkehr.

Norbert Mayr ist der Meinung, es sei wenig wahrscheinlich, daß Oswald während dieses Zeitraums ständig unterwegs war; üblich sei das nicht gewesen. Ein Adelssproß zog mit einem Ritter aus, die »Fahrt« dauerte ein bis zwei Jahre, er kehrte für einige Zeit nach Hause zurück, bis zum nächsten Aufbruch. Oswalds Zuhörer setzten also wohl voraus, daß Oswald in diesem runden Dutzend Jahre hin und wieder zur Familie zurückkehrte. Wenn Oswald recht bald nach dem Tod seines Vaters in Tirol war – setzte das nicht voraus, so fragt Mayr, daß die Verbindungen zum Elternhaus nicht ganz abgerissen waren?

Und es gebe viele Bären im Lande Tirol, auch Wölfe – in besonders kalten Wintern kämen Bären und Wölfe von den Bergen herab in die Niederungen zu den menschlichen Siedlungen. Auch sei der Luchs nicht selten im Land, Biber und Dachs, Otter und Fuchs. Steinmarder seien zahlreich und Murmeltiere: »ein kurz wolliges Tierle«. Ausreichend Gemsen und Steinböcke. Und Schneehühner, Rebhühner, Haselhühner. Und Spielhennen und Schneegänse und Reiher und Enten und Gänse und drei Arten von Wildtauben. Und Finken, Amseln, Drosseln, Hirngrillen, Nachtigallen, Brandvögel, Zaunschlüpfer, Rohrdommeln, Sperlinge und so weiter. Es gebe auch zahlreiche giftige Tiere, vor allem Spinnen und Skorpione. Und Schlangen: die Blindschleichen, die aber zu Unrecht als blind bezeichnet würden. Die Hauptfarben: schwarz, lederfarben, blau. Auch schneeweiße Schlangen. Und Vipern mit breiten Köpfen, schmalen Hälsen, aschfarben, mit schwarzen, viereckigen Flecken auf dem Rücken. Auch kleine Wasserschlangen.

Dies berichtet Marx Sittich von Wolkenstein in seiner Beschreibung des Landes Tirol, Ende des 16. Jahrhunderts. Vieles von dem, was er registriert, wird auch für Oswalds Tirol charakteristisch sein.

So gebe es in diesem Land genug Fleisch: Ochsen, Kühe, Geißen, Lämmer, Böcke. Auch ausreichend Schmalz, Butter, Milch. Öl werde aus Italien eingeführt; Versuche mit Ölbäumen seien in Tirol nicht erfolgreich gewesen, zu frühe Kälteeinbrüche.

In der »von Gott mild gesegneten und löblichen Grafschaft Tirol« gebe es Wein in »Güte und Menge«; der Weinanbau beginne südlich von Brixen. Besonders gute Rebsorten werden aufgezählt. Und in Bozen werde Branntwein hergestellt, reichlich und von guter Qualität. Mit Getreide könne sich das Land knapp selbst versorgen – in einer Region wächst der beste Roggen, in einer anderen die beste Gerste, und im Pustertal gibt es reichlich Bohnen, Erbsen, Linsen. Viel Obstanbau: Erdbeeren, Äpfel, Kirschen, Pflaumen, Granatäpfel. Verschiedene Pfirsichsorten: bei einigen löst sich das Fleisch gut vom Kern, bei anderen nicht.

»Gott der Erschaffer« hat Tirol auch reichlich ausgestattet mit Wäldern und Wiesen. Verschiedentlich erreicht das Gebirge eine Höhe von »drei Meilen Wegs«; dort oben wächst freilich nichts mehr. Regnet es im Tal, so schneit es im Felsbereich. Aber wie zum Ausgleich gibt es die »allergrößten« Tannen, Fichten und Lärchen an den Berghängen – vor allem Lärchen würden auf der Etsch bis ans Meer gebracht, zum Schiffsbau. Für die Landesbewohner freilich bleibe genügend Bauholz und Brennholz; »ganz zu schweigen von dem Holz, das in den höchsten Wäldern umgeworfen wird und dort liegend ohne Nutzen verfaulen muß. Ein ganzes Land hätte daran eine lange Weile genug zu brennen.« Außerdem gibt es: Eichen-, Buchen-, Eschen-, Erlen-, Föhren- und Birkenwälder. Auch wilde Kirsch-, Apfel- und Birnbäume. Viele Eßkastanien: »Die armen Leute nähren sich damit, machen Mehl und Brot daraus.«

Und der Chronist berichtet von »Bergwerken, Erzgruben, von Salz, Alaun, Vitriol und Steinen«. Im Salzbergwerk bei Hall arbeiten 5000 bis 6000 Menschen, das Feuer unter den Pfannen geht nur aus zu Ostern, Pfingsten, Weihnachten. Weiter die »herrlichen Bergwerke«, in denen Gold, Silber, Kupfer, Blei, Eisen und andere Metalle gefördert werden. Die Schmelzhütten gehören teils den Landesfürsten, teils den Fuggern. Die »stattlichen Bergwerke in Taufers und Ahrn« gehören den Herren Wolkenstein-Rodenegg. Reichlich Kupfer, Schwefel, Vitriol. Diese Herren von Wolkenstein besitzen auch noch ein Bergwerk zu Kältenbach; eine Silbergrube mit etwa 100 Knappen.

An Gestein werde gefunden und abgebaut: Marmor, Alabaster, Porphyr, weißer Sandstein. Und man finde den grünen Jaspis und den roten Blutstein, zum Teil mit grünen Äderchen.

Die »von Gott edelbegabte Grafschaft Tirol« sei weiterhin ausgezeichnet durch reiches Wachstum von Heilkräutern: der weiße Nießwurz, dessen Saft unter anderem gegen Läuse schützt. Und der Meisterwurz, der Hl. Geistwurz, hilfreich gegen allerlei Gift, Pestilenz, gegen Gedächtnisschwäche und Steinbildung. Und der Rosenwurz oder Frauenwurz sei folgendermaßen anzuwenden bei Unfruchtbarkeit: in Milch aufkochen, trinken, den ehelichen Geschlechtsverkehr ausüben – da empfängt die Frau noch in der gleichen Stunde.

Weiter zählt er an Kräutern auf: Schlangenmord, auch Schmalwurz genannt, hilfreich bei Schwindelanfällen und Fallsucht; wenn man es kaut, »vertreibt es alle Melancholien«. Und der Enzian »ist gut für Gift, Bruch, Husten«, auch bei schwachem oder krankem Magen. Der Gems- oder Schwindelwurz wird vielfach von Gemsjägern gekaut, so wird ihnen beim Klettern nicht schwindlig. Und: Engelfuß und Hammerwurz und Kreuzwurz und Hirschwurz und Haarstrang und Wintergrün und Weinraute und Wermut und Stabwurz und so weiter.

Im zwölften Kapitel äußert sich der Wolkensteiner über die Fruchtbarkeit der ›Weiber‹: nachdem er so viel über die Fruchtbarkeit der Grafschaft geschrieben hat, will er auch diesen Punkt nicht auslassen. Der Freiherr ist mit der Fruchtbarkeit der Frauen zufrieden; sie könnte allerdings noch höher sein, wenn die Frauen auf Schleckwerk und übermäßigen Weinkonsum verzichten würden; dadurch werde die Leibesfrucht zumindest geschwächt. Es wird berichtet von Zwillingen, Drillingen, Vierlingen. Mißgeburten gebe es »in dieser Grafschaft leider zuviel«, und zwar beim hohen wie beim niedrigen Stand, aber er meint, es gehöre sich nicht, auf diesen Punkt näher einzugehen. Folgen Ausführungen über die Gesundheit Tirols, die gute Luft; es gibt zwar Gicht und Podagra, aber es ist offenbar nichts Außergewöhnliches, wenn jemand 100 Jahre alt wird; eine Frau, die gesund gelebt habe, nur von Kraut, Rüben, Nudeln, sei 104 geworden; das mache der Verzicht auf »delikate und schleckhafte Speisen«. Und Peter von Gerauch hat das 112. Jahr erreicht, geht noch immer seiner Wege und Stege, handelt und wandelt noch immer unter den Leuten, kauft und verkauft, »ist bei guter Vernunft«, hat ein gutes Gedächtnis, kann viele alte Geschichten erzählen, kein Wunder.

Insgesamt aber: es wird nach dem Geschmack des Chronisten zuviel gefressen in Tirol. Beispielsweise bei Hochzeiten; früher sei man noch mit drei bis vier Gängen zufrieden gewesen, heute aber müsse alles fürstlich zugehen, auch bei ärmeren Leuten müßten es vierzig bis fünfzig Gänge sein, meint er. Ach, und all das Geschleck aus dem Welschland...

Weil schon mehrfach auf soziale Schichten hingewiesen wurde, will Marx Sittich nun die vier Landstände dieser Grafschaft beschreiben. Er benennt und beschreibt erstens den geistlichen Stand, zweitens den löblichen Ritterstand, aber danach bricht entweder die Aufzeichnung ab, oder ausgerechnet an dieser Stelle ist ein Stück des Manuskripts verlorengegangen: kein Wort über den Bürgerstand und den Bauernstand...

Im zweiten Hauptteil geht der Chronist nun regionsweise vor, beschreibt die einzelnen Fürstentümer und Hochstifte, beginnt damit bei Trient. Interessant ist für uns nur, was er über das Gericht Kastelruth und das Gericht Wolkenstein schreibt.

Das Kastelruther Gebiet bezeichnet er als schön groß; »wir von Wolkenstein« schon lange in dieser Region. Früher gab es dort die von Maulrapp und die von Hauenstein. Burg Hauenstein liege »mitten in einem großen Wald«, sei noch bewohnt, verschiedene Zinsgüter gehörten zum Besitz, eine »schöne große Waldung mit allerlei Holz, wie Lärchen, Fichten und Tannen«. Im Schloß gebe es auch eine Kapelle, für Sankt Martin und Sankt Sebastian.

Marx Sittich berichtet auch über die Trostburg, die sein Bruder Engelhard Dietrich schön ausgebaut habe, auch seien dort Gärten angelegt worden, die allerlei Früchte brächten. Und er weist hin auf die Seiser Alm: die schönste und größte Alm des Landes. Jährlich sind dort oben 1500 Kühe und 600 Ochsen, dennoch werden nicht weniger als 1800 Fuhren Heu herabgeschafft; vier bis fünf Wochen lang arbeiten etwa 4000 Menschen, um das beste und kräftigste Heu des Landes einzubringen. Und die allerköstlichsten Kräuter wachsen dort. Der Chronist weist auch hin auf »wilde Leute«: noch vor wenigen Jahren seien droben Waldmenschen bei Nacht gehört, bei Tag gesehen worden. Sogar bei Villanders habe man, nach einem glaubwürdigen Zeugen, einen wilden Mann gesehen, »ganz rauh, haarig und ungestalt«. Und bei Meran wurde ein »wildes Fräulein«, eine Waldnymphe, gesichtet, am hellichten Tag.

Das Gericht Wolkenstein schließe sich an das Gericht Kastelruth unmittelbar an. Der Chronist weist hin auf die Burg Wolkenstein, bezeichnet sie erstaunlicherweise als »Neu-Wolkenstein«: diese Burg liege an einer jäh abfallenden Wand, sei nicht mehr bewohnt, »steht nur etliches Gemäuer«. Das Gericht Wolkenstein habe nur etwa 50 Feuerstätten, dafür aber gute und reiche Almgebiete, etwa die Stevia-Alm, die Puez-Alm, die Cawazes-Alm.

Wein und Weizen wüchsen nicht im Gericht Wolkenstein, wegen der Kälte, aber es gebe genügend Heu und Gerste, Mohn und Linsen, Rüben und Futter. Man lebe dort vom Vieh, das man aufziehe und verkaufe. An Wildbret gebe es Hirsche, Bären, Wölfe, Hasen, Füchse, Marder, Murmeltiere und an »Federwildbret« Auerhähne, Haselhühner, Schneehühner, Steinhühner. Auch in diesem Gericht rede man eine »grobe und unverständliche Sprache«, weder italienisch noch deutsch: das Ladinische.

Wolkenstein gegenüber liege ein sehr hoher Kofel oder Berg, der Wolkenstein, mit vielen Zinnen und Spitzen; dieser Berg sei selten frei von Nebel oder Wolken; man höre vielfach Sausen und Rauschen, als würden Steine oder große Wände herabfallen. Dieser Berg sei sehr wild, hoch oben wachse weder Holz noch Heu, kein Mensch habe ihn bisher bestiegen, es gebe dort große Adler. Dieser Wolkenstein ist der heutige Langkofel.

Angenommen, ich würde Oswald einen Brief schreiben, der ihn in einer phantastischen Raum-Zeit-Kurve erreicht, würde in diesem Brief ein Wort benutzen wie »Wald«, ein Wort, das damals in Gebrauch war, das heute noch immer in Gebrauch ist, so gäbe es schon bei diesem scheinbar gemeinsamen, verbindenden Wort Schwierigkeiten. Denn was er sich beim Wort »Wald« dachte und was ich mir beim Wort »Wald« denke, das unterscheidet sich so sehr, daß wir eigentlich zwei verschiedene Wörter benutzen müßten.

Wald bedeckte zu seiner Zeit beinah ganz Europa, Wald war fast von jedem Weg, von jedem Feld, von jedem Dorf, von jeder Burg, auch von jeder Stadt aus zu sehen, fast immer bildete Wald den Horizont. Dieser Wald war etwas Weites, Dichtes, Dunkles, durch das nur einige Pisten, Wege, Pfade führten, und in diesem Weiten, Dichten, Dunklen gab es Tiere, vor denen man sich fürchtete, beispielsweise Wölfe, die hörte man vor den Burgen und vor den Städten heulen, nachts, vor allem im Winter, und wie oft geschah es und wie oft wurde davon berichtet, daß Menschen in diesem Weiten, Dichten, Dunklen von Wölfen angefallen wurden oder von Bären, die sehr behend waren? Und noch größer die Wahrscheinlichkeit, daß man in diesem Weiten, Dichten, Dunklen von Räuberbanden überfallen wurde: so was kennen wir nur noch in Kindergeschichten von Räubern im finsteren Tann, in dem Äste knacken und Käuzchen rufen, die nicht immer Käuzchen sind.

Aus dem Wald wollte man möglichst rasch wieder herauskommen, aber in welche Richtung man auch zog, es dauerte oft Tage, ehe man in gelichtetes Gebiet kam, mit einem Dorf, das stundenweit vom nächsten Dorf entfernt lag und vielleicht tageweit von der nächsten Stadt.

Was wir uns dagegen unter Wald vorstellen, das sind forstwirtschaftliche Nutzflächen mit einem dichten Netz von Wirtschaftswegen, mit einer durch Zählungen und Abschußquoten ständig kontrollierten Zahl von Tieren. Was der gewohnten Waldordnung widerspricht, wird mit Polizei-Einsatz entfernt: »Waldmenschen« beispielsweise. Und als irgendwo in Bayern ein paar Wölfe aus einem Gehege ausbrachen, marschierten gegen diese halb domestizierten Tiere Hundertschaften der Polizei auf, und bald schon wurde in der Bevölkerung auch der Einsatz gepanzerter Fahrzeuge gefordert.

Oswalds Aufenthalt in Tirol war fürs erste relativ kurz. Das väterliche Erbe wurde von Michael, dem Ältesten, verwaltet – mit offenbar fester Hand. Oswald merkte wohl bald, daß hier für die nächste Zukunft nichts lockerzumachen war; nach dem März 1401 ist er für ein Jahr in Tirol nicht mehr nachweisbar. Er könnte also im Frühling oder Frühsommer 1401 Tirol wieder verlassen haben. Wie er in seiner Lebensballade erwähnt, nahm er teil am Italienfeldzug des Königs Ruprecht. Wir können voraussetzen: Junker Oswald kam für Pferd und Ausrüstung selbst auf, erwartete aber, daß er für seine Teilnahme am Feldzug bezahlt wurde. Dazu wohl auch Hoffnung auf Beute.

Dieser Italienfeldzug des Königs Ruprecht war ein jämmerliches Unternehmen. Ich skizziere Vorgeschichte und Verlauf; hier zeigt sich Typisches für Oswalds Zeit.

Im Jahre 1400 war in Lahnstein von Kurfürsten und Fürsten König Wenzel abgesetzt worden, wegen Unfähigkeit. Als sein Nachfolger wurde Pfalzgraf Ruprecht gewählt. Ein Mann, von dem man wußte, daß er arbeiten konnte, ganz im Gegensatz zum abgesetzten Vorgänger; ein Mann, von dem man hoffte, er werde die vom Vorgänger vertagten und verschlampten Aufgaben lösen.

Aber Ruprechts Position war äußerst schwach. So war es alles andere als selbstverständlich, daß er überall im Reich anerkannt wurde. Im Süden wurde ihm gehuldigt, im Norden kaum, im Osten gar nicht, und im Westen hatte er Schwierigkeiten. Beispielsweise mit der Stadt Frankfurt: sechs Wochen und drei Tage mußte er vor den verschlossenen Stadttoren warten, das sogenannte Königslager, ehe die Stadtväter sich dazu durchringen konnten, ihn einzulassen, ihm zu huldigen. In Aachen wollte er sich nach altem Brauch zum König krönen lassen, in der Nachfolge Karls des Großen, aber die Stadtherren ließen ihn nicht in die Stadt herein. So mußte er sich in Köln krönen lassen.

Was Ruprecht brauchte, war Erfolg, der die Zögernden überzeugte, die Stellung der Opponenten schwächte. So plante er bald nach seiner Amtsübernahme einen Feldzug: in Oberitalien, in der Lombardei, hatte sein Vorgänger Wenzel Gebiete verloren, Ruprecht wollte sie zurückerobern, wollte sich dann in Rom vom Papst zum Kaiser krönen lassen, auch das sollte sein Ansehen heben.

Diese Ziele blieben Fiktion. Als das deutsche Reich noch Römisches Reich hieß, eine neue, christliche Version des römischen Imperiums, da reichte es von der Nordsee bis Mittelitalien, schloß Rom ein, nominelles Zentrum auch des Reichs. Dieses italienische Gebiet war schwer zu halten, es mußte vom deutschsprachigen Reichsgebiet aus wiederholt zurückerobert werden. Schon Kaiser Friedrich war das Mitte des dreizehnten Jahrhunderts schwergefallen. Die immer reicheren Städte Oberitaliens konnten nur mit militärischen Mitteln gezwungen werden, dem deutschen Herrscher zu huldigen – und zu zahlen. Man sah nicht ein, weshalb man sich als königliches Lehen verleihen lassen sollte, was man ohnehin besaß. In den anderthalb Jahrhunderten wurde die Lage zunehmend schwieriger für die deutschen, nominell Römischen Könige: die

Entfernung nach Rom wurde gelegentlich unüberwindlich. Dazu hatten auch die jahrhundertelangen Machtkämpfe zwischen Königen und Päpsten geführt: durfte der König Bischöfe benennen, selbstherrlich, oder mußte er den Steigbügel des jeweiligen Papstes halten, unterwürfig?

Zu Ruprechts Zeit war südlich der Alpen das deutsche Kaiserreich nur noch Erinnerung. Durch seinen Marsch nach Rom wollte Ruprecht die alte Reichsmacht wiederherstellen. Das heißt: wenn er an die Kaiserkrone heranwollte, mußte er sich bis Rom vorkämpfen. Wer dies schaffte, bewies, daß er ausreichende militärische und damit politische Macht besaß, also ein Faktor war, den ein Papst berücksichtigen mußte.

Nun gab es freilich seit Jahrzehnten zwei Heilige Stühle, den einen in Rom, den anderen in Avignon – Papst und Gegenpapst, das Kirchenschisma. Es läßt sich also sagen: ein nur teilweise anerkannter König wollte sich von einem nur teilweise anerkannten Papst zum Kaiser eines Reiches krönen lassen, das es bloß noch auf alten Landkarten und in den Köpfen einiger Träumer gab.

Der neue König nahm Verhandlungen auf mit Florenz: die reiche Handelsstadt sollte seinen Feldzug finanzieren; im Reich war Ruprecht nicht kreditwürdig, über eigene Geldmittel verfügte er nicht. Florenz erklärte sich bereit, 200 000 Dukaten an den König zu zahlen, wenn er sich vertraglich verpflichtete, sich von Anfang September bis Mitte Oktober in der Lombardei aufzuhalten, das heißt also: im Machtbereich des Herzogs von Mailand, mit dem der Stadtstaat um die Macht in der Lombardei kämpfte. Ruprechts Anwesenheit mußte, so rechnete man in Florenz, zu einer militärischen Auseinandersetzung und Entscheidung führen. Grob gesagt: Man kaufte den deutschen König als Söldnerführer ein. Dabei sicherte man sich ab: die erste Rate von 50 000 Dukaten sollte erst auf italienischem Boden ausgezahlt werden, im neutralen Venedig, die weiteren drei Raten in Städten, die Florenz noch bestimmen wollte. Der Feldzug sollte also abschnittweise finanziert werden.

Um überhaupt den Feldzug starten zu können, brauchte Ruprecht freilich schon vorher Geld für Sold, Proviant, Ausrüstung. Er bat Kaufleute von Mainz, ihm 50 000 Dukaten zu leihen, er werde sie zurückzahlen, sobald er in Italien diesen Betrag erhalte. In ein derart fragwürdiges Unternehmen wollten die Kaufleute ihre Gewinne allerdings nicht investieren. Flehentlich bat der König daraufhin die florentinischen Verhandlungspartner, ihm wenigstens die Hälfte der ersten Rate auf deutschem Boden auszuzahlen, schließlich mußte er überhaupt erst mal das Heer aufstellen! Außerdem mußte er dem Herzog Leopold von Österreich den riesigen Betrag von 100 000 Dukaten zahlen, um durch Tirol marschieren zu dürfen, über den Brenner, durch die Salurner Klause – die Hälfte des gesamten Betrags, mit dem Florenz den Feldzug finanzieren wollte! Der Habsburger wußte, daß Ruprecht nicht durch die Schweiz marschieren konnte, nutzte die Notlage erpresserisch aus. Dennoch nahm Leopold mit eigenen Truppen an diesem Feldzug teil...

Außerordentlich schwierig auch Ruprechts Verhandlungen mit dem Papst in Rom. Bonifaz war nicht zufrieden mit dem üblichen Loyalitätseid, er stellte Forderungen: das Recht zur Absetzung deutscher Könige, die Koordinierung der Reichspolitik mit der Politik des Heiligen Stuhls in Rom, die Zusicherung des Königs, er werde nicht versuchen, das Kirchenschisma aufzuheben; falls er hier doch etwas unternehme, so nur in engster Absprache mit dem römischen Papst und zu dessen Vorteil. Ja, Bonifaz forderte sogar, Ruprecht müsse den Gegenpapst in die Einheit der Kirche zurückführen, ihn also absetzen, müsse Frankreich dem Willen des Heiligen Stuhls unterwerfen. Phantastische Forderungen! Ruprecht war vorsichtig mit Zusagen, wollte sich nicht festlegen; er hoffte, durch Erfolge in Oberitalien seine Verhandlungsposition gegenüber dem Papst verbessern zu können.

Mit leerer Kasse kam Ruprecht 1401 nach Augsburg, wo sich die Kriegsfreiwilligen sammelten. Alle Herbergen der Stadt, der umliegenden Dörfer überfüllt: unter den rund 20 000 Reitern wohl auch Oswald. Bestimmt ahnte er nichts von den zähen Verhandlungen zwischen dem König und den Handelsherren aus Florenz. Die blieben dabei: die erste Rate auf italienischem Boden. Ruprecht mußte daraufhin 5000 Reiter entlassen, die kein Geld hatten; die anderen Reiter waren demnach bereit oder konnten es sich leisten, mit der Auszahlung des ersten Solds zu warten. Zu ihnen muß Oswald gehört haben.

Einen Tag lang hielt König Ruprecht mit seinen Offizieren Kriegsrat: sollte er das Unternehmen abblasen oder mit dem viel zu kleinen Heer losmarschieren? Er zögerte. Verhandelte wieder mit der Delegation aus Florenz: die erste Rate sollte nicht in Venedig, sondern bereits in Trient ausgezahlt werden; dazu erklärten sich die Herren bereit. Nun wurde ein Vertrag unterzeichnet: Der König verpflichtete sich, die Freiheit der Stadt Florenz zu erhalten, ihre Herrschaft nach Kräften zu mehren; als Kaiser werde er die Privilegien dieser Stadt bestätigen. Weiter verpflichtete er sich, in diesem Monat September bis spätestens 15. Oktober mit dem Herzog von Mailand Krieg zu führen, bis zu dessen »Ruin, Vertilgung, Untergang und Verfall«, weil er die Rechte des Kaisers beanspruche, die Stadt Florenz beleidige, sie in Besitz nehmen wolle. Florenz verpflichtete sich, dem zukünftigen Kaiser Ruprecht einen Stadtzins zu zahlen und seinen bevorstehenden Feldzug mit insgesamt 200 000 Dukaten zu finanzieren; eine Anleihe in gleicher Höhe wurde ihm zu guten Konditionen angeboten.

So mußte der König dem Geld nachmarschieren, das er für den Feldzug brauchte. Wertvolle Zeit hatte er mit den Verhandlungen verloren, mit Zögern – schon wurde ihm Faulheit vorgeworfen. Am 16. September brach er auf, zog über Füssen nach Innsbruck. Dort forderte er den Herzog von Mailand auf, die besetzten Reichsgebiete wieder herauszugeben; die Antwort des Herzogs war selbstverständlich abschlägig. Der Vormarsch wurde fortgesetzt, doch ziemlich langsam; nach fast einem Monat erreichte man endlich Trient.

So hatte der Herzog von Mailand Zeit genug, sich auf den Krieg vorzubereiten; die Städte Verona und Brescia wurden von seinen disziplinierten, gut ausgebildeten und ausgerüsteten Soldtruppen in Verteidigungsbereitschaft versetzt. Man schlug Ruprecht deshalb elegante Umgehungsmanöver vor, aber er traute sich nicht. In Trient erhielt er verabredungsgemäß die erste Rate – die 50 000 Dukaten waren rasch verteilt. Plündernd zogen Trupps durch die Umgebung von Brescia – bei ersten Scharmützeln zeigte sich die

Überlegenheit der Mailänder Truppen. Das wird auch Oswald miterlebt, zumindest aber gehört haben.

Als es endlich zur Schlacht kam, waren schon der gesamte September und zwei Drittel des Oktober vertan. Die Jahreszeit war ungünstig für einen Feldzug: kein Gras mehr auf den Wiesen, statt Brot gab es nur Rüben – Fleisch mußte auf eigene Faust beschafft werden. An der Schlacht von Brescia, am 21. Oktober, nahm Ruprecht gar nicht teil – er wagte sich nicht aus dem Gebirge heraus in die Ebene, blieb in Trient. Der Burggraf von Nürnberg, der zeigen wollte, was ein Burggraf von Nürnberg ist, wurde gleich beim ersten Anritt aus dem Sattel gehoben. Der Herzog von Österreich wurde gleichfalls beim ersten Angriff aus dem Sattel geworfen und gefangengenommen. Für einen Teil des Heeres war damit der Krieg erledigt, Truppen setzten sich ab. Nur Franz von Carrara, der sich mit italienischen Truppen dem König angeschlossen hatte, verhinderte die Katastrophe.

Erst nach dieser Schlacht zeigte sich Ruprecht in der Ebene, hielt sich vier Tage in sicherer Distanz vor Brescia auf, zog sich wieder nach Trient zurück. Leopold von Österreich wurde freigelassen, und die Mailänder wußten, warum: für diesen Verwandten des Herzogs von Mailand war der Krieg zu Ende, er marschierte nach Hause, mit seinen Truppen, soweit sie nicht sowieso schon zurückgekehrt waren. Auflösung des Heeres. Schneefälle. Der König folgte den Truppen nach Bozen. Der größere Teil des Heeres zog über den Brenner; was die abgerissenen Soldaten über Ruprecht erzählten, war nicht schmeichelhaft.

In Bozen, erst recht in Brixen hätte sich auch Oswald vom Restheer absetzen können: bestimmt hatte auch er nur eine Abschlagszahlung auf den Sold erhalten, und die Aussichten auf Erfolg waren jetzt weitaus geringer. Nun ist Oswald aber erst wieder im März des folgenden Jahres urkundlich nachweisbar in Tirol. So wird er vielleicht beim Heeresrest geblieben sein, der durchs Pustertal marschierte und die Alpen auf dem Plöckenpaß überquerte – ein Saumtierpfad, im Schnee.

Sobald Ruprecht die Tiefebene bei Friaul erreichte, nahm er wieder Verhandlungen auf, mit Venedig, mit Florenz, mit dem Papst, aber man stellte Forderungen und hielt sich mit Zusagen zurück. Ein kurzfristiger Trost war für Ruprecht der glanzvolle Empfang in Padua: »Benedictus qui venit in nomine Domini«, sangen der Bischof und sein Klerus am Stadttor, kniend küßte Ruprecht ein goldenes Kruzifix, schlug einen italienischen Adligen zum Ritter, man schnallte ihm goldene Sporen an, danach eine feierliche Schlüsselübergabe, feierliche Rückgabe des Schlüssels, festlicher Umzug durch die Stadt, ein Baldachin aus Goldtuch, mit Hermelin verziert, die Königin auf vergoldetem Wagen hinterher, von vier Zeltern gezogen, dann allerlei Hofstaat und zahlreiche Ritter. Unter ihnen wohl auch Oswald – mit wieder verstärkter Hoffnung auf Sold und Beute? Gebet am Dom.

Und Fortsetzung der Verhandlungen mit den Herren aus Florenz. Die erklärten: Der noch ausstehende Restbetrag von 65 000 Dukaten werde erst ausgezahlt, wenn der König seine vertraglichen Verpflichtungen erfüllt habe. Aber wie sollte Ruprecht nun im Winter, mit seinem kümmerlichen Restheer, den mächtigen Herzog von Mailand besiegen? Ruprecht richtete sich im Kastell von Padua aufs Überwintern ein, veranstaltete Feste, wartete, verhandelte. Der Papst ging von seinen Forderungen nicht ab, die Stadt Florenz wollte nicht mehr Geld in diesen Feldzug investieren. Repräsentanten der Stadt Venedig empfingen den König und sein Gefolge ehrenvoll, verhielten sich sonst aber zurückhaltend. Im April verließ Ruprecht mit dem Rest seines Heeres die Stadt Padua, mußte wieder auf einem östlichen Nebenpaß die Alpen überqueren, zog über Bruneck und Innsbruck nach München, kam hier am 2. Mai 1402 an. Der Feldzug war eine Pleite. Statt des Ansehens waren nur die Schulden des Königs gewachsen; er mußte Kleinodien und Silbergeschirr versetzen. In Spottliedern nannte man ihn den »Goggelmann mit der leeren Tasche«.

Oswald war bereits im März in Tirol. Auch er wird mit leeren Taschen zurückgekehrt sein.

Auch jetzt gab Michael das Erbe noch nicht heraus; Oswald aber brauchte Geld, nun wohl noch dringlicher als zuvor. Wie an Geld kommen?

In seiner großen Lebensballade hat Oswald vom Untergang des Handelsschiffs im Schwarzen Meer, vom Verlust des Kapitals samt Zinsen, von der Rettung durch ein Faß berichtet; wir können also schließen, daß er eine Zeitlang Händler war. Wann könnte das gewesen sein?

In einem Lied über verschiedene Todesgefahren wird Oswald 1425 noch einmal von einem Schiffbruch, von einer Rettung durch ein Faß berichten, diesmal ist es ein Weinfaß.

> Und wieder, Wochen später,
> hat mich der Herr beschützt:
> ich hatte einen Schiffbruch
> auf wilder, hoher See,
> umarmte rasch ein Faß,
> es war voll Malvasier;
> das brachte mich zur Küste –
> beinah hätt ich verzagt!
> Im Anschluß an die Reise
> empfing man mich wie folgt:
> ich wurde festgenommen,
> man nahm mir alles ab.
> Mein Schädel hat gedröhnt,
> er wurde wund von Schlägen;
> auch bohrte man in mich
> ein Schwert – die halbe Klinge!

War diese Errettung aus Seenot für Oswald ein derart bedeutsames Ereignis, daß er es wiederholt beschreiben mußte? Oder erzählte er zweimal davon, weil ihm diese Episode ›gelungen‹ schien? Der dies berichtete, singend, war ein Tiroler, der sich wiederholt zum Weintrinken bekannte, und ausgerechnet ihm mußte so etwas passieren: guten Malvasier im Faß gluckern hören, es nicht öffnen können, umgeben von Salzwasser... Solche Assoziationen werden gewiß bei seinen Zuhörern entstanden sein; Zurufe, vielleicht wurde ihm zugeprostet. War die Faß-Episode auf solche Wirkung hin konzipiert?

Bei dieser Episode vor allem setzt eine Untersuchung von Ulrich Müller an: ›Dichtung und Wahrheit‹ in den Liedern Oswalds von Wolkenstein. Müller sieht in diesen Lied-Berichten über die Errettung durch das Faß eine Verbindung von tradiertem Darstellungsmuster und realer Erfahrung. Zu Berichten über Fahrten auf fernen Meeren gehörte damals fast zwangsläufig der Schiffbruch. Schiffbrüche kamen vergleichsweise häufig vor, mußten nicht erfunden werden; zugleich war der Schiffbruch im Mittelalter ein Bild für das Scheitern des Menschen. Müller bezweifelt nicht, daß Oswald irgendwann, irgendwo einmal ein Sturmerlebnis hatte, vielleicht sogar Schiffbruch erlitt, aber: »Es läßt sich nicht feststellen, wieweit und ab wann es durch Vorbilder, eigene Phantasie und Tonlage des jeweiligen Berichtes umgeformt worden ist.«

Nun erwähnt Marx Sittich von Wolkenstein ein Votivbild, das Oswald für den Dom von Brixen malen ließ; es ist leider nicht mehr erhalten, wir müssen es uns vorstellen nach seinem Bericht: »Er ist auf dem Meer vor Nordafrika, als er einen Schiffbruch erleidet«; drei Tage lang habe er sich auf einem Malvasierfaß gehalten, sei dann von Heiden gerettet worden; so sei es in der Portikuskapelle des Doms gemalt.

Ein Meer vor Nordafrika? Sollte hier ein anderer Schiffbruch gemeint sein? Ich nehme an, mit Schwob, daß hier die Familienüberlieferung über zwei Jahrhunderte hinweg ungenau wurde, man verwechselte inzwischen die Meere: gemeint war wohl der Schiffbruch im Schwarzen Meer, das im damaligen Seehandel eine wichtige Rolle spielte.

So mag also der Schiffbruch, den Oswald erlebt hat, ein Schiffbruch in übertragener Bedeutung gewesen sein und zugleich, ganz konkret, der Untergang einer Brigantine. Auf ein Votivbild eine Erfindung malen zu lassen, dies hätte sich Oswald nicht erlaubt, das wäre Blasphemie gewesen. Ob sich Oswald nun mit der üblichen Planke oder dem beliebten Faß gerettet hat, ist hier belanglos.

Und jetzt die nächste Episode, für uns in diesem Zusammenhang besonders wichtig: die Vorgänge nach der Rückkehr von dieser in jeder Hinsicht gescheiterten Geschäftsreise. Oswald wurde, nach seiner Aussage, festgenommen, man nahm ihm ab, was er besaß, er wurde verprügelt, es wurde sogar ein Schwert in ihn gestoßen, und zwar tief. Undeutliche, rätselhafte Vorgänge... Warum Oswald hier so vage blieb, läßt sich verstehen, wenn man die realen Vorgänge kennenlernt: Auseinandersetzungen mit Michael in Besitzfragen, Michael fügte seinem Bruder eine lebensgefährliche Verwundung zu; im übernächsten Kapitel wird genauer über diese Vorgänge berichtet, hier nur: die Verwundung ist keine Fiktion, sie läßt sich nachweisen.

Oswald verknüpft Episoden sonst nur selten; hier aber besteht chronologische Verbindung zwischen der Faß- und der Schwertstich-Episode: »und nach derselben raise«. Anton Noggler hat als erster darauf hingewiesen. Schwob hat nun die These entwickelt, daß diese Reise eine Handelsreise war, daß Oswald die Handelsreise(n) zwischen 1402 und 1404 gemacht hat; in dieser Zeit ist er in Tirol dokumentarisch nicht nachweisbar.

Im Seehandel wurden zu Oswalds Zeiten zuweilen enorme Umsätze gemacht, riesige Gewinne kassiert. So gab es beispielsweise die Gebrüder Lakha auf Zypern, einem der Hauptumschlagplätze des damaligen internationalen Handels: Franz Lakha verdiente einmal, so wird überliefert, an einem einzigen Tag rund 30 000 Dukaten, schenkte davon ein Drittel seinem König. Und ein Stefan von Lusignan verdiente mit einem Warentransport (auf drei Schiffen) von Syrien nach Zypern so viel, daß er mit einem Drittel des Gewinns den Bau einer neuen großen Kirche auf Famagusta finanzieren konnte. Das waren Sonderfälle. Aber es galt als normal, wenn Kaufleute in einem Jahr ihr Vermögen verdoppelten.

Welche Dimensionen damals bereits möglich waren, zeigt das Beispiel des Francesco di Marco Datini, zu Oswalds Lebenszeit auf dem Höhepunkt seines Ansehens, seiner Umsätze, seiner Gewinne. Sein Stammhaus in Florenz, Handelshäuser in Pisa, Genua, Avignon, in Spanien, auf Mallorca. Ein sehr reicher Mann. Agenten in verschiedensten Ländern. Eigene Produktionsstätten. Eigenes Nachrichtensystem, vor allem durch Brieftauben. Seine Archive sind erhalten geblieben: rund 150000 Geschäftsbriefe, mehr als 500 Hauptbücher, rund 400 Versicherungspolicen, mehrere tausend Frachtbriefe, Avisbriefe, Wechsel und Schecks. Allein diese Zahlen lassen Rückschlüsse zu auf das Umsatzvolumen solch eines Handelshauses.

Ich bin sicher: von einem Datini, von den Gebrüdern Lakha wurde damals unter Kaufleuten aller Kategorien erzählt: große Vorbilder, lockende Möglichkeiten, vor allem im Seehandel!

Und womit wurde vorzugsweise gehandelt? Atiya zählt die wichtigsten Produkte auf, die in Konstantinopel umgeschlagen wurden: Seide und Porzellan aus China, Edelsteine und Gewürze aus Indien, Elfenbein und Ebenholz aus Afrika, Stickereien und Teppiche aus Persien, Perlen vom Persischen Golf, Textilien und Getreide aus Ägypten, Glas und Stahl aus Syrien, Pelze und Holz aus Rußland, Lederwaren aus Marokko. Dazu der florierende Sklavenhandel. Gute Erlöse brachten beispielsweise Tataren und Tscherkessen. Ein Handelsschiff auf der Route zwischen Konstantinopel und der Krim konnte auf der Rückfahrt Sklaven geladen haben.

Das erste Dokument, das wieder Oswalds Anwesenheit in Tirol bezeugt, läßt Rückschlüsse zu auf seine finanzielle Lage: im Februar 1404 nahm Oswald bei Bischof Ulrich von Brixen eine Anleihe auf von 45 Mark. Für solch einen Betrag konnte man damals zwei oder drei Bauernhöfe mit Ländereien kaufen – es war also kein Taschengeld, das Oswald als Kredit aufnahm.

Wie sehr er heruntergewirtschaftet war, nicht allein finanziell, zeigt ein Vorfall, um den in früherer Oswald-Literatur meist herumgeschrieben wurde – ein ›wunder Punkt‹, damit Genierlichkeiten, Verschleierungen.

Über die Vorgänge, die wahrscheinlich zwischen 1404 und 1406 stattfanden, gibt es ein Gedächtnisprotokoll des Bartholomäus von Gufidaun. Es wurde allerdings erst 1430 verfaßt – die Angelegenheit war nach ungefähr einem Vierteljahrhundert also noch immer nicht vergessen, bereinigt! Ich übersetze dieses wichtige und bezeichnende Dokument.

»Ich, Bartholomäus von Gufidaun, Ritter, bekunde vor aller Welt mit dieser Urkunde, was mir wahrheitsgemäß bekannt ist: nämlich was sich vor etlichen Jahren ereignet hat, als der wohlgeborene Ritter, Herr Michael von Wolkenstein, nicht zu Hause war. Damals wollte eines Tages die Gemahlin des Herrn Michael nach Meran reiten; als sie bei Blumau war, da erst fiel ihr ein, daß sie ein Kästchen, in dem Herrn Michaels und ihr Bargeld und die Kleinodien waren, nicht gründlich verschlossen, sondern vor ihrem Ausritt in einem Erker vergessen hatte. So schickte sie einen Knecht zurück und ließ ausrichten, falls Herr Michael früher zurückkehre als sie, so möge er das Kästchen an sich nehmen. Inzwischen hatten Oswald und Leonhard, die Brüder des oben genannten Herrn Michael, das Kästchen entdeckt, und sie ließen an einem Seilwindenstrick einen Knecht namens Schöberlin von oben herab und befahlen ihm, daß er ihnen das Kästchen mit heraufbringe. Das tat er auch, wie er es später selbst ausgesagt und zu Protokoll gegeben hat.

Nun hatte Oswald gegenüber Herrn Michael erklärt, wenn er ihm eine Gegenleistung erbringe, so wolle er ihm vollständige Auskunft darüber geben, wie es mit den Kleinodien bestellt sei; und er bezichtigte die Frau des Herrn Michael, sie habe die Kleinodien mit ihrem Liebhaber auf liederliche Weise durchgebracht. Was aber nicht der Wahrheit entsprach, denn kein Mensch hat von ihr je anderes gehört oder gesehen, als was sich einer anständigen, ehrbaren Edelfrau schickt.

Nun fand Herr Michael bei einem Goldschmied etliche Ringe und erkundigte sich, wer sie ihm gegeben habe. Darauf antwortete der Goldschmied, sein Bruder Leonhard habe sie ihm zur Umarbeitung gegeben, er solle andere Ringe aus ihnen machen. Daraufhin stellte Herr Michael den Leonhard zur Rede, der leugnete es ab. Sobald aber Herr Michael den wahren Tatbestand erfuhr, war er seiner Frau gegenüber weniger aufgebracht, denn wahrhaftig, wäre sie daheim gewesen, er hätte sie auf Grund von Oswalds Aussage getötet.

Kurze Zeit darauf ritt Herr Michael in einer Landtagsangelegenheit nach Österreich, und als er zurückkehrte, stellte er fest, daß Oswald an seiner Stelle alle seine Einkünfte vereinnahmte, und wer sie ihm nicht freiwillig gab, der wurde mißhandelt und verletzt. Wegen dieser und auch anderer Angelegenheiten gerieten sie aneinander, und Herr Michael verletzte den Oswald lebensgefährlich, nahm ihn fest, zwang ihn, ihm zu zeigen, wo die Kleinodien seien. Das tat er auch.

Nun wollte sie Herr Michael nicht selbst übernehmen, und so forderte er mich auf, ich solle dabei sein, wie das auch der gnädige Herr Leopold seligen Angedenkens verfügt hatte. Ich tat das auch, machte Nikolaus von Rost zu meinem Begleiter und ritt nach Wolkenstein. Dort führte uns Oswald in einen Keller, er hatte dort das Geld und die Kleinodien in einem Faßuntersatz versteckt. Und er gab mir jedes Stück einzeln in die Hand. Als ich fragte, wo sonst noch etwas vom Geld und von den Kleinodien sei, gab er zur Antwort, das sei nicht alles; sein Bruder Leonhard hat die Hälfte an sich genommen. Nun gab ich sie ihm zurück.

Danach appellierten wir im Auftrag meines gnädigen Herrn, des Herzogs Leopold, an ein Schiedsgericht gerichtsfähiger Personen; Obmann war der selige Herr Ulrich von Säben. Als Urteilsfinder nahm sich Herr Michael den seligen Peter von Spaur, mich, Bartholomäus von Gufidaun, und den seligen Hans von Wolkenstein; Oswald nahm sich die seligen Herren Leonhard Löwenberg, Christian Fuchs und Hans Egger. Sie sprachen obengenanntem Herrn Michael sein Geld und die Kleinodien wieder zu. Oswald von Wolkenstein gab ihm denn auch in unserer und in der Gegenwart anderer gerichtsfähiger Leute, von denen viele gegenwärtig noch leben, die Kleinodien und die Gelder, die vorhin erwähnt wurden, heraus, mußte dann aufstehen und die Ehre der allgemein geachteten Frau wiederherstellen und seine Anschuldigungen zurücknehmen. Daß dies den Tatsachen entspricht, das erkläre ich bei meiner Ehre an Eidesstatt und habe als Zeugnis dessen mein Siegel an diese Urkunde gehängt.

Und auch ich, Nikolaus von Rost, erkläre bei meiner Ehre und ebenfalls an Eidesstatt, daß ich mit dabeigewesen bin, als der obengenannte Herr Bartholomäus von Gufidaun nach Wolkenstein ritt und Herr Oswald von Wolkenstein die erwähnten Kleinodien und das Geld aus dem Faßuntersatz zog und sie Herrn Bartholomäus zeigte. Zum Zeugnis dessen habe ich mein eigenes Siegel an diese Urkunde gehängt.« Sie wurde ausgestellt in Brixen, am 12. Dezember 1430.

Es liegt nah, allzu nah, aus diesem Vorgang Rückschlüsse zu ziehen auf Oswalds Charakter: Raffgier, ohne Rücksicht selbst auf familiäre Bindungen. Charakter aber läßt sich nur definieren in Relation zur jeweiligen Gesellschaft.

Anton Schwob schreibt, der Streit um Kleinodien sei im Mittelalter »nicht gerade selten« gewesen; er verweist auf entsprechende Streitfälle unter den Habsburgern. Vor allem bei Erbstreitigkeiten war es beinah üblich, sich durch Diebstahl, durch Raub von Kleinodien zu »entschädigen«. So meint Schwob, Oswalds Tat sei »nicht als Raub, oder, was zu seiner Zeit noch schlimmer wäre, als Diebstahl anzusehen, sondern als ein Versuch, sich seinen Anteil am väterlichen Erbe zu erzwingen«.

Das Recht war damals noch nicht Domäne des Staates – der bestand in unserer Form noch nicht. Es gab für einen Adligen zwar die Schiedsgerichte von Standesgenossen, aber vielfach kam man nur zu seinem Recht, wenn man ›auf eigene Faust‹ vorging. Es gibt in diesem Gedächtnisprotokoll eine Formulierung, die andeuten könnte, daß Oswald ein taktisches Manöver durchgeführt hat: »Nun hatte der Oswald gegenüber Herrn Michael erklärt, wenn er ihm eine Gegenleistung erbringe, so wolle er ihm vollständige Auskunft darüber geben, wie es mit den Kleinodien bestellt sei.« Könnte damit gemeint sein: Sobald die Erbteilung durchgeführt ist, erhältst du die Kleinodien zurück?

Allerdings ist da ein Punkt, der bei solch einer Auslegung stört: daß Leonhard (gewiß mit Oswalds Zustimmung) einen Teil der geraubten Ringe einem Goldschmied gebracht hat, zum Umarbeiten – er wollte die Diebesbeute also behalten. Oswald freilich hatte die Kleinodien nicht weggegeben, er hatte sie versteckt – vorerst? Der Diebstahl als rechts-taktisches Manöver: solche Interpretation trifft also nur teilweise zu; ein völliges Alibi läßt sich hier nicht konstruieren. Und bei allen Faustrecht-Gewohnheiten seiner Zeit: Oswald hat sich seiner Schwägerin gegenüber schäbig verhalten.

Erstaunlich, wie sehr Michael – wenigstens im ersten Moment – der Schutzbehauptung seines Bruders geglaubt hatte: wäre seine Frau zu diesem Zeitpunkt auf der Trostburg gewesen, er hätte sie sofort getötet, der Gufidauner sagt es klar genug. Das wird keine Übertreibung sein, er kannte seine Wolkensteiner. Wie rasch und hart Michael reagierte, zeigt sich im gleichen Bericht: daß Oswald von seinem Bruder nicht tödlich verwundet wurde, war wohl nur Glück. Die Umgangsformen waren damals im allgemeinen sehr direkt, sehr hart, aber beim Wolkenstein-Clan kamen wohl noch ein paar Erbanlagen, Temperamentfaktoren hinzu.

Zur zweiten Aktion Oswalds: das unberechtigte Einziehen der Zinszahlungen bei Michaels Bauern. Bartholomäus von Gufidaun deutet an, mit welchen Methoden Oswald hier vorging – klassische Mafia-Techniken! Denn: freiwillig gaben ihm die Bauern weder Naturalien noch Geld! So wird Oswald mit ein paar Mann Begleitung bei den Bauern erschienen sein, und wenn man sich nicht bereit erklärte, ihm auszuhändigen, was Michael zustand, wurde Gewalt angedroht, angewandt.

Versuchte Oswald auch auf diese Weise, ›an sein Recht zu kommen‹? Sagte er sich: Was ich hier einziehe, zwangsweise, steht mir letztlich sowieso zu; Michael enthält mir meinen Besitz und damit meine Einnahmen vor? Oswalds Bemühungen, nach dem Tod des Vaters an Geld zu kommen, waren gescheitert: der Italienfeldzug war eine Pleite, als Kaufmann hatte er Schiffbruch erlitten. In dieser Lage kam es zum Kleinodien-Diebstahl, zur Beraubung von Bauern seines Bruders.

In Michael hatte Oswald einen starken Widerpart gefunden. Als der Ältere hatte er das Sagen in der Familie, sein gesellschaftlicher Rang war hoch, seine Macht entsprechend groß: von 1406 bis 1411 war er Burggraf auf Tirol, der Burg bei Meran. Das hieß: er war der erste Beamte, der Stellvertreter des Landesfürsten, repräsentierte richterliche und polizeiliche Autorität, war nebenbei auch zuständig für den Schutz der Gewerbetreibenden, für die Aufrechterhaltung der Stadtordnung, Marktordnung.

Oswald hatte seine Aktionen mit einer lebensgefährlichen Verletzung bezahlen müssen. Der Gufidauner schreibt zwar nichts von einem Schwertstich, dennoch wird hier der reale Kern dieser Lied-Episode sein. Freilich, Oswald wird übertrieben haben: eine halbe Schwertlänge! Da wäre die Schwertspitze beinah an der anderen Körperseite wieder herausgekommen! Aber selbst wenn das Schwert ›nur‹ eine Spanne, ›nur‹ fingertief in seinen Körper eingedrungen wäre – er mußte schon eine robuste Natur und viel Glück haben, um das zu überstehen, beim damaligen Stand der Heilkunde. Vielleicht hat Oswald, wie damals üblich, den Wundsegen vor sich hin gesprochen, der im Anhang eines seiner (späteren) Geschäftsbücher notiert ist.

»Das Wasser möge Heilkraft haben wie der heilige Jordan, in dem Gott selbst getauft wurde. (Kreuzzeichen) Im Namen des Vaters, des Sohnes und des Heiligen Geistes, Amen. (Kreuzzeichen)

Ich segne dich heute, du böse Wunde, mit den rechten Zeichen, (Kreuzzeichen) daß du dein Schwären und dein Schwellen und dein Tropfen und dein Fließen und dein Faulen und dein Säuern und dein Stinken und dein Quälen und alle Schrecknis aufgibst. Seien es Fliegen, Würmer oder Spinnen oder sonstige Plagen: was den Wunden schädlich ist, das möge abgestorben sein mit diesen Worten, die ich soeben ausgesprochen habe, dazu helfe der wahre Gott. Das ist wahr, in Gottes Namen, Amen. (Kreuzzeichen, Paternoster, Ave-Maria)

Du geheiligter Gott, Jesus Christus: deine heiligen Wunden, sie schwären nicht und schwellen nicht, sie tropfen nicht und fließen nicht und faulen nicht und säuern nicht, sie machen nicht wehrlos, sie verunstalten nicht, kein Unheil hat sie verschlimmert. (Kreuzzeichen) Also geschehe mit der Wunde, die ich soeben hier gesegnet habe, mit Hilfe des wahren Gottes. Das ist wahr, in Gottes Namen, Amen. (Kreuzzeichen, Paternoster, Ave-Maria)

Die geheiligten Wunden unseres lieben Herrn Jesus Christus, sie heilten rasch und für immer, gründlich. Kein Unheil hat sie verschlimmert. So möge es mit der Wunde sein, die ich hier besegnet habe mit der Hilfe des wahren Gottes. Das ist wahr, in Gottes Namen, Amen. (Kreuzzeichen, Paternoster, Ave-Maria, Kreuzzeichen)«

Zum Schluß eine Anweisung: »Diesen Segen soll man dreimal sprechen und soll frisches Quellwasser dabei anwenden.«

Nach der Rückkehr vom Italienfeldzug, vielleicht auch erst nach dem Zwischenspiel als Händler könnte Oswald seine ersten Lieder geschrieben haben. Hier wird freilich nicht artikuliert, was er bisher erlebt, erfahren, erlitten hat; seine frühesten Liedtexte sind weithin geprägt von literarischen Mustern, die Jahrzehnte, ja mittlerweile gut zwei Jahrhunderte lang die Herstellung von Texten beeinflußten, steuerten – hier spricht das literarische Medium.

Die Biographie eines Dichters und Komponisten setzt voraus, daß seine Arbeiten weithin bekannt sind – davon kann bei Oswalds Liedtexten die Rede nicht sein, wenigstens nicht in den Jahren, in denen ich an dieser Biographie arbeitete. Deshalb stelle ich auch Texte vor, die keine direkten biographischen Bezüge haben; auch sie lassen Rückschlüsse zu auf Oswald.

Zur Methode meiner Übersetzungen im Anhang. Hier nur noch eine technische Anmerkung für Leser, die diese Übersetzungen mit den Originaltexten vergleichen wollen: ich gebe jeweils, in der üblichen Abkürzung, die Nummer an, die der Liedtext in der wissenschaftlichen Ausgabe von Karl Kurt Klein erhielt.

Zuerst ein Tagelied (Kl 101): die Trennung eines Liebespaares am frühen Morgen.

Wach auf, mein Schatz! Schon leuchtet her
von Orient der lichte Tag!
So schau hinüber, sieh den Glanz:
wie dort am Horizont das Blau
ins Frühgrau wächst, das uns noch barg.
Ich fürcht, es wird bald tagen.

»Mir ist die Stunde unerwünscht!
Man hört die Vögel in dem Wald
mit reichem, hellem, schönem Klang.
Oh, Nachtigall, dein Ziergesang

bringt mir nur Qual, ich preis ihn nicht.
Fast kindlich ist mein Klagen.«

Beurlaub mich! Die Trennung jetzt
verwundet mich – dein Herz ein Speer!
Nur Trauer bringt die Abschiedsnot,
nur Sehnsucht schafft dein roter Mund,
der bittre Tod wär nicht so schlimm.
Und so muß ich verzagen.

Der folgende Liedtext (Kl 73) könnte eine Variante eines Tagelieds sein: wieder ein Abschied, diesmal werden Namen genannt,
Nikolaus und Else. Biographische Realität wird dieser Liedtext
höchstens in ›Spurenelementen‹ enthalten. Zwar ist Oswald
mehrfach zu Reisen aufgebrochen, mag sich dabei auch mal
von einer Freundin verabschiedet haben – aber solch ein Text
könnte auch ohne biographischen Anlaß entstanden sein. Rückschlüsse auf seine Biographie lassen sich hier jedenfalls nicht
ziehen.

»Ach, herzgeliebter Nickl mein,
vergiß mich nicht, versprich es mir!«
Ja, heiahoh!
»Das tu ich gern, du schöne Els,
denn deine Liebe, sie bleibt jung.«
Ja, sei es so!
»Mein Herz wird schwer, wenn du jetzt von mir scheidest.«
»Sei ruhig, mein Schatz, ich werd bald wiederkommen.«
    »Ach Nickl, Nickl, liebes schönes Kläuschen,
    umarm mich, küß mich, streck mir her dein Kerlchen.«

»Versprich mir erst, du schöne Els,
daß du dir keinen andern nimmst.«
Ja, heiahoh!
»Viel eher stürz ich mich vom Fels,
eh ich mit einem andern schlaf.«

Ja, sei es so!
»Die hehre Liebe, nimmer wird sie wanken...«
»Mein kluger Nickl, bleibst mir stets im Sinn.
    Ach Nickl, Nickl, liebes schönes Kläuschen,
    umarm mich, küß mich, streck mir her dein Kerlchen.«

»Der Herr mit dir, mein bester Schatz!
Kein Abschied schmerzte je so sehr!«
Ja, heiahoh!
»Du läßt mich hier und gehst dann fort –
wann werden wir uns wiedersehn?«
Ja, sei es so!
»In kurzer Frist, da werd ich wiederkommen.«
»Mein lieber Nickl, halte dein Versprechen.
    Ach Nickl, Nickl, liebes schönes Kläuschen,
    umarm mich, küß mich, streck mir her dein Kerlchen.«

Eine damals beliebte literarische Form war neben dem Tagelied die
Pastourelle: Liebe im Grünen. Kl 92 ist ein Schäfer-Duett.

Treib her, treib hier herüber,
mein sehr geliebtes Bärbelchen;
mit deinen Schafen komm zu mir,
mein schönes Bärbelchen, mach schnell!

»Ich merk, bemerk dich schon,
doch geh ich besser nicht drauf ein.
Denn deine Weide ist nichts wert,
und meine Weide strotzt vor Grün.«

Die Weide, Weide hier,
die ist ganz unvergleichlich gut,
voll Blättern, Blüten, Gras und Klee;
der Schnee schmilzt hier im Hütbezirk.

»Ich höre, höre hier
so manchen süßen Vogellaut,
da wird mir meine Zeit nicht lang.
Und locker schweifen die Gedanken.«

Ich hab, ich habe hier
auch eine Quelle, klar und kühl,
und Sonnenschatten rundherum.
Mein Herzensliebchen, komm!

»An Durst, an Durst
da leide ich wahrhaftig nicht:
ich aß noch nichts vom Käsebrot,
das mir die Mutter eingepackt.«

Doch Schwammerln, Pilze groß,
die wachsen hier in dem Gebüsch.
Dazu gibts Vögel, frisch im Nest;
so komm – ich geb dir was davon!

»Wenn du, wenn du mir fest
versprichst, du faßt mich nicht gleich an,
vielleicht, daß ich hinüberkomm!
Wenn nicht, so ziehen wir weit fort.«

So fürchte, fürcht dich nicht,
mein Püppchen, unvergleichlich schön!
Ich flechte dir dein blondes Haar
und streich das rote Kleid dir glatt.

»Du hast, du hast es mir
schon oft und feierlich gelobt,
daß du mich hier in Frieden läßt,
und nicht an meine Muschi gehst.«

Der Schade, Schaden, der
dir zustieß, war ja nur gering!
Von deiner Schwester weiß ich das.
Ich lasse dich dort jetzt in Ruh.

»Das fühlt, das spürt man erst,
wenn einer mich zur Braut erwählt,
ob mir das Häutchen ist verrutscht.
So schäm dich, warst dabei zu wild!«

Sei will-, nun sei willkommen,
du allerliebster, schönster Schatz;
ich seh dich lieber nah als fern.
Komm, flüstre mir ein Wörtlein zu.

»Und wär, und wär ich fern,
wer wäre, Liebster, dann bei dir?
Verlassen habe ich dich nie
ganz ohne Schmerz; du weißt das auch.«

Ich preise, preis
mich glücklich, hunderttausendfach!
Du schönes Mädchen gibst mir Trost,
befreist das Herz von schwerer Last.

– Die Lust, viel Lust
hat diese beiden dann gepackt,
bis rasch die Dämmerung eintrat.
Sie gingen glücklich ihrer Wege...

Am 22. April 1407 war es endlich soweit: Michael von Wolkenstein teilte das väterliche und mittlerweile auch mütterliche
Erbe auf. Die Teilungsurkunde ist erhalten: ein Papierheft, etwa
zehn mal dreißig Zentimeter, Hochformat. Es liegt im Nürnberger
Wolkenstein-Archiv.

Einleitend heißt es in diesem Heft, ich übersetze: »Im Jahre 1407 haben die drei Brüder, Herr Michael, Herr Oswald und Leonhard von Wolkenstein eine Teilung vollzogen, wie unten aufgeführt wird.« Zuerst genannt: »Teil des Herrn Oswald auf Hauenstein« – auf insgesamt vier Seiten werden Bauerngüter und die Einkünfte aus diesen Gütern aufgezählt. Dann »Teil des Herrn Michael auf Trostburg« – ebenfalls vier Seiten. Zuletzt »Teil des Herrn Leonhard auf Aichach« – knapp sechs Seiten.

Der jüngste Bruder erhielt freilich kein besonders üppiges Erbe, hier wurde wohl ein Ausgleich dafür geschaffen, daß er nur landwirtschaftlichen Besitz bekam. Michael, als Familienoberhaupt, behielt die Trostburg und die Stammburg Wolkenstein. Oswald erhielt zwar keine Burg, aber (mit zugehörigen Ländereien) einen Drittel-Anspruch auf die Burg Hauenstein: den Erbanteil der Familie Wolkenstein an diesem Besitz.

Und das war eine Sache mit Haken! Schon Jahrzehnte zuvor hatte sich Friedrich von Wolkenstein mit Martin Jäger um den Besitz dieser Burg und der zu ihr gehörenden Bauerngüter gestritten, dieser Streit wurde von Oswald bald fortgesetzt. Die Vorgeschichte ist lang und vertrackt, ich deute nur an: Barbara von Hauenstein heiratete den Landedelmann Martin Jäger. Als Erbe brachte sie Hauensteinschen Besitz mit in die Ehe. Ihr Mann sollte später wenig Grund haben, sich daran zu freuen.

Denn die Sippschaft Villanders-Wolkenstein wollte diesen Besitz einkassieren; mit einer Barbara von Hauenstein und ihrem Martin Jäger werden wir schon fertig, wird man sich gesagt haben. Bereits 1394 mußte sich Martin Jäger bei Herzog Albrecht von Österreich beschweren, schriftlich: Friedrich von Wolkenstein hatte die Burg Hauenstein besetzt, hatte sich zugehörige Wälder, umliegende Ländereien angeeignet, hatte Lehnsleute von Jäger gezwungen, alle Abgaben ihm zu entrichten – Erpressung, sicher auch Gewaltanwendung.

Und nun erbte Oswald das Drittel von Burg und Ländereien Hauenstein. Er stand an Rücksichtslosigkeit und Härte seinem Vater nicht nach, wie sich vor allem gegenüber Martin Jäger zeigen wird. Dabei war Oswald nicht gerade leer ausgegangen! Er erbte allein im Hauensteiner Gebiet neunzehn Höfe, dazu Bauerngüter und Ländereien bei Rodeneck und im Grödner Tal, Besitzungen in der Stadt Brixen, Weingüter, Wiesen... Der dreißigjährige Oswald von Wolkenstein – ein reicher Mann?

Obwohl ich mir vorgenommen hatte, die Oswald-Höfe nicht zu besichtigen – beim vierten Aufenthalt in Seis war die Neugier doch stärker als die kritische Zurückhaltung (zuviel Detailinformation?!). In der Teilungsurkunde war unter anderem der Vollerhof oder Follhof genannt worden. Der Pfarrer von Seis zeigte mir (auch) diesen Hof, weil er eins der ältesten Gebäude der Region ist.

Begrüßung der alten, hageren, gekrümmten Bäuerin; grauweiß gestreiftes, knöchellanges Kleid, zerlatschte Turnschuhe. Nur einige Zahnstummel und ein Schneidezahn, der, ohne Gegenbiß, weit aus dem Oberkiefer herausgewachsen ist; wenn sie die Lippen schließt, ragt er noch zwei, drei Millimeter über die Unterlippe vor.

Die Bäuerin führt uns zuerst in die Küche, zugleich Räucherkammer: rußig düsterer Raum mit kleinem Fenster, die teerschwarze Decke ist nur zu ahnen. Ein Herd, Steingutbecken, altes Gerät. Hier kocht sie für sich und ihren Mann, der zu dieser Zeit auf der Seiser Alm ist, hier räuchert sie auch für Nachbarn: etwa drei Wochen hängen Schinken und Würste im Rauch des kaminlosen Wohnzimmerofens, der hier von der Küche aus beheizt wird.

Im Wohnzimmer der Ofen als weiß gekalktes, von kräftigem Holzgestell umgebenes Tonnengewölbe. Eine umlaufende Holzbank, herangeschoben ein abgewetztes Kanapee. Über dem Gewölbe eine Bretterfläche mit Matratze, Kopfkissen; das karierte Bettzeug vergilbt. Hier liege sie im Winter, sagt die Bäuerin, aber nur nach dem Mittagessen oder wenn sie krank ist, sonst wird im Schlafzimmer nebenan geschlafen.

Wände und Decke des Wohnraums holzgetäfelt. Auf der blau und rot und weiß bemalten Tür die Jahreszahl 1851. Ein Bord mit Tellern; zwei aufgehängte Porzellankrüge, weiß mit schwarzer Trinkinschrift. Staubränder, Staubflächen zeigen, daß diese Humpen seit Jahren nicht mehr angerührt wurden.

Ein Tisch in der Ecke; Bank, Stühle. Hier sitzen wir, unter Kruzifix und Heiligenbildern, trinken Obstler aus randvollen Stamperln. Eine alte, völlig verstaubte Nähmaschine. Zeitungen in Packen, staubgrau. Schuhe unter einer Bank, aufgehängte Kleidungsstücke, altersgrau. Das Tacken einer Wanduhr. Mich wundert beinah, daß der Minutenzeiger weiterrückt. Verschiedene Zeitmaße hier drinnen und dort draußen? Werden hier noch Zeitansagen aus dem Radio registriert? Vor der Stoffbespannung der Lautsprecheröffnung ein dickes Spinnengewebe.

Eine Zeitsonde angesetzt in diesem alten, holzgetäfelten Raum des noch älteren Bauernhofs, aber die Spitze dieser Sonde ist noch immer Jahrhunderte von der Zeit entfernt, in der ein Hof an der Stelle dieses Hofs unter gleichem Hofnamen zinspflichtig war einem Oswald von Wolkenstein, der drüben auf der Burg wohnte, die ich als Ruine durch das verstaubte, verschlierte Fensterglas sehe.

Mich genauer über die damalige Wirtschaftslage informierend, weil hier Motivationen sein könnten für Oswalds ständige Versuche, seinen Besitz zu erweitern, an Geld zu kommen, lerne ich neue Wörter kennen wie: Wüstung, Wüstungsforscher, Wüstungsquotient, Flurwüstung, Hofwüstung, Dorfwüstung, finde sie in einem Aufsatz über *Wüstungen und Preisfall im spätmittelalterlichen Europa* von Wilhelm Abel. Hier wird, und das betrifft genau Oswalds Zeit, von einer kommerziellen Stagnation, von Depressionserscheinungen, von einer Agrarkrise geschrieben, von einem »wirtschaftlichen Niedergang der Kernländer Europas im Spätmittelalter«. Zeichen dieses Niedergangs sind die zahlreichen Wüstungen: aufgegebene, verlassene, verfallende Dörfer und Weiler in Europa, im Norden wie im Süden, im Westen wie im Osten – überall die gleiche Tendenz, nur unterscheiden sich regional die Zahlen: hier verfallen etwa ein Fünftel, dort zwei Drittel der Ortschaften. Grund dafür: der Bevölkerungsrückgang. Grund für den Bevölkerungsrückgang: vor allem die Große Pestepidemie Mitte des vierzehnten Jahrhunderts, die sich später wiederholenden »Seuchenwellen«, »Seuchenumzüge«. Folgen: Preis- und Lohnbewegungen, die, zusammen mit anderen Faktoren, »siebend und sichtend die Siedlungen schieden«. Das muß man zweimal lesen, laut: »siebend und sichtend die Siedlungen schieden.«

Zum Beispiel Frankreich: ganze Landstriche entvölkert, von Brombeergebüsch und anderem Gestrüpp überwuchert, bestellte Felder oft nur noch in unmittelbarer Umgebung von Städten, von Befestigungen, im Sichtbereich der Wächter auf Türmen, so daß rechtzeitig gewarnt werden konnte vor der Annäherung von Räuberbanden.

Und in Österreich: Siedlungen, vor allem in größeren Höhen, wurden aufgegeben, statistisch ein Sinken der Siedlungsgrenze. Insgesamt: Rückgang der Ackerflächen. Zugleich aber auch ein stetiges Sinken der Getreidepreise, und zwar in ganz Europa. So sehe ich drei Diagramme, eins für England, eins für Frankfurt, eins für Krakau, und auf allen dreien: die Preislinie für Weizen, für Roggen sinkt, und zwar sinkt sie innerhalb der Lebenszeit Oswalds fast auf die Hälfte der Indexziffer, dagegen zeigen die Löhne zu seiner Zeit überall eine steigende Tendenz, eine Nachwirkung der Großen Pest: Arbeitskräfte waren rar geworden.

Insgesamt also: der Kostenindex der Landwirtschaft stieg, die Erlöse fielen. Ich lese von einem Preiseinbruch, Preisfall, Preisabschwung, einem Rückgang der Ertragsquoten in der Landwirtschaft, einem Sinken der Grundrente.

Gewiß hat die allgemeine Entwicklung der Preise eingewirkt auf Tirol, auch wenn es landwirtschaftlich ein Sonderfall war und ist: Getreide läßt sich in diesem vorwiegend bergigen Land kaum anbauen – deshalb lagen die lokalen Getreidepreise über dem europäischen Schnitt. Eine relativ große Bedeutung dagegen hatte und hat in Tirol die Viehwirtschaft, und die Lage auf dem Fleischmarkt war damals in Europa relativ günstig, Vieh ließ sich recht leicht exportieren, per Huf, Getreide dagegen nicht, wegen der miserablen Verkehrsverhältnisse. Ich werde mich später noch genauer mit Oswalds Einkünften aus seinen landwirtschaftlichen Besitzungen befassen, jetzt nur soviel: ein Teil seiner Naturalbezüge bestand selbstverständlich aus Produkten der Viehwirtschaft (Oswald als ›Hörndlbauer‹), ein erstaunlich hoher Anteil jedoch aus Getreidelieferungen (Oswald als ›Körndlbauer‹).

Zwischenfrage: warum heißt es in diesem Buch immer nur »Oswald« und nicht korrekt »Oswald von Wolkenstein« oder wenigstens »Wolkenstein«? Ist es nicht fast eine Demonstration von Gemeinsamkeit, womöglich von Kumpanei, wenn ich nur »Oswald« schreibe? Wir beide, Oswald und Dieter, auf Duzfuß, wenigstens nachträglich?

Von Germanisten werden (zumindest die bekannten) Dichter des Mittelalters durchweg mit Vornamen genannt, auch in wissenschaftlichen Untersuchungen. Dies habe ich übernommen, der Vorname ist entschieden handlicher als das sperrige Oswald von Wolkenstein. Kein Anbiedern also, keine Verbrüderung.

Schon 1407 wird Oswald gewußt, zumindest geahnt haben, daß er mit der Übernahme seines Erbanteils keineswegs für alle Zukunft ausgesorgt hatte. Dennoch tat er so, als habe er einen Teil des Nibelungenhorts geerbt: selbstbewußt, standesbewußt demonstrierte er seinen neuen Besitzerstatus durch Stiftung und repräsentative Selbstdarstellung.

Oswald ließ auf der Empore zwischen den beiden Türmen der Stiftskirche zu Brixen eine Kapelle für den hl. Oswald ausmalen und ausstatten, ließ eine Sakristei anlegen. In dieser Kapelle war auch das Bild, von dem Marx Sittich berichtete: Oswald in Seenot. Die Kapelle wurde noch im Jahr der Erbteilung eingeweiht; Oswald stellte zwei Kapläne für sie ein.

Dieses Benefizium muß kommentiert werden: hier wurden zwei, wahrscheinlich junge, Männer nur dafür bezahlt, daß sie werktags abwechselnd und sonntags, in Gottes Namen, gemeinsam die Messe lasen. Sonst hatten sie nichts zu tun – jedenfalls nicht für das Geld, das Oswald für sie aufbrachte. Waren die beiden Kapläne geschickt, so beschafften sie sich weitere Pfründe – darauf angewiesen waren sie aber nicht. Man bezeichnete Geistliche in solchen Positionen als

»Meßpriester«, unterschied sie von den »Leutpriestern«, die eine Gemeinde hatten, Amtstätigkeiten ausübten, also die eigentliche Arbeit taten.

Jedem dieser beiden »Meßpfaffen« wurde ein Haus zur Verfügung gestellt. In der *Brixner Häusergeschichte* von Ignaz Mader sind die Adressen angegeben. Das erste in einer Gasse direkt am Eisack, in einer Häuserreihe, die durchweg Benefizien gewidmet war: Griesgasse Nr. 6. Noch im Jahre 1842 wird dieses Haus als St. Oswald Benefizium ausgewiesen – hier hatte Oswald also eine lange Tradition begründet! Das zweite Haus in der Runggadgasse, mit der heutigen Nummer 16. Dieses Haus war sogar noch 1895 St. Oswald Benefizium!

Zwei keineswegs kleine Stadthäuser: welch ein Aufwand für eine (in unseren Augen) belanglose Funktion! Und dies sogar in doppelter Besetzung! Oswald hat diese Stiftung zeitlebens einen nicht unbeträchtlichen Teil seiner Pachteinnahmen gekostet.

Nun läßt sich einwenden, daß diese fromme Stiftung nicht nur die spontane Aktion eines jungen Grundbesitzers war, der den Sinn für Proportionen verlor: der Teil-Anspruch auf Hauenstein samt Ländereien machte Oswald zum Lehnsträger des Fürstbischofs von Brixen, machte ihn zum »Brixener Gotteshausmann«; da war eine fromme Stiftung also angebracht, wurde wohl auch erwartet, ja vorausgesetzt.

Gewiß hat Oswald der heilige Oswald viel bedeutet: darum einige Zeilen über ihn. Oswald, der zum heiligen Oswald wurde, war ein Sohn des heidnischen Königs Ethelfrith von Northumbrien, wurde geboren um 600. Oswald ließ sich bekehren, taufen, christlich erziehen, unterrichten, wurde König, unterstützte die Missionierung Northumbriens, stiftete Kirchen, Klöster, Benefizien. Gepriesen, gerühmt wurde seine Mildtätigkeit: täglich sollen Bettler an seiner königlichen Tafel gespeist haben. Wiederholte Kämpfe gegen heidnische Regionalherren der angrenzenden Gebiete, gegen König Ceadwalle, König Penda: Machtpolitik und Religion. Oswald fiel in der Schlacht auf dem Maserfeld, am 5. August

642. Penda ließ seinen Kopf und seinen rechten Arm abhacken, auf einen Pfahl spießen; diese Körperteile wurden später zu hochverehrten Reliquien.

Durch britische Missionare wurde die Verehrung des heiligen Oswald verbreitet, auch im deutschsprachigen Bereich; schon im 8. Jahrhundert war er ein populärer Heiliger. Mehrfach wurde seine Legende niedergeschrieben, er war die Hauptfigur eines Spielmannsepos. Gemalt wurde er gewöhnlich als Ritter in einer Rüstung, ein Horn blasend, oder als König mit Hermelinkragen und königlichen Insignien. Gelegentlich wurde er zu den 14 Nothelfern gezählt. Die Kurz- und Koseform seines Namens lautete: Osi.

Vielleicht kann mir der hl. Oswald weiterhelfen: bei der Ermittlung des Geburtsdatums unseres Oswald. Kinder wurden damals und bis in unsere Zeit oft nach dem Heiligen benannt, an dessen Namenstag sie geboren wurden – es ist also möglich, daß auch bei Oswald Namenstag und Geburtstag identisch waren. In diesem Fall wäre er an einem 5. August geboren worden.

Oswald ließ 1408 einen Gedenkstein herstellen und im Brixener Dom anbringen – die lebende Selbstdarstellung eines feschen Kreuzfahrers mit gezwirbeltem Schnurrbart, gewelltem Kinnbart, onduliertem Haar, mit Harnisch, Kampfrock, Rittergurt und Langschwert, in der rechten Hand ein Kreuzfahrerwimpel, in der linken ein Helm mit gewundenen Hörnern, aus denen standesübliche Pfauenfedern ragen. So steht er auf dem Wappen der Familie Villanders und der Familie Wolkenstein, mit Lamellenschuhen und Radsporen.

Oswald nicht als Pilger, sondern als Kreuzritter: hier wird erheblich stilisiert! Eine Selbstpräsentation dieser Art war in seinem Stand verbunden mit einer Pilgerfahrt ins Heilige Land: der Stein als sichtbares Gelöbnis. Und zugleich als Grabstein für den Fall, daß man nicht zurückkehrte; am rechten Rand blieb Platz frei zur Eintragung der Daten.

Eine der beliebtesten Stories der Trivialliteratur über Oswald von Wolkenstein ist diese: Oswald sei aus Liebe zu »Sabina«, der Tochter (ausgerechnet!) Martin Jägers, ins Heilige Land gepilgert...

Ein direkter Nachkomme von Oswald, Arthur von Wolkenstein-Rodenegg, hat als Arthur von Rodank im letzten Jahrzehnt des vorigen und in den ersten Jahren dieses Jahrhunderts eine Reihe von *Tiroler Romanen* geschrieben, hat 1905 den Roman *Sabina Jäger* publiziert, ein »Zeit- und Lebensbild aus dem Anfang des 15. Jahrhunderts«. Ein Trivialroman (»Sabina saß mit wogender Brust da«) mit literarischen Ansprüchen. Graf Arthur läßt die entscheidende erste Begegnung seines Vorfahren mit Sabina im Mondlicht stattfinden.

»Sie wollte in die nahe Burg zurückeilen, da – was klang plötzlich aus dem Gebüsch zu ihr herüber? Die Klänge einer Laute – das – das ist Herr Oswald! Mit seelenvoller Stimme begann er ein Liebeslied. Sabina beschwichtigte den knurrenden Hund und lauschte, und lauschte! Ja, das war die Stimme Oswalds, des Sängers.

Gespannt horchend stand Sabina im vollen Mondenlichte. Ein Bild, wohl dazu angetan, einen Dichter und Sänger geradezu zu begeistern. Der Sang war beendet; Oswalds Gestalt löste sich aus dem Dunkel des Gebüsches, er schritt auf Sabina zu. Sabina ging dem Sänger entgegen und reichte ihm die Hand, die er stürmisch küßte.«

In einem Roman, der nach dem Zweiten Weltkrieg geschrieben wurde, von Hans Hömberg, sieht Oswald das kecke Luder Sabina zum ersten Mal in der Badewanne und riskiert ein Auge zuviel. »Ein Duft von Veilchen und Aloe drang zu ihm, verwirrte ihn und ließ sein Herz heftig schlagen. ›So komm doch näher!‹ Oswald gehorchte und errötete.«

Was Graf Arthur und Hans Hömberg ihren Oswald und ihre Sabina zuerst sagen lassen, unterscheidet sich kaum. »Sabina! Darf ich denn gar nicht hoffen?« heißt es einmal, und das andere Mal: »Hab Mitleid und Erbarmen!« Aber Sabina will Oswald erst anhören, wenn er hier eine »Prüfung«, dort eine »Probe« bestanden hat. Einmal heißt es klar: »So will ich dich heiraten, wenn du eine Pilgerreise nach Jerusalem unternimmst.« Das andere Mal wird die

Forderung verschlüsselt: »Der Rosen viele blühen in meinem Garten, doch eine fehlt. Die Rose aus dem Heiligen Lande, die Rose von Jericho.«

Und Oswald fährt ins Heilige Land; als er zurückkehrt, ist Sabina verheiratet, mit dem reichen und alten Bürger Hans Hausmann. Erschütterung, Leid, das sich in Liedern ausdrücken muß, doch weiterhin umwirbt Oswald diese Frau: er ist diesem, wie ich lese, sinnlich lockenden, betörenden, ja dämonischen Weib verfallen!

Ist so viel über Oswalds Liebe zur Hausmann fabuliert worden, weil Oswald so wenig über sie geschrieben hat? Nur ein einziges Mal erwähnt er, später, in einem Lied ihren Familiennamen, nie aber ihren Vornamen. Daß sich kein Lied eindeutig auf dieses Liebesverhältnis beziehen läßt, hat schon manchen Oswaldforscher irritiert, denn eigentlich, nicht wahr, hätte Oswald wenigstens *ein* leidenschaftlich-verhaltenes oder leidenschaftlich-rückhaltloses Lied auf die Geliebte schreiben müssen, aber nichts davon. So versuchte man, einige Liebeslieder auf diese Liebe zu beziehen; besonders favorisiert wird dabei Kl 57.

> Kluges Kind von achtzehn Jahren –
> bringt zum Schweigen allen Spaß,
> läßt mich nicht mehr von sich los,
> seit ichs sah, mit einem Aug.
> Gönnt mir wirklich keine Ruh:
> früh und spät bannt mich ihr Mund,
> der sich lieblich öffnet, schließt,
> zart gelenkt von Wörtern...
>
> Bin ich fern, sie ist mir nah –
> schön ihr Antlitz, überall,
> längst gebannt hat mich ihr Blick,
> weiht mich in die Liebe ein.
> Könnt sie nur Gedanken lesen:
> Liebeskummer macht mich krank,

bin vor ihr schon wie erstarrt,
keinen Finger kann ich rühren...

Weiblicher war nie ein Weib –
makellos, verführerisch!
Ihre Anmut tuts mir an
ach, vom Scheitel bis zur Sohle.
Wenn ich an die Maße denke
(üppig, schlank, füllig, rank),
muß ich sie da nicht begehren?
Wenn sie nur Erbarmen hätte...

Eigentlich gibt es nur zwei Angaben zu diesem Lied, die biographische Rückschlüsse ermöglichen. Einmal: daß sie 18 Jahre alt war, als er sie kennenlernte oder sich in sie verliebte. Dies wird kaum eine Zahl sein, die Jugendlichkeit signalisieren sollte (wie bei uns etwa das »Siebzehn Jahr...«) – bei einer durchschnittlichen Lebenserwartung von etwa Mitte Dreißig war man mit 18 eine reife Frau; man heiratete vielfach mit 15 oder 16.

Der andere Punkt: daß er sie mit seinem »einen Auge« sah und nicht von ihr loskam – ein klarer autobiographischer Bezug. Sonst aber die damals üblichen literarischen Formeln eines Liebeslieds: daß sie schön, ja letztlich vollkommen ist, daß er sie um Gnade, Milde, zärtliches Entgegenkommen bittet. Das ist ähnlich schon vielhundertfach vor diesem Lied geschrieben worden, auf eine konkrete Beziehung läßt sich hier nicht schließen – weder zu einer Freundin noch zur späteren Ehefrau. Ein Text, der von Erfahrungen abstrahiert. Oder: in dem literarische Schemata vor biographischen Realitäten stehen. Das gilt vor allem auch für das folgende Lied, Kl 51.

Ach, Leid aus Liebe,
fern sein, fremd sein, feind sein, das tut weh –
lieber denn versunken in der See!
Zart liebevolle Frau,
du treibst, verbannst mich ins Tal Josaphat.

Gemüt, Gedanken, Herz und Sinne: todesmatt.
Bin reif zum Tod,
wenn deine Gnade mir nicht hilft
aus großer Not.
Den Schmerz verberg ich dir.
Dein roter Mund,
er hat in mir so starke Lust erweckt,
daß ich nun auf Erfüllung dränge.

Mein Herz im Kummer ficht
und bricht. So lindre, löse doch die Last!
Ich wart auf freundlichen Bescheid;
ich bin wie ein Delphin,
den sein Instinkt zum Meeresboden schickt
vor einem Sturm, den wieder hochlockt dann
    der Sonnenglanz,
der ihm den Sinn erquickt.
Geliebte, bleib mir treu
in deiner Trefflichkeit!
Laß deinen Freund doch in der Fremde
nicht kraftlos wanken, kränkeln, sterben.
Ach, dies Exil, es läßt mich toben, wüten!

Mein Kopf ist voll
von Krankheit, Kläglichkeit und Klagen.
Die Zeit, sie geht nicht weiter...
Wenn ich mein Leid bedenk
des Nachts, so bleib ich wach, bin wie zerschlagen;
find keinen Trost im Bett,
obwohl mein Unglück alles überragt.
Gefoltert wird mein Herz
von manchem Seufzerstoß.
Wann werde ich erlöst
von dieser Last? Warten, Harren zehrt mich aus,
raubt mir beinah den Verstand.

Auch hier also vorgeprägte Muster: die Abhängigkeit, Hörigkeit des Mannes, der Liebesschmerz, die Bitte um Erlösung durch Liebe. Und allgemeine Hinweise auf einen Aufenthalt in einem fernen, fremden Land. Nur einmal ein Name: Josaphat, das Tal, in dem die Muttergottes begraben sein soll; hier hat Oswald offenbar eine gefährliche Situation erlebt, denn später, 1426, wird er in einem Brief nachdrücklich vor einem Besuch dieses Tales warnen.

Es hat nachweislich eine »hausmannin« gegeben, die Oswald kannte, aber diese Hausmann war nicht Martin Jägers Tochter, die vom alten Hausmann geheiratet wurde, diese Hausmann war, ganz einfach, die Tochter von Hans Hausmann. Er hatte vier Kinder, ich zähle die überlieferten Namen in alphabetischer Reihenfolge auf: Anna, Hans, Heinrich, Jakob.

Hans Hausmann war Schulmeister, nachweisbar für das Jahrzehnt 1370/80; wahrscheinlich war er 1387 Bürgermeister von Brixen; außerdem war er, nach Schwob, »Dienstnehmer des Hochstifts«. Oswald von Wolkenstein und Hans Hausmann lernten sich zuerst also wohl dienstlich kennen, und irgendwann wurde Oswald die Tochter vorgestellt, Anna.

Dies dürfte in Brixen gewesen sein. Wann ungefähr? In einem Liedtext, den Oswald Ende 1421, Anfang 1422 geschrieben haben dürfte, heißt es, er habe die Frau, die ihn nun quälte, seit dreizehn Jahren und noch länger geliebt. Über diese ›femme fatale‹ beklagt sich Oswald in verschiedenen Liedtexten dieser Zeit, nie aber wird ihr Name genannt; erst später, 1427, identifiziert er sie, im Rückblick, mit der »hausmannin«. Rechnen wir zurück, so dürfte Oswald die Tochter des Hans Hausmann etwa 1408 kennengelernt haben.

Mehr läßt sich hier nicht berichten? Im Nürnberger Wolkenstein-Archiv liegt ein Dokument, das uns ein wenig weiterhelfen kann. Am 25. Mai 1409 vermachte Anna Hausmann, »Tochter des verstorbenen, seligen Hans des Hausmann«, dem Heiligen-Geist-Spital zu Brixen ein Gütlein. Demnach war ihr Vater zu diesem Zeitpunkt verstorben. Und: seine Tochter war im geschäftsfähigen Alter. Wie alt war sie genau? Diese Frage muß offenbleiben.

Interessant ist an dieser Urkunde die folgende Feststellung, gegen Schluß: »Auf meine Bitte hat der Ritter, Herr Oswald von Wolkenstein, derzeit Hauptmann des ehrwürdigen Gotteshauses zu Brixen, sein Siegel an die Urkunde gehängt.« Demnach war Oswald in der Familie Hausmann offiziell eingeführt: keine heimlichen Beziehungen des etwa dreißigjährigen Junkers mit der Tochter des bald darauf verstorbenen Schulmeisters.

Nun muß hier noch ein Rest der alten Romanze exorziert werden: daß Oswald für die Freundin, Geliebte ins Heilige Land reiste. Es hat sich gezeigt, daß sich aus den Liedtexten so etwas nicht ablesen läßt. Es hätte auch weder gesellschaftlichen noch literarischen Spielregeln entsprochen, als Adliger für die Tochter eines (wenn auch angesehenen) Bürgers ins Heilige Land zu reisen, das mußte eine anbetungswürdige Dame der ›high society‹ sein; ihr Name wurde traditionellerweise nicht genannt, denn diese Dame war, dem gesellschaftlich-literarischen Schema entsprechend, verheiratet.

Die Motivation für die Reise liegt hier: die Erbschaftsteilung hatte Oswald die materiellen Voraussetzungen für solch eine (standesübliche) Reise gegeben.

Wann fand sie statt? Es besteht (nach jetziger Kenntnis) eine Dokumentenlücke zwischen Mai 1409 und Januar 1411 – in dieser Zeit könnte die Pilgerreise stattgefunden haben.

Pilgerreisen ins Heilige Land hatten in der zweiten Hälfte des vierzehnten, in der ersten Hälfte des fünfzehnten Jahrhunderts (und auch später noch) fast stets den gleichen Ablauf: ungefähr dieselbe Route, meist das gleiche Programm. So läßt sich aus vielen Berichten damaliger Pilger der statistisch durchschnittliche Verlauf solch einer Pilgerreise »über Meer« zusammensetzen. Dies hat Reinhold Röhricht getan in seinem Buch *Deutsche Pilgerreisen nach dem Heiligen Lande*.

Die Reisemotive der Pilger waren unterschiedlich: es gab selbstverständlich Pilger, die Jesus im Heiligen Land näher sein wollten, es gab auch Pilger, die mit solch einer Fahrt ein Gelübde erfüllten, andere kamen mit dieser Reise einer Wette nach, oder sie wollten romantisch den Spuren der Kreuzritter folgen, wollten den orientalischen Handelsmarkt erkunden, wollten Ritter am Heiligen Grab werden, wollten Abenteuer erleben. Zum Teil waren die Pilger auch Pilger-Profis: wem die Reise zu fernen Wallfahrtsorten zu umständlich, zu gefährlich war, der konnte stellvertretend einen Pilger dorthin schicken, das sollte ungefähr die gleiche Wirkung haben. So bildete sich mit dem System der stellvertretenden Pilgerschaft rasch eine Organisation von Berufspilgern: Männer, die sich gegen entsprechende Bezahlung auf die Reise schicken ließen – vielfach rüde Burschen.

Wer eine Pilgerfahrt antreten wollte, mußte eine geistliche Erlaubnis haben. Hochgestellte Personen hatten sich in dieser Angelegenheit an ihren Papst in Rom oder Avignon zu wenden, gegen entsprechende Gebühren; sonstige Pilger sprachen bei den nächsten geistlichen Autoritäten vor.

Die damalige Kirche schätzte Wallfahrten nicht sonderlich hoch ein: es ging eher lustig als fromm zu. Wollten Pfarrer und Mönche eine längere Wallfahrt unternehmen, so mußte für strenge geistliche Aufsicht gesorgt werden: zu rasch ging vielfach die Klosterdisziplin verloren, zu oft vergaßen Priester ihren Auftrag. Damalige Sprichwörter und Redensarten zeigen an, wie man über Pilgerfahrten dachte: Wallfahrten geschehen mehr aus Wollust denn aus Andacht; wer oft wallfahren tut, wird selten gut; als Pilgerin fortgehen, als Hure wiederkommen. –

Neben der geistlichen Erlaubnis mußten die finanziellen Mittel für die Pilgerfahrt besorgt werden. Für ärmere Pilger legten oft die Verwandten zusammen, ja zuweilen der ganze Ort; solch ein Pilger mußte an den Heiligen Stätten entsprechend viel beten. Mitglieder der höheren Klassen nahmen Anleihen auf, wenn sie nicht genug Bargeld besaßen, und überwiesen vor ihrer Abreise die Gelder an eine venezianische Bank. Die meisten Pilger freilich versteckten ihre Geldmittel so gut wie möglich, um nicht schon vor Venedig von Straßenräubern gerupft zu werden.

Die Reisevorbereitungen bestanden auch darin, daß man sich rechtzeitig einen Pilgerbart wachsen ließ. Spätestens in Venedig zog man sich eine graue Pilgerkutte an mit aufgenähtem rotem Kreuz, ein zweites Kreuz auf dem breitkrempigen Hut. Weiter gehörten zur Standardausrüstung der Stock, der Sack, die Flasche. Von Bekannten, Verwandten, Freunden bekamen Pilger gewöhnlich Ringe und Steine mit, für Rosenkränze: die sollte man mit allen geweihten Orten in Berührung bringen.

Fürsten legten vor dem Aufbruch zuweilen den Grundstein zu einer Votivkirche. Mönche ließen sich vom Abt segnen. Gewöhnlich machte man vor dem Aufbruch sein Testament. Das Abendmahl war für alle Pilger obligatorisch. Glückwünsche, Tränen, der Johannissegen.

Und auf gings nach Venedig. Teils über die Alpen, teils auf Umwegen über andere Wallfahrtsorte, Gnadenorte, zur Sicherung des himmlischen Beistands für die Reise. In Treviso oder Pavia verkauften die berittenen Pilger gewöhnlich ihre Pferde oder gaben sie bis zur Rückkehr in Futter.

Vor Venedig warteten Scharen von Anreißern auf die Pilger, schleppten sie ab zu den Gasthäusern, von denen sie Provision erhielten. Reichere Pilger konnten es sich leisten, diese Anreißer abzuwimmeln, sie hatten sich schon vor der Reise eine Unterkunft in Venedig besorgen lassen, im Weißen Löwen, zum Beispiel, im Schwarzen Adler oder im Deutschen Haus – hier waren Wirt und Wirtin Deutsche, ebenso Knechte und Mägde, deutsch auch die Küche.

Reiche Pilger hatten auch rechtzeitig durch Mittelsmänner einen Kontrakt mit einem Reeder geschlossen; sehr hochgestellten Persönlichkeiten der politischen Szene wurde eine Staatsgaleere zur Verfügung gestellt. Die meisten Pilger aber mußten sich auf dem Markusplatz mit Agenten und Reedern einigen; unter den Fahnen und Bannern der Schiffsgesellschaften wurde laut geworben und hart verhandelt.

Im Kontrakt, der schließlich von beiden Seiten unterschrieben wurde, waren gewöhnlich diese Punkte festgelegt: Der Patron soll die Pilger von Venedig nach Jaffa bringen und wieder zurück; das Schiff soll in wenigen Tagen segelfertig sein; es soll mit der nötigen Mannschaft und mit Waffen ausgerüstet sein; ein Chirurg und ein Arzt sollen sich an Bord befinden; das Schiff soll nur an den üblichen Hafenplätzen anlegen; jeder Pilger erhält täglich Essen und Trinkwasser, und zwar möglichst gut und frisch – vor jeder Mahlzeit ein Glas Malvasier; reiche Reisende dürfen sich einen eigenen Koch halten; jeder Pilger hat Anspruch auf genügend Platz, auch zur Unterbringung von zehn bis zwölf Hühnern. Der Patron verpflichtet sich, die Pilger vor jeder Unbill zu schützen, sie im Heiligen Land zu geleiten, persönlich oder durch Stellvertreter, die nötigen Abgaben und Tribute zu entrichten, ausgenommen die Zahlung der üblichen Trinkgelder. Zum Schluß gelobte man, allen Ausflüchten und Verdrehungen zu entsagen, die durch Auslassung oder unklare Formulierungen eines Paragraphen entstehen könnten. Der beiderseits unterschriebene Kontrakt wurde in der Dogenkanzlei von einem Notar ratifiziert.

Nun begannen die unmittelbaren Reisevorbereitungen, und dazu hatte man meist mehr Zeit, als im Vertrag festgelegt war: es konnte bis zu sechs oder acht Wochen dauern, ehe das Schiff endlich ablegte. Man tauschte die verschiedenen Valuten ein, die auf dieser Reise notwendig waren, vor allem für Trinkgelder. Diese Münzen wurden in Kleidern vernäht oder in Schweinefleisch versteckt, um sie vor dem Zugriff der Muselmanen zu sichern. Reichere Pilger versorgten sich auch mit Proviant.

Der Nürnberger Hans Tucher gibt später in einem Buch einige Ratschläge für Jerusalempilger, Ratschläge, die in ähnlicher Form schon zu Oswalds Zeit gegeben wurden, in Reisebeschreibungen und Pilgerbüchlein, erhältlich etwa im Franziskanerkloster della Vigna. Es wurde geraten, vor allem gesalzene Butter, Käse, Zwieback, Stockfisch, Schinken, Erbsen und Gerste mitzunehmen. Besonders wichtig seien Hühner, man solle sie in einem verschließbaren Korb transportieren: so habe man Frischfleisch, könne sich auch mal eine kräftigende Brühe kochen (lassen), besonders nützlich bei Seekrankheit. Wichtig ist dem Hans Tucher auch der Wein: vom Malvasier, der bei Hitze leicht verdirbt, rät er ab, günstig sei Wein aus Friaul. Und aufgepaßt auf die Verdauung: hier helfen nach seiner Erfahrung grüner Ingwer, kandierter Koriander, Zitronat, Konfekt. Das Gepäck solle man auf einen Sack und zwei Taschen verteilen, das sei am praktischsten für Eselsritte im Heiligen Land; außerdem solle man eine lange Truhe mitnehmen, in der man das Gepäck während der Schiffsreise verstaue, auf der man nachts schlafe: viel Ungeziefer auf dem Schiffsboden. Diese sarggroßen Holzkästen waren schon zu Oswalds Zeit üblich. Und wer nicht gern die Schiffslatrine benutzte, erwarb sich einen Nachtstuhl.

Am Tag der Abfahrt wurde auf dem Schiff die Pilgerfahne gehißt: weiß mit rotem Kreuz, dann die Fahne des San Marco: roter Löwe auf weißem Feld, und das päpstliche Banner: grüner Eichenlaubzweig mit goldenen Eicheln und gekreuzten Schlüsseln auf himmelblauem Grund. Die Pilger sangen fromme Lieder; eine Messe wurde gelesen; Pilger und Schiffsbesatzung baten kniend um den himmlischen Segen.

Auf der Schiffsfahrt, die gewöhnlich zwei Monate dauerte, gelegentlich auch zwei Wochen weniger, vertrieben sich die Pilger die Zeit meist mit Kartenspielen; manchmal wurden Delphine gejagt; man ließ sich von Matrosen Fabelhaftes erzählen von meilenlangen Fischen, von Seeschlangen, von Stürmen und Piraten. Nach einiger Zeit gewöhnlich die ersten Reibereien, Auseinandersetzungen, Schlägereien an Bord. Besonders verrufen waren die Berufspilger und die Niederländer. Die Schiffsbesatzung klaute, so viel sie konnte.

Als erholsam galt solch eine Schiffsreise nicht. Die Unterkunft war eng und stickig. Es gab Läuse, Wanzen, Mäuse, Ratten. Unaufhörlich stampften auf Deck die Maultiere und Pferde; wer drunter lag, fand kaum Ruhe. In den Schlafräumen wurde bis spät in die Nacht geredet, gesungen, gegrölt, gebrüllt. Das Essen war mäßig bis miserabel. Kraut, Fleisch, Suppe, Suppe, Suppe. Das Brot hart, mit Würmern, das Wasser brackig, übelriechend.

Die gewöhnliche Schiffsroute: Venedig – dalmatinische Küste – Korfu – Kreta – Rhodos – Zypern – Jaffa. Zuweilen sah man wirklich Piratenschiffe, von denen so viel erzählt wurde: gewöhnlich wagten sie sich an die stark bewaffneten Pilgerschiffe nicht heran. Manchmal erlebte man auch einen der Stürme, von denen ebenfalls viel erzählt wurde. Zog ein Unwetter auf, so versuchte man es durch Schüsse zu vertreiben.

Allgemeine Erregung, sobald die Küste des Heiligen Landes auftauchte. Von einem der beiden Wachtürme von Jaffa wurde ein Kanonenschuß abgegeben, ein Banner wurde aufgesteckt. Das Schiff mußte vor der Küste ankern, bis alle Formalitäten erledigt waren. Nach mehreren Kreuzzügen war das Heilige Land nun doch wieder im Besitz der »Heiden«, und die folgten, wohl aufgrund entsprechender Erfahrungen, der Devise: Hüte dich vor jedem Jerusalemfahrer! In jeder Hinsicht sollten diese unerwünschten Besucher finanziell ausgebeutet werden, zur Strafe, aus Rache. Gebühren, Tribute, Wegegelder, Eintrittsgelder, Abgaben, Sonderabgaben, und immer wieder Bakschisch.

Es dauerte nach dem Kanonenschuß bis zu sechs Tagen, ehe aus Ramleh und Jazur Vertreter der türkischen Behörden erschienen, begleitet von zahlreichen Kaufleuten. Auf dem Schiff verhandelte der Patron mit den türkischen Herren, bewirtete sie zuvorkommend, auch mit Wein. Gebühren und sonstige Gelder wurden bezahlt. Alle Pilger mußten ihre Waffen ablegen, mußten Namen und Stand angeben, auch Namen und Stand der Eltern: reiche Pilger, namhafte Pilger reisten gewöhnlich unter Pseudonym, um nicht allzusehr gerupft und womöglich erpreßt zu werden – wiederholt Geiselnahmen.

Während der langen bürokratischen Formalien versuchten die Kaufleute den Wartenden möglichst viel zu verkaufen: Rosenwasser, Balsam, echte und falsche Edelsteine, Eier, Brot, Fleisch, Wasser, Rosenkränze, Decken; Eseltreiber boten ihre Esel an.

Der Gruppenleiter erteilte Instruktionen: Stets in der Gruppe bleiben, nicht lachen und lärmen, nicht auf türkische Gräber treten, Mauern und Wände nicht beschmieren, nicht Stücke vom Heiligen Grab hacken, sich nicht mit Frauen einlassen, Türken keinen Wein geben, selbst auch keinen Wein trinken, nicht Moscheen aufsuchen, den Gruppenleiter nicht für Verzögerungen oder Verspätungen verantwortlich machen.

Damit ging es endlich los, Richtung Ramleh. Beschaulichkeit konnte sich unter den Pilgern kaum einstellen, zum Beten und Singen fand man wenig Gelegenheit, denn fast unablässig war man mit den Eseltreibern beschäftigt. Gewöhnlich waren mehr Esel als Pilger da, jeder Eseltreiber aber wollte etwas verdienen, so fing ein

Gerangel an um die Pilger. Die reicheren Pilger waren von diesem Problem befreit, sie hatten aufs Schiffsdeck ihre Reittiere mitgebracht; den anderen Pilgern aber erging es vielfach so: Sie kamen mit einem Eseltreiber überein; der forderte Bakschisch für das Hinaufhelfen auf den Esel; nach oft recht kurzer Zeit schon sorgte der Treiber dafür, daß sein Esel den Pilger abwarf: neues Bakschisch für das Hinaufhelfen – das konnte sich mehrfach wiederholen. Blieb ein Pilger auf seinem Esel zurück, war der Eseltreiber einmal nicht in seiner Nähe, so wurde der Pilger von einem noch unbeschäftigten Treiber aus dem Sattel gerissen, auf sein eigenes Reittier gehoben; dafür wurde Bakschisch verlangt. Wer nicht zahlte, wurde verprügelt; zurückschlagen war verboten. Bis zu vier- oder fünfmal konnte man so gezwungen werden, sein Reittier zu wechseln. Und jedesmal Bakschisch, auch für das Absteigen, endlich, an der Raststation. Dort waren dann schon etliche Gepäckstücke verschwunden. Und mit Vorliebe zerschlugen die Treiber die kleinen Weinfäßchen der Pilger.

Endlich Jerusalem! Von Eseltreibern, Dieben, Händlern umkreist und bedrängt, kniete manch einer hin: die hochheilige Stadt mit Mauern und Türmen; Rührung, Dankgebet. Erneute Abgaben am Stadttor. Die Pilger fanden Unterkunft im Johanniterhospital oder im Zionskloster; dafür mußte man bei der Abreise fünf bis acht Dukaten zahlen.

Nachdem man sich von den Strapazen der Anreise erholt hatte, versammelte man sich auf dem Zion zur Prozession. Kurze Ansprache durch den Gruppenleiter: Hinweis auf die Heiligkeit des Ortes, Bitte um entsprechendes Benehmen. Nachdem man, mit Kerzen in den Händen, den Leidensweg des Herrn abgeschritten hatte, ging es zur Grabkirche. Sie war eigentlich nur zweimal im Jahr geöffnet, doch wenn entsprechende Gebühren gezahlt wurden, entsiegelten die türkischen Beamten die Tür; wer nicht zahlte, kam nicht rein. Erneute Anweisungen des Gruppenleiters: Nicht mit den Händlern in der Kirche feilschen; die Priester der Gruppe sollten sich nicht um das Messelesen zanken; die heiligen Stätten nicht durch Anmalen oder Abschlagen verunglimpfen; beichten, das Abendmahl feiern.

In der Grabkirche ging es bunt zu: Händler boten kostbare Stoffe an, Ketten, Ringe, Rosenkränze, Kreuze und vor allem: Reliquien. Trotz der Verbote beschrieben Edelleute die Wände, schlugen Nägel ein, hängten ihre Wappen auf. Pilgerinnen versuchten, sich in einem Winkel befruchten zu lassen, weil Kinder, die in einer Kirche, erst recht in dieser Kirche, gezeugt wurden, als Glückskinder galten. Priester zankten sich um die Alba, weil nur einer die Messe in der Grabkirche lesen durfte. Das Abendmahl.

Feierlich dann das Ritual des Ritterschlags; der Gruppenleiter, der Guardian, schlug einen Pilger zum Ritter des Heiligen Grabes, dieser wiederum schlug den nächsten Pilger zum Ritter des Heiligen Grabes, dieser wiederum einen dritten Pilger zum Ritter des Heiligen Grabes, der dritte einen vierten, der vierte einen fünften und so weiter. Damit war für viele das wichtigste Reiseziel erreicht: sie waren Ritter vom Heiligen Grab.

Es schlossen sich fromme Exkursionen an, nach Bethlehem und an den Jordan. Der Patron versuchte meist, seiner Gruppe den Besuch des Jordan auszureden: zu gefährlich, räuberische Beduinen! Denn möglichst rasch sollte die Gruppe wieder an Bord des Schiffes und zurück nach Venedig verfrachtet werden; die Dauer des durchschnittlichen Aufenthalts zwischen Ausschiffung und Einschiffung lag bei nur zehn bis vierzehn Tagen. Weil der Besuch des Jordan als sehr wichtig galt, wurde er von den Pilgern vielfach erzwungen.

Das Bad im Jordan als zweiter Höhepunkt der Reise: vollkommener Nachlaß der Sünden. Die Pilger beteten und sangen im Jordanwasser, tauchten ihre Sterbehemden ins Jordanwasser, füllten Jordanwasser in Flaschen ab, zur Taufe der Kinder. Berichtet wird aber auch von »unzüchtigem Treiben« zwischen Pilgern und Pilgerinnen im Jordanwasser. Die Begleiter der Pilgergruppen mahnten durch Trommelschläge zum Aufbruch; wer das Wasser nicht rechtzeitig verließ, dem wurde mit der Peitsche nachgeholfen.

Zurück in Jerusalem, deckte man sich mit Reliquien ein: Stücke vom Heiligen Grab, Abdrücke von den Fußspuren Christi, Steinchen vom Zion oder vom Ölberg, Frauenmilch aus Bethlehem, Marienerde, Rosenkränze aus Bethlehem und Gethsemane, Stücke der Hebroneiche, Rosen von Jericho, Dornen aus der Dornenkrone Christi, Leinwandstreifen in der Länge des Heiligen Grabes; gelegentlich wurden auch Früh- und Fehlgeburten angeboten, als Leichen der unschuldigen Kindlein von Bethlehem.

Man konnte sich mit heiligen Symbolen tätowieren lassen, man besorgte sich, soweit man noch Geld dazu hatte, Hemden aus Baumwolle oder Seide, orientalische Schuhe, womöglich auch Juwelierarbeiten. Dann ging es zurück nach Venedig: nur wenige Pilger reisten weiter zum Sinai, zum Katharinenkloster.

Auf dem Pilgerschiff wieder Kartenspiele. Waren Frauen an Bord, so mußten sie tanzen. Es gab Kunstfechter und Gaukler. Lieder wurden gesungen. Man hielt Ausschau nach Piraten und dunklen Wolken. Man wartete auf den Anblick Venedigs.

Literarisches Ergebnis der Pilgerreise ist einer der erstaunlichsten Liedtexte Oswalds: Kl 17. Ein Gespräch zwischen einer Dame und ihrem Liebhaber; er macht eine (literarisch) übliche Pilgerreise, um seine Liebe zu beweisen, sie gibt ihm Ratschläge mit auf den Seeweg. Dabei geschieht sprachlich Außerordentliches – eine Reise in eine neue Wortwelt!

> »Leg ab und laß das Segel frei,
> bis ungefähr der Kurs anliegt –
> gelingt dir das, bist du als Seemann gut.
> Doch sag, was ist dein Reiseziel?
> Vielleicht hilft dir mein Rat.
> Halt dich da nicht zurück, sonst reut es dich.«
> Der junge Mann: »Bei dieser Fahrt
> wär mir dein Rat willkommen, meine Liebste.
> Du weißt ja, was ich mir vor allem wünsche…
> Nach Syrien richtet sich mein Sinn,
> auf dein Geheiß will ich am Heiligen Grabe beten,
> will täglich trachten, daß du mir gewogen bist.«
> Sie haben sich mit Lust
> umarmt, und das sehr oft.
> Und Küsse wechselweise.
> Das machte beiden Spaß.

Sie sprach: »So brich denn auf,
und achte auf die calamita,
wenn ich dir raten soll.

Den Bug voran, nimm Kurs auf Ost
und kein Lavieren. Nutze gleich
den Wind ponente, der von achtern kommt.
Das Segel ziehe hoch am Mast
zur Spitze, fang den Westwind ein.
Gib Gegenruder, laß das Schiff nicht luven.
Maestro provenza hilft voran;
der tramontana: günstig ist auch er.
Luv an beim greco, Steuermann!
Und: cazza, pozza! Carga, rasch!
Bestimme Position und Kurs auf deiner Karte,
stell deinen Kompaß ein. Levante – aufgepaßt!
    Basso alla banda! Springt!
    Und ihr da: unter Deck!
    Gib dich dem Sturm nicht preis,
    fahr vorher in den Hafen.
    Erreichst du seine Einfahrt,
    gib acht auf seichte Stellen
    und gehe dann vor Anker.

Doch widrig zeigt sich manchesmal
scirocco, macht das Segeln schwer,
bei starkem Seegang gibt es große Schäden –
der Bursche, der bringt gerne Sturm!
Halt einen Strich nach Norden dann!
Und wenn du seekrank wirst, so gib nichts drauf.
Cala la vela! Grosso! Hopp!
Con brio treib das Schiffsvolk an! Paß auf
vor starker Drift! Den Ausgleich schafft der austro,
er wird dir sehr von Nutzen sein
bei halbem Wind. (So hab ichs mal gehört...)
Das Segel hoch, cagnola angezurrt!

Bleib auf dem Kurs,
berechne ihn genau.
Frischt dann der coro auf,
so bläst er dich direkt
in Richtung Orient.
Der Herr bring dich zurück,
mein sehr geliebter Freund!«

Generationen von Sprachwissenschaftlern standen diesem Text ziemlich hilflos gegenüber. »Wassa alabanda«, heißt es beispielsweise – mußte das für einen wilhelminischen Gelehrten nicht wie eine afrikanische Zauberformel klingen? Oder dies: »Challa potzu karga behend«? Erfindungen eines spätmittelalterlichen Sprach-Chaplin?

Ich kann hier nicht alles präsentieren, was von Oswald-Forschern, etwa von Bert Okken, zu diesem Liedtext erarbeitet wurde, will nur ein paar Punkte hervorheben, um anschaulich zu machen, wie präzis Oswald gearbeitet hat. Fangen wir an mit der »calamita«. Die brachte schon manchen Interpreten in Kalamitäten. Beispielsweise glaubte man hier den zynischen Wunsch des schlimmen Weibes »Sabina« herauszuhören, er möge nicht in die Kalamitäten geraten, in die sie den offenbar bis weit über beide Ohren verliebten Oswald hinausschickte. Aber mit Kalamitäten hat »calamita« nichts zu tun, damit ist der sagenhafte Magnetberg bezeichnet.

Die Bezeichnungen der Winde hat Oswald in der Sprache der norditalienischen Seeleute wiedergegeben; die Termini wurden in heutiges Italienisch übertragen. Ebenso die Offiziers-Befehle; Oswald hat sie nicht einfach im Text gestreut, sie entsprechen jeweils den nautischen Situationen.

So heißt es beispielsweise, man solle beim levante aufpassen. Wie August Köster in seinem Buch *Das antike Seewesen* schreibt, nimmt bei auffrischendem Wind die Schräglage, »die Luvgierigkeit zu, so daß es schwer wird, ihr mit dem Steuer entgegenzuwirken und das Schiff auf seinem Kurs zu halten«. So wurde befohlen: »Basso alla banda!« Und das bedeutet: Weit hinüber auf die andere Schiffsseite! Köster: »Aufheben kann man die Luvgierigkeit dadurch, daß man das überliegende Schiff aufrichtet, indem die gesamte Mannschaft sich an die Luvseite begibt.« Wer bei diesem Manöver störte, mußte von Deck, und das waren die Pilger, denen der zweite Befehl galt: In den Kielraum! Hier standen sie niemandem im Weg, hier bildeten sie stabilisierenden Ballast.

Weitere Belege würden nur bestätigen, was sich hier schon klar genug zeigt: Oswald hat, bei aller Lust an fremdartig klingenden Wörtern, exakt die Wortbedeutung der nautischen Termini beachtet. Dieser Dichter von Mitte Dreißig wirkt in seiner Schreibmethode hier erstaunlich modern!

Bleibt noch eine Frage: Für welches Publikum hat Oswald dieses Lied geschrieben? Norbert Mayr gibt auf diese Frage eine Antwort, die mich überzeugt: Oswald hat dieses Lied auf der mehrwöchigen Rückfahrt des Pilgerschiffs verfaßt, hat es Mitreisenden vorgesungen. Und die hatten wohl ihren Spaß daran, die seemännischen Ausdrücke, Rufe, Befehle, die sie auf dem Schiff hörten, wiederzuerkennen.

Daß Oswald mit Lust Fachausdrücke in seine Liedtexte aufnahm, zeigen auch die beiden folgenden Beispiele: ein Lied über das Vogelfangen (und Vögeln) und ein Jagdlied. Verglichen mit dem Seefahrtslied ist allerdings im folgenden Liedtext (Kl 83) der Anteil an Fachbegriffen relativ gering.

> Ein Beerenmädchen, frisch, keck, frech,
> auf steilem Hang in wilder Höh,
> das macht mir Lust, schwellt mir den Kamm
> zur Frühlingszeit, wenn sich der Wald
> mit hellem Grün belaubt.
> Ich laure auf sie wie ein Fuchs,
> bin gut versteckt, man hört mich nicht,
> späh aus der Staude (duck dich, Luchs!),
> bis ich bei ihr ans Braune komm:
> auf allen vieren kriech ich hin,
> verscheuch sie nicht...

Ihr roter Mund, ihr edler Schlund
ist innen wahrhaft zuckersüß!
Die Füße klein, die Beine hell,
die Brüste fest. Doch was sie sagt
und tut, ist reichlich berglerisch!

Den Amseln geh ich an den Balg,
auch mancher hübschen Drossel
dort oben, am Lawinenbach,
mit einem Spaltholz, das sie packt,
wenn ich das Schnürchen reiß
in einer Hütte, abgeschirmt
von lecker grünem Laubgeäst.
Sie kommt wohl her, ermuntert mich
mit Übermut und frechem Spaß:
sie schlüpft hier durch die Lücke
und macht sich klein…
   Ihr roter Mund, ihr edler Schlund
   ist innen wahrhaft zuckersüß!
   Die Füße klein, die Beine hell,
   die Brüste fest. Doch was sie sagt
   und tut, ist reichlich berglerisch!

Sobald der Kloben rausgestreckt
und mein Gerät so richtig steht,
da hört man – heda! – süßes Locken
und bald darauf ein groß Geschnauf.
Die Hübsche hat gut lachen:
sie hat mir abgeschaut die Kunst,
die ich beim Vogeln zeig;
bei mir setzt sie ihr Schlitzholz ein,
mein Piepmatz macht sie allzu scharf –
das läßt die Hütte krachen!
Nun feste ran!
   Ihr roter Mund, ihr edler Schlund
   ist innen wahrhaft zuckersüß!

Die Füße klein, die Beine hell,
die Brüste fest. Doch was sie sagt
und tut, ist reichlich berglerisch!

Bei Oswald ist die Bergbauern-Schönheit »ain jetterin«. Das war ein
Mädchen, das Pilze, Kräuter, Beeren, vor allem aber Futterlaub
sammelte. Weil auch Vögel Beeren suchen, habe ich eine doppeldeu-
tige Bezeichnung eingesetzt: »Beerenmädchen«. Ebenso habe ich
für den »Kloben«, den heute niemand mehr kennt, die Bezeichnung
»Schlitzholz« und »Spaltholz« erfunden: damit ist einerseits das
historische Vogelfanginstrument beschrieben, andererseits deutet
sich in diesen Bezeichnungen an, worauf sich das Interesse des Vo-
gelfängers versteifte.

Technisch lief der Vogelfang so ab: man baute eine Abschirmung,
ein wigwamähnliches, meist recht kleines Ast- und Laubgehäuse,
hielt den Kloben hinaus, die Vögel wurden angelockt durch Lock-
pfiffe, Lockrufe, durch Lockvögel wie Meise oder Eule. Sobald sich
ein Vogel auf den hinausgehaltenen Kloben setzte, wurde mit einer
Schnur das aufgespreizte Fangholz zusammengezogen, schlagartig,
der Vogel wurde am Kopf, am Gefieder oder an den Läufen festge-
klemmt, in die Hütte geholt, getötet: rund zwei Dutzend Amseln
oder Drosseln brauchte man für die damals sehr beliebte Vogel-
pastete.

Und nun das Jagdlied Kl 52. Auch bei noch so fleißigem Gebrauch von Wörterbüchern hätte ich diesen Liedtext kaum übersetzen können; glücklicherweise gibt es hierzu eine spezielle Untersuchung von Siegfried Beyschlag. Herausgearbeitet wurde hier, was
ich bei der Übersetzung wieder einzuarbeiten versuchte: eine Technik der Hetzjagd mit Hunden und Netzen. Die Hunde wurden dabei in mehreren Etappen (Relais) eingesetzt, weil sie entschieden
rascher ermüdeten als das Wild; gehetzt wurde bergauf.

Oswald hat nun konsequent und fachmännisch die Termini der
Hetzjagd benutzt: für das Ansetzen der Hunde auf Fährten, für das
Aufnehmen von frischen Fährten, für das Lautgeben, für das »Ab-
liebeln« von Hunden, die sich bei der Hetzjagd bewährt haben.

Die meisten Hundenamen waren damals gebräuchlich; einige

Namen wie Freud, Lieb, Trost dagegen wirken befremdend. Bey-schlag ist wohl auf einer richtigen Fährte, wenn er vermutet, diese exakte Beschreibung einer Hetzjagd sei zugleich eine Jagdallegorie: gehetzt, gejagt wird hier ja ein weibliches Wesen, eine Hirschkuh. Der alte Doppelsinn also des Auflauerns, Anpirschens, Jagens von Mädchen und Frauen. Oswald erweist sich (auch) hier, wie es George Jones formuliert, als »Experte des Nachstellens im doppel-ten Sinne«.

George Fenwick Jones macht in seiner kleinen Untersuchung *Oswald von Wolkenstein – Vogelsteller und Jäger* einen wichtigen Punkt deutlich: Oswald hat eine Fachsprache benutzt, die seinen Zuhörern geläufig war, eine »Gemeinsprache« der »Mitglieder der oberen Klasse und ihrer Jäger« – und für diese Klasse war die Jagd Monopol. Selbst bei großen Wildschäden durften die Bauern nicht jagen; Jagdfrevel wurde hart bestraft.

Das Jagdlied ist ein Wechselgesang, ein Duett; der Text wurde auf eine zweistimmige, französische Balladenkomposition geschrieben, die Oswald übernahm. Weil hier beide Stimmen im Wechsel oder gleichzeitig singen, ist es schwierig, eine angemessene Textform vorzulegen. Auf der Grundlage der Dissertation von Erika Timm habe ich versucht, eine Leseversion zusammenzustellen, die nicht allzu entfernt ist vom Liedtext, wie er hörbar wurde.

> Waidmannsheil! Wer jagen will,
> »Waidmannsheil! Wer jagen will«,
> wem das Jagdglück winken soll,
> »stell sein Netz erst richtig auf«,
> muß vor allem wachsam sein,
> »leg Relais an, hoch am Hang«,
> bringt dann auch viel Wild zur Strecke!
> Los jetzt, Freud!
> Ja, dein Bellen trägt sehr weit!
> Hör auch Lieb und Trost:
> werdet mich erlösen
> aus der Wartequal.
> Hetzt, die Spur ist frisch!

»Aufgepaßt! Laßt Wunn und Heil
nicht vom Seil!
So kriegt ihr das Wild doch nie!
Weg da von der alten Spur!«
Geud und Meld
sollen nicht so stöbern!
Auf gehts, Lapp. Rennt schon,
Rügg und Trapp!
Folgt der Fährte, Gail, Gesund!
Kusch hier! Brav die Hunde, brav.
Glück, schließ auf, bleib an der Spur!
»Vorwärts! Hundebellen, Hörnerblasen,
Berg und Tal,
ja, das haben Jäger gern!
Schlagt schon an! Die Klinge raus!
Gleich ist es geschafft!
Drüben läuft die stolze Hirschkuh!«
Hinterher, die ganze Meute!
Hussa, Schenk!
An die Spur jetzt, Stät und Wenk!
»Heuch, heuch, heuch!«
Los, wie Will und Harr!
»Heuch, heuch, heuch!«
Bist auf falscher Fährte!
»Heuch, huch, hauch!«
Lauf im Kreis, nimm auf die Spur!
»Heuch, heuch, heuch!«
Trüb, hinterher!
»Heuch, huch, hauch!«
Das Wild ist müd.

Oswald war, wie sein Vater, Lehnsträger des Bischofs von Brixen – durch den Anteil am Hauensteinschen Besitz. So waren diese Wolkensteiner Ministeriale, »Diener« des Bischofs und Reichsfürsten, hatten diesem weltlich-geistlichen Regionalherrn Dienste zu leisten. Die bestanden meist in Verwaltungsarbeiten – selbstverständlich in gehobenen Positionen. Notfalls mußte ein Ministeriale für seinen Lehnsherrn auch in den Krieg ziehen.

Zum Begriff Lehen eine kurze Anmerkung: Wenn man beispielsweise eine Burg kaufte, blieb man nominell Lehnsträger des Lehnsherrn des Besitzes, den man erwarb und den man vererben konnte – ein etwas vertracktes Verhältnis, zu dem es ausführliche juristische Untersuchungen gibt, denen ich hier aber nicht in alle begrifflichen Verästelungen folgen kann. Grundsätzlich nur: ein Lehen war ursprünglich, etwa um die Jahrtausendwende, Besitz auf Zeit und Widerruf; Hofdienste und Kriegsdienste wurden im Mittelalter nicht in bar bezahlt, Geld war stets knapp gewesen, Dienste wurden honoriert durch Vergabe von Grundbesitz, und zwar als Lehen. Das wurde mit dem Tod des Lehnsträgers immer seltener eingezogen, Lehen wurden im Lauf der Zeit erblich. Dennoch blieb das Lehnsverhältnis bestehen, wurde vielfach zur bloß noch formalen Bestätigung längst bestehender Besitzverhältnisse. Dienstleistungen des Lehnsträgers wurden dennoch gefordert, wurden zum Teil aber bezahlt.

1413 forderte Oswald von Bischof Ulrich I. in Brixen 1000 Gulden für eine zehnjährige Diensttätigkeit, von »der drei Jahre vergangen sind und deren andere ich willig war, noch abzudienen«, wie Oswald betont.

Der Beginn seiner Tätigkeit für Bischof Ulrich ließe sich demnach auf 1410 ansetzen – auf die zweite Hälfte des Jahres, nach Oswalds Rückkehr aus dem Heiligen Land? Nun hatte Oswald aber schon im Vorjahr an die Stiftungsurkunde der Anna Hausmann sein Siegel gehängt, als damaliger »Hauptmann des ehrwürdigen Gotteshauses zu Brixen«. Welche Aufgaben hatte solch ein Hauptmann? »Als Statthalter der obersten weltlichen Gewalt hatte er die laufenden Verwaltungsangelegenheiten zu erledigen, anfallende Schiedsverhandlungen und lehnrechtliche Prozesse des Brixner Hofgerichts zu leiten sowie im Bedarfsfall seine Oberaufsicht über alle Richter des Hochstifts geltend zu machen«, schreibt Schwob. Hauptmann des Gotteshauses: das war keine Dauerposition, das wurde er ›im Bedarfsfall‹ – etwa, wenn der Bischof verreist war. Und sonst? Es blieb die Verwaltungsarbeit. Schwob: als »jüngerer Sohn« war Oswald »ohne Anspruch auf ein nennenswertes Erbe, auf Gründung einer eigenen Linie, auf Schlüsselpositionen im Land Tirol; dies alles kam seinem älteren Bruder Michael zu. Er selbst war dazu verurteilt, in auswärtigem Kriegs- und Fürstendienst sein Glück zu versuchen oder sein Leben in bescheidenen finanziellen Verhältnissen und untergeordneter Stellung zu fristen. Lediglich im kleinen Hochstift Brixen konnte er eine Anstellung im Verwaltungsdienst erwarten.«

Ein Weg war für Oswald nun offenbar undenkbar: sich anzupassen, hochzudienen. Dazu war wohl sein Selbstbewußtsein zu groß. So kam es schon recht bald zu Auseinandersetzungen zwischen dem Bischof und seinem zeitweiligen Stellvertreter in weltlichen Belangen. Handelte Oswald zu selbständig, nahm er sich zuviel heraus? Die Auseinandersetzungen eskalierten zu einer Fehde, mit Geiseln als Faustpfand; Herzog Friedrich mußte eingreifen, schlichten.

»Wir, Friedrich, Herzog von Österreich, geben bekannt: Es bestanden etliche Streitigkeiten und Zwistigkeiten zwischen Ulrich, Bischof von Brixen und Oswald von Wolkenstein. In dieser Sache haben Wir sie vor Uns geladen und beide Parteien angehört. Wir haben im Konflikt zwischen beiden ein Urteil gefunden und ausgesprochen, und zwar: sämtliche Streitigkeiten, zu denen es zwischen ihnen gekommen ist, sollen hiermit geschlichtet sein, ohne jeden Vorbehalt. Der von Brixen soll der wohlwollende Herr des Oswald sein; Oswald wiederum soll als Gegenleistung erbringen, was dem Bischof genehm ist. Bezüglich der Gefangenen, die der Bischof in Haft hält, und der Kuchenmayrs, die Oswald im Streit derer von Görz gefangengenommen hat (sie sollen niemand als Faustpfand dienen!), erklären Wir: die Kuchenmayrs und die vom Bischof von Brixen Inhaftierten sollen Uns unverzüglich ausgeliefert werden.«

Dokumente von 1413 zeigen, daß der Krach nur für einige Zeit neutralisiert, nicht aber definitiv beigelegt worden war – Streitigkeiten dürften bald wieder eingesetzt haben. Und 1413 war es soweit: Oswald wurde vom Bischof entlassen.

Daß hier ein einseitiger Entschluß vorlag, darauf läßt Oswalds dokumentierte Äußerung schließen, er habe die sieben Jahre noch abdienen wollen – schließlich brauchte er Geld! Der Bischof aber sah nicht ein, weshalb er zehn Jahresgehälter zahlen sollte, wenn Oswald nur drei Jahre für ihn gearbeitet und ihm dabei etlichen Ärger bereitet hatte. Zusätzlich wurde Ulrichs Weigerung motiviert durch die bereits chronische Geldknappheit des Bistums.

Diese Diözese war einmal, etwa zwei Jahrhunderte zuvor, groß und reich gewesen, hatte inzwischen aber die meisten Ländereien und damit Einkünfte verloren. Weil die geistlichen Herren irdischen Besitz nicht selbst verwalten durften, hatten sie diese Aufgabe verschiedenen Adligen der Umgebung übertragen, und die hatten diese Güter konsequent in Besitz genommen. So waren vom Bistum Brixen nur ein paar Restgebiete übriggeblieben, rund um die Stadt und im Pustertal. Eine Zahl: 1419 lagen die Gesamteinkünfte des Bistums nur noch bei 2750 Gulden.

Der Bischof konnte und wollte also nicht zahlen. Um dennoch an das Geld zu kommen, das ihm vertraglich zustand, rief Oswald ein Schiedsgericht an. Und das befand: Der Bischof muß den vollen Betrag zahlen. Ulrich beugte sich dem Schiedsspruch, das zeigt ein zweites Dokument, ausgefertigt und besiegelt eine Woche später, am 15. Oktober: Oswald wurde für seine zehnjährige Dienstzeit bezahlt, durch einen Schuldbrief.

Der nützte Oswald freilich nicht viel, er brauchte Bargeld. Aber erst 1414 gelang es ihm, als erste Rate 200 Dukaten einzutreiben.

Allerheiligen 1411 schloß Oswald von Wolkenstein einen Vertrag mit dem Kloster Neustift: gegen Zahlung einer beträchtlichen Summe erwarb er das Wohnrecht im Klosterbereich; zugleich sorgte der etwa vierunddreißigjährige Vertragspartner für sein Alter vor.

Der Text dieses Dokuments ist veröffentlicht im Urkundenbuch von Neustift. Ich übersetze: »Wir, Nikolaus, durch Gottes Willen Propst zu Neustift, Dechant Christian und das gesamte Konvent erklären und verkünden für Uns und Unsere Nachfolger mit dieser öffentlichen Urkunde allen, die sie sehen oder denen sie vorgelesen wird: In Anbetracht der Förderung und der Dienste, die Uns und dem Kloster durch ihn, seine Brüder und seinen Anhang erwiesen wurden und weiterhin erwiesen werden, haben Wir den edlen und aufrechten Oswald von Wolkenstein und zwei Knechte selbdritt als Pfründner aufgenommen und haben ihm auf Lebenszeit das Haus und den Hof überlassen, die gelegen sind zwischen der St. Margareten-Kapelle und dem Haus des Herrn Georg von Säben, das seinerzeit von Peterle dem Schneider bewohnt worden ist. Für den obengenannten Oswald von Wolkenstein besteht das ständige Angebot, mit Uns, dem obengenannten Propst Nikolaus, oder wer sonst Propst ist, aus Unserer Schüssel zu essen; zusätzlich werden Wir ihm täglich zwei Maß Wein geben, zwischen den Mahlzeiten. Seine beiden Knechte sollen mit Unserem Personal, Kämmerern und Dienern essen und trinken, und zwar völlig gleichberechtigt, ohne jede Zurücksetzung. Falls er selber aber nicht mit Uns zu speisen wünscht, so soll man ihm aus Unserer Küche täglich des Morgens vier Mahlzeiten reichen und ohne jede Minderung des Abends drei, dazu genügend Brot, außerdem drei Maß Wein am Tag. Seine Knechte dagegen sollen stets mit Unseren Kämmerern und Dienern essen, wie oben beschrieben. Weiterhin soll er ausreichend Brennholz erhalten für Herd und Ofen, auch dies ohne Abstriche. Für den Fall, daß der genannte Oswald das erwähnte Haus instand setzen oder ausbauen will, werden wir den Arbeitern ausreichend zu essen und zu trinken geben; er aber soll das Baumaterial und den Lohn bezahlen. Ferner sei bekanntgegeben: wenn der genannte Herr Oswald nicht daheim im Kloster ist und die Pfründe nicht in eigener Person und durch seine beiden Knechte bezieht, so sind Wir nicht verpflichtet, ihm dafür irgendeinen Ausgleich zu leisten – solange er nicht daheim ist. Falls er wiederum einen seiner Knechte oder beide im Kloster läßt, während er selbst nicht daheim im Kloster ist, sollen Wir ihnen dennoch zu Lebzeiten ihre Pfründe geben, gleichberechtigt mit Unseren Kämmerern und Dienern, so, wie es oben beschrieben ist – auch dies ohne Abstriche. Als Gegenleistung haben Wir von ihm 150 Mark erhalten. Wir erklären ausdrücklich, daß Wir den Betrag anstandslos erhalten haben und damit voll zufriedengestellt sind. Wir haben den erwähnten Betrag bereits zu Nutz und Frommen Unseres Gotteshauses in Neustift angelegt.«

Chorherrenstift Neustift, Abbazia Novacella – eine weitläufige Klosteranlage wenige Kilometer nördlich von Brixen, nah am Eisack: gletschergrünes Wasser, rasch fließend. Weinhänge, Wiesen, Waldhänge. Nördlich schieben sich die Berge eng aneinander, voreinander; zum Süden hin öffnet sich das Brixener Tal. Dieses Augustinerkloster lag an der wichtigen Nord-Süd-Verbindung; das gab ihm besondere Bedeutung.

Rund zwei Jahrhunderte alt war zu Oswalds Zeit der romanische Neubau des vorher abgebrannten Holzgebäudes; einige Jahrzehnte nach seinem Tod wurde die Kirche gotisiert, Mitte des achtzehnten Jahrhunderts barockisiert. Heute ist eigentlich nur noch der Grundriß identisch mit der Kirche, die Oswald gesehen hat, in der er begraben wurde.

Man weiß ungefähr, nach alten Aufzeichnungen, wo sein Grab gelegen hat. Der Grabstein ist nicht mehr erhalten, nur eine Skizze ist überliefert. Und verschollen ist das Gemälde über dem Grabstein: Oswald, seine Frau Margarete, ihre sieben Kinder.

1976 bin ich (zum zweiten Mal) in Neustift, spreche mit dem Pförtner, der eine der beiden Milchglasscheiben beiseite geschoben hat – hinter ihm, auf einem Tisch, Schneiderarbeiten. Ich sage, daß ich gern das Pfründnerhaus sehen würde, in dem Oswald von Wolkenstein gewohnt hat. Der Pförtner bezweifelt, ob das ohne weiteres möglich ist, will aber telefonisch anfragen, schiebt die Milchglasscheibe zu. Sehr bald wird die Milchglasscheibe wieder geöffnet, der Pförtner steckt wie ein Kasperl den Kopf heraus, zeigt mir, in welcher Richtung ich über den Hof gehen soll; die Milchglasscheibe wird wieder geschlossen.

Ein freundlicher, älterer Geistlicher, der bald erscheint, mit großem Schlüssel. Ich frage zuerst nach der Margaretenkapelle, unmittelbar am Haus, in dem Oswald wohnte. Die Margaretenkirche, die der Pfarrer mir aufschließt, ist allerdings erst nach Oswalds Tod gebaut worden, das sieht man sofort, aber an der gleichen Stelle mag früher eine andere Margaretenkirche oder Margaretenkapelle gestanden haben, direkt am Pfründnerhaus.

Ich sehe nach weiteren Schlüsseldrehungen dieses Haus vor mir: zweistöckig langgestreckt mit kleinen Fenstern, einem sehr steilen Dach. Hier habe sich so gut wie nichts geändert in den vergangenen Jahrhunderten, höre ich. Und ich sehe massives Gemäuer, vor allem beim Aufgang, Eingang – hier wird schon die Masse der Bausubstanz Widerstand geleistet haben gegen Veränderungen. Ist dieses Haus also identisch mit dem Haus, in dem Oswald ab 1411 wohnen konnte?

Noch heute ist es bewohnt: Blumenkästen in einigen der Fenster. Brennholzstapel an der Westseite – keine Zentralheizung, das Haus stehe unter Denkmalschutz, deshalb wären solche Einbauten nicht möglich. Ich mag nicht fragen, ob man auch hineingehen, zumindest hineinschauen kann – hinterher ärgere ich mich über diese Zurückhaltung, tröste mich aber damit, daß innen im Lauf der Jahrhunderte bestimmt viel geändert wurde, und man weiß ja auch nicht, in welchem Raum, in welchen Räumen Oswald gewohnt hat – kein Steintäfelchen über einer der Türen.

Etwa 1411 oder 1412 dürfte Oswald seine ersten geistlichen Lieder geschrieben haben – was hat ihn dazu angeregt? War hier religiöses Bewußtsein, das sich artikulieren wollte? War hier Nachwirkung der Pilgerfahrt? Oder waren die ersten geistlichen Lieder Auftragsarbeiten? Im Hochstift Brixen und im Kloster Neustift wußte man ja nun, daß Oswald Lieder schrieb – wäre nicht vorstellbar, daß man seine ›Gabe‹, seine ›Gottesgabe‹ im Namen der Kirche nutzen wollte?

Auf, auf, die ihr im Himmel seid,
in reinster Liebe wohnt bei Ihm,

dem A und O, der Herrlichkeit:
stimmt ein in unsern Dankgesang
mit süßem, engelreinem Klang,
dafür, daß Er mit Speis und Trank
die Menschen angemessen nährt,
die schwach und arm sind. Amen.

Dafür sei Lob Dir, reine Frau,
und Deinem allerhöchsten Gut,
das in Dir eine Freistatt schuf –
dort klage ich mich Sünder an,
weil ich in diesem Jammertal,
in dieser trügerischen Zeit
verschleudert habe manchen Tag,
den mir Dein Sohn gewährte.

Doch ist es leider schon zu spät,
drum rufe ich, in großer Angst:
Hilf, Jungfrau, hilf, Dreieinigkeit,
gebt uns der Hölle nicht anheim!
Stehst Du mir bei, o hohe Frau,
so sing ich: Deo gratias!
Mit Reue, Frieden, Herr, beschenke
die Seelen, die da glauben. Amen.

Oswald von Wolkenstein als Dichter und Komponist: zählt man streng, so hat er ungefähr ein Dutzend geistlicher Lieder verfaßt; das wäre rund ein Zehntel seines Gesamtwerks. Zählt man Lieder mit einem hohen Anteil geistlicher Formen und Formeln dazu, so käme man auf mehr als zwei Dutzend. Anlaß genug, die Frage zu stellen: Für wen hat Oswald seine geistlichen Lieder geschrieben?

Hier liegt der Schluß sehr nah: Auch für die geistlichen Herren, mit denen er privat und dienstlich in Verbindung stand. Andererseits: daß Oswald als Gotteshausmann in Brixen die niedere Gerichtsbarkeit ausübte, daß er sich in Neustift eine Wohnung und zugleich eine Altersversorgung erkauft hatte, das war noch kein

Grund, ihn zu bitten, geistliche Lieder zu schreiben. Vor allem: war die liturgische Sprache nicht ausschließlich das Latein? Und waren nicht allein ›clerici‹ berufen und befugt, hier Beiträge zu leisten?

Viele Fragen. Vielleicht hilft uns der folgende Liedtext weiter, ein Marienlob: Kl 13.

> Wer ist sie, die da leuchtet
> weit mehr als Sonnenglanz,
> erquickend auch bewässert,
> was trocken wurde, dürr?
> Wer ist sie, die den Tanz anführt,
> dem frischen, jungen Mai die Blumen schenkt?
> Es ist die Jungfrau gut und zart,
> die uns, fürwahr, den Sohn gebar,
> der, keusch, zugleich ihr Vater war;
> jungfräulich rein genas sie so
> der unitas, Dreifaltigkeit.
> Darum sind wir befreit, erlöst
> vom scharfen Höllenschlund.
>
> Wer kann die Magd so schmücken,
> wie es dem hohen Stand entspricht?
> Kein beßres Mädchen wurde
> in dieser Welt geboren.
> Du hochgeliebte, keusche Kreatur –
> in Klarheit überstrahlst du alle Menschen,
> genau wie ein Rubin,
> der aus sich selbst den lichten Glanz erzeugt –
> so glänzt kein Stein, in Gold gefaßt!
> Ich folge deinem Ehrenzeichen,
> mit Demut preis ich dich im Lied.
> Dafür will ich denn bei der Zarten
> recht bald auf Gnade hoffen.
>
> Wer ist die Rose ohne Dorn,
> von der man liest und spricht,

und die auf ihren Schultern
den Zorn des Herren trägt?
Wenn sie am Jüngsten Tage von uns nimmt,
was uns an Klagepunkten schwer belastet,
wenn uns, zu Heil und Segen,
der Schoß dann schützt –
da wird sie selbst ein grober Klotz erkennen;
ihn führt kein Weg zur Hölle mehr.
Du Reine, Gute, unser Schild:
zerbrich des Teufels Speer, wehr ab
den Wurfspieß, schöne Jungfrau. Amen.

Ein stellenweise krauser Text; es läßt sich vorstellen, daß ein Geistlicher bei mancher Formulierung die Stirn in Falten legte. Wurde
Oswald als Produzent geistlicher Lieder vom Klerus akzeptiert?

Spechtler weist mich in einem Brief auf einige Punkte hin. Erst
einmal: Daß ein mittelalterlicher Dichter, der vorwiegend weltliche
Texte schrieb, auch geistliche Lieder verfaßte, sei keineswegs unge-
wöhnlich – Spechtler bringt hier verschiedene Beispiele. Geistliche
schrieben weltliche, Laien geistliche Lieder, hier wurde damals
keine Trennlinie gezogen. »Leider wecken wir Philologen durch
unsere thematischen Abgrenzungen diesen Eindruck.« Die Ausbildung im Schreiben, auch im Notenschreiben, Komponieren erfolgte
damals nur in kirchlichen Institutionen; das hatte prägende Wirkung. Es war also eigentlich selbstverständlich, daß ein Dichter auch
geistliche Lieder schrieb. Außerdem passen die geistlichen Lieder
zum ›Programm‹ Oswalds: »Alles Liedkönnen seiner Zeit zu um-
fassen.«

Oswald als Zeitgenosse des ausgehenden Mittelalters: können
wir ihm näherkommen, indem wir versuchen, Bewußtseinsformen zu verstehen, die für seine Zeit bezeichnend waren?

Ich lese noch einmal Huizingas *Herbst des Mittelalters.* Zwar
nimmt der Autor seine Beispiele vor allem aus Burgund, doch wird es
im deutschen Sprachraum zumindest Entsprechungen gegeben ha-

ben, oft auch Gemeinsamkeiten. Das Buch führt in seiner Darstellung meist über Oswalds Lebenszeit hinaus, aber Veränderungen des allgemeinen Bewußtseins gingen damals sehr langsam vor sich.

Wichtig schon der erste Satz dieses Buchs: »Als die Welt noch ein halbes Jahrtausend jünger war, hatten alle Geschehnisse im Leben der Menschen viel schärfer umrissene äußere Formen als heute.« Krankheiten beispielsweise: kaum wirksame Medikamente, kaum Spitäler; wer krank war, fand nur wenig Hilfe. Und Gebrechen versteckten sich nicht in isolierenden Heimen, die drängten sich auf – das Klappern und Rasseln der Aussätzigen, das schreiende Betteln der Krüppel.

Und der Tod: Volksprediger, die enormen Zulauf fanden, redeten vom Sterben, vom Verwesen, auf einem Friedhof, vor einem offenen Beinhaus, Knochen geschichtet, Schädel gestapelt; eindringlich wurde hingewiesen auf das Verkrampfen der Hände, das Aufklaffen des Mundes, das Erkalten und Verwesen, Würmer in den Eingeweiden, der Mensch als Madensack, alle Schönheit nur äußerlich, unter der Haut nichts als Schleim, Blut, Galle, Kot! Und Weinen, Wehklagen unter den Zuhörern, ein Hinausschreien der Angst vor dem Sterben, dem Verwesen, ein Hinausschreien von Sündenbekenntnissen, man warf sich auf die Erde, Schluchzen, Weinen, Stammeln, Ächzen – man war damals rückhaltlos in seinen Äußerungen.

Immer wieder gemeinsame Emotion, ein öffentliches Hingerissenwerden: Scheiterhaufen, die nach zündenden Predigten errichtet wurden, und Frauen warfen Kopfputz hinein, der als eitel bezeichnet wurde, Männer warfen Spielkarten, Würfel, Spielbretter hinein, die als teuflisch bezeichnet wurden, und kurz darauf trug man wieder Kopfputz, vielleicht noch höher, glanzvoller, und bald wieder fortgesetzt das Kartenspielen, Brettspielen, Würfeln, und unablässig das Fluchen, das gotteslästerliche Fluchen, weil alles sanftere Fluchen ohne Würze war, einer versuchte den anderen zu übertrumpfen, ganze Fluchkataloge gab es, Flucharien.

Dazu finde ich kaum Material bei Huizinga, lese hier und dort dies: Man wünschte einem das Fieber, die Krämpfe, den Veitstanz, man legte Schwüre ab bei Gottes Lunge oder Leber, bei Gottes Blut oder Darm, bei Gottes Laus oder Schweiß, bei Gottes Leichnam. Daß dich Gottes fünf Wunden schänden! Daß dich der Teufel schände! Daß dich Gottes Leichnam schände! Und dann wieder verfluchte man sein Fluchen, weinte während der öffentlichen Ekstase, die Wanderprediger herausreizten durch Predigten, in denen Schreien und Wimmern, Singen und Toben rasch abwechselten – nur so konnten sie ihr Publikum einfangen, bannen; alles mußte kraß sein, überdeutlich.

Krasse Deutlichkeit auch beim öffentlichen Bestrafen und Töten von Verurteilten: düstere Spektakel der veranstaltenden Justiz. Dazu wieder Details aus anderen Büchern: Wer mit falschen Würfeln spielte oder nachts Unfug trieb, Passanten behelligte, dem wurden die Augen ausgestochen oder ausgebrannt; Fälschern wurden die Wangen gebrandmarkt, oder sie wurden in kochendes Wasser geworfen; Dieben hackte man die Hände ab, oder man hängte sie auf; Schänder wurden gepfählt: auf den Rücken gelegt, Arme und Beine weggestreckt und festgebunden, ein Pflock auf die Bauchdecke gesetzt, das Opfer durfte die ersten drei Hammerschläge ausführen, dann wurde der Pflock durch den Körper in den Boden geschlagen. Und Vierteilen und Rädern. Das Enthaupten: der Verurteilte mußte dabei hinknien vor dem Henker, der schlug mit dem Schwert zu. Dabei reichte normalerweise ein Schwerthieb nicht aus, oft drei, vier, fünf, sechs oder sieben Schwerthiebe, ehe der Kopf vom Rumpf war; es kam auch vor, daß man den Kopf schließlich absägte.

Wie wirkten die Lebensformen seiner Zeit auf Oswald ein? Was prägte ihn, was weckte Resonanz in ihm, was ließ ihn gleichgültig, was lehnte er ab?

Als zentralen Faktor sieht Huizinga die Religion, die Kirche: das Leben der mittelalterlichen Christenheit in jeder Beziehung durchdrungen von religiösen Vorstellungen. Gab es kirchliche Gewohnheiten, von denen Oswald sich Schutz erhoffte? Die wiederholte Teilnahme an Messen, und vielleicht auch bei ihm die Vorstellung, man könne an einem Tag, an dem man eine Messe höre, nicht blind werden oder einen Schlaganfall erleiden oder: man werde während der Messe nicht älter? Zeigte sich auch bei ihm religiöse Fixiertheit in tickhaften Kleinigkeiten: immer fünf Schluck trinken wegen der fünf Wunden Jesu Christi? Oder gehörte er zu denen, die sich mit Vorliebe in den heiligen Nächten besoffen, und am schönsten das Saufen, Kartenspielen, Fluchen in der Christnacht? War es auch für ihn selbstverständlich, daß man in der Kirche während der Messe herumlief, schwatzte, Ausschau hielt nach Mädchen und Frauen, mit Dirnen verhandelte und daß man sich vom nächsten Wanderprediger wieder zu Tränen hinreißen ließ?

Der Fixpunkt Gott, der umfassende Bereich Kirche. Selbst der damals übliche Spott über Pfarrer und Mönche, das Verhöhnen dieser Männer, die nicht kämpfen und lieben durften, und die lustvollen Vorstellungen von prassenden, messerstechenden, saufenden, fickenden Mönchen – Affekte, die Bindungen anzeigten! Lachte auch Oswald, wenn von prassenden, saufenden, fickenden Mönchen erzählt wurde?

Und wiederum – fromme Gelöbnisse auch bei ihm? Drei Kerzen für die Mutter Gottes, wenn... Vierzehn Tage keine Frau, wenn... Vier Wochen keinen Alkohol, wenn... Zuckte er die Schulter, wenn er von Gesten äußerster Demut und Selbstbescheidung hörte, beeindruckte ihn das? Die Reichen, die barfuß laufen, im härenen Gewand? Der Sterbende, der sich eine schwere Kette um den Hals legen läßt, und wenn er tot ist, soll man ihn nackt an den Füßen zum Kirchentor schleifen, soll ihn nicht in einen Sarg legen, bloß auf ein Brett, das mit grobem, schwarzem Leinen überzogen ist, soll ihn darauf zur Grube schleppen wie ein Aas – von solchen Vorgängen hörte man damals wohl, so etwas wurde weitererzählt, davon wurde gepredigt, vieles sah man selbst.

Sich in Oswald hineindenken, das wird schwieriger, je mehr sich von solch fremdartigem, für mich fast exotischem Material ansammelt.

ICH MÖCHTE NICHT IN SEINER HAUT STECKEN: eine Sprachformel, die Identifikation ablehnt, aber die Identifikation einbezieht: daß man aus seiner Haut heraus- und in die Haut einer anderen Person hineinschlüpft, und nun steckt man in dieser Haut, in einer Situation, die man sich nicht wünscht, deshalb das Abwinken, Abwehren: Ich möchte nicht in seiner Haut stecken.

Aber die Sprache hält auch Formulierungen bereit für Versuche der Identifikation, und daß diese Formulierungen zu Formeln wurden, zeigt an, wie häufig Versuche sind, sich in eine andere Person zu versetzen, wie häufig man dazu aufgefordert werden kann. VERSUCH MAL, DICH IN MEINE LAGE ZU VERSETZEN: hier die Erwartung, daß man in der Lage, in der Position eines anderen manches auch anders sieht, anders beurteilt; wer dieser Aufforderung folgt, macht den ersten, entscheidenden Schritt zur Identifikation. Dieser versuchsweise durchgeführte Positionswechsel wird nicht nur als Aufforderung formuliert, hier liegt auch ein Sprach-Angebot vor: ICH AN DEINER STELLE. Und nun folgt meist eine Ergänzung: würde dies tun oder jenes lassen. Hier ist wohl auch mitgedacht ein Hinüberwechseln, ein wenigstens probeweises Hinüberwechseln von einer Ichposition in eine andere Ichposition, und dabei würde man eine Einstellung, Haltung, Entscheidung mit hinübertransportieren, würde an der Stelle des anderen dies tun oder jenes unterlassen.

Noch weitergehend diese Formel: WENN ICH DU WÄRE. Auch hier schließt sich meist ein Vorschlag an: Wenn ich du wäre, würde ich... Und dieser Konjunktiv hält zugleich Distanz, zeigt an, daß dies nur ein Gedankenspiel ist, aber dieses Gedankenspiel ist schon so selbständig geworden, daß es zur Sprachformel wurde: WENN ICH DU WÄRE. Bezeichnenderweise ist hier mitgedacht, daß dies ein zeitlich begrenzter Identitätswechsel wäre: nachdem getan ist, was man an der Stelle des anderen tun würde, würde man sich wohl wieder in seine eigene Haut zurückziehen. Aber immerhin: die Sprache sieht solche kurzfristigen Identitätswechsel vor.

Vorbereitende, bestätigende Formeln für das Beschäftigen mit einem anderen Leben, für das Schreiben wie für das Lesen einer Biographie (oder eines erzählenden Textes). Diese Identifikationsversuche setzen voraus, daß es Gemeinsames gibt, zumindest einige Berührungspunkte, und an diesen Stellen setzt so etwas wie Osmose ein bei fortgesetzter Beschäftigung, schreibend oder lesend: ein wiederholtes Hineindenken in die andere Person, ein wiederholtes Sichhineinversetzen.

Das ist natürlich kein geradlinig fortschreitender Prozeß, hier ist ein Wechselspiel zwischen Abrücken und Annähern: kein Verständnis für manche Verhaltensweisen, Aktionen und wiederum Gemeinsames, das verbindet, sonst gäbe es keinen Anlaß, sich mit einer anderen Person, noch dazu mit einer längst verstorbenen Person zu beschäftigen, ausführlich und eindringlich. Schreibend und lesend erfahren, mitvollziehen, was ein anderer in einer anderen Situation, in einer anderen Zeit gedacht, erlebt, getan hat, und dabei Möglichkeiten kennenlernen, die man selbst nicht verwirklicht, und zugleich Wirklichkeiten erkennen, wiedererkennen, wie man sie selbst erfahren hat, und wiederum das ganz Andere, Fremde, das sich nicht aneignen, nicht einverleiben läßt: Herausforderungen, Konfrontationen. Ich in deiner Lage, an deiner Stelle, ich in deiner Haut und insgesamt: wenn ich du wäre, wie wären dann meine Lebensformen, Bewußtseinsformen?

Es ist immer der gleiche Ablauf: Ein junger Mann und eine junge Frau im Bett, sie schlummern dicht nebeneinander, haben eine aufregende, aufreibende Nacht hinter sich; nun bläst der Nachtwächter die Morgenstunde ein, verkündet laut rufend das allererste Frühlicht; von diesen Signalen wird sie wach, sie sieht durch das Fenster oder durch einen Spalt des Fensterladens, genauer: durch eine Lücke der damals senkrecht vor die Fensteröffnung gestellten Fensterbretter, daß es tatsächlich zu dämmern beginnt, hört erstes Vogelzwitschern; nun muß sie dafür sorgen, daß der Liebhaber verschwindet, im Schutz der Dämmerung, damit der außereheliche Geschlechtsverkehr in der Umgebung nicht bekannt wird, rufschädigend; andererseits möchte sie gern noch mal, und das hält auf, wo er doch möglichst rasch weg sollte – so entsteht eine lustvoll-schmerzhafte Situation, eine Verdichtung der Gegenwart durch die nah bevorstehende Trennung; sie weckt ihn auf, weist hin auf das Hornblasen, das Nachtwächterrufen, das Vogelzwitschern; er blinzelt, sieht das erste Tageslicht, ein Grau, Graublau im Osten; eine Umarmung, die sich meist intensiviert, und dann, um so hastiger: der Abschied! Aber er will wiederkommen, soll wiederkommen.

Nach diesem Schema sind, mit Variationen und Modifikationen, mindestens drei Jahrhunderte lang Liedtexte produziert worden; hier hat auch Oswald Muster und Schemata, Formen und Formeln übernommen.

Ein höchstwahrscheinlich sehr frühes Beispiel wurde bereits vorgestellt: »Wach auf, mein Schatz.« Der folgende Liedtext (Kl 16) führt dieses Muster sehr viel detaillierter aus.

>»Ich spür ein Lüftchen, kühlen Hauch,
>und brauch ich richtig den Verstand,
>so wird er der Nordost genannt.
>Seht selbst, was ich – der Wächter – ruf:
>Der Tag steigt aus dem finstren Wald!
>Ich sehe, melde nun die Morgenröte.
>Die Vögel singen überall:
>die Haubenlerche, Drossel, Amsel, Nachtigall;
>am Berg, im Tal entfaltet sich ihr Klang.
>Wer jetzt noch wohlgeborgen liegt,
>und wer die lange Nacht mit Lust verbracht,
>der schau jetzt zu, daß er sich endlich trennt!«
>>Sie hatte sich verschlafen,
>>er wurde nach ihr wach.
>>Sie riefen beide: Weh uns,
>>der Tag mag uns nicht leiden!
>>Das Mädchen schalt ihn sehr:
>>»Herr Tag, auf unsern Ruf
>>gebt Ihr recht wenig acht!«

>Besorgt bot sie dem jungen Mann
>mit heller Hand ein weißes Hemd:
>»Steh auf und lauf. So schau, der Morgen graut!«

Den Fensterladen stieß er auf,
der junge Mann, und sagte ihr:
»O Gott, es stimmt! Er kommt, bringt Kummer her.
Das Firmament durchdringt er schon.
Der Morgenstern hat seinen Glanz verloren,
die Nacht vergeht im Morgengrau.«
Er küßte ihr den roten Mund:
»Ach Schatz, noch keine halbe Stunde ist es her,
seit wir uns in der Liebe fanden.«
　　Sie seufzten und sie klagten,
　　die Lippen preßten sich,
　　weil sie das helle Licht
　　nun auseinandertrieb.
　　Sie sagte: »Mein Geliebter,
　　da komme doch, was wolle,
　　zu mir gehörst du ganz!«

Der Wächter bläst, er läßt sich laut
noch einmal durch das Horn vernehmen,
verkündet Wind und Licht aus Ost.
Das Mädchen, sehr verliebt, es denkt:
»Ach Sonne, wer hat dich geschickt?
Ich wünschte sehr, du wärst im Westen;
auf deinen Glanz kann ich verzichten.
Der Abendstern, würd er nun angekündigt,
ich säh ihn gern; wenn sich mein Wunsch erfüllte...«
Der junge Mann, er lachte laut:
»Mein Bestes, leider wird das nie geschehn.
Mit Liebeskummer muß ich von dir scheiden.
　　Du machst mir Freude, Lust,
　　versüßt mein Herz mit Glück,
　　hast mir den Kopf verdreht,
　　mir ganz den Sinn verwirrt.«
　　Nun haben diese beiden sich
　　noch einmal nackt umarmt.
　　»Mein Liebes, ich muß gehn.«

Zum ›Inventar‹ eines Tagelieds gehört neben dem Morgengrauen der Ostwind, der Wind von Orient. Wie Oswald ein Standardmotiv ausweitet, verändert, wie sich bei ihm Tradition und Innovation verbinden, das zeigt sehr deutlich die erste Strophe des Tagelieds Kl 20: die Windbewegung wird mit weitem Atem beschrieben.

Es braust daher von Orient
ein Wind, den man »levante« nennt;
den Weg durch Indien kennt er gut,
in Syrien, dort ist er schnell,
an Griechenland streicht er vorbei,
und weiter nach Nordafrika,
Granada hat er bald erstürmt,
glüht auf in Spanien, Portugal;
die ganze Welt, von Ost bis West
beherrscht dies edle Element.
Als Boten schickte ihn der Tag,
er folgt ihm nach durchs Firmament,
doch der »ponente« hält ihn auf –
so freuen sich im Occident
die Leute von Narbonne.
Ein Mädchen hörte dies Gebraus;
es lag im Bett, war fest umarmt,
von Liebe ganz umfaßt. Es sprach:
»Ich höre dieses Luftgetümmel!
Das Licht macht schon die Nacht zum Tag.
Wach auf, mein Schatz! Vertrieben sind
die Sterne bald vom Himmelsfeld.
He, Wächter, hast uns hier gestört,
nur Jammer bringst du mir!
So sag, du Kerl, mit welchem Recht
weckst du in mir den Liebesschmerz,
daß mir das Herz vor Leid erstarrt?
Die Reue wäre doch sehr groß,
wenn ihm der Abschied nicht gelänge!
Dein blödes Blasen ist dran schuld!«

Und sie begann zu kosen,
ihn aus dem Schlaf zu holen,
sich fest an ihn zu schmiegen,
voll Lust an ihn zu pressen,
daß ihm die Glieder knackten –
er kam zu sich, und gleich
begann das Liebesspiel!

Der knab erschrak aus lawres wan /sag lieb wie sol ich das verstan / daz mich dein zartlich umbefan / in grym'rache hie began / erschreckn ser mit wid'zam / hab ich dich misvalln tan / ach nain dw austerwelt' man / mich rewt dein sorgleich von mir gan / des bin ich mutes word'n an / hor zu den voglein wunnesam / den tag ze melden sy nicht lan / ye yedes vicht sein sundern gan / mit sußer styme auff pames pan. Fortsetzung des Liedtextes, dessen erste Strophe ich eben in der Übersetzung vorlegte; ich gebe den Text so wieder, wie er in Oswalds erster Liederhandschrift steht: unsere Sprache vor mehr als einem halben Jahrtausend.

Ein politisches Kapitel: 1410 starb König Ruprecht; der ungarische König Sigmund (oder Sigismund) wurde zu seinem Nachfolger gewählt. Weil Sigmund zu einer der wichtigsten Figuren dieser Biographie wird, muß er hier kurz vorgestellt werden.

»Der ungarische König Sigmund wurde zu seinem Nachfolger gewählt«: in dieser Knappheit mogelt der Aussagesatz. Denn nur mit größten Mühen konnte Sigmund ungarischer König werden und bleiben, nur mit viel Glück konnte er Römischer König werden.

Sigmund war der jüngste Bruder des Königs Wenzel, den man 1400 abgesetzt hatte. Sie beide waren Söhne des Königs Karl IV., der vorzugsweise in Prag residierte und einer der bedeutendsten Bauherren dieser Stadt wurde; sein Name wird in Kunstführern der Stadt Prag häufig genannt. Wenzel stammte aus seiner dritten, Sigmund aus seiner vierten Ehe. Geboren wurde er 1368.

Als Sigmund zwölf war, wurde er vertraglich mit Maria, der zweiten (damals neunjährigen) Tochter des Königs Ludwig von Ungarn und Polen verlobt; eine politische Entscheidung. Zwei Jahre lebte nun Sigmund am ungarischen Hof. 1382 starb König Ludwig. Da inzwischen auch die ältere Schwester gestorben war, wurde Maria, zwölfjährig, zur Königin von Ungarn gekrönt.

In den nächsten Jahren mußte Sigmund wiederholt um den ungarischen Thron kämpfen. Als seine Gemahlin 21 war, starb sie, und Sigmund heiratete, vierzigjährig, die sechzehnjährige Barbara von Cilli; viel Hofklatsch und Nachwelt-Geraune über ihre Promiskuität.

Am 15. April 1410 starb dann König Ruprecht. Sigmund bewarb sich selbstverständlich um das vakante Amt. Ebenso Jobst von Mähren. Auch Wenzel wollte, unterstützt vom Papst in Rom, sein Glück noch mal versuchen. Eine Zeitlang wollte sogar Oswalds Landesherr, Herzog Friedrich, kandidieren; er verhandelte bereits mit Venedig, wollte mit Tiroler Truppen die Republik Venedig beim Kampf gegen Ungarn unterstützen, dafür sollte ihm Venedig beim Marsch nach Rom helfen, zur Kaiserkrönung. Er ließ sich dann freilich doch nicht aufstellen, aber Sigmund erfuhr von den vorbereitenden Verhandlungen – auch damit war ein Vorzeichen gesetzt für das zukünftige Verhältnis dieser beiden Amtsträger.

Sigmunds Wahl war äußerst knapp: das Kurfürstenkollegium konnte sich nicht auf einen Kandidaten einigen. Am 20. September 1410 wählten Pfalzgraf Ludwig, Burggraf Friedrich von Zollern und der Erzbischof von Trier Sigmund zum König; zehn Tage später entschieden sich die anderen Wahlmänner für Jobst.

König Sigmund nahm Verhandlungen auf mit König Jobst; zu Sigmunds Glück starb Jobst aber schon im Januar 1411. Nun war eine Nachwahl notwendig. Wenzel machte sich wieder Hoffnungen, doch Sigmund kaufte sie ihm ab: er bot seinem Stiefbruder die Hälfte des Reichseinkommens an. Das war freilich nur gering, Sigmund mußte noch etwas dazulegen: die Reichsinsignien sollten Wenzel zur Verwahrung übergeben werden. Außerdem verzichtete Sigmund darauf, sich zum Kaiser krönen zu lassen, solange Wenzel lebte, erklärte sich sogar bereit, eine Kaiserkrönung Wenzels zu unterstützen! Den Burggrafen Friedrich ernannte Sigmund zum Verwalter der Mark Brandenburg.

Nach solchen Vorbereitungen konnte er der Wahl mit Ruhe entgegensehen. Am 21. Juli 1411 wurde Sigmund vom Kurfürstenkollegium als König des Römischen Reiches anerkannt.

Sigmund war, äußerlich, ein Prachtexemplar von einem König: ein großer, kräftiger Mann, als schönster Fürst seiner Zeit gepriesen, ein Mann, der das königliche Dekor liebte und vor allem Feste, ein Mann, dem eine große Vorliebe für Wein und Frauen nachgesagt wurde, ein Mann, der in Verhandlungen geschickt und bei Reden überzeugend, ja mitreißend war, ein Mann, der keine Arroganz zeigte im Umgang mit einfachen Leuten, ein bald weithin beliebter Herrscher, aber seine innenpolitische wie außenpolitische Stellung war schwach; was er brauchte, war Erfolg.

Im Römischen Reich war es damals für die Könige generell sehr schwierig, sich durchzusetzen – vor allem gegen die Territorialherren: Kurfürsten und Fürsten verteidigten mit Entschiedenheit ihre Sonderrechte. Und weil sie nach dem Reichsgesetz von 1356 (»Goldene Bulle«) das Recht hatten, den künftigen König zu »küren«, sorgten sie dafür, daß ein Mann das Amt übernahm, der ihnen hinreichend schwach, damit beeinflußbar erschien; außerdem mußte er sich für die Wahl revanchieren durch großzügige Vergabe von Privilegien, Lehen, Bargeldern.

Sobald ein König gewählt war, versuchte er, mußte er versuchen, seine Position zu stärken. Das war allerdings schon technisch schwierig, denn es gab damals keine Hauptstadt, keine Verwaltungszentrale, der König zog im Reich umher, von Stadt zu Stadt, von Reichstag zu Reichstag, die Verwaltung folgte ihm, sein Etat war lächerlich klein. So suchten die Könige, vor allem im Spätmittelalter, Unterstützung, und die fanden sie vorwiegend beim niederen Adel; die Bildung von Adelsbünden wurde von Königen gefördert.

In Bünden zusammengeschlossen, wollte der Adel eine Entwicklung aufhalten, die kaum noch aufzuhalten war: den rapiden Verlust an Besitz und Macht. Diesen Adelsbünden standen Städtebünde gegenüber; der Schwäbische Städtebund, zum Beispiel, war eine Vereinigung von rund vierzig Städten.

Städtebünde und Adelsbünde, die sich bekämpften, hatten freilich auch ein gemeinsames Ziel: sie wollten sich den Territorialherren nicht unterstellen, wollten »reichsunmittelbar« bleiben. Die Städte hatten vielfach ihr eigenes Recht, das Bannmeilenrecht, hatten ihre eigene Verwaltung, wollten ihren Machtbereich auf umliegende Ländereien ausdehnen. Diese Freizonen innerhalb ihrer Herrschaftsgebiete wollten die Landesherren nicht zulassen, sie setzten alles daran, die Reichsstädte zu integrieren. Die Könige wiederum, die nicht bloß Marionetten der Kurfürsten und Fürsten sein wollten, unterstützten die Städte und Städtebünde wie deren unmittelbare Gegner, die Adelsbünde. So kam es zu Überschneidungen. Jeder wollte möglichst viel Macht: die Städte, der Adel, die Landesfürsten, der König.

Landesfürsten: hier ist das Stichwort gegeben für Herzog Friedrich IV., den Landesherrn von Tirol. Oswald wird ihn in den nächsten anderthalb Jahrzehnten mit Entschiedenheit, Hartnäckigkeit bekämpfen, unterstützt (zumindest formell) vom König; Friedrich ist die zweite politische Hauptfigur dieser Biographie.

Friedrich, 1382 geboren, als jüngster Sohn des Herzogs Leopold III., mußte sich als Landesfürst von Tirol erst einmal durchsetzen gegen die alteingesessenen Adelsfamilien, deren Macht und Selbstbewußtsein in den Wirren gewachsen waren. Besonders aktiv waren in Tirol die Familien derer von Gufidaun, Lichtenstein, Rottenburg, Spaur, Starkenberg und Wolkenstein.

1406 gründeten Mitglieder vor allem dieser Familien den Elefantenbund: ein silberner Elefant im Halbrelief an einer Halskette als Bundeszeichen: Symbol robusten Widerstands gegen die Machtansprüche des jungen Landesherrn? Oswald war Mitglied dieser Standesorganisation – übrigens auch Martin Jäger.

Adelsbünde wurden damals recht häufig gegründet: in einer Zeit, in der die Ritter unsere Vorstellungen von Rittern optisch erfüllten, gab es bereits so etwas wie Ritterromantik. Zum Verlust an Besitz und Macht kam motivierend noch dies hinzu: auch als Kriegerkaste verlor der Adel an Bedeutung; es wurden immer mehr Feuerwaffen produziert, und die konnten von einfachen Fußsoldaten eingesetzt werden. Diese Entwicklungen versuchte man zu kompensieren, und so bildete man Ritterorden nach, setzte in Turnieren alte Kampftraditionen fort, das Vorlesen von Ritter-Epen des Hochmittelalters kam in Mode, Figuren wie König Artus wurden glorifiziert.

Selbstverständlich hatte dieser Elefantenbund auch konkrete Ziele: die Verteidigung von Privilegien, von verbrieften (also: urkundlich fixierten) Rechten. So sollten dem Adel die höchsten Ämter im Lande vorbehalten bleiben – juristisch ausgebildete Bürger übernahmen mehr und mehr leitende Positionen, auch in der unmittelbaren Umgebung des Königs: der Bürger Kaspar Schlick als Kanzler, also ›Verwaltungschef‹, die Sekretäre ebenfalls Bürger.

Diese allgemeine Entwicklung sollte zumindest für Tirol gestoppt werden. Wichtig war diesen Adligen auch das Privileg, Rechtsstreitigkeiten nicht vor Gerichten des Landes, vor dem Landesfürsten austragen zu müssen wie Bürger und Bauern, man wollte das weiterhin unter sich ausmachen, wollte Adelskollegen heranziehen, auch ausländische. Und sehr wichtig waren Besitzprivilegien. Schließlich gelobte man sich wechselseitige Hilfe bei Gefahr und Not.

Laut Bundesbrief sollte die Organisation eine Laufzeit von fünf Jahren haben, aber sie löste sich schon sehr viel früher auf. Heinrich von Rottenburg, einer der mächtigsten Männer dieses Landes, Besitzer weiter Ländereien, Inhaber wichtiger Posten, sorgte dafür, daß sich der offenbar schwerfällige Bund 1407 neu formierte im Falkenbund: das Bundeszeichen sollte wohl größere Wendigkeit, Schnelligkeit, Schärfe signalisieren.

Diese Neugründung war auch ein Reflex auf die wachsende militärische und soziale Gefahr im westlichen Grenzgebiet: der Appenzeller Bauernbund siegte in allen Gefechten, kämpfte längst nicht mehr allein gegen den Abt von St. Gallen, sondern ganz offen auch gegen den Adel, fand mit Proklamationen und Aktionen immer stärkere Resonanz bei den Bauern der umliegenden Länder, damit auch in Tirol. Der Falkenbund sollte (wie die schwäbische Rittervereinigung vom St. Jörgenschild) diese Gefahr bekämpfen. Selbstverständlich gehörte auch die Wahrung der alten Land- und Herrenrechte zum Programm dieser Vereinigung. Oswald und seine Brüder zählten zu ihren aktivsten Mitgliedern.

Herzog Friedrich nutzte aus, daß diese Organisation zugleich gegen ihn und gegen die aufständischen Schweizer Bauern gerichtet war – er wurde Mitglied des Bundes. Der mußte sich nun festlegen auf die Verteidigung des Landes gegen äußere Feinde, auf die Erhaltung der inneren Ruhe.

Aus diesem politisch geschickten Schachzug läßt sich freilich nicht schließen, Friedrich hätte sich souverän durchgesetzt in Tirol – mit diesem Trick waren die Spannungen nicht aufgehoben, die Probleme nicht gelöst: er wollte die Macht in Tirol, und der Adel wollte nichts von seiner Macht abgeben.

Keine Rückwirkungen solcher politischen Vorgänge auf Lieder, die Oswald in diesen Jahren schrieb; ich ordne die beiden folgenden Texte ein in den Zeitraum zwischen 1411 und 1415.

Das erste Lied (Kl 50) ist eine Kontrafaktur. Zu diesem (damals weithin üblichen) Herstellungsverfahren eine Anmerkung: man erfand nicht unentwegt neue Methoden, neue Strophenformen, man adaptierte auch Melodien, Strophenformen von Kollegen und Vorgängern. Am häufigsten war das neue Textieren vorliegender Melodien oder Liedsätze. Das bedeutete: man mußte die Strophenform, das metrische Schema der Vorlage übernehmen. Zum Teil übernahm man auch gleich Textinhalte, sogar Formulierungen. Dies ist hier der Fall: Oswald hat von einer französischen Vorlage die Melodie, den Strophenbau, das metrische Schema, den Inhalt und Textteile übernommen; im Virelais *Par maintes foys* von Jean Vaillant wird Vogelsingen, Vogelzwitschern hörbar gemacht, lautmalend und melodisch. Freilich hat Oswald nicht bloß übersetzt: im Übernehmen der Vogelgeräuschimitationen war er großzügig, bei den Zwischentexten hat er Eigenes eingebracht. Ich übertrage diese Strophe, weil sie zeigt, wofür Oswald in dieser Zeit aufgeschlossen war: für virtuose Klangbildungen.

Der Mai: mit reichem Klang
erfüllt er diese Welt,
Hügel, Flachland, Berg und Feld.
Die Vöglein lassen den Gesang
ertönen, schwebend heller Klang;
Lerchen, Drosseln, Nachtigall.
Der Kuckuck, der fliegt überall
und schikaniert voll Übermut
die sonst so frohe Vogelbrut.
Hört, wie er ruft und tut:
»Kuku, kuku, kuku,
der Zins, der steht mir zu,
der will mir wohl behagen,
der Hunger knurrt im Magen.«
»O weh, o je, wohin
mit uns?« so riefen sich die Vöglein zu.
Zaunkönig, Zeisig, Meise, Lerche,
so kommt, wir wollen singen:
»Ozi, so soll es klingen,
ozi ozi, ozi ozi, ozi ozi,
fi fideli, fideli fideli fi,
zi, zieriri, zi, zi, zieriri,
zi zi ziwick, zidiwick, fizi, fizi.«
Der Kuckuck aber rief dazu:
»Kawa wa kuku.«
»Rako«, so sprach der Rabe,
»ich singe recht gut auch,
doch nur mit vollem Bauch.
Mein Lied, das klingt sehr fein:
hau rein, schieb rein, stopf rein!«
»Liri liri liri liri lirilei«,
so sang die Lerche,
sang die Lerche,
sang die Lerche.
»Ich singe hell«, das Drösselchen,
»ich singe hell«, das Drösselchen,

»ich singe hell«, das Drösselchen,
»daß es im Walde klingt!«
Ihr tiriliert und jubiliert,
ihr krächzt und gäckert,
schnalzt und balzt,
genau wie unser Pfarrer.
»Zidiwick, zidiwick, zidiwick,
zizifigo, zizifigo, zizifigo«: Nachtigall,
für den Gesang wird man dich krönen, überall!

Als zweiter Text Kl 53: ein konventionelles Textmuster, ausgeführt im gezierten, geblümten Stil, der bei Oswalds Zeitgenossen beliebt war.

In einigen Zeilen freilich geht Oswald entschieden weiter, macht den Klang zum Organisationsprinzip des sprachlichen Ablaufs, Wörter als Klangkörper: »Lünzlot münzlot klünzlot und zisplot wisplot freuntlich sprachen…« Für solche Wortklangfolgen mußten Entsprechungen gesucht werden in unserer Sprache.

Fröhlich, friedlich, lieblich, zärtlich, läßlich, sacht, gemach
und sanft und süß und frisch und rein erwach
du schönes, liebevolles Weib,
streck, reck, zeig den zarten, stolzen Leib,
mach deine strahlend hellen Augen auf,
und sieh, in deiner Morgenwonne,
wie nun erlahmt der Sterne Lauf
im Glanz der hellen, heitren, klaren Sonne.
Wohlauf nun zum Tanz!
Binde einen schönen Kranz
aus blauem, violettem,
rotem, gelbem, weißem,
lichtem Blütenglanz.

Schmuslich, koslich, küßlich, zünglich, lüstlich sei die
    Sprache
für manche herrlich üppig schöne Sache:

nur davon sei dein schwellend roter Mund bewegt.
Er hat mein Herz in Liebesglut versetzt,
hat mich gewiß schon tausendfach ergötzt,
hat meine Lust erregt
aus Schlaf und Traum: hier sah ich bald
den wohlgeformten, sanften Spalt,
zum Lächeln wie gemacht,
darin der Zähne Pracht:
füllig, rosig, lipplich, lecklich –
mit zartem Pinsel
dargebracht!

Wollt sie, möcht sie, tät sie, käm sie, nähm sie meinem Herz
den sehnsuchtsschweren, herben Schmerz,
die weißen Brüste fest an mich gedrückt –
das Leid wär fort, ich wär entzückt!
Welch Mädchen sonst, so zart und fein,
könnt so beglückend für mich sein,
für dieses Herz: es nimmt den Schmerz
und weckt die reinen, reichen, reifen Lüste –
der Mund den Mund geküßt,
Zung an Zünglein, Brust an Brüste,
Bauch an Bäuchlein, Pelz an Pelzlein:
schnell mit Schwung
und frisch hinein!

Auch konnt ich fiedeln, flöten, trommeln und trompeten«: Oswald hat sich beim Singen also (stets? vielfach? zuweilen?) selbst begleitet.

Die Fiedel war sehr geeignet zur Begleitung einer Singstimme: auf einer Plattenaufnahme wird der Text des eben vorgestellten Liedsatzes von einem Bariton gesungen, die zweite Stimme ist mit einer Fiedel besetzt. Mit der Fiedel kann aber auch, bei einstimmigen Liedern, der Bordun gespielt werden: sich wiederholende Baß-Grundakkorde und zusätzlich vielleicht Figurationen, etwa zwischen den

Strophen. Ob Oswald dieses Instrument, sich selbst begleitend, »gelehnt« oder »gestemmt« spielte, den Bogen »untergriffig« oder »obergriffig« führte, wissen wir nicht.

Und die Trommeln? Ein Sänger, Musiker hatte meist zwei miteinander gekoppelte Handtrommeln auf den Oberschenkeln liegen, schlug Rhythmen oder Akzentuierungen.

Beliebt war damals die Kombination Flöte und Trommel. Oswald schreibt denn auch, er habe »pfeiffen« können. Damit kann theoretisch die ganze Flötengattung gemeint sein: die Kernspalt- oder Schnabelflöte (unsere Blockflöte) und die Querflöte, aus Holz, ohne Klappen. Sie wurde im Hohen und Späten Mittelalter besonders gern im deutschen Bereich gespielt, wurde im Ausland oft »deutsche« Flöte genannt.

Nun kann »pfeiffen« allerdings auch bedeuten: Dudelsack spielen – »pfeiff auff!« Oswald und der Dudelsack – das wäre freilich eine erstaunliche Stilisierung! Mit dem Dudelsack wurde vorwiegend zum bäuerlichen Tanz aufgespielt, und das hat Oswald von Wolkenstein bestimmt nicht getan! Freilich konnte man mit dem Dudelsack auch Lieder begleiten – die Sackpfeife war im Mittelalter fast so beliebt wie das Akkordeon in den zwanziger bis fünfziger Jahren unseres Jahrhunderts. Setzt man voraus, daß der Dudelsack damals geblasen, nicht von einem kleinen Blasebalg (zwischen Ellbogen und Körper) mit Luft versorgt wurde (das habe ich auf keiner Abbildung jener Zeit gesehen), so schließt sich von selbst aus, daß Oswald sich mit diesem Instrument begleitet hat, den Bordun spielend, hier also einen kontinuierlichen Baß-Grundakkord. Und Oswald als begleitender Musiker? Höchstens ausnahmsweise dürfte er einen anderen, dann wohl sozial gleichstehenden Sänger begleitet haben.

Oswald ließe sich allerdings zutrauen, daß er mit dem Verb »pfeiffen« bei seinen Zuhörern eine Assoziation an die Sackpfeife wecken wollte, irritierend. Er wird aber die Flöte geblasen haben, präludierend und in kurzen Zwischenfloskeln.

Und die Trompete? Das schließt sich eigentlich aus: singen und trompeten. Oder sollen wir uns vorstellen, Oswald hätte wie Louis Armstrong abwechselnd gesungen und Trompete geblasen? Das wäre physiologisch höchst schwierig, vor allem bei Oswalds Musik, und es wäre bei damaligem Spielgebrauch äußerst selten gewesen. Außerdem: es ist bei Oswalds Position (selbst wenn er ›nur‹ Zweit-geborener aus dem Landadel war) kaum vorstellbar, daß er trompe-tet hat. Trompeten wurden damals vor allem als Fanfareninstru-mente eingesetzt, etwa zur Begrüßung hochgestellter Personen, und daran hat sich ein Oswald von Wolkenstein bestimmt nicht betei-ligt. Und daß er mit der Trompete zum Tanz aufgespielt hätte (etwa mit Kollegen, die Pommer und Posaune bliesen), das ist ebenfalls undenkbar: Oswald gehörte zu den Herrschaften, die sich zum Tanz aufspielen ließen. Kurzum: die Trompete paßt nicht zu ihm, bei seiner Musik, in seiner sozialen Position.

Stilisierung? Ich, der Alleskönner Wolkenstein, beherrsche Streich- und Perkussionsinstrumente, gehöre zu den Holz- wie zu den Blechbläsern?! Oder eine Stilisierung in dieser Richtung: Ich, der Adlige, spiele Instrumente, die bei Spielleuten üblich sind?

Auch wenn Oswald in seinen auftrumpfenden Katalogen dieses Instrument nicht genannt hat – er wird auch die Harfe gespielt ha-ben. Denn die Harfe war *das* Instrument für den Sänger, der sich selbst begleitete – ungefähr wie heute die Gitarre. Eine Harfe war damals entschieden kleiner als die Konzertharfe des neunzehnten Jahrhunderts: sie wurde auf den Oberschenkeln aufgesetzt, reichte bis ans Kinn; man konnte sie, in einem Lederetui, auf Reisen mit-nehmen.

Auf der Wartburg war bis vor einiger Zeit eine Harfe zu besichti-gen, die seit etwa hundert Jahren als »Oswalds Harfe« bezeichnet wird – ich kenne sie nur von Abbildungen und Beschreibungen. Ein offenbar sehr schönes Exemplar, mit Intarsien aus Ebenholz, aus weißem und grüngefärbtem Elfenbein: geometrische Muster. Oben Blümchen, weiße Rauten. Auf heller Fläche mit grüner Einfassung in schwarzen Buchstaben das Wörtchen »wann«. Ob dieses Instru-ment tatsächlich aus Oswalds Besitz stammt? Recht unwahrschein-lich.

Zu Oswalds Zeit wurden Musikinstrumente nicht allein von Instrumentenbauern hergestellt – sie spezialisierten sich meist auf Instrumente, die handwerklich besonders schwierig waren, wie etwa Lauten. Sonst bauten sich Musiker ihre Instrumente meist selber.

Auch wenn Oswald das nicht getan hat – er hatte bestimmt keinen Intrumentenwart, der für ihn Reparaturen durchführte oder Korrekturen, dies wird er selbst gemacht haben. Beziehen einer Trommel mit neuem Fell, Auswechseln eines Stimmwirbels einer Fiedel – plötzlich sehe ich einen Oswald vor mir, der an Instrumenten arbeitet.

Oswald von Wolkenstein und seine Trommel, Trompete, seine Flöte, Fiedel, Harfe – und sein Hauptinstrument, die Stimme? Sang er Tenor, Bariton, Baß? Ich habe Wilfrid Jochims, Sänger und Hochschuldozent, gebeten, sich einmal genau die Abbildungen von Oswald anzuschauen – lassen sich Rückschlüsse ziehen aus seiner Konstitution? Ich weiß nur allgemein: Tenöre und Bassisten, beispielsweise, unterscheiden sich in Körperbau und durchschnittlicher Körpergröße.

Jochims schrieb mir eine Art Expertise, aus der ich nun hervorhebe, was mir für die Biographie wichtig scheint. Zuerst, allgemein: von den »Maßverhältnissen eines Kopfes« in Beziehung zur Halsform und Rumpfform läßt sich auf »gewisse Qualitäten der Stimme schließen«; dabei werden Teilergebnisse der musikalischen Stimmforschung, der Anthropometrie, der Anatomie, der Phonetik, der Typologie benutzt. Ausschließlich aus Abbildungen (»ikonographisch«) Schlüsse zu ziehen auf die Stimme ist nicht üblich, ist auch nicht notwendig, man hat es stets mit lebenden »Stimmbesitzern« zu tun; dennoch, in diesem Fall sind – mit Vorsicht und Vorbehalt – einige Schlußfolgerungen möglich.

Wichtigste Grundlage dazu ist das Porträtgemälde der Handschrift B: hier zeigt sich »nach den Kennzeichnungen der Typologie« ein »athletischer Körperbau mit einer eurosomen Tendenz«. Was den eurosomen Konstitutionstyp charakterisiert, ist der weiche

Übergang vom Rumpf zum Hals, die Neigung zum Fettansatz an Kinn und Hals; »der Wuchs ist mittelgroß und gedrungen«.

Dieser »athletisch-eurosome Mischtyp« läßt schließen auf einen »ausgeprägt hohen Bariton mit einer Neigung zur tenoralen Stimmfärbung«. Vom Konstitutionstyp her dürfte Oswalds Stimme kräftig, »füllig« gewesen sein.

Es lassen sich weitere Aussagen machen über Oswalds Stimme. Denn: er hat zumindest die einstimmigen Lieder für sich selbst geschrieben, aller Wahrscheinlichkeit nach, also kann man Schlüsse auf den »Ambitus« seiner Stimme ziehen. Auch wenn die Tonhöhen bei der damaligen Notationsweise (innerhalb bestimmter Grenzen) relativ sind, es läßt sich doch ablesen, für welchen Tonumfang Oswald geschrieben hat: der erreicht die große Dezime, die Undezime, also fast anderthalb Oktaven. Das ist beträchtlich, wenn man es vergleicht mit der (gregorianischen) Kirchenmusik jener Zeit, in der alle Musiker ausgebildet wurden: hier lag der Ambitus meist bei einer Sexte, konnte sich ausdehnen bis zu einer Oktave. Oswalds Tonumfang war also für die damalige Zeit sehr groß.

Weiter zeigen die Liedkompositionen, daß Oswald bei sich eine große technische Sicherheit voraussetzte. So gibt es in seinen Liedern Quartsprünge, diffizile Intervallfolgen, sogar Septsprünge – hier muß der Sänger im »Springen« und »Treffen« sicher sein.

Wir können noch einen weiteren Schluß ziehen: Musik mit so hohen technischen Schwierigkeitsgraden konnte und wollte nicht volkstümlich sein.

D er Wolkensteiner als Dichter, Sänger, Instrumentalist: auf dem Konstanzer Konzil wird er den Höhepunkt seiner Entwicklung erreichen. In Konstanz wird Oswald zudem in das Gefolge von König Sigmund aufgenommen, wird er mit einer diplomatischen Mission betraut – ein Höhepunkt auch seiner politischen Karriere.

So muß in dieser Biographie auf einige Faktoren hingewiesen werden, die zur Einberufung des Konzils führten. Die Figur Oswald von Wolkenstein würde zu sehr isoliert, damit zu sehr vergrößert in einer fast ausschließlich auf seine Person gerichteten Perspektive. Es müssen auch Vorgänge skizziert werden, von denen er betroffen oder beeinflußt wurde, an denen er teilnahm oder denen er sich verweigerte: Oswald in seiner Zeit.

Hier ist nun zu berichten, wie Papst Johannes mit König Sigmund Kontakt aufnahm. Johannes, der Pisaner Papst, hatte Gregor, den römischen Amtskollegen, aus dem Kirchenstaat vertrieben, war im Vatikan eingezogen. Gregor war zum König von Neapel geflohen, hatte ihn um Hilfe gebeten; König Ladislaus ließ sich nicht dreimal bitten, Neapel befand sich sowieso in einer expansiven Phase, so marschierte Ladislaus im Kirchenstaat ein, Johannes floh nach Siena, weiter nach Florenz, schließlich nach Bologna. Er suchte militärische Hilfe gegen Ladislaus, nahm so Verhandlungen auf mit Sigmund. Entgegenkommend ließ er dem König anbieten, was der sich wünschte: ein Konzil. Auf diesem Konzil sollte endlich das Kirchenschisma beendet, sollte die längst überfällige Reform der Kirche beschlossen werden.

Das Kirchenschisma war fast genauso alt wie Oswald: ein Heiliger Stuhl in Rom, ein Heiliger Stuhl in Avignon. Und ein Papst kritisierte, verurteilte, verketzerte den anderen Papst, Bannbullen hin und her. Zum Rücktritt war keiner der Herren bereit.

So konnte das Problem nur durch ein Konzil gelöst werden. Wichtigste Voraussetzung eines Generalkonzils: es mußte mehr Macht haben als ein Papst oder deren zwei. Theologen und Kirchenjuristen, vor allem von der Universität Paris, bereiteten Begründungen dafür vor, daß das allgemeine Konzil als Repräsentation der gesamten Kirche über einem Papst stehe, ihn also auch absetzen könne.

Ein Nationalkonzil fand in Paris statt, erklärte beide Päpste für abgesetzt, aber die Herren in Rom und Avignon kümmerten sich nicht weiter um diese Entscheidung. Man setzte schließlich Söldnertruppen ein, Papst Benedikt verschanzte sich in seinem Palast in Avignon, verteidigte sich zäh, zog sich später zurück nach Perpignan.

Auf dem Konzil von Pisa, 1413, sollte das Schisma dann endgültig aufgehoben werden. Beide Päpste wurden vorgeladen; weil sie nicht kamen, wurden sie für halsstarrig erklärt, auf lateinisch. Einige Sitzungen später kündigte man ihnen den Gehorsam auf. Und wiederum einige Sitzungen später bezeichnete man sie öffentlich als notorische Schismatiker und hartnäckige Häretiker, erklärte sie all ihrer Würden für verlustig, schloß sie aus der Kirche aus. Man wählte einen neuen Papst, Alexander V.

Damit war das Problem nur formell gelöst, denn weder der Papst in Rom noch der Papst in Perpignan akzeptierten den Konzilsbeschluß, beide protestierten. Und weil sie beide noch Anhänger hatten, weiterhin politische Unterstützung fanden, hatte man nun drei Päpste: »Aus der verruchten Zweiheit ist eine verfluchte Dreiheit geworden.«

Politische Aktivitäten, diplomatische Verhandlungen: Frankreich erkannte den Pisaner Papst an, England schloß sich erstaunlicherweise diesem Votum an, im deutschen Reich war man teils für den Papst von Pisa, teils für den Papst von Rom – im übrigen herrschte in dieser Frage weithin Gleichgültigkeit; man sah hier nur Klerikergezänk, geistlich-weltliche Machtpolitik, man durchschaute die Vorgänge nicht mehr. Auf jeden Fall aber: ein entschiedener Autoritätsverlust des Papsttums. Ein entschiedener Autoritätsverlust auch der Kirche, bis hinab zu den Gemeindepfarrern. In jener Zeit herrschten, wie zu lesen ist, im hohen wie im niederen Klerus Verschwendung und Luxus, Unwissenheit und Roheit, Schwelgerei und Unzucht. Das hatte Rückwirkungen auf das Verhalten der Bevölkerung. So wurde immer entschiedener eine Beseitigung des Schismas, eine Reform an »Haupt und Gliedern« der Kirche gefordert.

Papst Johannes und König Sigmund: beide waren an einem Konzil interessiert, wenn auch aus verschiedenen Gründen. Johannes war, als Nachfolger von Alexander, der zweite Pisaner Papst, hatte damit in der Kirche den stärksten Rückhalt, verspielte aber viel Kredit: seine Fähigkeiten lagen auf weltlichem Gebiet, er hatte sich hervorgetan beim Kapern von Schiffen und Frauen, war anerkannt als militärischer Experte und Verwaltungsfachmann, galt als verschlagen, habgierig, skrupellos, grausam. Er wollte die ganze Macht: die beiden Konkurrenzpäpste sollten auf einem neuen Konzil endgültig abgesetzt, er selbst wollte als einzig rechtmäßiges Kirchenoberhaupt anerkannt werden.

Und Sigmund? Er hatte als noch immer ungekrönter Römischer König bisher nur Mißerfolge, Pleiten erlebt, er brauchte ganz entschieden Erfolg. Wenn unter seiner Schirmherrschaft das längst und dringlichst gewünschte Konzil einberufen wurde, so war das zumindest ein Achtungserfolg. Und: irgendwann wollte er sich auch mal zum Kaiser krönen lassen; dies war nur sinnvoll, wenn es durch einen allseits anerkannten Papst geschah; hierzu mußte erst einmal die Voraussetzung geschaffen werden.

Sigmund schlug als Tagungsort Konstanz vor: das liege günstig für alle Teilnehmer. Johannes opponierte sofort; außerhalb Italiens, so fürchtete er, werde sein Einfluß sehr viel geringer sein. Doch Sigmund ließ nicht mit sich handeln; er begann, Einladungen zu verschicken an kirchliche und weltliche Oberhäupter: Tagungsort Konstanz, Eröffnungstermin Allerheiligen 1414. Er selbst werde zum Konzil kommen, betonte er, werde allen Teilnehmern Schutz und Sicherheit gewähren.

Erst nachdem diese Einladungen heraus waren, Ende November, trafen sich Johannes und Sigmund persönlich, in Lodi. Der Papst versuchte nachdrücklich, die Entscheidung für Konstanz rückgängig zu machen, aber Sigmund stellte klar: Johannes werde von ihm nur unterstützt und geschützt, wenn das Konzil in Konstanz stattfinde. Es nützte nichts mehr, daß sich Johannes bei den Unterhandlungen in vollem päpstlichen Ornat auf einen Thron setzte, und Sigmund mußte, als Diakon gekleidet, vor ihm hocken – die Entscheidung war gefallen, der König blieb hart. So feierte man gemeinsam Weihnachten.

Am 28. Oktober 1414 zog Papst Johannes in Konstanz ein, mit düsteren Vorahnungen – beim ersten Anblick der Stadt hatte er von einer Fuchsfalle gesprochen.

Rechtzeitig hatte er Vorkehrungen getroffen, um auch in kritischer Lage aus der Konzilsstadt wieder herauszukommen, hatte geheime Verträge geschlossen mit dem Erzbischof von Mainz und vor allem mit Herzog Friedrich von Tirol. Den hatte er Mitte Oktober in Meran zum Generalkapitän der Römischen Kirche ernannt, für ein Jahresgehalt von immerhin 6000 Gulden; dafür hatte sich Friedrich verpflichtet, den Papst während des Konzils in jeder Hinsicht zu schützen, notfalls auch militärisch.

In den ersten Tagen freilich schien alles günstig auszusehen für Johannes. Stadtrepräsentanten überreichten ihm zur Begrüßung einen goldenen Baldachin, die Bevölkerung zeigte Begeisterung, und das ist verständlich: der erste große Einzug in die Stadt, ein Gefolge von 600 Personen, und immerhin ein Papst, wenn auch nur einer von dreien, aber offenbar doch der Papst, der unter diesen Päpsten am meisten Papst war.

Um in Konstanz mit größerem Ansehen auftreten, das Konzil entschiedener beeinflussen, leiten zu können, wollte sich Sigmund zuvor krönen lassen – immerhin sein viertes Amtsjahr!

Eigentlich war er früh genug nach Aachen aufgebrochen, um pünktlich als frisch gekrönter Schirmherr in der Konzilsstadt zu sein, doch es entstanden einige Schwierigkeiten, damit Verzögerungen.

Zum Beispiel wollte er, bereits Anfang August, den Erzbischof von Mainz treffen, aber dieser Mit-Schützer des Pisaner Papstes ließ sich nicht sehen. So reiste Sigmund nach Bingen und Koblenz, traf dort am 12. August ein, blieb einen Monat, wartete auf die Fürsten, die er hierher geladen hatte, aber zu den wenigen Fürsten, die ihn begleiteten, kam niemand hinzu: keiner aus Sachsen, keiner aus Böhmen, keiner aus Bayern...

Der König war verärgert, reiste nach Heidelberg, wollte ungekrönt nach Ungarn heimreiten, gab den Reichsständen doch noch mal eine Chance, lud sie zum 23. September ein nach Nürnberg – es kamen nur einige Herren aus der näheren Umgebung. Nun wollte Sigmund definitiv nach Ungarn zurück; einige seiner Begleiter rieten entschieden davon ab, schlugen vor, wieder nach Aachen zu reisen. Erneut wurden Einladungen an die Fürsten verschickt.

Mit großem Gefolge zog Sigmund schließlich in Aachen ein: seine Frau Barbara, ungarische Prälaten, Barone, Ritter, Herren, etwa achthundert Personen. Diesmal waren doch einige Herrschaften zum Festakt gekommen: sieben Bischöfe, acht Fürsten, ungefähr hundert Grafen, etwa sechshundert Ritter. Theoderich von Köln krönte Sigmund am 8. Dezember. Gleich am nächsten Tag reiste der Römische König nach Köln, ließ sich dort huldigen, bestätigte Privilegien.

Papst Johannes forderte ihn schriftlich auf, seine Reise nach Konstanz zu beschleunigen, König Sigmund aber mußte zuvor noch schwierige Verhandlungen mit der Stadt Frankfurt führen, weil sie die Judensteuer ermäßigt hatte.

Am 16. Dezember schließlich reiste Sigmund auf kürzestem Weg nach Konstanz. Am Christabend erreichte er Überlingen, setzte über, kam um vier Uhr morgens in Konstanz an, eine sehr kalte Winternacht. In einer feierlichen Messe wurde ihm von Papst Johannes ein Schwert überreicht; der König als Schutzherr des Konzils.

Nun kamen in rascher Folge die restlichen Konzilsteilnehmer, geistliche und weltliche. Die Gesamtzahl der geistlichen Würdenträger: 3 Patriarchen, 29 Kardinäle, 33 Erzbischöfe, über 300 Bischöfe. Fast ebenso zahlreich die weltlichen Würdenträger: Fürsten, Barone, Grafen, ausländische Delegierte.

Am 4. Februar traf auch Herzog Friedrich mit großem Gefolge in Konstanz ein. Man zählte bei einem Gefolge damals meist die Pferde, hier sollen es sechshundert gewesen sein. Auf ihnen die Gemahlin des Landesfürsten, zwölf Grafen, zahlreiche Edelleute, vor allem aus Tirol. Es sind Namen überliefert, unter anderen: Graf von Montfort, Hans Truchseß von Diessenhofen, wegen seiner Korpulenz »Molli« genannt, dann: Herren von Brandis, von Schlandersberg (unter ihnen Heinrich), Herren von Freundsberg, von Villanders (unter ihnen Hans) und von Wolkenstein: Oswald und sein Bruder Leonhard, dazu ein Onkel, Hans von Wolkenstein.

Was trieb oder lockte Oswald eigentlich in die Konzilsstadt? Verpflichtungen als Gotteshausmann? Dies wohl kaum, denn als Gotteshausmann war er in Abwesenheit des Bischofs dessen Stellvertreter in der Verwaltung.

Möglicherweise wollte Oswald in Konstanz (wieder) Kontakt mit Sigmund aufnehmen, weil er sich dadurch persönliche Vorteile erhoffte und zugleich: um den König stärker auf die Seite der Adelsgruppe zu ziehen.

Abgesehen davon: das Konzil von Konstanz war die ganz große Attraktion jener Zeit! Ein Mann vom Landadel rechnete damit, daß es dort allerlei zu erleben gab.

Die Stadt, die nun auch Oswald beherbergte, sehe ich aus der Vogelperspektive des Matthäus Merian auf einem Kupferstich des Jahres 1657, also knapp zweieinhalb Jahrhunderte später. Und doch läßt sich kaum vorstellen, daß die Konzilsstadt noch kleiner gewesen sein sollte als dieses überschaubar gegliederte Städtchen an See und Fluß. Vielleicht war in der Zwischenzeit das eine oder andere Gebäude außerhalb der Stadtmauern dazugekommen, wurde die eine oder andere Baulücke geschlossen, aber noch immer sind bei Merian freie Flächen in der Stadt zu sehen, besonders im erweiterten Mauerbereich mit seinen einzelnen Häusern und Bäumen; ein Dörflein in diesem Stadtbezirk heißt Paradies.

Konstanz war Reichsstadt, hatte also eigene Verwaltung, eigene Gesetzgebung, eigene Münze. Die Einwohnerzahl zwischen 6000 und 8000; etwa 1500 dieser Einwohner wurden namentlich in den Steuerlisten geführt. Und die Steuererträge waren nicht gering in Konstanz: es wurde vor allem Leinwand produziert, nach Italien exportiert – »tela di Constanza«. Und viel Geld wurde mit dem Fernhandel verdient.

Die verkehrstechnisch günstige Lage der Stadt am Rhein, am

Bodensee, in der Nähe der Alpenübergänge war ja (neben der Sicherheit) einer der Hauptgründe, weshalb sie von Sigmund zum Tagungsort bestimmt worden war. Außerdem: hier war weites Hinterland für die Beschaffung von Lebensmitteln und Futter.

Über die Zahl der Konzilsteilnehmer und Besucher gibt es phantastische Zahlenangaben; ein zeitgenössischer Chronist schreibt von 60000 bereitgestellten Doppelbetten in Konstanz und näherer Umgebung. Aber solch eine Bettenkapazität ist völlig unmöglich in einer so kleinen Stadt; vielleicht war die Gesamtzahl der Gäste innerhalb der vier Konzilsjahre gemeint. Diener, Boten, Knechte wurden nicht einmal bei diesen hohen Zahlen berücksichtigt: sie schliefen nicht in Betten, sondern beispielsweise in Ställen.

Der Rat der Stadt hatte vorsorglich Höchstpreise festgesetzt für Doppelbetten, für Pferdefutter und Brennholz, für Fisch und Fleisch, für Getreide und Brot, für Gemüse, für Wein. Allerdings schien die Kontrolle nicht recht zu klappen; mit der unerwartet großen Nachfrage stiegen die Preise.

Auch die Preise der Prostituierten, die in die Stadt zogen, in ihrer gelben Berufskleidung. Mal lese ich von 600, mal von 800, sogar von 1500 Prostituierten. Aber auch hier: damit war gewiß nicht die Zahl der gleichzeitig anwesenden und tätigen Prostituierten gemeint, sondern, bei entsprechender Fluktuation, die Gesamtziffer während der Konzilsjahre. Ohne Zweifel war die Zahl der Prostituierten groß, dennoch gab es keine Dumping-Preise, der Schnitt blieb hoch, mit Recht: sollten sie aus den weltlichen und geistlichen Würdenträgern so viel Geld wie möglich herausholen! Denn: die Beschäftigungslage auf dem Land und in den Städten war zum Teil miserabel, Arbeiter konnten für ihre Familien oft kaum das Existenzminimum erwirtschaften, so gingen viele Mädchen und Frauen ›anschaffen‹. Und der damalige Goldene Westen war Konstanz, ein lockendes Las Vegas am Bodensee.

Oswald von Wolkenstein ist im Teilnehmerverzeichnis des Konzils aufgeführt, und zwar als »servus«, als »Diener«. Diese Bezeichnung hatte damals noch eine andere Bedeutung, sie entsprach, in seinem Fall, ungefähr dem englischen »knight«: Nachwuchs, der sich profilieren, der aufsteigen will, und zwar zum »Herrn«, zum »Ritter«. Ein »Herr«, ein »Ritter« konnte freilich weiterhin »Diener« bleiben. Oswald als »Diener« des Fürstbischofs von Brixen, bald auch des Königs, dies bedeutete: Mitarbeiter in einer höheren Verwaltungsposition, in einer Vertrauensstellung.

Michael von Wolkenstein wird im Verzeichnis als »Herr« aufgeführt. Aber Oswald war es, der kurz nach seiner Ankunft in das königliche Gefolge aufgenommen wurde – bei Michael dauerte es noch zwei Jahre länger.

Es ist auffällig, wie schnell der recht spät in Konstanz eingetroffene Oswald mit dem sicher vielbeschäftigten König zusammenkam: kannten sich die Herren bereits? Mitte 1413 war Sigmund in Brixen gewesen, hatte den Bischof und Reichsfürsten belehnt; an diesem Festakt hatte, mit weiterer Prominenz des Landes, wahrscheinlich auch Oswald von Wolkenstein teilgenommen – war man bei dieser Gelegenheit ins Gespräch gekommen?

Am 10. Februar wurde die Bestallungsurkunde ausgestellt. »Wir, Sigmund, von Gottes Gnaden Römischer König, zu allen Zeiten Mehrer des Reiches und König von Ungarn, Dalmatien, Kroatien etc., geben hiermit allen, die diese Urkunde lesen oder denen sie vorgelesen wird, kund und zu wissen: In Anerkennung loyaler, williger, unermüdlicher und willkommener Dienste, die Uns der ehrenwerte Oswald von Wolkenstein, Unser lieber Gefolgsmann, oft nutzbringend geleistet hat, täglich leistet und künftig leisten will und wird, haben Wir ihn als Unseren Diener und als Mitglied des Hofgefolges aufgenommen und nehmen ihn auf kraft dieser Urkunde. Damit er Uns noch bereitwilliger und eifriger diene, haben Wir ihm ein Jahresgehalt von 300 ungarischen roten Gulden versprochen. Es wird (vom jüngsten St. Valentinstag an gerechnet in einem Jahr zum ersten Mal und daraufhin jedes weitere Jahr am St. Valentinstag) von Unserer Kammer ausgezahlt, bis auf Widerruf. Bekundet mit diesem Dokument, versiegelt mit Unserem königlichen, anhängenden Siegel. Gegeben zu Konstanz im Jahre 1415 nach Christi Geburt, am Sonnabend vor Invocavit, im 28. Jahre Unserer königlichen Herrschaft zu Ungarn und im 5. Jahre Unserer Römischen Königswürde.«

Welche Dienste hat Oswald geleistet, leistete er zu dieser Zeit, sollte er weiterhin leisten? Ist das nur eine formelhafte Begründung, die in solchen Fällen vom Kanzleischreiber automatisch niedergeschrieben wurde? Oder lassen sich hier Rückschlüsse ziehen aus der Höhe des Jahresgehaltes? Norbert Mayr hält dies für ein durchschnittliches Gehalt; er sieht auch nichts Besonderes darin, daß Oswald in das königliche Hofgefolge aufgenommen wurde, Oswald sei einer unter mehreren gewesen.

Offenbar wurde Oswald von Sigmund ›zur besonderen Verwendung‹ eingestellt, wie das heute hieße. Der erste Auftrag wird eine diplomatische Mission sein.

König Sigmund hatte in der Papstfrage von Anfang an diese Konzeption: alle drei Päpste werden als gleichrangig anerkannt, dann werden alle drei abgesetzt.

Diese Taktik fand mehr und mehr Zustimmung, Unterstützung. So legte bereits im Januar 1415 Kardinal Fillastre ein Gutachten vor, in dem der gleichzeitige Rücktritt aller drei Päpste gefordert wurde; das Konzil sei befugt, im Interesse der kirchlichen Einheit, einen Papst auch gegen seinen Willen zur Abdankung zu zwingen.

Johannes und sein Gefolge opponierten entschieden gegen dieses Gutachten. So erklärten die »Pisaner«: wenn man bereit sei, den Beschluß des Konzils von Pisa aufzuheben, so wäre denkbar, daß eines Tages auch der Beschluß des gegenwärtigen Konzils aufgehoben würde – und dann gäbe es womöglich vier Päpste! Aus recht verstandenem Kircheninteresse sei es unumgänglich, Johannes als alleinigen Papst anzuerkennen; man hätte ja auch nicht Jesus Christus zumuten können zurückzutreten, wenn in seiner Zeit zufällig noch zwei andere Messiasse aufgetreten wären.

Solche Argumentation fand wenig Resonanz. Aber letztlich baute Johannes nicht auf Erörterung und Überzeugung, sondern auf Stimmenmehrheit, und hier hatte er vorgesorgt: sein Anhang war so groß, daß er gar nicht abgewählt werden konnte. Aber man wollte ihn abwählen, und so wurde der Vorschlag erörtert, den Abstimmungsmodus zu ändern. Einer der energischsten Promoter, vielleicht sogar Urheber dieses Vorschlags war König Sigmund: wenn die deutsche, englische, französische und italienische Nation jeweils die gleiche Stimmenzahl erhielten, ließ sich der Rücktritt des hartnäckigen Johannes erzwingen. Durch geschickte Verhandlungen erreichte es Sigmund, daß dieser Modus von der Mehrheit der Konzilsteilnehmer akzeptiert wurde.

Und man ging über zur Offensive gegen den martialischen Papst: achtzehn Anklagepunkte wurden zusammengestellt; unter anderem wurden ihm unsittlicher Lebenswandel und wucherischer Handel mit Kirchenämtern vorgeworfen; er wurde als Schismatiker und Häretiker bezeichnet.

Die achtzehn Punkte wurden allerdings nicht veröffentlicht, dieses Papier wurde als Druckmittel eingesetzt. Johannes, der Gründe genug hatte, eine Publikation der Anklage zu fürchten, erklärte sich am 16. Februar 1415 zur Abdankung bereit; gleichzeitig stellte er Bedingungen. Zwei Wochen zähe Verhandlungen: am 1. März gab er die gewünschte Erklärung vor der Generalkongregation ab, am nächsten Tag schwor er die Rücktrittsformel.

Dies alles hatte Oswald in Konstanz noch miterlebt. Und er wird zumindest gehört haben von den fortgesetzten Verhandlungen mit diesem Papst, dem man nicht traute: man befürchtete, er werde das Konzil auflösen, werde seine Rücktrittserklärung annullieren. Sigmund, der in dieser Zeit immer entschiedener hervortrat, ließ die Stadt einfach zusperren: niemand durfte ohne Sondergenehmigung hinaus, auch nicht zum Spaziergang. Die Italiener drohten mit der Abreise – in dieser Situation reichlich paradox. Die Generalkongregation verlangte vom Papst, er solle allen Teilnehmern verbieten, das Konzil eigenmächtig zu verlassen; er selbst mußte versichern, er werde sich nicht aus Konstanz entfernen, werde das Konzil nicht auflösen, bevor die Einheit der Kirche wiederhergestellt sei.

Vor seinem Einzug hatte Johannes die Konzilsstadt als Fuchsfalle bezeichnet – jetzt war sie zugeschnappt! Aber der Fuchs suchte einen Ausweg. Geheime Unterredungen mit Herzog Friedrich, den er zum Generalkapitän und persönlichen Schutzherrn ernannt hatte – er mußte nun den geheimen Vertrag von Meran erfüllen.

Herzog Friedrich lud ein zu einem Turnier vor den Toren der Stadt, zum 20. März, sagte seinen persönlichen Auftritt zu, lieferte einen ausgedehnten, offenbar spannenden Schaukampf mit Graf Ulrich von Cilli, einem Schwager des Königs; zahlreich und aufmerksam das Publikum. Während dieses Duells floh Johannes aus der Stadt, als Reitknecht verkleidet, mit einer Armbrust, auf kleinem Pferd. Er ritt nach Schaffhausen, das zu den österreichischen Vorlanden gehörte, damit zum Herrschaftsgebiet des Herzogs Friedrich. Der wurde während des Turniers von der gelungenen Flucht informiert, ließ seinen Gegner siegen und setzte sich mit kleinem Gefolge gleichfalls nach Schaffhausen ab.

König Sigmund ging sogleich mit Entschlossenheit gegen den Schutzherrn des Papstes vor, forderte die Reichsstände (den Adel, die Reichsstädte) auf, ihn dabei zu unterstützen. Friedrich wurde vorgeladen, mit einer Frist von drei Tagen; der Herzog ließ sich entschuldigen.

Der König berief ein Fürstengericht ein, zum 30. März. Hier wurde gegen Herzog Friedrich die Reichsacht erklärt: alle seine »Lande und Leute« wurden des Gehorsams gegen ihn entbunden, seine Lehen fielen an das Reich zurück, es wurde verboten, ihn zu »hausen«, zu »hofen«, Frieden mit ihm zu halten. Und die Herren und Städte des Römischen Reiches wurden aufgefordert, sofort in das Herrschaftsgebiet des Herzogs einzumarschieren; sämtliche Friedensverträge und Bündnisse, die mit ihm geschlossen waren, wurden für null und nichtig erklärt. In wenigen Tagen sagten etwa vierhundert Herren und Städte dem Herzog die Fehde an. Ein Heer wurde zusammengestellt und Richtung Schaffhausen in Marsch gesetzt.

Dem Papst wurde die Lage brenzlig, bei Regen und Wind verließ er am Karfreitag Schaffhausen, fuhr den Rhein hinab nach Laufenburg. Herzog Friedrich blieb vorerst in Schaffhausen, er hoffte, die Kriegserklärungen gegen ihn wären letztlich nur formell. Doch der Burggraf von Nürnberg belagerte bald die Stadt Stein am Rhein, besetzte sie, marschierte am Ostermontag weiter in Richtung Schaffhausen. Nun folgte der Herzog dem Papst nach Laufenburg. Die Stadt Schaffhausen ergab sich. Die Truppen marschierten weiter. Johannes fühlte sich auch in Laufenburg nicht mehr sicher, setzte sich ab nach Freiburg, nach Breisach.

Am 30. März widerrief Johannes seine Rücktrittserklärung: sie sei erzwungen worden, sei damit ungültig. Erneut forderte er seine Anhänger auf, das Konzil zu verlassen, unverzüglich. Eine Reihe von kirchlichen Würdenträgern folgte dieser Anweisung. Aber auch mit dieser Situation wurde König Sigmund fertig: er berief auf den 5. April eine Generalkongregation ein, in die Münsterkirche. Hier wurde das Verhalten des Papstes scharf gerügt, als Hinterhältigkeit und bewußte Irreführung. Und man beschloß erneut, niemand dürfe ohne spezielle Erlaubnis die Stadt verlassen. Truppen vor den Toren.

Eine Gesandtschaft wurde zum Papst geschickt, mit einer Vorladung; für den Fall der Weigerung sollte ihm ein Prozeß angedroht werden. Der Papst ließ sich entschuldigen, er fühle sich nicht wohl, empfing am nächsten Tag die Herren aber doch, Verhandlungen über zwei Klauseln. In der nächsten Nacht verließ er das Schloß auf einer Leiter, floh zum Rhein, wollte sich übersetzen lassen, das gelang ihm nicht, er mußte nach Breisach zurückkehren; die Delegation hatte inzwischen die Rückreise nach Konstanz angetreten. Bei einem erneuten Versuch, nach Frankreich zu entkommen, wurde er festgenommen und in Radolfzell inhaftiert. Für kurze Zeit wurde er auch im Schloß Gottlieben eingesperrt, dem Sitz des Bischofs von Konstanz. Am 29. Mai wurde Papst Johannes als »unwürdig, unnütz und gefährlich von seinem päpstlichen Rang und jeder geistlichen und zeitlichen Verwaltung entfernt, ausgeschieden und abgesetzt«.

Nun wurde auch der Fall Friedrich von Österreich erledigt. Der hatte sich mittlerweile dem Konzil gestellt; am 7. Juni mußte er sich auf einer Vollversammlung dem König Sigmund unterwerfen. Weltliche und geistliche Repräsentanten der vier Nationen im Refektorium des Barfüßerklosters. Der König erklärte der Versammlung, er habe Herzog Friedrich von Österreich den Krieg erklären müssen, weil er sich an der gesamten zu Konstanz versammelten Kirche vergangen habe.

Der Herzog wurde hereingerufen. Demonstrativ wendete der König der Tür den Rücken zu, unterhielt sich mit einigen Italienern. Der Herzog kniete an der Schwelle nieder, ging dann, begleitet von Pfalzgraf Ludwig und dem Burggrafen von Nürnberg, in die Mitte des Saals, kniete nochmals nieder, kam zum König, kniete ein drittes Mal nieder. Nun erst drehte sich König Sigmund um, fragte, was er begehre. Der Pfalzgraf bat in Friedrichs Namen den König um Vergebung; er unterwerfe sich mit Landen und Leuten der königlichen Majestät; auch sei er bereit, den Papst wieder zu stellen. Das bestätigte Herzog Friedrich, bat selbst noch mal um Gnade, Verzeihung, Barmherzigkeit. Er mußte eine Unterwerfungsurkunde verlesen, beschwören. Der König nahm die Unterwerfung gnädig an – und ließ den Herzog einsperren.

Der Fall Johannes, der Fall Friedrich – und der Fall Hus: das Konzil begann dramatisch!

Jan Hus, Priester, zeitweilig Rektor der Prager Universität, hatte Lehren des englischen Reformtheologen John Wyclif übernommen und weitergeführt, und dieser Wyclif galt als Ketzer; somit wurde auch Hus verketzert. Drei Punkte vor allem warf man Hus vor: Daß er die Autorität kirchlicher Amtsträger in Frage stellte; daß er über die Sakramentenlehre nachdachte, eine neue Abendmahls-Lehre propagierte; daß er dem Volk einen direkten Zugang zur Bibel vermitteln wollte.

Hus fand große Resonanz bei den unterprivilegierten Tschechen des Reichslandes Böhmen. So hatte Papst Johannes im Jahre 1411 den Großen Kirchenbann über Jan Hus ausgerufen. Dieser Bannfluch war von Hus ignoriert worden, auch von den Tschechen: der Prediger der Bethlehem-Kirche in Prag hatte jetzt sogar noch stärkeren Zulauf, noch größere Resonanz – sie reichte über Prag hinaus. Johannes drohte einen Kreuzzug an gegen das »Ketzerland«. Um diese Gefahr von seinen Landsleuten abzuwenden, war Hus der Einladung des Königs Sigmund nach Konstanz gefolgt – wohlge-

merkt: eine Einladung, keine Vorladung. Hus wollte seine als Irr-
lehren bezeichneten Lehren verteidigen, wollte damit militärische
Maßnahmen gegen Böhmen verhindern. Er wußte, daß er sein Leben riskierte.

König Sigmund war es wichtig, daß in Böhmen der religiöse, soziale und politische Friede wiederhergestellt wurde. Er hatte Hus
einen Schutzbrief nach Konstanz überbringen lassen; Hus war dort
bereits am 3. November eingetroffen – zu dieser Zeit war Sigmund
noch auf dem Weg zur Krönung in Aachen. Dieser Schutzbrief
nützte Hus allerdings nichts; wenige Wochen nach seiner Ankunft
wurde er verhaftet und im Dominikanerkloster eingesperrt.

Gegen dieses Vorgehen der Geistlichkeit protestierte Sigmund,
sobald er in Konstanz war, aber die Herren erklärten: Wer der Ketzerei verdächtig sei, müsse vor ein kirchliches Gericht, davor könne
ihn auch ein königlicher Schutzbrief nicht bewahren. Und Sigmund
mußte sich fragen lassen, ob er einen Ketzer schützen wolle? Dro-
hend wurde ihm erklärt: Wenn er das Konzil weiter in seinen Rechten zu behindern versuche, werde es sich auflösen. So etwas durfte
Sigmund nicht riskieren, gleich in der Anfangsphase.

Wahrscheinlich hat Oswald damals ein Lied (Kl 27) gegen Jan
Hus geschrieben, zumindest aber diese Strophe:

> He, Hus, das Leid schlag um in Haß auf dich!
> Und Luzifer, auf den Pilatus hört,
> er soll dich holen. Offen ist sein Haus,
> wenn du aus fremden, fernen Ländern kommst.
> Und wenn dich friert, er heizt dir ein
> in einem Bett, das du nicht mehr verläßt.
> So manches Freundchen, reich und arm,
> das wirst du finden auf dem Weg dorthin,
> wenn du dem Wyclif nicht entsagst –
> des Lehre wird dir Haß einbringen!

Oswald muß die Liedstrophe zu einer Zeit verfaßt haben, in der sein König und Brotherr noch nicht klar entschieden hatte, wie er sich im Fall Hus verhalten sollte. Oswald nicht nur als Mitmacher, sondern als Scharfmacher: der Mann mit dem königlichen Schutzbrief gehört in die Hölle!

Jan Hus: seine Geschichte muß hier zu Ende erzählt werden. Hus wurde vor allem *einem* Prinzip geopfert: der Wiederherstellung von Autorität – königlicher wie päpstlicher.

Als man Papst Johannes absetzte, dabei seine Irrtümer, Sünden, Vergehen, Verbrechen herausstellte, fühlte Hus sich bestätigt. Er schrieb an Freunde in Böhmen: »Oho, schon ist das Haupt abgehauen, der Gott auf Erden in den Bann getan, schon ist er in seinen Sünden öffentlich bloßgestellt. Schon ist der Brunnen vertrocknet, die Sonne verdunkelt, das Herz ausgerissen, die Zuflucht aus Konstanz entflohen und verworfen. Das Konzil hat ihn zum Ketzer erklärt.«

Hus erhielt kaum Gelegenheit, auf die Anklagepunkte – berechtigte wie unberechtigte – einzugehen; bei den Verhandlungen im Refektorium des Franziskanerklosters wollte man sich auf lange Dispute nicht einlassen. Hus: »Ich wünsche Belehrung; habe ich etwas Übles geschrieben, so will ich mich belehren lassen.« Darauf die Antwort: »Wenn du belehrt sein willst – hier ist die Belehrung: Nach dem Befund von fünfzig Magistern der Heiligen Schrift sollst du widerrufen!« Jan Hus dazu in einem Brief: »Oho, eine ganz famose Belehrung!«

Er hatte keine Chance. In der Sitzung vom 6. Juli 1415 wurde er, in Anwesenheit von König Sigmund, als Häretiker verurteilt. Hus erhob Einspruch – vergebens. Er wies darauf hin, daß er freiwillig nach Konstanz gekommen sei, erinnerte an den königlichen Schutzbrief – vergebens. Man legte ihm ein Priestergewand an, gab ihm einen Meßkelch in die rechte Hand, nahm ihm diesen Kelch wieder ab (»Du verfluchter Judas, wir nehmen den Kelch der Versöhnung von dir!«), zog ihm das Priestergewand aus, verunstaltete seine Tonsur, setzte ihm eine Papiermitra auf mit der (lateinischen) In-

137

schrift: »Dies ist der Erzhäretiker«, übergab ihn der irdischen Gerichtsbarkeit, repräsentiert durch den Reichsrichter Pfalzgraf Ludwig; der wiederum übergab Hus dem Vogt von Konstanz.

Unterwegs, vom Dom zur Hinrichtungsstätte, wurde Hus ein Feuer gezeigt, in dem mehrere Exemplare seiner Schriften brannten; er soll gelächelt haben. Außerhalb der Stadtmauer, auf dem »kleinen Brühl«, in der Nähe des Ortsteils Paradies, war bereits ein Pfahl eingerammt, lagen Holz und Stroh bereit.

Als Hus vor den zahlreichen Zuschauern auf deutsch zu predigen begann, ließ Pfalzgraf Ludwig die Hinrichtung beschleunigen. Mit nassen Stricken, einer rostigen Kette fesselte man Hus an den Pfahl, Holz und Stroh wurden um ihn herum geschichtet, bis zum Hals. Zum letztenmal lehnte er den geforderten Widerruf ab, der Scheiterhaufen wurde angezündet. In Feuer und Qualm sang Hus lateinische Hymnen, verstummte aber recht bald. Sein verkohlter Körper wurde zerschlagen; der Pfalzgraf ließ Asche und Knochen mit einem Karren zum Rhein fahren, hineinkippen – keine Reliquien sollten zurückbleiben!

Zu dieser Zeit war Oswald bereits unterwegs – als Mitglied oder Chef einer Delegation? Mayr vermutet, die Gesandtschaft sei zuerst nach England und Schottland gereist. Sollte die spätere Reise König Sigmunds nach England diplomatisch vorbereitet werden? Falls Oswald und seine Kollegen auch in Schottland waren: sollten sie darauf hinwirken, daß auch dieses Land eine Abordnung nach Konstanz schickte?

Sicher ist nur, daß Oswald nach Portugal reiste. Auch diese Reise läßt sich dokumentarisch bisher nicht nachweisen, aber wir haben keinen Anlaß, Oswalds Liedhinweis zu bezweifeln: daß er an der Eroberung von Ceuta teilnahm. Das setzt voraus: er muß spätestens Mitte Juli in Lissabon gewesen sein, denn am 25. Juli segelte er mit dem Expeditionskorps des portugiesischen Königs ab.

Oswalds Reise nach Lissabon: in der Luftlinie sind das etwa 2000 Kilometer. Die damaligen Pisten, Saumtierpfade, vor allem in den Bergen, die es auf dieser Strecke reichlich gibt, noch nicht in den heutigen Trassierungen zwischen Eleganz und Arroganz; die Reise-kilometer lassen sich auf wenigstens zweieinhalb bis dreitausend schätzen. Für solch eine Strecke brauchte ein guter Reiter bis zu zwei Monaten.

Und falls Oswald doch über England und Schottland reiste? So müßte er noch früher aufgebrochen sein: die Landstrecke vom Bodensee zum Ärmelkanal; die Überfahrt; die Reisen in England, Schottland; die Schiffsreise durch die Biskaya; eine Zwischenlandung am Kap Finisterre...

Oswald wird später in einem Liedtext darauf hinweisen, daß er auch am »vinstern steren« war: das Kap Finisterre, verballhornt. Weil er den Namen so in den Text aufnahm, wie er ihn im Ohr hatte? Oder weil er hier ein Wortspiel einbringen wollte: dunkler Stern, Ende der Welt?

Oswald am Kap Finisterre, das hieß damals ganz selbstverständlich auch: in Santiago de Compostela. Das Kap konnte nur Nebenziel sein; im Mittelalter reiste man nicht durch Spanien, um sich ans Kap zu stellen und aufs leere Meer hinauszustarren. »Hinder dene inseln ist kain welt me denn eitel wasser dem niemen kain end mag kumen«, heißt es in den achtziger Jahren des 15. Jahrhunderts im Traktat des Felix Fabri.

Santiago war, nach Jerusalem und Rom, das wichtigste Pilgerziel des Mittelalters, auch des Späten. Besonders herausragend ist die Rolle des Jakobus in der Heilsgeschichte nicht, aber die Anbetung Jakobs war verbunden mit dem Kampf gegen die Heiden, hier: die Mauren. Christliche Gesinnung militant demonstriert bei einem Feldzug oder zumindest bei einem Turnier. Nun nahm Oswald ja teil an einem Feldzug gegen die Mauren, aber daraus läßt sich noch nicht schließen, daß er auf der Reise nach Lissabon einen Umweg über Santiago machte – der portugiesische König hatte das Kriegsziel geheimgehalten.

Eine Wallfahrt nach Santiago konnte auch ›persönliche‹ Gründe haben: Buße für begangenes Unrecht oder Rettung aus Seenot.

Flug über die Biskaya. Geschlossene Wolkendecke über Westeuropa, bis dicht vor die nordspanische Küste. Gestaffelte Gischtlinien der Brandung wie fixiert auf der elefantenhäutigen See mehr als zehntausend Meter unter dem Sitz; hellbraune, rotbraune Strandlinie; Bergketten, Hügelreihen; hohe Gipfel und Kuppen schneebedeckt. Das Inland kaum besiedelt.

Hinüberwechselnd zum rechten Fenster im fast völlig leeren Heck des Europa-Jet, sehe ich weiterhin die Küste: Buchten; Meeresarme tief ins Land hinein; Halbinseln. Kap Finisterre, ein Hinweis des Steward: dort unten also, am Ende der nach Süden eingekrümmten Halbinsel, hat Oswald gestanden. Mit welchem Bewußtsein, welchen Gefühlen? Schaudernd, weil jetzt horizontweit nur das Meer zu sehen war, dem man damals wenig traute, schon gar nicht als Tiroler? Das westliche Ende der damaligen Welt.

Lissabon. Warmer, sonniger Januartag, Blick vom Burghügel hinab auf den Tejo, der Fluß zugleich Meeresarm. Wahrscheinlich ist Oswald hier oben in der Burg empfangen worden, die jetzt Ruine ist, von Pfauen umschritten, von Gänsen umschnattert, und er hat hinuntergeblickt auf diese Bucht zwischen Flußmündung östlich und Meeresöffnung westlich, hat hier die ankernde Flotte gesehen, und auf einem der Schiffe, das wußte er nach einer Audienz beim König, würde er mitfahren. Bangigkeit, weil es nun ins völlig Ungewisse, Fremde ging? Freudige, mit ein wenig Bangigkeit vermischte Erregung, weil es nun noch weiter hinausging ins Fremde? Unvermischte Vorfreude: weil es nun etwas zu erleben gab, und damit, für später, etwas zu erzählen, eventuell zu besingen?

Die Fahrt der Flotte südwärts vorbei am Cabo Espichel, das wir von Setubal aus erreichen. Dann Cabo Sao Vicente: Felsvorsprung, fünfzig, sechzig Meter über dem Meer, ein Leuchtturm, eine Gebäudegruppe, auf einem Dach zwei mächtige Nebelhörner. Der Himmel blankgefegt, der Atlantik lichtüberschüttet, Brecher schäumen zehn, zwanzig Meter hoch an der Steilküste; Gischtfontänen. Nachts noch einmal zu diesem Leuchtturm, vom nahen Sagres aus: überdeutlich ausgestirnter Himmel, am Südhorizont eine sternschluckende Masse, in der es pulst, zuckt, quecksilberhell. Scheinwerferstrahlen – alle fünf Sekunden wischt es über uns weg, weit ins

Land hinaus, ostwärts; über dem Meer jedoch, über dem Felsabbruch, werden die Strahlen gekappt; keine Brechung und Streuung.

Cabo Sao Vicente, südwestlichster Punkt Europas: hier war Oswald, bestimmt in Sichtnähe, vorbeigefahren, tagsüber. Oder fuhr man auch nachts, und ein großes Feuer angezündet auf diesem Felsvorsprung? Vor diesem Kap wußte Oswald bereits, wohin es ging: nach Ceuta, für ihn Septa, das römische Septem.

D ie Eroberung von Ceuta machte Oswald stolz – urteilt man nach einem Liedreflex. Er nahm hier am ersten (und einzigen!) Feldzug teil, der nicht in eine Niederlage oder Katastrophe führte.

Wie war es zu diesem Feldzug gekommen? Ich will nur zwei Faktoren nennen. Einmal: die Kriegslust der Söhne des Königs, der Infanten Duarte und Henrique (später: Heinrich der Seefahrer). Zum zweiten: man wollte das Handelsvolumen vergrößern, den Machtbereich erweitern.

Das kaufmännische Bürgertum hatte in Portugal erheblich an Macht gewonnen, damit an Einfluß auf das Königshaus – die Seehändler förderten ganz gewiß diesen Kriegsplan! Denn alle Handelsschiffe, die durch die Meerenge von Gibraltar fuhren, mußten im Hafen von Ceuta anlegen, Ankergeld zahlen, den Seezoll entrichten; kreuzende maurische Kriegsschiffe sorgten dafür, daß sich kein Handelsschiff entzog. Nach einer Eroberung konnte man den Seezoll selbst kassieren und die Meerenge von Gibraltar kontrollieren: Ceuta als Handelszentrum, als Flottenstützpunkt und als Brückenkopf für eine territoriale Ausdehnung.

Über den Verlauf des Feldzugs informiere ich mich vor allem in Heinrich Schäfers *Geschichte von Portugal*. Demnach wollte man die Mauren nicht allzu früh alarmieren, und so täuschte man vor, der Feldzug richte sich gegen die Niederländer, mit denen man Schwierigkeiten hatte; durch geheime Gesandte wurde das Spiel abgekartet.

Und man begann, Schiffe zu mieten, englische, deutsche. So sprach sich in Europa rasch herum, in Portugal würden Kriegsvorbereitungen getroffen. Gleichgültig, was letztlich das Kriegsziel sein mochte – zahlreiche Ritter brachen auf, vor allem Deutsche, Franzosen, Engländer.

Während der Vorbereitungen zum Aufbruch des ›Expeditionskorps‹ starb die Gemahlin des Königs an der Pest. Zahlreiche weitere Todesfälle durch Pest; die versammelten Kriegsteilnehmer wollten nicht länger als nötig im heißen und verseuchten Lissabon bleiben, man drängte zum Aufbruch.

Der erfolgte am 25. Juli: ein Trompetensignal vom Schiff des Königs, das wurde von Trompetern auf anderen Schiffen weitergegeben. Und nun verließen den Hafen von Lissabon 33 Linienschiffe, 59 Galeeren, rund 120 kleinere Schiffe. Erst am nächsten Tag, auf offener See, an einem Sonntagmorgen, gab der König das Ziel der Kriegsexpedition bekannt: Ceuta. Die Schiffspfarrer predigten, teilten das Abendmahl aus.

Am zehnten August erreichte man die Meerenge von Gibraltar, sie wurde nachts durchfahren. Die Flotte segelte am zwölften Tag auf die Stadt zu, doch nun zog ein Sturm auf, teilte die Flotte: die Linienschiffe wurden Richtung Malaga weggetrieben, die Galeeren hielten mühsam Kurs auf Ceuta. Dort schloß man die Stadttore, beobachtete alarmiert die Galeerenflotte. König Johannes wollte erst landen, wenn die gesamte Flotte beisammen war, aber die Linienschiffe kamen, kreuzend, nur langsam an Ceuta heran. Der Sturm ließ endlich nach, die Flotte fast vereinigt, aber schon wurden die Linienschiffe erneut von einem Sturm in Richtung Malaga weggetrieben – man hatte wohl nicht die allerbesten Kapitäne gechartert.

Die Mauren waren nun offenbar beruhigt: Vorbereitungen zur Verteidigung der Stadt wurden abgebrochen, herangezogene Hilfstruppen wieder in die Wüste geschickt. Auch auf der Flotte war man vielfach der Meinung, das Unternehmen sei gescheitert, doch der König wollte die hohen Kosten für dieses Unternehmen nicht umsonst investiert haben, er bestand auf Durchführung der Aktion. Die endlich vereinigte Flotte segelte und ruderte wieder auf Ceuta zu.

Der maurische Befehlshaber ließ die Stadtmauer am Meer mit

möglichst vielen Soldaten besetzen und gab Befehl, am Abend in allen Häuserfenstern seewärts Lichter aufzustellen: als sei die Stadt voller Verteidiger. Das muß aber eher anziehend als abschreckend gewirkt haben, vom Meer aus, am warmen Sommerabend.

Am nächsten Morgen die Landung, und die war nicht eben streng koordiniert; als Infant Henrique seinen Trompeter das Angriffssignal blasen ließ, wurde vor der Stadt bereits gekämpft. Die Verteidiger warteten nicht ab, bis die feindlichen Truppen vor den Toren standen, sie machten Ausfälle – harte Kämpfe bei großer Hitze. Unter den Mauren fiel ein riesiger, nackter Neger auf, der mit einer Schleuder kämpfte – als er von einer Lanze durchbohrt wurde, nahm das vielen Mauren den Mut, gab das den Portugiesen und ihren Kriegsgästen verstärkten Schwung. Die Mauren wichen zurück, flohen schließlich zu einem offenstehenden Tor, Portugiesen und andere Kriegsteilnehmer setzten nach, das Tor konnte nicht mehr geschlossen werden, Duarte und Henrique drangen mit etwa fünfhundert Mann in die Stadt ein, kämpften sich zum Palast vor; weitere Truppen drängten nach. Straßenkämpfe. Am Abend waren die wichtigsten Punkte der Stadt besetzt; zahlreiche Mauren getötet, geflohen, gefangen. Nun begann die Plünderung der Stadt; es muß sich gelohnt haben: Handelswaren, Silber, Gold. War auch Oswald beim Plündern beteiligt?

Am ersten Sonntag nach der Eroberung wurde die Hauptmoschee in eine Kirche umgewandelt; Aufführung eines Tedeums mit etwa 200 Trompeten und zahlreichen Pauken: »weitschallend der Triumph des Christentums über den Islam«. Nach dem Gottesdienst traten die Infanten in ihren Ritterrüstungen auf, ein festlicher Zug durch die Stadt, die Königssöhne, die endlich Blut geleckt hatten, zufrieden voran, irgendwo hinter ihnen wahrscheinlich auch Oswald von Wolkenstein aus Tirol. An der Kirche angekommen, knieten die Infanten vor ihrem Vater nieder, zogen ihre Schwerter, küßten sie, reichten sie ihm, der schlug sie nacheinander zu Rittern. Die zu Rittern Geschlagenen schlugen daraufhin andere zu Rittern, das war üblich. Anschließend wohl ein Festmahl, Festgelage.

Wenig später, auf Wunsch des Königs, der Aufbruch einer Gesandtschaft: sie sollte die Siegesbotschaft über Kastilien nach Aragón bringen.

Schon 27 Tage nach dem Sieg von Ceuta war Oswald in Perpignan, der Hauptstadt des Königreichs Aragón: die Reise hätte kaum so rasch sein können, für damalige Verhältnisse, wäre Oswald nicht Mitglied der Gesandtschaft gewesen.

Daß er sich hier nicht bloß angeschlossen hatte, zeigte sich bald nach der Ankunft: er wurde ausgezeichnet, und zwar durch die junge und schöne Witwe des aragonesischen Königs Martin, durch Margareta von Prades. In Oswalds großer Lebensballade wird dieser Episode eine ganze Strophe gewidmet, ein Siebtel des gesamten Textes!

> Die Königin von Aragón war zart und schön;
> ergeben kniete ich und reichte ihr den Bart,
> mit weißen Händen band sie einen Ring hinein,
> huldvoll, und sprach: »Non mais plus disligaides.«
> Die Ohrläppchen hat sie mir eigenhändig dann
> durchbohrt, mit einer kleinen Messingnadel;
> nach Landessitte hängte sie zwei Ringe dran.
> Ich trug sie lang; man nennt sie dort »racaides«.
> Sobald ich König Sigmund sah, ging ich zu ihm –
> er riß den Mund auf, schlug ein Kreuz, als er mich sah,
> und rief mir zu: »Was bietest du mir hier für Tand?!«
> Und freundlich dann: »Tun dir die Ringe auch nicht weh?«
> Die Damen, Herren schauten mich da an und lachten –
> neun Diplomaten, Vollmachtträger, seinerzeit
> in Perpignan; ihr Papst von Luna, namens Pedro,
> als zehnter König Sigmund; auch die Frau von Prades.

Oswald bringt hier zwei Zitate aus der katalanisch-aragonesischen Sprache: »Non mais plus disligaides«, sagte die junge Königswitwe zu Oswald: »Binde ihn nicht mehr los.« Und »racaides« oder raicades sind Ohrgehänge, so, wie Oswald es übersetzt.

Bei allem Stolz erzählt er nun aber, daß er mit Bartring und Ohrgehänge Gelächter auslöste – was war der Anlaß?

Müller hat in einem Exkurs seiner Dissertation, in dem er Oswald ausführlich um den Bart geht (seit wann und wie lange trug er einen Bart?), einige Informationen zu dieser Episode gesammelt. Demnach gab es damals auf der Iberischen Halbinsel und in Frankreich die Sitte, in einen langen Bart Goldfäden einzuflechten, als Schmuck, nicht als Auszeichnung. Doch ein Ring im Bart? Im deutschen Bereich zumindest war solch eine Auszeichnung unbekannt. Es war also für Oswald zu erwarten, daß seine Zuhörer an dieser Stelle lachen würden: Ein Mann wie er mit einem Ring im Bart, dazu noch Ohrringe! Fing Oswald diese Wirkung ab oder verstärkte er sie, wenn er sang, daß auch an allerhöchster Stelle gnädig über ihn gelacht wurde? Sigmunds Belustigung ist verständlich: er sah so etwas bestimmt zum erstenmal. Aber Papst Benedikt, damals in Perpignan residierend – konnte für ihn dieser Vorgang so zum Lachen einmalig sein, wenn der Bartring eine ortsübliche Auszeichnung war? Oder hatte die junge Witwe dem vor ihr knienden Landedelmann aus dem fernen, exotischen Tirol spontan den Ring in den vielleicht auffallend prachtvollen, eitel gepflegten Bart gehängt? Entsprechend die Reaktionen der Herrschaften?

Wäre es Oswald darum gegangen, ernsthaft bewundert zu werden, er hätte in dieser Liedstrophe von der zweiten, hochoffiziellen Auszeichnung berichtet: ihm wurde zu jener Zeit von »einer edlen Königin« (wahrscheinlich Eleonora von Albuquerque, Gattin des aragonesischen Königs Ferdinand I.) ein sehr renommierter Orden verliehen, den Ferdinand wenige Jahre zuvor gestiftet hatte: die »devisa della stola e jarra« oder »devisa del collar de las jarras y Gryfo«, der Kannen- oder Greifenorden. Das Abzeichen (»Devise«): eine weiße Stola, die über die linke Schulter und diagonal über die Brust gelegt wurde, so, wie Oswald das später auf dem Porträtbild malen ließ; eine goldene Kette aus Henkelkrügen (jarras) mit jeweils drei Lilien; an dieser Kette ein Greif, in seinen Klauen ein Band mit dem Wahlspruch »por su amor« – ihr zuliebe; gemeint war Nuestra Señora. In einem Aufsatz über diesen Orden und diese Ordensgesellschaft schreibt Anna Coreth, die Verehrung der Muttergottes, die

Erhöhung des Festes Mariae Himmelfahrt sei das Motiv der Stiftung gewesen. Und: die Verteidigung der katholischen Religion gegen die Mauren.

Ein Orden war damals zugleich Zeichen für die Zugehörigkeit zu einer Ordensgesellschaft. So gab es eine Ordenstracht: Männer mußten sonntags ganz in Weiß gekleidet sein oder zumindest die weiße Stola tragen. Die Ordensmitglieder feierten das Stiftungsfest durch einen gemeinsamen Gottesdienst zu Mariae Himmelfahrt; wer nicht teilnehmen konnte, mußte zehn Ave-Maria, zehn Paternoster beten. Außerdem sollte jedes Mitglied am Ordenshauptfest fünf Armen ein Mahl bereiten.

König Sigmund war (mit Prälaten und theologischen Doktoren, mit einem Reitertrupp) nach Perpignan gekommen, um den letzten der drei Päpste abzusetzen, Petrus de Luna, Benedikt XII., diesen hartnäckigen, halsstarrigen alten Mann.

Pedro wollte von Rücktritt auch jetzt nichts hören, die Entscheidung des Konzils interessierte ihn nicht, für ihn war dieses Konzil kein Konzil, bloß eine Versammlung, und auf der Bezeichnung »Versammlung« beharrte er bei den Unterhandlungen mit König Sigmund. Der machte ihm klar, daß dieses Konzil das Recht und die Macht habe, auch einen Papst abzusetzen; bei Johannes sei das bereits geschehen, Gregor in Rom sei freiwillig zurückgetreten, nun sei er an der Reihe: Rücktritt ohne Konditionen. Das war für Benedikt indiskutabel, er stellte Bedingungen: Falls er zurücktrete, so habe er das Recht, den nächsten Papst zu wählen. Sigmund aber wollte ihm keinerlei Rechte zugestehen, forderte ihn auf, sofort zurückzutreten, doch Benedikt sagte nein. Wütend verließ Sigmund Perpignan, grollend zog sich Benedikt weit in den Süden auf die Festungsinsel Peñiscola zurück, berief dort ein Allgemeines Konzil ein und erklärte, alle Fürsten, die seiner Einladung nicht folgten, würden abgesetzt.

Das wurde den Herrschern von Aragón, Kastilien und Navarra nun doch zu bunt, sie nahmen Kontakt auf mit Sigmund in Narbonne; Verhandlungen. Dabei erreichte Sigmund, daß die drei

Regenten dem letzten der schismatischen Päpste die Gefolgschaft aufkündigten. Am 13. Dezember 1416 wurde ein entsprechender Vertrag unterzeichnet: Benedikt wurde nach den Regeln des kanonischen Rechts für abgesetzt erklärt; Konstanz wurde als Tagungsort des Konzils anerkannt; Delegationen der drei Königreiche sollten am Konzil, an der Wahl eines neuen Papstes teilnehmen. Diese Abmachungen wurden feierlich beschworen und in einem Edikt der Öffentlichkeit bekanntgegeben.

Großer Jubel in Konstanz, als dort einen Monat später diese Nachricht eintraf: in einer Generalkongregation wurde der Vertrag ratifiziert; sechzig Einladungen wurden zur Iberischen Halbinsel geschickt; Benedikt wurde aufgefordert, nach Konstanz zu kommen und offiziell seinen Rücktritt zu vollziehen.

Sigmund konnte mit diesem Verhandlungsergebnis zufrieden sein; er brach mit seinem Gefolge, seinem Reitertrupp nach Paris auf; Oswald begleitete ihn. In Paris und danach in London wollte Sigmund versuchen, Frankreich und England miteinander zu versöhnen, nach rund einem Jahrhundert Krieg: seine fortgesetzten Bemühungen, Europa zu einigen – gegen die Türken.

Am 1. März 1416 traf Sigmund mit seinem Anhang in Paris ein; glänzender Empfang. Aber die Situation war ungünstig für Unterhandlungen: starke innenpolitische Spannungen, sie mußten erst einmal abklingen, und so wartete man in Paris, bis etwa Mitte April.

Und nun erreichte, mit der damals üblichen Reisezeitverzögerung, den König die Nachricht, Herzog Friedrich sei aus seiner Gefängniszelle in Konstanz entflohen.

Nach seiner exemplarischen Unterwerfung hatte Friedrich mittlerweile zehn Monate lang gesessen; in dieser Zwischenzeit hatte sein Bruder, Herzog Ernst von der Steiermark, die Regentschaft von Tirol übernommen, protegiert von der Tiroler Adelsfronde – der Herzog Ernst dafür Privilegien bestätigen mußte. Je länger Friedrich wartete, desto geringer wurden seine Chancen für eine Rückeroberung der Macht; durch Besucher war er über die Entwicklung informiert worden. Friedrich bestach einen Wächter, verkleidete sich, floh am frühen Morgen des 28. März aus Konstanz.

Wieder einmal eine kritische Situation. Eigentlich hätte Sigmund sogleich nach Konstanz zurückkehren müssen, aber er wollte unbedingt erst noch seine Friedensmission in England durchführen. So schickte er Oswald von Wolkenstein, seinen »getreuen Diener und Rat«, nach Konstanz, mit einem Teil des Gefolges. Eine königliche Botschaft an die Konzilsteilnehmer war zu überbringen; auch wollte der König genauer über die jüngsten Vorgänge, über die weitere Entwicklung informiert werden. Sollte Oswald in dieser Krisensituation auch als Mittelsmann fungieren zwischen König und Tiroler Adel?

April 1416 traf Oswald wieder in Konstanz ein; er war nun ein Jahr auf Reisen gewesen.

Oswald hat seine Erlebnisse zwischen Konstanz, Ceuta, Perpignan und Paris in einem Lied von achtundzwanzig Strophen dargestellt: Kl 19. Vieles klingt wie in einem Gassenhauer, vor allem am Schluß jeder Strophe: hier wird das abschließende Reimpaar musikalisch besonders betont. Um diesen Gassenhauer-Sound in die Übersetzung einzubringen, habe ich die Schlußzeilen gereimt. Sie sind zum Teil recht kalauerhaft: ich wollte Oswald weder nachstehen noch ihn überbieten.

> Die Lehre, die ist längst bekannt,
> seit mehr als hundert Jahren:
> Wer niemals Leid erfahren hat,
> wie kann der Freude finden?
> Ich hab den vollen Preis gezahlt
> dafür, daß es mir gut erging
> in Aragón, in Spanien –
> dort ißt man gern Kastanien.

> Doch was von ›zarter Damenhand‹
> mein Bart in Konstanz leiden mußte,
> und wie man mir den Siegelstein
> aus meinem Beutel wegstibitzt,
> das steht auf einem andren Blatt,

das paßt sehr wenig nur zu dem,
was ich erlebt in Avignon
sowie dann auch in Perpignan.

Wer einen Vogel fangen will,
der ihm nicht mehr entfliegt,
der muß ihm eine Falle stellen,
ihn locken und dann überlisten.
Mit Netzen, mit dem Fangholz
wird mancher Vogel reingelegt;
dem Fänger fällt er in die Hände –
und das ist schon sein Ende!

Trompeten, Pfeifen, Saitenspiel,
die Mohren schlugen Trommeln.
Dazu viel Volk, hübsch aufgereiht;
im Festzug Burgen als Modell.
Und Engel – herrlich kostümiert!
Die ließen manches Lied erklingen:
ein jeder sang für sich allein,
doch stimmte alles überein.

Entgegen kam uns arm und reich;
vor Staub wurd ich ganz heiser!
Sehr ehrenvoll war der Empfang
für König Sigmund, demnächst Kaiser,
zu Perpignan, dort in der Stadt.
Zum Bad hat man ihm eingeheizt –
hätt man ihm auch noch Dampf gemacht,
das hätt uns wenig Spaß gebracht!

Von Königen Begrüßungsküsse,
auch von den beiden Königinnen –
nur nach der jungen, wie ich sah,
hat er sich nicht den Mund gewischt!
Ein Schisma zwischen Mann und Weib –

viel leichter hätten wirs beendet
als das mit diesem Peter Schräufel
und seinem Knecht, dem Teufel.

So lange Schwänze sah ich nie
an Löwen und an Pfauen,
als sie in diesem Land die Frauen
an ihren Röcken hinten tragen.
Und Ohrenringe, Nagelrot!
Auch grüßen sie nicht mit der Hand,
sie gaben lieber einen Kuß
und zwar ganz spürbar mit Genuß.

Der König Sigmund mühte sich
dort täglich, achtzehn Wochen lang,
mit Papst und Bischof, Kardinal.
Und hätte man die massakriert,
die dabei falsches Spiel getrieben,
das Schisma fortgesetzt –
da sänge ich gleich, als ›Protest‹,
ein Freudenlied auf dem Podest.

So manchen bösen Trick gabs dort,
wobei man sich devot verhielt.
Drum habe ich gar manche Nacht
auf einer Pritsche wachen müssen –
auf der Bespannung lag ich schlecht.
Die war von einer alten Kuh:
die hörte auf den Namen »Mumme«,
so sagte letztlich eine Stumme.

Und der von Ötting hat den Tag
an meinem Schädel eingeläutet,
grad so, wie sonst ein Rabe
am Kopf des toten Stieres pocht.
Dafür hab ich ihm was verpaßt:

nahm einen ziemlich harten Schuh,
den ich ihm an die Pelle schmiß –
man sah sofort den Riß!

Der Herr von Brieg, der war nicht dumm,
der lag und dachte nach –
ich streckte meinen Hintern hoch,
entbot ein »Guten Morgen!«.
Nun wurde mir so mancher Schuh
mit wilden Flüchen nachgeworfen!
Sogleich ergriff ich da die Flucht,
hab Schutz in meinem Bett gesucht!

Von solchen Schwänken gabs noch mehr –
hätt ich sie alle nur behalten!
Der Baumgartner gab dem Herrn Fritz
›geweihtes Wasser‹, eines Morgens,
aus einem Kübel voll Gestank:
Gesicht und Joppe und das Laken,
war alles gelb bespritzt –
da putzte dann Herr Fritz!

Sobald die große Glocke dann
zum Sturm geläutet hat,
da lief mir nichts mehr schnell genug
und mir verging das Singen.
Ich dachte bloß: Verdammtes Ding,
wär ich jetzt nur auf Wolkenstein
mit Freunden, Kameraden,
du könntest mir nicht schaden.

Das Sturmgeläute dieser Glocke,
das hatte mich so aufgeschreckt,
daß ich die Treppe runterfiel
mit herrlichstem Gepolter.
Dort unten stand denn schon mein Herr,

im Harnisch, kampfbereit,
und mit dem Schwert am Gürtel –
der Kampf ging los im Viertel!

Mein Sack ist voll, läßt mir nun Ruh,
»von Gulden« ist sein Name,
seit in Narbonne die Christenheit
noch mal gerettet wurde.
Herzog von Brieg, Bischof von Riga,
Herr Großgraf: König Sigmunds Sieg,
der war auch eure Freundesgabe –
der Lohn, er folge euch im Trabe!

Auch denen, die da Harnisch, Pferd
verpfänden mußten in der Stadt,
und die dann durch den Dreck
der Straßen waten mußten –
für alle zahlt es sich mal aus,
wenn sie den Weg zum Bittgang machen.
Von meinen Pferden, schön und falb,
behielt ich da nur zweieinhalb.

Ja, Peterle, du böse Katz,
lunatisch schon geboren,
die Mönchstonsur hat nichts genützt!
In Avignon, da hörte ich
von dem Vertrag der Könige –
wer früher dir gehorsam war,
der läßt dich jetzt als Schranzen
nach seiner Pfeife tanzen!

Darauf dann eine Prozession
zu Hauf und mit Gedränge,
mit Glocken, Flöten und Trompeten
und feierlichen Chören.
Am Abend folgte Tanz –

da wurde Pedro rasch vergessen
bei vielen Mädchen, schön und jung,
beim Tanzen und beim Liebessprung.

Doch alles ändert sich wie toll:
mein Sack, der ist in Nöten;
ein Kerl nahm mir zwei Batzen ab,
und einen ließ ich springen –
so war ich bald erleichtert!
Gar mancher, der sich fein liiert,
der wär schon froh, wenn er dies Geld
als Mitgift von der Frau erhält.

Doch zählt das alles für mich kaum,
seit mir die schöne Margarete
die Ohrläppchen durchstochen hat
mit einer Nadel, wies der Brauch,
und diese edle Königin
zwei goldne Ringe an sie hing
und einen dritten in den Bart –
ich zeigte mich, war voll in Fahrt!

Ein Titel wurde mir verliehn:
»Vicomte von der Türkei«.
So mancher glaubte in der Tat,
ich sei ein Heidenfürst.
Ein maurisches Gewand, rotgold,
das gab der König Sigmund mir;
damit bin ich herumscharwenzelt,
sang heidnisch, hab dazu getänzelt.

Viel tausend Leute in Paris,
vor Häusern, in den Gassen, Straßen –
Mann, Frau und Kind, sehr dicht gedrängt,
bestimmt zwei Meilen weit:
sie alle starrten da auf ihn,

den König Sigmund aus dem Reich.
Mich aber hat man ausgelacht
in meiner bunten Türkenpracht.

Vertreter aller Fakultäten,
die ihre goldnen Prügel trugen,
die ehrten ihn, auf seinem Thron,
weit mehr als einen Engel.
Und jede Fakultät für sich
sang dort ihr Loblied ab.
Das war in einem weiten Saal;
Studenten, Lehrer – Riesenzahl!

Ich lernte auf den Knien gehn
in meinen alten Tagen,
denn aufrecht durfte ich nicht stehn,
wenn ich ihr Reverenz erwies:
Frau Els von Frankreich meine ich,
die Königin, so hoch verehrt;
sie hängte mir mit eigner Hand
in meinen Bart den Diamant.

In großen Wassern fischt sichs gut,
wenn man die Netze richtig legt:
man stellte für mich auf den Tisch
vier Säcke und nen halben.
Der König Sigmund füllte mir
den Sack mit Silbermünzen –
den hab ich nur mit letzter Kraft
und zwei Gesellen fortgeschafft!

Ein Fall von großer Relevanz
zwang mich, nun fortzureiten.
Der König Sigmund, dieser Edle,
er schickte mich ganz dringlich fort.
Er gab die Hand mir, in Paris,

und segelte nach England dann,
vermittelnd zwischen Königen –
ich will hier nichts beschönigen.

Weit mehr als andere Franzosen
da preis ich, par ma foi,
den Mann, der mir vollkommen scheint:
das ist der Edle von Savoy.
Der König hat in seiner Gnade
die Herzogswürde ihm verliehn.
So manchem ward das Fest gewürzt,
als die Tribüne eingestürzt!

Was ich auch höre, singe, sage,
den Lauf der Welt bedenkend:
es bleibt am Jüngsten Tage
vom Reisesack bloß noch der Griff,
vom Weinhaus nur ein Essigrest.
Doch unser Seelenheil bewahren –
ach, wär uns dies gelungen,
ich hätte gut gesungen!

Dieser Liedtext ist in seiner lockeren, fast beliebigen Reihung nicht nur charakteristisch für den Dichter Oswald von Wolkenstein, hier ist auch Zeittypisches. So waren zu seiner Zeit Abenteuergeschichten sehr beliebt, vielfach als Prosa-Auflösungen alter Heldensagen: dort hatten die »aventiuren« noch einen Stellenwert im Entwicklungsschema des Helden, aber diese Motivationen lösten sich auf in den Prosafassungen des Späten Mittelalters, nun reihten sich die Abenteuer nur noch. Und dies wird zeitgenössische Vorstellungen über abenteuerliche Lebensläufe beeinflußt, wird sich bei Oswald auf die Selbstdarstellung in Lebensballaden ausgewirkt haben.

Auch in anderer Hinsicht ist der Text symptomatisch: die zahlreichen Andeutungen, Wortspiele, Verschlüsselungen stellen uns entschiedener als sonst vor die Frage, für wen Oswald Lieder geschrieben und gesungen hat.

Ulrich Müller zeigt auf, welche Informationen Oswald bei seinen Zuhörern voraussetzte – ich hebe einige Punkte hervor.

Wenn das Publikum von Peter Schräufel hörte und seinem Knecht, dem Teufel, so mußte es sofort schalten: Damit ist Pedro de Luna gemeint, also Papst Benedikt – »lun« als kleine Schraube: ›Schräubchen-Peter‹. In dieser kabarettistischen Anspielung schwingt auch mit: luna, der Mond, und so habe ich hier das Adjektiv »lunatisch« benutzt: eine Schraube locker… Oswald setzte voraus, daß sein Publikum Wortspiele dieser Art verstand.

Dieses Publikum mußte auch wissen, wer »der von Ötting« war: Graf Ludwig XII. von Öttingen, der Hofmeister Sigmunds. Und »der von Brieg« war Herzog Ludwig II. von Brieg, ein hoher Diplomat. Das Jugendherbergstreiben fand also im offiziellen königlichen Gefolge statt!

Und die Sturmglocke in der dreizehnten und vierzehnten Strophe? Dazu Eberhard Windecke, der Zeitgenosse, Mitarbeiter und Biograph des Königs: »Zur gleichen Zeit fing es in Perpignan an zu brennen, und der Römische König und alle seine Leute dachten nicht anders, als daß sie erschlagen werden sollten, und legten sich die Harnische an, denn die Spanier und Katalonier kämpften hart miteinander in der Stadt.«

In der sechzehnten Strophe wird berichtet, wie Teilnehmer der Delegation Pferde, auch Rüstungsstücke versetzen und zu Fuß weiterziehen mußten. Demnach waren Oswald und seine Kollegen abgebrannt – das geschah hier nicht zum ersten, auch nicht zum letzten Mal, die Geldnot war chronisch. Den König machte sie zu einem der größten Zechpreller seiner Zeit.

Wenn Oswald in diesem Lied berichtet, was er in Paris von König Sigmund an Geld erhielt, so glaube ich ihm kein Wort: Oswald hat uns im genauen Wortsinn etwas aufgetischt mit diesen viereinhalb Geldsäcken! Vielleicht hat er mal eine Sonderzuwendung erhalten, nach den politischen Erfolgen des Königs, aber der Betrag dürfte gering gewesen sein. Wenn Oswald also erzählt, man hätte zu dritt das Geldgeschenk kaum wegschleppen können, so ist das blanker Hohn.

Auch um an Geld zu kommen, hatte der König den Grafen Amadeus III. von Savoyen zum Herzog gemacht; kein Gnadenakt, sondern ein Geschäft – wie sich der König überhaupt jede Amtshandlung mit geradezu wucherischen Gebühren bezahlen ließ. Bei dieser Belehnung im Februar 1416 stürzte in Chambéry eine Tribüne ein; Graf Ludwig von Öttingen verletzte sich dabei.

Für welches Publikum Oswald dieses Lied geschrieben, komponiert hat, dürfte nun klar sein: für Personen, die, wie Oswald, zum Gefolge König Sigmunds gehörten. Diese ›insider‹ werden mit Gelächter auf das Lied reagiert haben. Dieses groteske Durcheinander der Vorgänge! Und diese Tölpel- und Narrenrolle, in der Oswald sich darstellt: der Mann, der eine Treppe runterkracht, der Mann, der beim Budenzauber mitmischt, der Mann, der in seinem orientalischen Gewand eine Nummer abzieht, heidnische Gesänge imitierend und heidnische Tänze – Oswald als Showman!

Ich wolkenstein – diese Formel klingt nicht eben bescheiden: ein Mann, der sich standesbewußt, selbstbewußt beim Namen nennt, etwa auf Urkunden – hier siegelt Oswald von Wolkenstein, Ritter.

In seinen Liedern finden wir diese Formel recht häufig: Ich Oswald Wolkenstein, ich Wolkensteiner, mich Wolkensteiner, mir Wolkensteiner, von Wolkenstein, ich Wolkenstein, und so weiter. Vorschnell könnte man hier allgemeine Schlüsse ziehen: der Mensch an der Wende zwischen Spätmittelalter und Frührenaissance setzt sich autonom, das Erwachen individuellen Selbstbewußtseins...

Aber in dieser Formel zeigt sich kein Anschwellen von Selbstbewußtsein, sondern, im Gegenteil: Demut. Der Wolkensteiner nennt sich fast nur in geistlichen Liedern beim Namen, wenn er Sünden bekennt, wenn er Maria und Jesus um etwas bittet, wenn er geistliche Ratschläge erteilt. Hier bläht Oswald nicht den Brustkorb auf, ich wolkenstein, hier schlägt er sich an die Brust, vorwurfsvoll: Ich, der Wolkensteiner, dieser krumme Hund, diese sündige Kreatur...

Freilich: auch diese Selbstaussage wird mitgesteuert von literarischen Mustern. Wenn Oswald geistliche Lieder schreibt, in denen das weltliche Treiben verurteilt, das christliche Dasein, das himmlische Leben gepriesen wird, so ist damit automatisch verbunden eine Selbstdarstellung als sündenbewußter Mensch. Hätte sich Oswald aber nicht auch ohne Zerknirschung, ohne Sündenbewußtsein in weltlichen Liedern beim Namen nennen können?

Dies geschah damals sehr oft in Schlußzeilen weltlicher Liedtexte. Beispielsweise baute Peter Suchenwirt, eine Generation vor Oswald, seinen Namen wiederholt in Schlußformeln ein: »Den Rat gibt euch der Suchenwirt«, »Das klag ich, Peter Suchenwirt«. Und der Liederhersteller Muskatblüt, ein Zeitgenosse Oswalds, konnte sich seinen Namen gegen Liedschluß eigentlich nie verkneifen: »Ach, Muskatblüt, wie wahr hast du gesungen!« Auch der Nürnberger Büchsenmacher Hans Rosenblüt brachte gern seinen Namen an in selbstgeschmiedeten Reimwerken – so, wie er in Waffen eigener Herstellung wohl sein Markenzeichen eingravierte. Und Beheim eröffnete ein Lied mit dieser Zeile: »Ich, Michel Beheim aus Weinsberg-Sulzbach«... Nichts von Devotion; hier signierten Handwerker ihre Artikel.

Diese Praxis war Oswald bekannt. Erstaunlicherweise hat er sich nur in einem einzigen weltlichen Text beim Namen genannt, in einer späteren Reimpaar-Rede über Fragen der Rechtsprechung. Wollte er sich als standesbewußter Adliger mit den Praktiken von Berufsdichtern, von Versemachern aus Handwerkerkreisen nicht identifizieren? Konnte er es sich leisten, seinen Namen nur in Bescheidenheitsformeln zu präsentieren?

Dort, wo ich den Wagen abstelle, war früher, schon zu Oswalds Zeit, die westliche Stadtmauer und vor ihr der Stadtgraben: die Stadt Konstanz war also von Wasser umgeben, westlich und südlich von Stadtgrabenwasser, östlich von Bodenseewasser, nördlich von Rheinwasser; eine Stadtinsel. Die westliche Stadtmauer wurde samt Befestigungstürmen, Tortürmen im vorigen Jahrhundert abgerissen, der Stadtgraben zugeschüttet, wohl auch mit dem Steinmaterial von Mauern und Türmen, soweit man es nicht für Neubauten verwendete. So ist nun dort, wo Stadtmauer und Stadtgraben waren, eine breite Allee, mit doppelter Baumreihe in der Mitte; die Untere Laube, die Obere Laube.

Ich gehe in die Stadt hinein, Richtung Münster, das ich nach hundert, hundertfünfzig Metern vor mir sehe, nicht nur den Turm mit der im vorigen Jahrhundert aufgesetzten Spitze. Auf dem Münsterplatz bleibe ich kurz stehen, registriere, daß dieses Münster auf der Kuppe einer leichten Erhebung steht, gehe weiter. Nach hundert oder zweihundert Metern bereits der See. Diese Stadt war in ihrer Ost-West-Ausdehnung also recht klein.

Vor mir die Seefläche, graubraun, mit Lichtreflexen. Die grün bewachsenen Seeufer rücken voneinander ab: die Konstanzer Bucht, auch Konstanzer Trichter genannt. Vor mir quirlen Tretboote, dazwischen Ruderboote, Gewipp und Geschrei. Herumschnellend, schrill die Möwen. Auf der Wasserfläche draußen ein weißes Passagierschiff.

Ich gehe an Blumenrabatten und Kurparkbänken entlang zum Konzilsgebäude, in dem keine Konzilssitzungen stattfanden, nur das Konklave, November 1417; das über fünfzig Meter lange Lagerhaus, Handelshaus wurde mit provisorischen Zellen versehen, wurde verschlossen, versiegelt, bewacht, und nach drei Tagen war er gewählt: Papst Martin V.

Ich setze mich auf eine Bank, das Gebäude nun hinter mir, vor mir die Seefläche: weithin Lichtreflexe, ein fast hochsommerlich heißer Maitag, keine Sicht auf die Alpen, die mir Postkarten zeigen. Das Passagierschiff verschwimmt im Dunst. Angler in Ruderbooten. Ein Rheinschlepper scheucht mit Getute Tretboote, Ruderboote auseinander, fährt dicht an Markierungsstangen entlang.

Der Bodensee, den Oswald »podemsee« geschrieben hat: für ihn nur eine topographische Angabe? Eine Wasserfläche, die an die Stadt grenzte, wie Feldflächen, Wiesenflächen bei anderen Städten? Oder eine Symbiose von Stadt und See, eine bewußt wahrgenommene Besonderheit?

Ich vergegenwärtige mir: diese Stadt war zu seiner Zeit von der Wasserfläche abgeschlossen; das sehe ich so auf Merians Stadtansicht, die ich in einer Ablichtung mitgenommen habe. Und in einem Stadtführer lese ich, daß man die Stadtbefestigung seewärts abgerissen hat, als Konstanz an das Eisenbahnnetz angeschlossen wurde; Bahntrasse, Schrankenübergänge zwischen Altstadt und Seeufer. Wenn Oswald Richtung See ging, hatte er eine Mauer vor sich. Wohl nur an der Landebrücke, am Verladekai vor dem Kaufhaus konnte man auf die Seefläche blicken – aber ging man damals zur Brücke, zum Kai, um auf die Wasserfläche zu schauen, bei Dunst oder Föhn?

Die Stadt: wie weit bestehen noch Ähnlichkeiten, Entsprechungen zwischen dem Konstanz damals und dem Konstanz heute? Wieviel Identität im Straßenraster, in der Bausubstanz? Ich habe gelesen, diese Stadt sei im vorigen Krieg nicht bombardiert worden; sie liegt zu nah an der Schweiz, an Kreuzlingen, wurde nachts nicht verdunkelt, mußte aus der Luft demnach als Schweizer Region erscheinen. Aber wieviel wurde nach dem Krieg geändert, umgebaut, abgerissen?

Ich schlendre zum Münster zurück, das in Grundriß und Mauerwerk identisch ist mit dem Münster, in dem die Vollversammlungen des Konzils stattfanden. Aber ich gehe noch nicht hinein, suche mir erst mal ein Hotel, finde eins ganz in der Nähe, das Domhotel in der ehemaligen Stiftskirche St. Johann, erbaut 1266; man hat nach der Säkularisation Zwischenböden eingezogen, Räume abgeteilt. Der Vorraum, das Treppenhaus weit und kirchenkühl, bald aber wird die Treppe enger, mein Zimmer im dritten Stock, Einrichtung wie in einem alten Dorfgasthof, eine Flügeltür zur Terrassenfläche, Eternitplatten als Sichtblenden zwischen jedem Balkonabschnitt.

Ich setze mich auf den Biergartenstuhl, schaue hinüber und hinauf zum Münster. Wenn ich den Stuhl zur Eternitplattenwand rechts rücke, kann ich einen schmalen Ausschnitt des Münsterplatzes sehen, vor dem Hauptportal: dort unten, aus dieser Steinöffnung, waren 1417 mehrfach Kardinäle und Bischöfe herausgetreten, hatten jeweils dreimal in die Menge gerufen, Papst Benedikt oder seine Bevollmächtigten sollten sich melden, aber diese Aufrufe blieben vergeblich, und so wurden Steine, brennende Kerzen auf den Boden geworfen, der Papst wurde verflucht, die Herren gingen in das Münster zurück. Ich schaue auf eine nun leere Bühnenfläche, rücke den Biergartenstuhl wieder in die Sonne. Taubengurren. Viertelstundenschläge vom Münster, gleich darauf von der Stephanskirche. In der Gasse unten werden leere Weinflaschen verladen. Auf dem Münsterplatz fahren vereinzelt Autos, Mopeds. Schritte. Eine alte Frau, die sich im Nebenzimmer mit einer anderen alten Frau unterhält, kriegt einen Hustenanfall, dreht danach kurz den Wasserhahn auf. Die letzten Flaschen verladen, das Auto fährt ab. Taubengurren, Taubenflattern. Viertelstundenschläge.

Mein Körper sättigt sich mit Sonnenwärme, Sonnenhitze, wird schlaff, das Bewußtsein schwappweich. Cognac, der zusätzliche Wärme erzeugt, im Magen, im Kopf. So muß sich schon eine sehr große Wolkenbank vorschieben, damit ich aufstehe.

Die Kirchenkühle im Treppenhaus, im Vorraum, und durch die gestaute Wärme des Münsterplatzes gehe ich wieder in die Kirchenkühle, stehe im Münster. Insgesamt 45 Plenarsitzungen hier. Wenn ich mir den Sitzungsraum vorzustellen versuche, muß ich sehr viel abschirmen, ausräumen, beispielsweise die Seitenkapellen, auch gab es damals noch nicht die Kanzel, auch nicht die Orgelbühne, nach einem Renaissance-Entwurf, auch nicht die Orgel. Bleibt eigentlich nur die Fläche des Langhauses zwischen den Säulen, die neun Meter hoch sind; zwischen diesen monolithischen Säulen waren Bretterwände errichtet, an diesen Bretterwänden entlang Holzbänke, auf der obersten der drei Reihen saßen Kardinäle, Erzbischöfe, weltliche Fürsten, auf der mittleren Reihe Bischöfe und Äbte, auf der untersten Reihe Theologen, Gelehrte und auf der Fläche zwischen diesen Säulenreihen, Bankreihen die Schreiber, Konzilsbeamten. Debatten fanden hier kaum statt, meist Erklärungen, feierliche Proklamationen. Ob Oswald mal in diesem Säulen- und Bretterrechteck war, als Gast? Aber hätte er der lateinischen Verhandlungssprache folgen können? Hat er wenigstens mal, aus Neugier, in diesen Bretterbereich hineingeschaut, als keine Plenarsitzung stattfand: den Ort sehen, an dem wichtige Entscheidungen getroffen, verkündet wurden?

Ich verlasse den hohen, weiten, stillen, kühlen Raum, gehe zur Insel, auf der das Dominikanerkloster lag, später Kattunfabrik, nun

Hotel: eine schmale Verbindungsbrücke, früher die »Prediger-brücke«. Ich schlendre auf dem Hotelgelände umher, bleibe stehen vor einem recht kleinen Nebengebäude; ein Schild, teilweise über-wachsen, informiert mich darüber, daß hier die französische Dele-gation wohnte – ich nehme an, ein Teil der Delegation. Hier werden wichtige Verhandlungen stattgefunden haben, hier wurden Direkti-ven bestimmt für Ausschußsitzungen, und eins der Ergebnisse war, daß im Dominikanerkloster Jan Hus eingesperrt wurde. Gibt es in diesem Gebäude einen Raum, der als Gefängniszelle des Jan Hus ausgewiesen wird?

Ich verlasse die kleine Insel, gehe weiter an der Seegrenze der Alt-stadt, komme an den Rhein, erreiche, indem ich Eisenbahntrasse und vierspurige Straße unterquere, den Rheintorturm, steige in die Öffnung dieses Turms, schaue hinüber nach Petershausen; von die-ser Öffnung aus führte damals die Holzbrücke über den Rhein, da rumpelten Karren hinüber und herüber, sonst Hufschlag, Schrittge-räusch. Und jetzt das Hinausströmen, Hereinströmen vierspurig, auf der Rheinbrücke seewärts.

Ich drehe Rhein und Petershausen den Rücken zu, schaue in die Rheingasse, die von diesem Tor stadteinwärts führte; ich kann frei-lich nicht direkt in diese Richtung gehen, muß wieder die Straße unterqueren, bin dann, nach einigen Schwenks, in der Gasse, die in ihrem Verlauf noch identisch sein wird mit der Rheingasse, in der Oswald geritten oder gegangen ist – wie oft?

In dieser in ihrem Richtungsverlauf zweimal leicht abgeknick-ten Gasse gehe ich auf die ehemalige Stiftskirche St. Johann zu, schwenke nach links ab und wieder nach rechts, überquere den Münsterplatz, gehe in die ehemalige Blattengasse, die heutige Wes-senbergstraße, schaue in Seitengassen, notiere Namen, die auf Hauswände gemalt sind: Zum blauen Sattel, Zur Salzscheibe, Zum weißen Bär, Zum vorderen Kranich, komme in die ehemalige St. Paulsgasse, die heutige Hussenstraße, bleibe stehen vor dem Hus-Haus, eine Marmorgedenktafel, »gewidmet von seinen Lands-leuten«. Wenn ich vor diesem Häuschen stehend nach links schaue, sehe ich das Schnetztor; hier war, soweit ich weiß, Papst Johannes in die Stadt eingezogen, mit seinem sehr großen Gefolge.

Ich beschaue mir das Tor von außen; war auch Oswald hier in die Stadt gezogen, Anfang 1415 und wieder April 1416, nach der Spanien- und Frankreichreise? Und verließ er 1417 die Stadt durch dieses Tor, in seinem Gepäck Blätter mit vielen seiner wichtigsten, besten Lieder?

Oswald nun als Stadtbewohner, für ungefähr ein Jahr. Es wird nicht sein erster längerer Stadtaufenthalt gewesen sein: wohl wochenlange, monatelange Aufenthalte in verschiedenen Städten des Inlands und Auslands.

Was man, zu einer Stadt kommend, als erstes sah, war meist der »Rabenstein«, demonstrativ an der Landstraße: zwei oder drei gemauerte Steinsäulen, miteinander verbunden durch Balken, an denen gewöhnlich ein Gehängter baumelte oder mehrere; man nahm sie nicht ab nach der Hinrichtung, sie blieben zur Abschreckung hängen, bis sie verfault, vertrocknet waren; nur wenn hoher Besuch zur Stadt kam, wurden sie abgehängt, verscharrt. Köpfe, die auf Pfählen steckten, gewöhnlich über den Stadttoren, die nahm man selbst zu feierlichen Empfängen nicht ab, die blieben oben, bis sie von selbst herabfielen. Man spießte sogar die Stücke von Gevierteilten auf, um Besuchern, vor allem Herumstreifenden zu zeigen: hier wird scharf gerichtet.

Innerhalb der Stadtmauern vor allem: Dreck. Erst mit Beginn des 15. Jahrhunderts begann man hier und dort zu pflastern, aber meist nur den Marktplatz, die eine oder andere Gasse, dann vielfach »Steinerne Gasse« genannt. In den gewöhnlich noch ungepflasterten, auch in der Konzilsstadt ungepflasterten Gassen die Gosse. Hier und dort hölzerne Übergänge oder kleine, aufgeschüttete Dämme, an den Häusern entlang. Bei Regen konnte man in den Gassen kaum noch gehen – Schlamm, Schlick. Wiederholt wird berichtet, daß Pferde bis über die Kniegelenke im Dreck einsanken, manchmal bis zum Bauch.

Daß es nicht bloß Schlamm war, in dem man einsank, dies zeigen zeitgenössische Berichte. Sehr viele Stadtbewohner hielten Schweine, die sich in den Gassen suhlten. Die Behörden versuchten hier und dort, die Sauerei einzudämmen, indem sie eine Höchstzahl von Schweinen pro Haushalt ansetzten: in der großen und stolzen Reichsstadt Nürnberg waren es Anfang des 15. Jahrhunderts immerhin noch zehn Schweine pro Haushalt, in der Messestadt Frankfurt acht; in Breslau wurde erst mit Beginn des 16. Jahrhunderts verboten, Schweinekoben in den Gassen anzulegen, Schweine frei herumlaufen zu lassen.

In den Gassen tote Ratten, Katzen, Hunde; Innereien von geschlachteten Tieren; aus Fenstern wurden Fäkalien geschüttet. Es galt als erstaunliche Neuerung, als Ende des 15. Jahrhunderts von der Stadt Nürnberg ein Knecht angestellt wurde, der mit einer Bütte umherzog und die toten Ratten, Hühner, Hunde, Katzen aufsammelte, die er gleich vor dem nächsten Stadttor wieder auskippte. Wie viele Fliegen während der Sommermonate in diesen Städten?

Durch die Gassen zogen Hausierer und Korbmacher, Lumpensammler und Kesselflicker, Kaminfeger und Abdecker, Kuppler und Schweineschneider, Baderknechte, Kuchenverkäufer, Zahnbrecher. Und Landstreicher, Suppenfresser genannt, auch: Suppenlecker, Schmalzbettler, Faltenstreicher, Schlegelwerfer. Zahlreiche Bettler, die sich auf das Simulieren verschiedener Krankheiten spezialisiert hatten: Gelbsucht oder Epilepsie; andere verbanden sich die Augen mit blutigen Tüchern und klagten, sie seien von Räubern überfallen, geblendet worden.

Armut – sie prägte entschieden das Bild einer spätmittelalterlichen Stadt. Theoretisch galt Armut als christliche Tugend; aber dieses Leitbild hatte in der damaligen Gesellschaft wenig Auswirkungen. Nur die Reichen hatten etwas zu sagen in der Stadt, die Patrizier, die Aufsteiger unter den Bürgern. Sie wohnten in eigenen Vierteln, hatten eigene Kleidung; soziale Stufen sichtbar gemacht. Ein Geselle durfte nicht wie ein Meister gekleidet sein, ein Bürger nicht wie ein Patrizier; zahlreiche Gesetze, Durchführungsbestimmungen zur Kleiderordnung.

Abgrenzungen, Abstufungen überall; wo sich die Metzger von den Gerbern distanzierten, distanzierten sich die Gerber wiederum von den Abdeckern. Und die zünftigen Berufe streng getrennt von den »unehrlichen«; zu denen gehörten die Henker, die Schinder, die

Büttel, die Totengräber, die Turmhüter, die Bader, die Spielleute. Von Mitgliedern dieser meist unterprivilegierten Berufe wiederum abgesetzt die Personen mit sehr geringem oder gar keinem Einkommen – die Armen und die Siechen, die Witwen und Waisen, die auf Almosen, Spenden, auf Suppengeld, Brotgeld, Spitalkost angewiesen waren.

Wie groß war die Schicht derer, die kaum das Existenzminimum verdienten – und weniger? Die Zahlen unterscheiden sich nach Städten und Jahren, aber einige Richtwerte lassen sich doch angeben, für Oswalds Zeit: zur sozialen Unterschicht gehörten etwa 25 bis 30 Prozent der Stadtbevölkerung; 4 bis 10 Prozent lebten in Kellerwohnungen. Die Vorstellung, dafür hätten wenigstens die Handwerker stattliche Häuser besessen, trifft insgesamt auch nicht zu; die Handwerkerfamilien wohnten oft eng und ärmlich zur Miete.

Einer der Hauptgründe: die reichen Händler (mit dem Handel, nicht mit der Herstellung wurden damals die großen Geschäfte gemacht!) steuerten vielfach die Produktionskapazitäten der Handwerksbetriebe durch Kontingentierungen – etwa der Tuchmengen, die jährlich hergestellt wurden; das war auch so in Konstanz. Weber, die 36 Tücher (eine Maßeinheit) im Jahr herstellen durften, waren recht gut dran; Weber, denen nur ein Kontingent von 4 Tüchern zugestanden und abgekauft wurde, konnten die Familie nur knapp ernähren. Die armen Leinenweber wohnten in den Randgebieten von Konstanz, in Hütten.

Einen (meist nur kleinen) Teil ihrer Einkünfte stellten die Reichen den Armen zur Verfügung. In Köln beispielsweise wurden etwa zehn Prozent der Bevölkerung in Spitälern abgefüttert. Ein großes, auch gefährliches Potential! Die Spenden wurden vielfach nur gemacht, um die Armen ruhig zu halten: das »Werk des Friedens« sollte »fest und sicher bestehen«; so wurde das (schon) damals formuliert.

Zum Rosgartenmuseum: das Gebäude war ursprünglich Zunfthaus der Metzger, war, einige Jahrhunderte später, Trinkhalle, Kaserne, Kommißbrotbäckerei, Judenschule, Beschäftigungsanstalt für Frauen, Seifensiederdepot, und nun ist es Museum.

Hier interessiert mich nicht der Schlitten, den Louis Napoleon in Arenenburg benutzte, auch nicht der Fundkomplex aus der Höhle Keßlerloch bei Schaffhausen. Ich will hier vor allem das Stadtmodell sehen, das im vorigen Jahrhundert »in minuziöser Kleinarbeit« hergestellt wurde, ein Konstanz etwa des Jahres 1600, noch zum größten Teil identisch mit dem Konstanz der Konzilsjahre.

Dieses Stadtmodell (ringsum von Glasplatten geschützt, brusthoch) ist schätzungsweise zwei mal fünf Meter groß. Der komplette Mauerring, seewärts, rheinwärts, landwärts. Schnetztor, Augustinertor, Rheintor, Schottentor, Geltingertor. In ziemlich regelmäßigem Abstand Befestigungstürme: an der Nordwestecke der Ziegelturm, gleich neben dem Kaufhaus der Aberhakenturm, und so weiter. Das Münster noch ohne den (neugotischen) Dachaufsatz, statt dessen ein Holzaufbau, zwei kleine Kugeldächer rechts und links. Und die Johanneskirche noch mit Turm. Petershausen, durch die Rheinbrücke mit der Stadt verbunden, ist ebenfalls von einem Mauerring umschlossen: ein Kloster, wenige Häuser.

Ich steige zur kleinen Galerie hoch, sehe das Stadtmodell aus der Vogelperspektive des Merian. In einem dieser Häuschen wird Oswald gewohnt haben, in einigen dieser Häuschen hat er Lieder vorgetragen, in einem der Häuschen wohl auch sein Bordell, in einem der Häuschen sein Stammlokal. Fensterkreuze weiß auf schwarz gemalt, zu Tausenden – eine Totenstadt.

Ich gehe ein Stockwerk höher, in einen Saal mit alter Holzdecke, sehe mir, über Glasplatten gebeugt, Urkunden, Siegel, Münzen an aus der Zeit des Konzils, spaziere zum »Haus zur Katz«, in der Katzgasse, gleich am Münsterplatz: dieses Haus hat während des Konzils noch nicht gestanden, aber als Oswald 1431 wieder in Konstanz war, für ungefähr einen Monat, da war es gerade ein paar Jahre alt, und er nahm hier mit König Sigmund an einer Tanzveranstaltung teil.

In diesem Haus, einem Zunfthaus, ist heute das Stadtarchiv, und hier schaue ich mir die Faksimileausgabe der Chronik des Konstanzer Konzils von Ulrich Richental an, sehe auf den Zeichnungen beispielsweise Papst Johannes, dessen Reisewagen auf der Anreise umgekippt war, am Arlberg, er schaut vorn aus dem schrägliegenden Wagen heraus, unverrückt die Tiara auf seinem Kopf, die Hände zum Beten aneinandergelegt, zwei geistliche Herren hinter diesem Wagen beten ebenfalls, zwei Knechte vor dem Wagen werfen die Hände in die Luft, noch packt keiner zu. Und ich sehe ein Bild vom Einzug des Papstes in Konstanz, ein Baldachin wird über ihn gehalten, er sitzt auf einem Pferd, segnet die Menge, und Münzen werden geworfen wie heute Bonbons bei Karnevalszügen. Und ein Reiter mit einem riesengroßen Papsthut, mehr als eine Pferdelänge im Durchmesser, bestimmt zwei Meter hoch, den hält der Reiter an mächtiger Stange wie einen übergroßen Regenschirm. Und Klerus im Münster, eine Sitzung. Und Marktszenen; auf einem Tisch wird ein Hirsch zerhackt, ein Käufer trägt einen Hasen weg, ein Hund unter dem Tisch nagt an einem Knochen; auf einem anderen Tisch ein Schweinskopf, ein Hund auch unter diesem Tisch, und auf einem dritten Tisch Fische, gewiß aus dem Bodensee, einige Fische armlang, andere karpfendick, Fässer voller Fische, und Frösche und Schnecken werden ebenfalls verkauft. Und in gestrecktem Galopp der Papst bei seiner Flucht aus Konstanz. Und Hus auf dem Scheiterhaufen mit schwarzem Gewand und Papiermütze. Eine Karre, aus der zwei Männer mit Holzschaufeln seine Asche schippen, wohl ins Wasser. Und mehrfach Bilder von Belehnungen.

1417, während der Sommerpause der Sitzungen, nahm König Sigmund eine Reihe von Belehnungen vor, wie ich im Kommentarband dieser Chronikausgabe lese; besonders wichtig war die Belehnung des Burggrafen Friedrich von Hohenzollern mit der Mark Brandenburg. Dieser Festakt begann mit einem Umritt von Posaunenbläsern und Herzogsgefolge durch die Stadt, dann wurden König und Herzog aus ihren Herbergen geholt. Auf dem oberen Markt eine Tribüne, laut Richental mit goldenen Tüchern behängt, alles schien in Gold zu brennen. Pfeifer- und Bläserklänge zur Eröffnung des Festakts. Während der Lehnsverleihung trat Pfalzgraf Ludwig hinter den König, hob das königliche Schwert hoch, als wolle er es dem König in den Nacken rammen: das sollte die »jetzt wirksame göttliche Herrschaftsachse« symbolisieren. Kniend der Burggraf, er hatte sein Banner dem König übergeben, empfing es nun wieder aus seiner Hand. Musik zum Schluß.

Mehrere solcher Belehnungsszenen in dieser Handschrift, und eine, die als weniger wichtig gilt, wird für mich außerordentlich wichtig, und zwar die Belehnung von Herzog Ludwig von Bayern, Pfalzgraf bei Rhein: der König auf dem Thron überreicht dem jungen Herzog ein Banner, das Fahnenlehen; unter dieser Szene eine Gruppe von fähnleintragenden Rittern, und hier entdecke ich einen bulligen Kopf mit einem geschlossenen Auge.

Ich schaue vom Buch auf, blicke in den leeren Leseraum, Tische vor mir, Faszikel gestapelt, schaue wieder in das Buch: ein Mann mit dickem Hals, Doppelkinn, kräftiger Nase, betonter Unterlippe, einem geschlossenen Auge. Es ist das linke Auge, müßte eigentlich das rechte sein, dennoch: das kann nur Oswald sein!

Konnte es Oswald gewesen sein? Ich lese den Kommentar zu diesem Bild auf fol. 76 a: die Belehnung des Pfalzgrafen Ludwig III. fand am 11. Mai 1417 statt – zu dieser Zeit war Oswald in Konstanz! Daß er im Gefolge des Pfalzgrafen auftaucht, wird kein Zufall sein, die beiden Männer kannten sich offenbar recht gut, Ludwig wird Oswald später zu einer gemeinsamen Pilgerfahrt ins Heilige Land einladen, Oswald wird Ludwig in Heidelberg besuchen, wird für ihn ein Huldigungslied schreiben, das einzige.

Alles spricht dafür: dies ist Oswald von Wolkenstein, im Gefolge des Kurfürsten von der Pfalz. Eine bisher unbekannte Abbildung, ich bin sicher, ich hätte sonst längst einen Hinweis, eine Reproduktion gefunden.

Daß Oswald hier abgebildet ist, läßt Rückschlüsse zu: er war aufgefallen, war bekannt, und so wurde in das Gefolge des Pfalzgrafen der bullige, einäugige Mann hineingezeichnet, er gehörte dazu, das wußte man noch. Nur verwechselte der Zeichner das offene mit dem geschlossenen Auge. Das ist die eine Möglichkeit. Die andere: dies ist eine von sieben Kopien des inzwischen verlorengegangenen Originals; vielleicht war Oswald ursprünglich mit dem rechts geschlossenen Auge dargestellt, und der Kopist dieser Handschrift hat sich vertan.

Ich sähe auf diesem Bild das geschlossene Auge natürlich lieber rechts, aber auch so habe ich wenig Zweifel, daß hier Oswald dargestellt ist; die Indizien sprechen dafür, die Physiognomie. So ist er mir plötzlich wieder präsent, in Konstanz, im gleichen Gebäude, in dem er fünfhundertfünfundvierzig Jahre vor mir war.

Wie viele Lieder und: welche Lieder hat Oswald im Konstanzer Jahr geschrieben? In seiner chronologischen Anordnung kommt Werner Marold auf beinah vierzig Lieder, Walter Salmen setzt die Zahl sogar noch etwas höher an. Das hieße: Oswald hätte in diesem Konstanzer Jahr rund ein Drittel seines überlieferten Liedwerks geschrieben! Selbst wenn Oswald in seinem Konstanzer Jahr keine vierzig, sondern ›nur‹ etwa dreißig Lieder geschrieben hätte oder ›bloß‹ zwei Dutzend – es wäre immer noch Anlaß genug zum Staunen, zur Bewunderung, denn wie groß ist das Spektrum dieser Lieder und wie hoch die Qualität und wie oft wird hier Neues gewagt!

Es läßt sich voraussetzen, daß es Oswald gut gegangen ist in Konstanz. Da war die Gesandtschaftsreise zur Iberischen Halbinsel gewesen, die Teilnahme an einem erfolgreichen militärischen Unternehmen – der erste Sieg, von dem er erzählen konnte! Und er war insgesamt dreimal von königlichen Damen ausgezeichnet worden – Ringe an den Ohren, Schmuckstücke im Bart! Und er war vom König höchstpersönlich nach Konstanz geschickt worden: nicht irgendein Reisender, der zurückkehrte, sondern ein Mann in einer Vertrauensstellung, darüber konnte er geheimnisvolle Andeutungen machen, damit konnte er offen renommieren.

Noch ein Faktor, der ihm ›Auftrieb‹ geben konnte: in Konstanz hatte er das wohl beste Publikum seines Lebens. Hunderte von Edelleuten und Gelehrten, von geistlichen Herren und Akademikern in der Stadt, ein großer Teil aus den deutschsprachigen Gebieten, darunter Bekannte, auch Freunde aus Tirol, und diese Herrschaften waren gewiß nicht ausgelastet mit Sitzungen und Besprechungen, Aktenstudium gab es damals kaum, so blieb leere Zeit, pausenlos huren und saufen konnte man nicht, Turniere und Feste gab es auch nicht täglich, also war man dankbar für jedes Unterhaltungsangebot: Oswald, ein neues Lied!

Was ihn zusätzlich animieren konnte: neben Gauklern und Schaustellern war eine große Zahl von fahrenden Sängern, von Spielleuten in Konstanz, jeder wollte dort sein Glück versuchen, vor einem buntgemischten, internationalen Publikum. Dieses vielfältige Angebot hat Oswald vielleicht angestachelt: den Zuhörern zeigen, daß er mindestens so gut war wie diese Berufsmusiker!

Impulse von außen. Vielleicht war da auch eine Herausforderung, die von ihm selbst ausging: möglichst dichte Sprachklangkörper für seine Kompositionen herstellen! Konnte sein Publikum alle Feinheiten heraushören, alle metrischen Differenzierungen, alle Reimfinessen? Oswald hat seine Lieder nicht in Abschriften verteilt, und man zog sich nicht in möglichst ruhige Winkel oder Räume zurück, um sie ungestört zu lesen. Oswald trug diese Lieder öffentlich vor, und wir können sicher sein: dabei war sein Publikum nicht mucksmäuschenstill, man drehte sich nicht um, vorwurfsvoll, sobald jemand hustete, da war ein recht hoher Geräuschpegel, und Bemerkungen, Zwischenrufe – so ging wohl manche Nuance verloren.

Was Oswald schrieb, hätte dem Publikum vielleicht auch bei einem geringeren Verdichtungsgrad der Sprache gefallen, bei einer etwas lässigeren Behandlung von Metrum und Reim, da saßen ja nicht lauter eingefuchste Liederkenner. Was Oswald leistete in einigen Texten, ging über das hinaus, was in solchen Vortragssituationen ankam. Also spielte vielleicht auch dies mit: Selbstverwirklichung im Machen, und das gelungene Machen motivierte zu weiterem Machen.

A m liebsten würde ich in diesem Kapitel ein gutes Dutzend der Liedtexte vorlegen, die Oswald in Konstanz geschrieben hat, aller Wahrscheinlichkeit, allen Indizien nach: Liebeslieder, Trinklieder, geistliche Lieder, Reiselieder, mundartliche Liedtexte, Sprachcollagen… Aber ich werde die Auswahl wichtiger und charakteristischer Texte seines Großen Konstanzer Jahres auf verschiedene Kapitel verteilen, so läßt sich das weite Spektrum seiner Arbeiten besser demonstrieren.

Einer der bedeutendsten Texte dieser Phase ist die große Lebensballade, Kl 18. Die ersten drei Strophen hatte ich bereits vorgestellt, nun aber der gesamte Liedtext: Rückblick und Ausblick eines Mannes von beinah vierzig.

Mit vierzig war man nach damaligem Bewußtsein ein Mann zumindest an der Schwelle des Alters, und so war es kein Kokettieren, wenn Oswald dieses Lied als Altersklage schrieb, selbst wenn er subjektiv alles andere als ein alternder Mann war – er erreichte ein für seine Zeit erstaunlich hohes Alter, vital bis zuletzt.

Dieser Liedtext ist spröde: Zeilen sind scheinbar ausgetauscht, Aussagen wie ineinandergekeilt, äußerst verknappt: »bis das mir starb mein vatter zwar wol vierzen jar nie ross erwarb«. Als wären die autobiographischen Angaben Versatzstücke, über die Oswald so verfügte, wie ihm das vom Sprachklang (Binnenreime!) oder vom Metrum her richtig schien. Damit werden Gesetze der chronologischen Reihenfolge, der logischen Verbindung zweitrangig.

Lassen sich daraus Schlüsse ziehen? Etwa, daß Oswald den Eindruck vermitteln wollte, sein Leben sei etwas Ungeordnetes gewesen, eine Reihung punktueller Ereignisse? Keine ›Entwicklungsgeschichte‹, in der alles seinen Stellenwert hat, Vergangenes aufnehmend, auf Zukünftiges vorausweisend, sondern bloß Fakten, die sich reihen, deren Reihung sich umstellen läßt, weil sowieso keine Zusammenhänge bestehen?

Es kam dazu, daß ich, an die zehn Jahre alt,
mir ansehn wollte, wie die Welt beschaffen ist.
In Not und Armut, manchem heißen, kalten Land
hab ich gehaust bei Christen, Heiden, Orthodoxen.
Drei Pfennig in dem Beutel und ein Stückchen Brot,
das nahm ich mit daheim, auf meinem Weg ins Elend.
Bei Fremden, Freunden ließ ich manchen Tropfen Blut,
ich glaubte mich zuweilen schon dem Tode nah.
Ich lief zu Fuß, als seis zur Buße. Dann verstarb

mein Vater. Vierzehn Jahre, immer noch kein Pferd.
Nur eins mal, halb gestohlen, halb geraubt – ein Falber.
Auf gleiche Weise wurd ichs leider wieder los!
War Laufbursch, war sogar mal Koch und Pferdeknecht,
und auch am Ruder zog ich, es war reichlich schwer,
bei Kreta und auch anderswo, und dann zurück.
So mancher Kittel war mein bestes Kleid.

Nach Preußen, Litauen; zur Krim; Türkei; ins Heilge Land;
nach Frankreich, Spanien; Lombardei. Mit zwei Königsheeren
(ich zog umher im Liebesdienst, doch zahlte selbst!),
mit Ruprecht, Sigmund: beide mit dem Adlerzeichen.
Französisch und arabisch, spanisch, katalanisch, deutsch,
lateinisch, slawisch, italienisch, russisch und ladinisch –
zehn Sprachen habe ich benutzt, wenns nötig war.
Auch konnt ich fiedeln, flöten, trommeln und trompeten.
Ich habe Inseln, Halbinseln und manches Land umfahren
auf Schiffen, deren Größe mich bei Sturm beschützte;
so bin ich auf den Meeren hin und her gereist.
Das Schwarze Meer, es lehrte mich ein Faß umklammern,
als (großes Pech!) die Brigantine unterging.
Da war ich Kaufmann, kam davon mit heiler Haut,
ich und ein Russ; in dem Getose fuhr mein Kapital
samt Zins zum Meeresgrund; ich aber schwamm zur Küste.

Die Königin von Aragón war zart und schön;
ergeben kniete ich und reichte ihr den Bart,
mit weißen Händen band sie einen Ring hinein,
huldvoll, und sprach: »Non mais plus disligaides.«
Die Ohrläppchen hat sie mir eigenhändig dann
durchbohrt, mit einer kleinen Messingnadel;
nach Landessitte hängte sie zwei Ringe dran.
Ich trug sie lang; man nennt sie dort »racaides«.
Sobald ich König Sigmund fand, ging ich zu ihm –
er riß den Mund auf, schlug ein Kreuz, als er mich sah,
und rief mir zu: »Was bietest du mir hier für Tand?!«

Und freundlich dann: »Tun dir die Ringe auch nicht weh?«
Die Damen, Herren schauten mich da an und lachten –
neun Diplomaten, Vollmachtträger, seinerzeit
in Perpignan; ihr Papst von Luna, namens Pedro,
als zehnter König Sigmund; auch die Frau von Prades.

Ich wollt mein schlimmes Leben ändern (ja, das stimmt!);
zwei Jahre lang war ich ein halber Laienbruder.
Die Andacht machte da den Anfang, ganz gewiß,
doch kam die Liebe dann dazwischen, störte mich.
Ich zog sehr viel umher, war aus auf Ritterspiel;
ich diente einer Dame – den Namen nenn ich nicht.
Sie wollte mir auch nicht ein Quentchen Huld gewähren,
eh mich die Kutte nicht zum Narren machte.
Ich hatte hübsche Chancen, alles ging ganz leicht,
solange ich den Mantel mit Kapuze trug.
Davor, danach hat kaum ein Mädchen mir so viel gewährt,
da fanden meine Worte nicht so freundliches Gehör.
Und schnurstracks flog die Andacht gleich zum Schädel raus,
als ich die Kutte von mir warf, im Nebel draußen.
In Liebesdingen ist seither mein Stand recht schwer;
mir ist die Lust, die Freude halbwegs abgekühlt.

Erzählen, was ich alles litt, das führte wohl zu weit.
Bin erstmals hörig einem schönen, roten Mund;
das brach mir fast das Herz, war nah am bittren Tod.
Ich kriegte vor ihr manchen Schweißausbruch –
sehr rot und bleich war wechselweise mein Gesicht,
wenn ich der Schönen meine Aufwartung gemacht.
Vor Zittern, Seufzen war ich oft nicht mehr bei mir,
da schien es mir, als wär ich ausgebrannt.
Verzweifelt war ich fortgerannt, zweihundert Meilen weit
und mehr, und hab doch nirgends Trost gefunden.
Schlimmer als Kälte, Regen, Schnee: der Schüttelfrost!
Ich brenne, wenn die Sonne ihrer Liebe scheint.
Bin ich bei ihr, so ist es mit Verstand, Vernunft vorbei.

Sie ist es, die mich, hilflos, in die Ferne treibt,
ins Unheil jagt – bis Gnade ihren Haß aufkündet.
Ach, hälf sie mir: aus Trübsal würde Glück.

Ich sah vierhundert Frauen, ohne einen Mann
auf Nios; die wohnten auf der kleinen Insel.
So Schönes hat kein Mensch im Saal auf einem Bild gesehn –
und doch: es reichte keine an die Frau heran,
die mir die allzu schwere Bürde aufgehuckt.
Ach Gott, wär ihr nur halbwegs meine Last bewußt,
viel leichter wäre mir zumut, bei allem Schmerz,
ich hätte Hoffnung, daß sie sich erbarmt.
Wenn in der Ferne ich oft meine Hände ringe,
wenn ich mit Schmerzen misse ihren Gruß,
wenn früh und spät ich keine Ruhe find im Schlaf,
so sind daran die zarten, weißen Arme schuld.
Verliebte Burschen, Mädchen, denkt an dieses Leid!
Mir gings noch gut, als sie den Abschiedssegen gab.
So glaubt mir: wüßte ich, ich sehe sie nicht mehr,
mir würden meine Augen oft von Tränen naß.

Ich habe vierzig Jahre (minus zwei) gelebt
mit wüstem Treiben, Dichten, vielem Singen;
es wär jetzt an der Zeit, daß ich als Ehemann
aus einer Wiege Kinderschreien hörte.
Doch niemals werde ich die Frau vergessen können,
die mir den frohen Sinn fürs Leben gab.
Ich fand auf dieser Welt noch keine, die ihr gleicht.
Auch fürcht ich ziemlich das Gekeif von Ehefrauen.
Gericht und Rat – was ich dort sagte, schätzte mancher Weise,
dem ich gefiel, wenn ich ihm hübsche Lieder sang.
Ich Wolkenstein, ich leb gewiß nicht sehr vernünftig –
mir liegt zu sehr daran, daß ich der Welt gefalle
und seh doch wohl: ich weiß nicht, wann ich sterben muß.
Und: daß mir dann nur gute Taten Wert verleihn.
Wär ich bloß dem Gebot des Herrn gefolgt –
ich bräucht die Höllenflammen kaum zu fürchten.

Beim folgenden Liedtext könnte man den Eindruck gewinnen, Oswald übertreibe ein bißchen; so bunt, so wild sei es in damaligen Gasthäusern wohl kaum zugegangen! Aber Berichte aus jener Zeit und aus den Jahrzehnten danach zeigen: es ging hoch her! Vor allem wurde wüst gefressen und gesoffen; und wer sich dabei vor allem hervortat, das waren die sogenannten Edelleute. Beispielsweise Delegierte eines Reichstags in Worms, die fraßen an einem Abend in einem Gasthaus »rohe Gänse mit Federn, Fleisch und anderem und tranken und verdarben 174 Maß Wein«.

Man soff aber auch reichlich Bier. Die Biernamen hatten eine erheblich stärkere Stammwürze als heute: Kuhschwanz, Kälberzagel, Büffel, Flitscherling, Schlippschlapp, Batzmann, Gluckelzahn, Fertzer, Muckensenf, Reißkopf. Beliebt war diese Trinksitte: man stellte ein Leiterchen in den Bierpott und nötigte seinen Nächsten, bis zu einer bestimmten Sprosse hinunterzusaufen, aber hopphopp. Gäste, die hierbei nicht mitmachten oder mitkamen, wurden nicht selten bedroht, zuweilen sogar mit Dolchen, und mancher wurde angestochen. Bei entsprechender Wein- oder Bierlaune wurde auch schon mal eine Frau auf die Bank gelegt. Oswald besingt im folgenden Lied (Kl 54) also durchaus Geläufiges, besingt es knapp, pointiert.

Wir wollen uns vergnügen, lärmen, lachen,
und alle ärgern, die uns nicht gefallen!
»Fräulein, hast du schon das rechte Ei gewählt?«
»Ach geht, ihr großen Helden,
freßt eure Eier selber, ungeschält!«
Frau Krug, wo bleibt der kühle Wein?
»Ja, schon dich«, sprach die Bauernmagd
ganz hinten auf der Bank,
»streck dich nur aus, mein Lieber, so ists recht,
dein altes Lied,
dein fester Griff,
dein schönes Hin und Her,
das macht mir großen Spaß.«
»Wie ists?« rief meine Dame,

»wer fiedelt mir die Liebesgeige?«
Und schon begann das laute Spiel.
Da sagte sie: »Ach, Schneckerl,
Heinz, kannst du nicht mehr?
Komm her, mein Jäckelino,
lieber amigo,
spiel du mir auf,
doch tu mir bloß nicht weh!
Ite, venite!«

Im folgenden Lied, Kl 76, geht es um eine »graserin«. Dieses Wort
ist mit der Tätigkeit historisch geworden; Graserinnen waren
Mägde, die frühmorgens das damals wertvolle, weil rare Futtergras
rupften oder mit der Sichel schnitten. So läßt sich »ain graserin« in
der Übersetzung eigentlich nur umschreiben: »Schneidet Futtergras
im kühlen Tau...« Aber da ist »Graserin« knapper, klingt schöner.

Graserin im kühlen Tau,
nackt die Füße, weiß und zart,
schuf mir Lust im Erlengrund
mit der Sichel, braun behaart,
als ich half, das Gatter heben,
vor die Öffnung rücken;
hab den Zapfen in der Kerbe
festgepflockt, damit das Kind
keine Angst hat,
daß die Gänslein ihm entwischen.

Als ich sie am Zaune sah,
wurde mir die Zeit sehr lang,
bis ich ihr denn das Problem
löste zwischen beiden Pfosten.
Hatt das Beilchen mir zuvor
rasch zur Arbeit hochgewichst,
naß und scharf gemacht. So stands.
Harken half ich ihr das Gras.

Zuck nicht, Schätzchen.
»Ha, gewiß nicht, lieber Hansl!«

Als ich abgemäht den Klee,
jeden Durchlaß zugerammt,
wünschte sie, daß ich noch mal
Futter rupf, im Gärtlein unten.
Rosen würde sie zum Dank
winden, binden mir als Kranz.
»Reg dich, streck dich hier im Flachs,
kraul ihn, daß er tüchtig wachs!«
Liebstes Gänslein,
herrlich ist dein Schnabelschlund!

Das landwirtschaftlich-sexuelle Doppelspiel ist exakt durchgeführt:
Ende April, Anfang Mai ist das Winterfutter verbraucht, man sucht
erstes Grünfutter, etwa in den Auen, den meist mit Erlen bestande-
nen Überschwemmungszonen von Bächen und Flüssen. Auch wird
zu dieser Zeit der Austrieb des Stallviehs vorbereitet: Gatter, die im
Herbst ausgehängt und an den Zaun gelehnt waren, werden nun
wieder eingehängt, dabei wird der Drehzapfen in eine Kerbe ge-
senkt; auch schließt man nun Durchgänge: drei, vier Stangen werden in ausgestemmte Löcher der Zaunpfähle geschoben.

Der folgende Liedtext (Kl 21) hat große Resonanz gefunden, er
läßt sich mehrfach in der Streuüberlieferung nachweisen, anonym
freilich, etwa in den Neithart-Fuchs-Drucken. Ein sprachlich besonders dichter Text; in mindestens einem halben Dutzend Fassun-
gen habe ich mich an ihn heranzuarbeiten versucht, wieder einmal
unterstützt von Okken; in einigen Formulierungen habe ich mich
anregen lassen durch eine Prosa-Übersetzung von Eva und Hansjürgen Kiepe. Dennoch: nicht alles konnte restlos geklärt werden;
ich bringe zwei, drei Formulierungen auf Widerruf.

Jede der drei groß angelegten Strophen mündet in eine Engführung. In der dritten Engführung kommt es zu einer Art Sprach-
explosion – ich zitiere den Originaltext.

Da zissli müssli
füssli fissli
henne klüssli
kompt ins hüssli
werfen ain tüssli
sussa süssli
niena grüssli
wel wir sicher han
Clerli Metzli
Elli Ketzli
tünt ain setzli
richt eur letztli
vach das retzli
tula hetzli
trutza trätzli
der uns freud vergan

Oswald hat sich hier anregen lassen durch einen Kinder-Abzähl-vers, der auch sexuelle Bedeutung hat. Hier ist also beides zugleich: semantische Information (wenn auch nur fragmentarisch) und freie Klangbewegung. Und das zu Beginn des 15. Jahrhunderts!

Ihr alten Frauen, freut euch mit den jungen!
Was uns der kalte Winter abgetötet,
das will der Mai mit Feldgeschrei befruchten,
mit frischer Kraft: gibt allen Wurzeln Saft.
Den kalten Schnee will er nicht länger dulden.
Was sich verkrochen hat und eingemummelt,
das will er wecken, aus der Trübsal lösen:
Laub, Blumen, Blüten, Gräser, Würmchen, müde Tiere.
Ihr Vögel, schmiert die rauhe Kehle ein,
schwingt euch empor, singt hell!
Erneuert jetzt das Fell, ihr wilden Tiere,
wälzt euch mit Schwung in gelben Blumen!
Ihr Mädchen, freut euch, seid hübsch locker!
Und Bauer: streu die Saat für neues Mehl,

mit dem du backen kannst im Herbst.
Und Hang und Aue, Tal, Forst, Feld –
dort sprießt es schon in schöner Fülle.
Und alle Tiere, wild wie zahm,
sie haben Lust, sich zu befruchten:
(der Nachwuchs soll den Eltern gleichen).
Mein Roß schreit nach der Frühlingsweide,
das läßt den Esel lachen.
Tanzen, springen,
laufen, ringen,
fiedeln, singen,
Freude bringen,
lärmen, klingen,
Kuß erzwingen,
auf Liebe dringen
bei den schönen Mädchen.
Höchst erquicklich
und vergnüglich:
Blätter grünlich,
Blumen fröhlich,
Wangen lieblich,
Arme zärtlich,
Zungen zünglich –
da freut sich die Partnerin!

Und weil der Kuckuck nicht sehr schön in Quinten singt
und der Franzose im Diskant nach Hofmanier,
da hör ich lieber: »Kuckuck, rück an meine Seite!«
Das schätz ich mehr als Giustinianis Saitenspiel.
Und Hetzjagd, Beizen, Pirschen, Taubenschießen,
vor grünem Wald nach Pfifferlingen klauben
bei einem Mädchen, abgeschirmt von Büschen –
den Spaß, den preis ich mehr als höfisches Plaisir!
Dein Festzelt, Mai, gefällt mir sehr!
Ganz taufrisch ist da jedes Gras.
Und jedes Tier sucht seine Höhle auf,

dort soll der Nachwuchs sicher sein.
»Trink, sauf, du Spanier, Katalone!«
Gesang der Art, und: »Paga! Geld raus!« –
da ist der Drosselklang doch schöner!
In jenem Land, was ich dort sah,
das hat mir meine Haare grau gemacht,
dran sind die jungen Damen schuld:
die schöngeformten, weißen Beine
verstecken sie in roten Hosen,
und ihre hellen, klaren Augen
ummalen sie mit schwarzer Farbe!
Ach, die eine,
die ich meine,
lieb alleine,
süße Kleine,
Brüste, Beine:
so vereine
dich alleine
doch mit mir!
Wär verschwunden,
was gebunden,
fest gewunden –
würd gesunden
an den Wunden,
hätts gefunden!
Und bestellte ihr Schuhe
in London, Paris!

Sehr schwungvoll wirbelt sie im Reihentanz,
die hohen Sprünge passen kaum zu einer Frau.
Auch schminkt sie sich gewöhnlich das Gesicht,
dazu trägt sie noch Ringe an den Ohren.
Mein langer Bart, der hat mir dort verdorben
so manchen Kuß von zarten, jungen Mädchen:
wenn zärtlich sie Besuch empfangen,
so reichen sie die Wangen statt der Hände!

Die roten Fingernägel machen mich ganz krank,
und wie sie eingekrümmt sind, viel zu lang!
Die Schleppe reicht ihr bis zum Boden.
Sie rührt sich nicht, wenn sie da sitzt.
Ich preise gern den Bettvorhang –
weit lieber als den Glockenschlag,
der mich von ihr verscheucht!
Ja, Spanien, Preußen und Ägypten,
und Estland, Rußland, Dänemark,
und England, Frankreich und Navarra,
und Flandern, Pikardie, Brabant,
und Zypern und Byzanz, Neapel und Toskana,
das Rheinland – wer dies alles sah,
der sieht in dir die Krone aller Schönheit!
Und: Zieselmäuschen,
Fieselfäuschen,
kommt ins Häuschen,
Hennekläuschen,
leckre Mäuschen,
su-sa-säuschen:
gar kein Päuschen
wollen wir da machen!
Klärli, Mätzli,
Elli, Kätzli,
süße Frätzli –
zeigt das Fötzli,
steift das Schwänzli,
tu-la-hätzli!
Faules Säckli,
wer uns das nicht gönnt!

Es ist an der Zeit, über Oswald von Wolkenstein als Komponist zu schreiben.

Ich habe mehrere musikwissenschaftliche Abhandlungen und Bücher zu diesem Thema gelesen. Dabei zeigte sich, daß er als Komponist sehr unterschiedlich bewertet wird. Für den einen Musikwissenschaftler, Bruno Stäblein, ist Oswald der geniale Erfinder des »Individualliedes«. Einem anderen Musikwissenschaftler, Theodor Göllner, fällt es nach der Entdeckung einiger Vorlagen für mehrstimmige Kompositionen »schwer, Wolkenstein weiterhin als selbständigen Komponisten anzusehen«. Walter Salmen schließlich setzt ein grundsätzliches Fragezeichen hinter Oswald von Wolkenstein als Komponist.

Während Oswald sonst recht gern seine Fähigkeiten und Fertigkeiten herausstellt, erwähnt er nie, daß er Melodien komponieren kann; andere Dichterkomponisten haben das durchaus getan, wie Salmen betont. Aber seine Musik war so selbstverständlich und wohl auch so intensiv gegenwärtig, wenn Oswald Lieder sang, daß er sie nicht auch noch in Liedtexten erwähnen mußte.

Durchaus denkbar, ja wahrscheinlich, daß er geistliche Musiker kannte, vor allem in Neustift, die ihm beim Adaptieren, Arrangieren, Komponieren halfen – wenn das so war, hat Oswald offenbar sehr gute Leute herangezogen! Aber warum sollte er nicht auch eigene Melodien entwickelt haben – vor allem für einstimmige Lieder, die in seinem Œuvre überwiegen?

Josef Wendlers *Studien zur Melodiebildung bei Oswald von Wolkenstein* zeigen im Detail, wie Oswald komponierte: er fügte Melodien aus »Bausteinen« zusammen. Diese »Bausteine sind in ihren Umrissen fest bestimmte, tonal und metrisch-rhythmisch selbständige Gestalten«. Aus ihnen werden neue Melodien kombiniert, wie »Bausätze«. Diese Kompositionstechnik ist für das Späte Mittelalter typisch. Und auch dies: Melodien wurden mit mehreren, oft recht unterschiedlichen Texten kombiniert.

Wie sehr sich die Texte unterscheiden· konnten, die Oswald auf eine Melodie maßschneiderte, das sollen die Eröffnungsstrophen zweier Lieder (Kl 30 und 31) zeigen, die ich später vollständig vorlegen werde. Zuerst der Beginn eines Reiseliedes.

An Plagen, die das Ausland bot,
da wurde mir nichts mehr zur Last
als eine Unterkunft mit vielen Kindern.
Ihr Schreien hat mich oft betäubt,
daß ich mein eignes Wort nicht mehr
verstehen konnte. Ganz speziell im Winter,
wenn ich den langen Tag nur fror,
mich müderitt – da machte so was wenig Spaß!
Die größte Stube wurde mir zu eng!
In mancher Wiege lag ein Kind
dort mit Gebrüll, hat mir die Ohren vollgegellt!
Da hör ich lieber doch die Nachtigall.

Ein balladenhafter Song also. Und gleich die Eröffnungsstrophe des
geistlichen Liedtextes, der – nach einer Anmerkung der Handschrift
– zur selben Melodie gesungen wurde.

Der oben schwebt, der unten trägt,
der vorne, hinten, seitlich stützt,
der ewig lebt, der ohne Anfang ist,
der alt und jung, von Anbeginn
dreifältig einbeschlossen in ein Wort,
in Harmonie, in unauflöslicher Verflechtung,
der schmerzhaft starb, nie tot gewesen,
der keusch empfangen, ohne jeden Schmerz
geboren wurde, frisch und stark, von reiner Magd,
der viele Wunder hat vollbracht,
die Hölle aufgesprengt, den Teufel festgesetzt,
der allen Pflanzen Stengel, Saft und Dolden gab –

Läßt sich ein größerer Kontrast vorstellen? Dabei ist dies kein Sonderfall. So hat Oswald nach *einer* Melodie ein Weihnachtslied, ein
Marienlied und ein Lied über einen sexuellen Erregungszustand geschrieben!

Im Weihnachtslied (Kl 35) wird gesungen, daß der Sohn der reinen Jungfrau geboren wird, und dieses Wunder habe den Teufel

derart in Rage gebracht, daß er in Bethlehem, in der Gruft, eine
Bresche in die Mauer schlug: »den Spalt hab ich gesehen«, betont
der Sänger. Und der Herr aller Königreiche wird gepriesen und die
Jungfrau, die in einer ärmlichen Herberge ihr Kind gebar, und Ochs
und Esel friedlich beisammen, das Kind in der Krippe, und er, Wolkenstein, bittet um Hilfe in der Todesstunde.

Auf dieselbe Liedmelodie hat Oswald ein Marienlob geschrieben,
Kl 34.

Das Grau durchschimmert zart Azur,
luzide eingeschmolzen.
Beschau es, reine Kreatur,
auch du so schön erschaffen:
von der Erscheinung könnten wir, soweit ich seh,
nicht mal ein Füßlein nachgestalten –
derart ist sie vollkommen! Erhielte ich
von ihr ein freundlich Grüßlein,
so wöge alle Last ganz leicht,
ich würde von ihr frei, durch sie.
Nur Ehre, Lob kann man ihr singen,
weit mehr als allen schönen Frauen.

Der Tag strahlt jubilierend hell,
am Bach die Wiesen klingen,
dort singt so manche Vogelschar,
der schönen Frau zu dienen,
arpeggierend, schön im Text, hoffnungspendend,
die hellen Stimmen dicht versträhnt.
Und Blumenblüte, Maienkranz und Sonnenglanz,
des Firmamentes hohe Kuppel –
die ganze Schönheit preist die Frau,
die keusch den Sohn gebar, zu unserm Heil.
Wo hätte eine Jungfrau je
mit Recht so hohes Lob verdient?

Und Wasser, Feuer, Erde, Wind,
und Glanz und Wirkungskraft der Edelsteine,
und alle Wunder, die man sieht –
es reicht doch nichts an sie heran,
die mich erlöst, mich täglich tröstet: ja, sie ist
die Höchste hier im Herzenskloster.
Ganz unversehrt ihr zarter Körper. Reine Frau,
laß wirken alle Ostermacht,
bewahre uns vor schlimmer Not!
Wenn sich mein Kopf einst senken wird
zu deinem schönen, roten Mund –
gedenke meiner, Liebes!

Und nun der dritte Text für die gleiche Liedmelodie: Kl 33.

Der Westen färbt sich dunkel ein,
da wacht gleich mein Verlangen auf,
weil sie mir fehlt; ich lieg allein
des Nachts, bin nackt und bloß.
Die liebevoll mit weißen Armen, hellen Händen
mich sonst so fest an sich gepreßt,
die ist so weit entfernt, daß ich, verstört, im Lied
den Schmerz nicht unterdrücken kann.
Vom Strecken knacken die Gelenke,
wenn ich nach meiner Liebsten ächze,
die mir allein die Lust erweckt,
den alten Adam hier.

Ich wende, wälze mich im Bett,
find in den Nächten keinen Schlaf,
ich habe starke Lustgesichte,
und nichts, was mir da hilft!
Wenn ich hier meinen Schatz an seinem Platz nicht finde,
sobald ich nach ihm greife,
so ist da, ach, bei mir gleich Feuer unterm Dach:
als würd mich Frost verbrennen!

Sie braucht kein Seil, um mich zu fesseln,
zu quälen bis zum Morgen.
Ihr Mund weckt dauernd Lust in mir
und sehnsuchtsvolle Klage.

Auf diese Weise, liebe Grete,
vertreibe ich hier meine Nächte!
Dein schöner Leib hält mich gebannt,
das sing ich unverblümt.
Komm, bester Schatz, mir schnellt der Rammler hoch, voll
    Kraft,
das macht mich oftmals wach.
Du läßt mir keine Ruhe, Liebes – tu jetzt was,
damit das Bettlein kracht!
Die Lust erreicht den höchsten Punkt,
wenn ich vor Augen hab,
wie liebevoll die schöne Frau
zur Morgenstunde mich umarmt.

Reiselied und Preis Gottes, Weihnachtslied und Lustgesang – daß Oswald solche Gegensätze musikalisch vereinte, ist nicht die Gleichgültigkeit oder Verlegenheit eines spätmittelalterlichen Komponisten, dem nichts Besseres einfiel, als einen weltlichen Text auf die Melodie eines geistlichen Liedes zu schreiben oder umgekehrt, hier zeigt sich vielmehr Symptomatisches zum Verhältnis von Musik und Sprache.

Das beweist ein anderes Beispiel: für die Kantaten, die unter dem Titel *Weihnachtsoratorium* zusammengefaßt sind, hat Johann Sebastian Bach vor allem die weltliche Kantate *Hercules auf dem Scheidewege* (BWV 213) ›ausgeplündert‹. Eine der bekanntesten Arien aus dem Weihnachtsoratorium beginnt mit dem Satz: »Bereite dich Zion / mit zärtlichen Trieben, / den Schönsten, den Liebsten / bald bei dir zu sehn.« Die kompositorische Vorlage zu dieser Alt-Arie ist eine Arie des Hercules, die mit dem Satz beginnt: »Ich will dich nicht hören, / ich will dich nicht wissen, / verworfene Wollust, / ich kenne dich nicht.« Bach hat einige Änderungen in der Instrumentation, in der Phrasierung vorgenommen, kleinere Modifikationen – aber beide Male ist es das gleiche musikalische Material!

Noch krasser dieses Beispiel: das Sopran-Bass-Duett »Herr, dein Mitleid, dein Erbarmen...« Die Vorlage aus der Hercules-Kantate ist ebenfalls ein Duett, Tenor und Sopran, und hier lautet der Anfang so: »Ich küsse dich und du küßt mich...« Also ein Liebesduett und ein gemeinsames Ansingen Gottes – beides in der gleichen Komposition.

Die Beispiele zeigen (und viele ähnliche Beispiele könnten es bestätigen), daß Oswald keinesfalls nachlässig oder zynisch war, wenn er nach einer Melodie mal von seinem erigierten Glied, mal vom Heiligen Land sang: hier lassen sich eher Schlüsse ziehen auf die Musik im allgemeinen als auf Oswalds Kompositionen im besonderen.

Nun muß allerdings bei Oswald ein Punkt mitbedacht werden – und hier besteht ein erheblicher Unterschied etwa zur durchkomponierten Musik eines Johann Sebastian Bach: dieselbe Melodie konnte munter-rasch gesungen werden oder feierlich-getragen, je nachdem, ob sie mit einem weltlichen oder geistlichen Liedtext kombiniert war. In der damaligen Notationstechnik wurden nur die (relativen) Tonhöhen angegeben, nicht aber die Tempi. Zwar lassen Bestimmungen wie »allegro« oder »adagio« auch heute noch interpretatorische Freiheiten zu, aber der Spielraum ist hier recht eng geworden.

Zur Variabilität der Tempi kam in Oswalds Zeit noch dies: ein großer Spielraum in der Besetzung der Singstimme, fast völlige Freiheit in der Besetzung der Begleitinstrumente – zumindest bei den einstimmigen Liedern. Denn hier ist nur die Gesangsmelodie notiert, und die kann, beispielsweise, von einem Tenor wie von einem Bassisten gesungen werden. Und keine Hinweise zur Begleitung. Der Sänger kann also unbegleitet singen, kann sich mit einem Instrument selbst begleiten, kann sich von mehreren Musikern begleiten lassen.

Beispielsweise die große Lebensballade, Kl 18: hier kann der Sänger, wie auf einer früheren Plattenaufnahme, von einer Drehleier begleitet werden – dieses Instrument betont (für uns) das Balladenhafte. Der Sänger kann, wie auf einer späteren Plattenaufnahme, von Lira und Laute begleitet werden. Der Sänger könnte ebensogut von einer Knieharfe oder von einem Dudelsack begleitet werden, denkbar wäre auch Schlagwerk, dazu eine Flöte. Mit jedem Instrument ändert sich die Technik der Begleitung, und dies wiederum hat Rückwirkungen auf Artikulation und Phrasierung des Sängers.

So konnte das melodische Material im Charakter sehr stark verändert, konnte die Neutralität der Melodie überspielt werden. Verständlich, daß in Oswalds Œuvre (und nicht nur in *seinem* Werk) die Mehrzweckmelodien oder, wie Stäblein es formuliert, die »Mustermelodien neutraler Grundhaltung« eine quantitativ große Rolle spielen. Die Neutralität wurde wiederum gefördert durch das Komponieren mit »Bausteinen«, durch die musikalische Floskelsprache.

Soweit scheint alles klar. Bleibt nur die Frage: Wie kommt es, daß bei solcher Puzzletechnik Kompositionen entstanden, die heute (nach vielhundertjährigem Winterschlaf) äußerst lebendig wirken? Darauf trainiert, nach Ableitungen, Einflüssen zu fragen, stellen sich viele Philologen und Musikwissenschaftler solche Fragen nicht. Aber es muß etwas geschehen sein, das zu einer qualitativen Veränderung des quantifizierbaren Materials führte. Ich will nur zwei Faktoren nennen, die hier berücksichtigt werden müssen: Spontaneität, Intensität. Selbst Oswald-Melodien, die einen großen Anteil Floskel-Material enthalten, können heute spontane emotionale Wirkung auslösen, können nachwirken als ›Ohrwürmer‹.

In einigen Fällen nun hat Oswald auf dem Gebiet des einstimmigen Liedes Neues geschaffen, und dieses Novum wird von Bruno Stäblein als »Individuallied« bezeichnet. Das heißt, ich formuliere frei: Oswald hat Liedmelodien komponiert, die sich nicht ablösen lassen vom Text; hier hat er versucht, den Text musikalisch zu interpretieren. Diese charakterisierenden Kompositionen wurden, folgerichtig, nicht ein weiteres Mal betextet.

Oswald und seine Musik – das ist für mich nicht nur ein Exkurs, und sei es in mehreren Kapiteln, seine Musik hat mich während der Arbeit an diesem Buch fast ständig begleitet. Wiederholt habe ich mir Lieder und Liedsätze angehört, die auf den Oswald-LPs eingespielt sind. Ein Besuch von Heimrath und Korth in Düren, und nachts begannen sie Oswald-Lieder zu singen, begleiteten sich mit Altfiedel und Laute, mit Flöte und Trommeln.

Sehr intensiv die Beschäftigung mit Oswalds Musik bei den Vorarbeiten zu einem Workshop, den ich im Westdeutschen Rundfunk inauguriert hatte: einige Lieder aufnehmen, von denen noch keine Aufnahmen vorlagen; ausprobieren, welche Unterschiede entstehen, hörbar, wenn auf die gleiche Melodie ein geistlicher und ein weltlicher Text gesungen werden.

Dazu schlug ich folgende Kombinationen vor: das Lied von der Winterreise nach Ungarn Kl 30 und das Preis- und Bittlied Kl 31; das Weihnachtslied Kl 35 und der Bettgesang Kl 33.

Es kann hier nicht detailliert über alle Phasen der Vorarbeiten berichtet werden – nur einige Erfahrungen und Wahrnehmungen.

Schon bei den ersten Arbeits-Besprechungen mit dem Sänger Wilfrid Jochims lernte ich, mit welchem Kunstverstand Oswald arbeitete, etwa in den musikalischen Akzentuierungen. Durch besonders hohe (und tiefe) Notenwerte wird die Aufmerksamkeit der Zuhörer intensiviert – und hier kann man bei Oswald sicher sein, daß er solche Akzente jeweils auf Schlüsselwörter setzt.

Zum Beispiel das Lied, in dem nautisch so exakt die Reise ins Heilige Land beschrieben wird (Kl 17): hier verbindet Oswald in der ersten Strophe den höchsten Notenwert mit »ráten«, also Rat geben, in der zweiten Strophe wird dieser Akzent kombiniert mit »gíphel«, das Segel soll zur Spitze des Mastes hochgezogen werden; in der dritten Strophe wird die Akzentuierung verbunden mit einem wichtigen Hinweis zur Navigation.

Auch weitere Beispiele bestätigen: Oswald hat nicht bloß Texte vertont, er hat als Dichter und Komponist synchron gearbeitet. Oder: bei schon vorliegenden Melodien hat er die Texte genau nach der musikalischen Struktur geschrieben.

Sehr bewußt hat Oswald auch Melismen eingesetzt. Etwa wenn

das Sänger-Ich nach seiner Liebsten seufzt – hier wird das »be-seuffte« in der zweiten Silbe auf fünf, in der dritten auf drei Noten gesungen; das gleiche Melisma bei »klage« am Ende der zweiten Strophe.

In der nächsten Phase: die Zusammenarbeit des Sängers mit den beiden Instrumentalisten, mit Michael Schäffer, Laute, mit Tom Kannmacher, Drehleier, Scheitholz, Dudelsack. Daß er Dudelsack, genauer: Musette spielte, war mir besonders wichtig, denn es gab zuvor noch keine Aufnahme eines Oswald-Lieds mit einer Sack-pfeife; wir hatten uns rasch darauf geeinigt, dieses Instrument bei Kl 33 einzusetzen.

Eine northumbrische small pipe: ein Gürtel umgeschnallt, an diesem Gürtel ein kleiner, etwa handflächengroßer Blasebalg, eine Lederschlaufe um den rechten Ellbogen, durch gleichmäßiges Andrücken wird der Winddruck erzeugt, der den von Samt überzo-genen Ledersack mit Luft füllt – zwei, drei Armbewegungen, ein Fauchen, Schnappen, die ersten Klänge.

Oder die Drehleier, bei Plattenaufnahmen von Oswald-Liedern schon mehrfach verwendet: die rechte Hand dreht die Kurbel, auf der Achse eine Holzscheibe, etwa einen Zentimeter stark, an diesem Rad liegen Saiten an, die permanent in Schwingung versetzt werden können: der Bordun (zum Beispiel eine permanent durchklingende Baßquinte, über der die Melodie gesungen wird). Mit Tasten lassen sich, zusätzlich zu diesem konstanten Grundklang, melodische Fi-gurationen spielen: die Chanterelle. Außerdem läßt sich, so sehe und höre ich nun, dieses Instrument auch rhythmisch spielen, durch ruckhaftes Beschleunigen beim Drehen.

Bei den ersten Proben des Sängers und der Instrumentalisten verschiedene Detailfragen: soll von der Drehleier nur der Bordun gespielt werden, mit oder ohne Schnarrsaite, oder sollen Figura-tionen den Sänger begleiten? Soll im Refrain ein Tamburin ge-schlagen werden oder eine größere Trommel? Wie soll diese Trommel gestimmt werden, damit sie nicht klingt wie ein Instru-ment aus dem Orffschen Schulwerk? Soll in der ersten Strophe nur die Laute den Sänger begleiten, in der zweiten nur die Dreh-leier, und in der dritten spielen beide Instrumente gemeinsam, oder soll in der ersten Strophe auch schon die Drehleier hörbar werden, durch einen zurückhaltend gespielten Bordun, und in der zweiten Strophe begleitet die Laute mit Baßakkorden (in Bordun-Funktion) die Drehleier? Besonders spannend wurde es für mich, wenn die Musiker solch einen Vorschlag von mir ausprobierten – und akzeptierten. Allzu oft geschah das nicht, aber: hier war Kommunikation.

Zuweilen, bei den Proben, dann bei der Aufnahme, gab es Momente, in denen ich ein bißchen stolz war: eine Idee, ein Impuls, nun die Realisierung. Einige der Lieder wurden hier nach mehr als einem halben Jahrtausend zum erstenmal wieder aufgeführt.

Musiker, soweit sie nicht bloß Musik-Beamte sind, probieren gern andere Instrumente aus, zumindest: Varianten des eigenen Instruments. Beispielsweise in Ensembles für alte Musik: statt der gewohnten Laute eine chitarra sarazenica spielen. Oder unter Jazzmusikern: das Sopransaxophon zur Abwechslung ersetzen durch eine indische Oboe.

Ähnliches hat Oswald sprachlich gemacht: in einer fernen Variante der eigenen Sprache schreiben, im niederrheinischen Idiom. Der Begriff Mundart läßt sich hier, strenggenommen, nicht anwenden: es gab Regionalsprachen, beispielsweise die bayerische oder niederrheinische, und es gab die langsame Entwicklung einer überregionalen deutschen Sprache, in der Literatur wie in der Verwaltung. Oswald schrieb, wissenschaftlich formuliert, in der »mittelbairisch-wienerischen Herrensprache«. Er übernahm zuweilen auch Wörter aus der Volkssprache; damit wollte er aber nicht volkstümlich werden: wenn er ein Wort etwa aus der Kastelruther Gegend zitierte, so war das für ihn und seine Zuhörer eine kleine, rustikale Extravaganz.

In zwei Fällen aber nun hat Oswald bewußt seine Literatursprache verlassen und in der Literatursprache einer Region geschrieben, in der er nicht aufgewachsen war, nicht lebte. Das ist außergewöhnlich für seine Zeit: ein Tiroler, der rheinisch schreibt! Ein Sprung, aber ich nehme an, mit kurzem Anlauf.

Vorstellbar ist folgende Situation: unter den vielen ›fahrenden‹ Musikern, die nach Konstanz kamen, hörten Oswald und sein Kreis einen Sänger, der ganz selbstverständlich, weil er es nicht anders kannte, die Sprache seiner Region sang, Niederrheinisch, und das wirkte auf Oswald als etwas Besonderes, fast schon Exotisches, das war wie eine Herausforderung: Wetten, das kann ich auch? Und er schrieb beispielsweise so etwas:

> Grasselick lif war hef ick dick verloren
> all dise lange sütten summertit
> dat gy my komt tu vorn
> so left min hert in grot jo lit

Eigentlich, so stand für mich längere Zeit fest, darf nur der Originaltext dieses Liedes zitiert werden. Wie aber soll man hier, als nicht-spezialisierter Philologe, herausschmecken, was für Oswald besonderes Sprachgewürz war? Wir haben nicht den Klang seiner Sprache im Ohr, mit der Oswald beispielsweise dieses Lied ansagte – und dann, als Kontrast, dieser völlig andere Sprachklang! Also doch eine Übersetzung?

Nach einer Prosa-Paraphrase von Okken habe ich einen Text geschrieben in der Mundart meiner Region: im Dürener Platt. Aber Düren liegt ein Stück weg von der Region, deren Sprachklang Oswald im Ohr hatte, seinen Zuhörern ins Ohr setzen wollte, und so habe ich Verbindung aufgenommen mit Ludwig Soumagne, der in der landkölnischen Mundart schreibt: diese Sprache ist in Schriftbild und Klang dem Niederdeutschen recht nah, wie es Oswald reproduzierte oder zu reproduzieren versuchte.

Ich besuchte Soumagne in Norf bei Neuss, gab ihm Textvorlagen und Prosaübersetzungen, wir sprachen schwierige Punkte durch. So hatte ich mir von Okken Wörter zeigen lassen, an denen erkennbar wird, daß Oswald aus Tirol stammt und nicht vom Niederrhein: Ungenauigkeiten, Patzer. So mußten in den neuen Text ebenfalls ein paar Ungenauigkeiten, Patzer eingesetzt werden – diesmal bewußt produzierte!

Und damit die erste Strophe von Kl 90. Das Lied ist insgesamt drei Strophen lang, aber bei der zweiten und dritten Strophe lohnen sich die Mühen des aufwendigen Übersetzungsverfahrens kaum noch.

> Leev Häär, wör ech ne Piljer,
> wie ech vür Johre eene wor,
> dann piljerden ech no ming Schwestre
> e Broderhätz von Haß net schwor.
> Vüll Abenteuer un noch mieh
> wüed ech verzälle
> direk en et Ührche un dobee
> mech leev anstelle.
> Zwei Bälkches hätt ech bahl jenieht
> op minge Ömhang wie ens draan
> dronger wör ech jrad su aan
> wie ne Klosterbroder
> dä sin Schwestre leever söekden
> wie de Mötter.

Der Text des zweiten Liedes (Kl 96) ist nach einem recht konventionellen Muster geschrieben – aber es ging Oswald ja primär um den neuen Sprachklang. Wie zum Beweis, daß er hier keineswegs volkstümlich werden wollte (auch nicht, stellvertretend, im Niederrheinischen), hat er zu diesem Text einen dreistimmigen Liedsatz komponiert.

> Hätzliebche fein, wo hann ech dech verlore
> hee en der lange, söße Summerzick?
> Lett mech dech fenge wier,
> dat Freud wier en mieh Hätz entrick.

> Glöcksieligkeet un koom ne Gronk zom Truure
> du mahs, dat nicks wie Freud ech hann em Senn.
> Nie well ech dech verberje
> wie jäär det ech di Ein un alles bön.

Du leevste Schatz, dat Schloß muß sin verbonge
wie ene Kaisersetz su joot un secher sin.
Hück hann die Freud ech fonge,
di trick mi Hätz no dech bloß hin.

Der Liedtext als reizvoll-fremdartiger Sprach-Klangkörper: dies
hat Oswald noch konsequenter realisiert in seinen beiden polyglotten Liedtexten Kl 69 und 119. Wieder ein Originalzitat:

Do frayg amors
adiuva me
ma lot mein orss
na moy serce
rennt mit gedanck
frow puraty
Eck lopp ick slapp
vel quo vado
wesegg mein krap
ne dirs dobro
je gslaff ee franck
merschy voys gry

Oswald hat zu diesem Liedtext eine »exposicio« geliefert, eine
Übersetzung, die ich wiederum übersetze, denn hier zeigt sich, daß
diese Sprachzitate nicht einfach zusammengestoppelt, sondern
sinnvoll geordnet sind, wenn auch wieder nach einem konventionellen Grundmuster.

Wenn du mich liebst,
so steh mir bei.
Mein Pferd, mein Roß,
sowie mein Herz:
ihr Ziel ist nur
bei dir, Madame.
Im Schlaf, im Lauf,
und wo ich geh:

mein armer Kopf
ist mir verdreht.
Ich bin versklavt,
ich war mal frei –
ich fleh um Gnad!

Ein kurzer Blick auf die Elemente, aus denen Oswald sein Sprach-
puzzle zusammengesetzt hat – schriftliche Hinweise informieren
den Leser seiner Handschriften, aus welcher Sprache sie jeweils
stammen. So ist »frayg amors« als »frantzos« deklariert, und gemeint ist die wahre Liebe, l'amour vrai; »ma lot« ist ungarisch, »min
orss« flämisch, »purati« wird als »welsch« bezeichnet.

Wie dieses Sprachkunststück gemeint war, als Imponiergeste
oder als Jux, das läßt sich aus dem Refrain schließen. Der lautet im
Original so:

Tewtzsch welchisch mach
frantzoisch wach
ungrischen lach
brot windisch bach
flemming so krach
latein die sybend sprach

Die Übersetzung ist schwierig. Erstens das halbe Dutzend gleicher
Reime, zweitens das knappe metrische Schema: aus »welchisch«
muß das silbenreichere »italienisch« werden, und das erzwingt eine
Erweiterung des metrischen Schemas.

Aus deutsch mach italienisch,
erweck es auf französisch,
laß es magyarisch lachen,
und treib es auf slowenisch,
laß es denn flämisch krachen;
Latein: die sieben Sprachen!

Bei ersten Übersetzungsversuchen hielt ich diesen Refrain für ein frühes Beispiel von Nonsense-Literatur, aber eine Untersuchung von Plangg hat mich zurückgepfiffen. Plangg weist darauf hin, daß der Refrain so etwas wie ein Kommentar zum polyglotten Text ist: Was man aus der deutschen Sprache, mit der deutschen Sprache alles machen, wie man es mit ihr treiben kann!

Alle Philologen, die auf diesen Text eingehen, nehmen an, daß Oswald dieses Lied in Konstanz geschrieben hat; man weist zur Begründung gern hin auf das »Sprachengemisch« der Konzilsstadt – das finde sein Echo in diesem Text.

Oswald erweist sich hier wieder als Dichter, der (mit Witz) experimentiert; die Blütezeit polyglotter Gedichte kommt erst später, in der Renaissance, im Barock.

Oswald in Konstanz – er hat nicht nur Außergewöhnliches, Außerordentliches geschrieben. Aus dieser Zeit könnten auch einige der Liedtexte stammen, die in Oswalds zweiter ›Werkausgabe‹ fehlen – wohl kritische Entscheidungen des Dichters.

Eins dieser gestrichenen Lieder, Kl 119, ist wieder eine Sprachcollage. Ich stelle die erste Strophe vor – die »windischen« und »welschen« Zitate nach einer Untersuchung von Wachinger in heutiges Slowenisch und Französisch übertragen.

> Bog te sprimi! Was führt dich her?
> Grand merci à toi, sine cura.
> Ich freue mich, quod video te.
> Cum bon amour jaz sem tvoje.
> Tout mon espoire na te strojiti,
> denn du bist Glanz cum gaudeo.
> Opera mea – ich steh dazu,
> na dobri si služba baš kâjti.

Auch diesem Text hat Oswald eine Übersetzung beigefügt, die ich übersetze.

Grüß dich Gott! Was führt dich her?
Sei unbesorgt, ich dank dir sehr.
Ich freue mich, daß ich dich seh.
Mit großer Liebe bin ich dein.
Mein ganzes Hoffen gilt nur dir,
denn du bist Glanz und Lust dazu.
Ich steh zu dem, was ich getan,
und diene dir, so gut ich kann.

Ein sehr konventionelles Grundmuster für diesen viersprachigen Flickerlteppich. Ein Freund bezeichnete diesen Liedtext als »Kellnergedicht«: Jemand, der alle Fremdsprachenbrocken anbringen will...

Bei den zwei anderen Liedtexten dürften vor allem inhaltliche Kriterien entscheidend gewesen sein für die Streichung; ich stelle beide in längeren Ausschnitten vor.

Zuerst ein Song (Kl 122) über einen Trip nach Augsburg. Oswald berichtet, wie man in Schwaben auf das übertrieben lange Männlichkeitssymbol seines Bartes reagierte.

Auf gehts, Freunde, los, nach Augsburg,
hübsche Mädchen gibt es dort!
Wem der Bart lang runterhängt,
der wird sicher preisgekürt!
Wer hier nichts zu zeigen hat,
bleib daheim, das rate ich,
sonst wird er gleich mattgesetzt,
graues Haar kriegt er dazu.
Richtig los geht erst der Spaß,
wenn der Tanz eröffnet wird
mit den Damen, die so schön sind
und so äußerst – kultiviert!
Habe das zu spürn bekommen,
als ich in das Tanzhaus kam,
trug da einen prächtgen Bart:
fand dort großes Interesse.

Eine sagte, nie zuvor
hätt sie solch ein Ding gesehn,
ob ich wohl ein Geißbock wäre?
Das war mir denn doch zu stark,
mich als Geiß bezeichnen lassen!
Ich darauf: Schon oft auf Jagd,
Fuchsschwanz in das Loch gesteckt?!
Ja, so sehe ich die Sache…
Hopsten denn herum, possierlich,
in die Ecken ging der Tanz.
Hätte da noch mehr erreicht,
wär mein Bart zu Haus geblieben!
Hätt ihn abrasieren sollen,
als ich fortritt, um in Schwaben
aller Welt Besuch zu machen:
diese Einsicht kam zu spät!

In der dritten und letzten Strophe Fortsetzung des turbulenten Ge-
schehens. Und nun zwei von vier Strophen eines Songs (Kl 123), der
wohl gleichfalls zur Zeit des Konstanzer Konzils geschrieben
wurde: Oswald im Freudenhaus.

»Hör, mein Bester, was ich sage:
wer hier naschen will, kriegt Prügel!«
Eine führte mir das vor
mit nem Faustschlag an das Ohr –
und mein bessres Aug ging über!
Als der ›Ehrentrunk‹ geschluckt
und mein Flunsch das deutlich zeigte,
hielt man mich noch mehr zum Narren –
das auch noch für bares Geld!
Ja, die Ella, schöne Elsa –
beide Pferdchen tanzten schräg,
und es fiel für mich was ab!
Haben mich denn doch erfreut,
sehr gespürt hat das mein Bart:

jutschte durch die ganze Stube –
wie beim Saatwurf das Getreide!

Denk ich an den Bodensee,
tut mir gleich mein Beutel weh!
Zahlte dort im Haus »Zur Wide«
Schillinge für Liebesdienste...
»Los, blech, nun mach!« war ihr Gesang.
Wütend war auch das Gebrüll des
Steinbrechers von Nesselwang:
Warum ich nicht zu Hause bliebe?
War für ihn nur eine Flasche,
nahm das Geld, ließ mir die Tasche.
Soll doch gleich in seinem Haus
bißchen Naschen untersagen!
Bin schon weit herumgekommen,
Preußen, Rußland, Syrien,
hab noch nirgendwo erlebt,
daß man derart scharf balbiert!

Oswald wollte sich die Frauen erst mal anschauen, wollte das ange-
botene Fleisch prüfen, schon dafür wurde Geld verlangt, aber Oswald wollte nicht zahlen. So gab es Zunder. Später dann Krach mit
dem Bordellwirt, dem Steinbrecher von Nesselwang. Ein Steinbrecher, so erzählte mir Hans-Dieter Mück, war damals ein Quacksalber, ein Bader, der Geschlechtskrankheiten behandelte durch rabiaten Einsatz von Bimsstein auf der Eichel. Daß dieser Quacksalber,
Puffwirt und Rausschmeißer Oswald eine »Flasche« nennt, ist keine
›Modernisierung‹ durch den Übersetzer, das steht so im Originaltext.

Ein wichtiges Kapitel sind Oswalds mehrstimmige Kompositionen, oder, um mich vorsichtiger auszudrücken: die mehrstimmigen Kompositionen, die in seinen Liederhandschriften aufgezeichnet sind.

Wie groß die Distanz ist zwischen einstimmigem Lied und mehrstimmigem Liedsatz, zeigen schon die Voraussetzungen und Techniken der Aufführung. Auch bei polyphonen Kompositionen sind Besetzungen auswechselbar, aber die Wahlmöglichkeiten sind erheblich geringer.

Etwa ein Satz für zwei Singstimmen, ein Instrument: hier konnte man nicht mehr den Zufall mitentscheiden lassen, welch ein Instrumentalist gerade zur Verfügung stand, ob ein Drehleier-, ein Dudelsack-, ein Schlagwerk-, ein Flöten-, ein Harfen- oder ein Psalteriumspieler, hier mußte man »das Instrument auswählen, das nach Charakter und Eignung der bereits geschriebenen Stimme am ehesten gerecht wird«. So Thomas Binkley, Leiter des Studios der frühen Musik. Und er betont: »Verschiedene Aufführungen eines polyphonen Stückes werden einander immer ähnlich sein, während die eines monophonen Stückes sehr unterschiedlich sein können.«

Das Entscheidende ist also: eine mehrstimmige Komposition muß im Ensemble so aufgeführt werden, wie der Komponist sie notiert hat; dieser Notwendigkeit muß sich alles unterordnen. Damit sind an die Musiker völlig andere Anforderungen gestellt als bei der improvisierenden Begleitung eines einstimmigen Liedes. Es gab unter Spielleuten, unter Menestrels, nur einen verhältnismäßig kleinen Prozentsatz, der hierzu ausgebildet, hierin eingeübt war. Bei einem einstimmigen Lied konnten sich Spielleute in der Improvisation zusammenfinden; bei der Aufführung polyphoner Musik mußten die Musiker aufeinander eingespielt sein. Eine der Voraussetzungen für die Entwicklung der Ars nova zu Beginn des 14. Jahrhunderts waren die Hofkapellen, die sich in Frankreich bildeten.

Nun wird hier nicht, das muß betont werden, (ab-)wertend unterschieden zwischen einer ›bloß‹ improvisierenden Liedbegleitung und dem Ensemblespiel bei mehrstimmigen Sätzen. Für den Musiker kann die improvisatorische Begleitung kreativer sein als die Teilnahme an der Aufführung einer durchnotierten Komposition. Niemand wird etwa einen Jazzpianisten danach beurteilen, wieweit er fähig ist, auch in einem Klaviertrio mitzuspielen, bei der Aufführung eines Werkes von Beethoven oder Brahms. Für einen Musiker, der in einer polyphonen Komposition mitspielte, bestanden schulmäßigere Voraussetzungen als für einen weithin improvisierenden Musiker.

Weil es hier nicht allein um eine musikalische Technik geht, sondern um musikalische Artikulationsformen, habe ich mir einige Langspielplatten mit polyphoner Musik des Späten Mittelalters beschafft. Ich hörte mehrstimmige Chansons von Guillaume de Machaut, der zu Beginn des vierzehnten Jahrhunderts geboren wurde, auf Reisen und Kriegszügen weit in der damaligen Welt herumkam, eine angesehene kirchenmusikalische Stellung erhielt und 1377 starb. Ich hörte »Ballaten« von Francesco Landini, der 1335 geboren wurde, als Sohn eines Malers, früh schon erblindete, nach einer Pokkenerkrankung, verschiedene Instrumente erlernte, viele weltliche Kompositionen hinterließ. Ich hörte Musik von Johannes Ciconia, dessen Werke vor allem auf das erste Jahrzehnt des 15. Jahrhunderts datiert werden; er war so wichtig, daß man von einer »Epoche Ciconia« schreibt; in Konstanz, während des Konzils, wurden noch Kompositionen von ihm aufgeführt.

Beim Anhören dieser polyphonen Musik hatte ich den Eindruck: hochstilisierte Kunst für ein Publikum musikalischer highbrows. Und ich fragte mich: ist Oswald dagegen nicht ein Komponist, der auf breitere Wirkung hinarbeitete? »Das derb Rustikale begeisterte ihn mehr als das geziert Höfische«, schreibt Salmen. Und hat Oswald nicht selbst zu erkennen gegeben, in Kl 21, daß ihm »jöstlins saitenspil« zu artifiziell sei? Diesen »Jöstlin« hat schon Marold mit Leonardo Giustiniani identifiziert, der etwas jünger als Oswald war und der möglicherweise auch in Konstanz gastiert hat. Maestro Giustiniani schrieb vor allem Liebesgedichte, Liebeslieder, und die machten ihn so bekannt, daß sein Name später zu einer Gattungsbezeichnung wurde: Giustiniane. (Zumindest) einen dieser Liebesliedtexte hat auch Ciconia vertont.

Ich muß zugeben, ich hatte mich längere Zeit an diese Version gewöhnt: Oswald vor allem als Komponist und Sänger von einstimmigen Liedern, deren Ausdrucksskala er zum Subjektiven erweiterte; daß er mehrstimmig komponierte, erschien mir weniger typisch. Zwar hatte ich mal gelesen, in einer kurzen Abhandlung von Göllner, Oswald habe eine Komposition von Landini kontrafaziert, aber das hatte ich bloß zur Kenntnis genommen. Erst jetzt, da ich Musik dieses Komponisten hörte, wurde diese Information virulent; ich mußte mich fragen, ob ich Oswald als Komponisten, als Musiker nicht allzu einseitig beurteilt hatte. Mehrfach hörte ich mir vor allem die Ballata *Questa fanciull'amor* an, die Oswald zweimal neu textiert hat (Kl 65 und 66), und es bestätigte sich der Eindruck: hoch-differenzierte Satzkunst für ein elitäres Publikum. Und solche Musik hat Oswald übernommen, adaptiert. Vielleicht entdeckt man eines Tages, daß er noch eine zweite Komposition von Landini übernommen hat, oder eine von Ciconia oder von einem anderen italienischen oder niederländischen Meister polyphoner Satzkunst.

Das Komponieren mit mehreren Stimmen war damals im deutschen Bereich ganz neu. Zwar hatte, eine Generation vor Oswald, der sogenannte Mönch von Salzburg einige zweistimmige Liedsätze geschrieben, aber die waren recht simpel. Die erste wirklich intensive, auch extensive Beschäftigung mit polyphoner Satzkunst finden wir im deutschsprachigen Bereich bei Oswald von Wolkenstein.

Verständlich, daß er sich die Techniken der Ars nova, der Musik des Trecento erst einmal durch Adaptationen erarbeiten mußte, also durch Kontrafakturen. Man hat in seinem Werk bisher zehn Kontrafakturen entdeckt, die Mehrzahl unter den polyphonen Liedsätzen. Es ist zu erwarten, daß weitere Vorlagen gefunden werden, speziell bei den mehrstimmigen Liedsätzen. Müssen wir nun Angst haben vor jeder neu aufgespürten Kontrafaktur, weil Oswald als Komponist, vor allem als Komponist mehrstimmiger Liedsätze damit an Bedeutung verlieren könnte?

Zuerst, grundsätzlich: eine Kontrafaktur war nicht so etwas wie ein Plagiat; das Kontrafazieren war im Mittelalter ein übliches, legitimes Verfahren unter Komponisten. Dennoch: war es ein bequemeres, letztlich ›unschöpferisches‹ Verfahren? Oswald hat mehrstimmige Sätze anderer Komponisten kaum einmal unverändert übernommen, sie ›bloß‹ neu textiert, er hat die Vorlagen (selbst wenn sie von einem Landini stammen) modifiziert, hat dabei offenbar sehr differenziert gearbeitet.

So lasse ich mir von Kontrafaktur-Detektiven nicht so rasch bange machen, selbst wenn das Dutzend nachgewiesener Kontrafakturen oder ›Kontrafakturen‹ bald voll sein dürfte. In Oswalds Handschriften sind immerhin 37 mehrstimmige Kompositionen aufgezeichnet – also wird er zumindest einige der einfachen unter den polyphonen Liedsätzen komponiert oder wenigstens mit Experten erarbeitet haben.

Daß er die polyphone Satzkunst in irgendeiner Weise bereichert, erweitert hat, dies läßt sich wohl kaum sagen. Aber eins muß betont werden: Oswald hat sich im deutschsprachigen Bereich wohl als erster konsequent mit der Polyphonie befaßt, vom ›volkstümlichen‹ zweistimmigen Kanon bis zum hochdifferenzierten vierstimmigen Satz.

Oswald als Komponist und Oswald als Dichter: er zeigt außerordentliche Vielseitigkeit. Beinah gassenhauerhafte Lieder, hochartifizielle Liedsätze – und dazwischen eine Vielfalt von Formen!

Auch wenn sich an seinen Texten weit eher als an den Kompositionen zeigt, daß Oswald sie geschrieben hat – bezeichnend ist für ihn, daß das weite Spektrum sprachlicher Artikulation eine Entsprechung findet in einer Vielfalt musikalischer Ausdrucksformen.

Oswald gehört nicht zu den Autoren, die fixiert sind auf *ein* Thema, *einen* Themenkomplex; auch als Komponist war er offen, nahm verschiedenartige Einflüsse auf, realisierte unterschiedlichste Formen. Auch für ihn gilt, was Robert Craft über Igor Strawinsky schrieb: »Seine Aufnahmefähigkeit ist ein Teil seines Entwicklungsvermögens.«

Längere Zeit hatte ich nicht realisiert, wie sich polyphone Kompositionstechniken auf Texte auswirken, oder: welche Textstrukturen sie voraussetzen. Ich hatte mich düpieren lassen durch bisher übliche Editionstechniken, auch in wissenschaftlichen Ausgaben: wie in den Handschriften (in denen aber die musikalischen Notationen die Bauformen anzeigen!) werden die Textpartien der Gesangsstimmen zusammengestellt, ein ›Gedicht‹ für den Diskant, ein ›Gedicht‹ für den Ténor, also die führende Stimme. Wie sich das Textmaterial der Singstimmen zueinander verhält, wenn es gesungen wird (und nur *dafür* werden Liedsätze ja geschrieben), das deutete sich in den bisherigen Lese-Versionen nicht einmal an.

Erst an *einem* Beispiel, am Jagdlied Kl 52, habe ich bisher gezeigt, wie mit dem Wechselspiel der Stimmen einer polyphonen Komposition ein Wechselspiel von Wörtern und Zeilen entsteht. Die folgenden Beispiele sollen noch deutlicher machen, wie die Struktur der Musik die Struktur der Texte bestimmt.

In allen Konsequenzen merkte ich das, als ich den Aufsatz von Siegfried Beyschlag *Zu den mehrstimmigen Liedern Oswalds von Wolkenstein* gelesen hatte. Bei zwei der folgenden drei Liedtexte bin ich Beyschlags Hinweisen gefolgt – Abweichungen nur in geringfügigen Details.

Zuerst Kl 48, ein Tagelied, aber in einer sehr eigenwilligen Textversion, die Oswald in Konstanz geschrieben haben könnte. Eine Kontrafaktur: die Kompositionsvorlage ist ein älteres französisches Rondeau, *Jour à jour la vie.*

Um die Bauform des Textes zu verdeutlichen, lege ich den Beginn in der Leseversion der wissenschaftlichen Ausgabe vor. Die Zuweisungen zu den Stimmen setze ich in Klammern voran.

(Bäuerin:)
Steh auf, Margrete! Liebes Gretl, reiß die Rübe raus!
Machs Feuer an, setz Fleisch auf, Kraut! Beeil dich was!
Nun los, du geiles Stück, die Schüssel abgespült!
Wer hält die Magd im Bett? Der Künzel-Knecht?
Mach dich schon dünn, du übler Tagedieb!

(Magd:)
Ach Frau, ich mag nicht. Ist doch viel zu früh.
Wann find ich sonst den Schlaf, den ich noch brauch?
Geh, hetzt nicht so! Man ist ja auch noch wer...
So bleib doch hier,
geliebter Kunzl-Spezi, hab dich gern.

Und gleich der Text (annäherungsweise) in der Form, in der Oswald
ihn konzipiert, komponiert hat.

– Steh auf, Margrete! Liebes Gretl, reiß die Rübe raus!
– Ach Frau, ich mag nicht. Ist doch viel zu früh.
– Machs Feuer an, setz Fleisch auf, Kraut! Beeil dich was!
– Wann find ich dann den Schlaf, den ich noch brauch?
– Nun los, du geiles Stück – die Schüssel abgespült.
– Geh, hetzt nicht so! Man ist ja auch noch wer...
– Wer hält die Magd im Bett? Der Künzel-Knecht?
  Mach dich schon dünn, du übler Tagedieb!
– So bleib doch hier,
  geliebter Kunzl-Spezi! Hab dich gern.

– Los, Grete, lauf zum Stadel!
– Und wen gibts dann, ders mir besorgt
  so deftig, pfundig?
– Such im Heu die Nadel, nimm den Rechen mit.
  Gabel, Flegel, Sieb und Sichel findst du dort.
– Arbeit ist Schinderei...
– Nimm Hans mit und Kathrina. Der Kunz bleibt hier.
– Kathrina taugt nichts, Hansl hab ich satt!
– Halts Maul, du Luder, hör auf mit dem Geschrei!
– Mit diesem Schmatz schenk ich mich ganz
  dem edlen Kunzl aus dem Zillertal.

– Die Schande wächst, dein Ruf schrumpft ein.
  Gretl, sei nicht so geschert!
– Frau, Schimpfen nützt jetzt nichts.

– Spinn, kehr, verdien dirs Geld.
– Spinnen, kehren mag ich nicht!
– Zerfetz dir nicht dein Kleid vor Wut!
  Kein Fickfack nur, sonst wirst du Pack.
  Du Racker kriegst ein Sackerl,
  sobald du dich verehelichst.
– Mein Liebestrachten gilt dem Künzelein,
  denn mir gehört er ganz;
  er schenkt mir Lust, nach der ich brenne.

Nicht wahr, ein völlig anderer Text? Zwar kommen die Textbezüge
im Nacheinander der Lesefassung deutlicher heraus als in der
Gleichzeitigkeit des Gesangs der beiden Stimmen, aber: die Bauform des Liedes – hier ist sie! Entdeckerfieber, als für mich die alte
Kompromiß-Textform zerbrach, die Teile zu völlig Neuem zusam-
menrückten.

Noch höher das Entdeckerfieber beim folgenden Liedtext, Kl 72.
Ich übersetze (wieder ein auftaktloses metrisches Schema wählend)
den Text zuerst in der Fassung, in der er bisher gedruckt wurde.

Keiner kommt beim Lieben dran,
der da nichts zu bieten hat.
Man kann hingehn, wo man will,
ständig heißts: »Blöder Kerl,
was erwartest du von mir?
Los, verdufte, aber Tempo!
Wer nichts hat, kriegt auch nichts!
Also pack dich und verschwinde!
Deine Wünsche stehn dir schlecht.«

Borgen will der Wirt uns nichts,
dieses ist mein größtes Leid.
Triezt mich ständig, Tag und Nacht,
will nur Geld. Schnöde Welt,
pfui! so ruf ich. Dräng mich nicht,
vollgefressner Wirt!

Ja, so keift und so kreischt
Wirtin, Knechte, Dirnen, Kinder –
Winter fickt mich in den Beutel!

Trinken wir gleich aus dem Flascherl,
lassen wir den Becher stehn,
ja, dann kreiselt uns der Kopf.
Schenk schon ein, lieber Hans,
volle Pulle! Ach, wie wohl
das doch unsrer Gurgel tut!
Nur herein diesen Wein!
Frisch gepichelt, durchgeflossen,
ab, zum Blasensturz!

Lieben sollte ich die Hausmagd,
doch die Wirtin protestierte –
mußte sie dann trotzdem bohren!
Hab gerammelt, hab gerammt
und den groben Klotz gespalten.
Ach, bin ich ein armer Hund.
Und schon flog hoch das Stroh,
unser Stadel hat geschwankt –
hei, war das ein Hochzeitsfest!

Hier entsteht der Eindruck: jede Strophe als in sich folgerichtiger
Textablauf, und insgesamt: ein freches ›Gedicht‹. Aber so, wie er
hier steht, hat Oswald den Text nicht geschrieben. Geschrieben hat
er eine »Fuga«, beziehungsweise einen Kanon, und zwar mit einem
Hoquetus-Einschub. Gesungen wird der Kanon von zwei Männer-
stimmen; die erste Stimme hat drei Zeilen Vorsprung, dann setzt die
zweite Stimme (im Text eingerückt) mit dem gleichen Text ein; nach
kurzem Ruhepunkt ein echohafter, rascher ›Schlagabtausch‹ – der
Hoquetus; danach wieder singen beide Stimmen synchron.

Nun also zwei Beispielstrophen im Kompositionsschema, wie es
Beyschlag skizziert – mit einer Modifikation der Hoquetus-Sequen-
zen (frei) nach Pelnar. Die nun störende Interpunktion lasse ich weg.

Keiner kommt beim Lieben dran
der da nichts zu bieten hat
Man kann hingehn wo man will
    Keiner kommt beim Lieben dran
ständig heißts Blöder Kerl
    der da nichts zu bieten hat
was erwartest du von mir
    Man kann hingehn wo man will
Los verdufte aber Tempo
Ständig heißts
    wer nichts hat
blöder Kerl
    kriegt auch nichts
also pack dich und verschwinde
    was erwartest du von mir
Deine Wünsche stehn dir schlecht

Wie Form zugleich Inhalt schafft, zeigt die Zweistimmigkeit der letzten Strophe.

Lieben sollte ich die Hausmagd
doch die Wirtin protestierte
mußte sie dann trotzdem bohren
    Lieben sollte ich die Hausmagd
Hab gerammelt hab gerammt
    doch die Wirtin protestierte
und den groben Klotz gespalten
    mußte sie dann trotzdem bohren
Ach bin ich ein armer Hund
Hab gerammelt
    und schon flog
hab gerammt
    hoch das Stroh
unser Stadel hat geschwankt
    und den groben Klotz gespalten
hei war das ein Hochzeitsfest

Als Hörer dieses Liedsatzes macht man folgende Erfahrung: die ersten drei Zeilen jeder Strophe sind klar verständlich; der rasche, rhythmische Wortwechsel der Hoquetus-Passage ist ebenfalls verständlich; sobald aber die beiden Sänger simultan verschiedene Texte singen, ist so gut wie nichts mehr zu verstehen. Und das wollte Oswald so.

Beim folgenden Liedtext (Kl 70) wird es für den Hörer noch schwieriger – der Leser ist im Vorteil. Drei der Strophen genügen, um das sprach-kompositorische Prinzip erkennbar zu machen.

> Herr Wirt, wir haben großen Durst!
> Trag auf den Wein.
> Trag auf den Wein.
> Trag auf den Wein.
> Herr Wirt, wir haben großen Durst!
> Wir wünschen dir, mit Gott, das Beste.
> Trag auf den Wein.
> Bring her den Wein.
> Trag auf den Wein.
> Bring her den Wein.
> Trag auf den Wein.
> Bring her den Wein.
> Herr Wirt, wir haben großen Durst!
> Wir wünschen dir, mit Gott, das Beste.
> Und gut verdienen sollst du auch!
> Trag auf den Wein.
> Bring her den Wein.
> Nun schenk schon ein.
> Trag auf den Wein.
> Bring her den Wein
> Nun schenk schon ein.
> Trag auf den Wein.
> Bring her den Wein.
> Nun schenk schon ein.

Willst du mein Liebchen werden, Gretl?
So sag es, sags.
So sag es, sags.
So sag es, sags.
    Willst du mein Liebchen werden, Gretl?
Ja, wenn du mir ein Täschchen kaufst.
    So sag es, sags.
Nur dann vielleicht.
    So sag es, sags.
Nur dann vielleicht.
    So sag es, sags.
Nur dann vielleicht.
      Willst du mein Liebchen werden, Gretl?
    Ja, wenn du mir ein Täschchen kaufst.
Und mir mein Häutchen nicht zerreißt.
    So sag es, sags.
    Nur dann vielleicht.
Stich es nur an.
    So sag es, sags.
    Nur dann vielleicht.
Stich es nur an.
    So sag es, sags.
    Nur dann vielleicht.
Stich es nur an.

He, Hansl, willst du mit mir tanzen?
So komm schon her.
So komm schon her.
So komm schon her.
    He, Hansl, willst du mit mir tanzen?
Böckisch wollen wir hier toben.
    So komm schon her.
Nun fall nicht, Hans.
    So komm schon her.
Nun fall nicht, Hans.
    So komm schon her.

Nun fall nicht, Hans.
　　He, Hansl, willst du mit mir tanzen?
　　Böckisch wollen wir hier toben.
Und schone mir die Kleiderschlitze.
　　So komm schon her.
　　Nun fall nicht, Hans.
So schieb mich sacht.
　　So komm schon her.
　　Nun fall nicht, Hans.
So schieb und schieb.
　　So komm schon her.
　　Nun fall nicht, Hans.
Schieb, Hansl, schieb!

Deutlich zu verstehen, das zeigt die Textform an, sind nur jeweils die ersten beiden Zeilen; sie werden einstimmig gesungen. Die dritte Zeile der ersten Stimme und die erste Zeile der zweiten Stimme werden gleichzeitig gesungen, und hier ist es auch bei einer Stereo-Aufnahme kaum möglich, den Text zu verstehen. Die Aufforderungen danach staffeln sich rasch und dicht, man versteht aber, wenigstens in den wichtigsten Wörtern, worum es geht. Dann wird es noch schwieriger: drei Stimmen singen gleichzeitig, jede eine andere Zeile, die in einen gemeinsamen Reimlaut mündet. Schließlich die noch dichter gestaffelten, ineinander verschobenen Rufe – hier sind eigentlich nur noch Reimklangfolgen zu hören.

Wir können Oswald also nicht, mit einem Teil seines Werks, pauschal unter die (oft noch sehr viel krasseren!) erotischen Autoren des Späten Mittelalters einreihen: er hat einige Arbeiten in diesem Genre geschrieben, die einstimmig verständlich sind, aber gerade seine prononcierten Texte wurden weithin als sinnlich-akustisches Klangmaterial eingesetzt für mehrstimmige Kompositionen.

Schon mehrere Kapitel über Oswalds Dichtungen und Kompositionen und keine Informationen mehr über das Konzil, das weiterhin tagte. Hat Oswald während des Großen Konstanzer Jahres den politischen und kirchenpolitischen Vorgängen viel Aufmerksamkeit gewidmet?

Oswald war aus Paris zurückgekehrt, weil Herzog Friedrich aus der Konstanzer Haft entflohen war: was war danach geschehen? Welche Konsequenzen entwickelten sich hier für Oswald?

Als man Anfang Mai 1416 in Tirol von der Flucht des Herzogs erfuhr, schlossen die aktiven Adelsfamilien in Brixen ein Bündnis zur Verteidigung des Landes gegen den Landesherrn. Tirol wurde in fünf Kreise aufgeteilt, für jeden Kreis wurde ein Hauptmann ernannt: der Bischof von Brixen, Peter von Spaur, Hans von Freundsberg, Ulrich von Starkenberg, Michael von Wolkenstein. Jeder dieser Hauptleute sollte alle Herren, Ritter, Knechte, Städte, Märkte und Gemeinden in seinem Bezirk auffordern, auf diesen Bund zu schwören. Auch Herzog Ernst schloß sich dem Bund an.

Und Friedrich? Er zog erst einmal inkognito im Land umher, auf Nebenwegen. Darüber wurde Rührendes fabuliert: der vom Adel, noch dazu von seinem leiblichen Bruder verratene, verlassene Landesfürst, »Friedel mit der leeren Tasche«, der in dieser Stunde der Not die Liebe der einfachen Leute seines Landes erfährt... So wurde erzählt von einem Hof hoch im Ötztal, und wie dort der Herzog Unterschlupf fand bei redlichen Bauern; es wurde erzählt von braven Bauern auch bei Meran, die den weiterhin verkleideten Landesherrn bei sich aufnahmen, ihm halfen; es wurde erzählt von einem prächtigen Müller, der ihn gleichfalls beherbergte, und als eines Morgens die Müllerin das schöne Haar des Fremden kämmte, entdeckte sie an seinem Hals eine goldene Kette, offenbar eine Amtskette, denn sofort wußte sie: dies ist der Landesherr! Welch eine wunderschöne Ballade hätte sich im 19. Jahrhundert hierzu aushecken lassen: Diese Müllerin als eine Müllerin wie aus dem Bilderbuch, jung, vollbrüstig, mit mehlhellen Armen, und der männlich schöne Landesfürst auf einem Hocker vor ihr, der Kamm stockt in seinem Haar, ein Ausruf, halb unterdrückt, der Landesfürst dreht sich um, schaut hinauf zur hochatmenden, großäugigen Müllersfrau und so weiter und so weiter...

Die Geschichten über seine Rückkehr sind weniger wichtig als die Tatsache, daß solche Geschichten erzählt, weitererzählt wurden; sie bestätigen eine Polarisierung: auf der einen Seite der Adel, die »Herren vom Pfauenschwanz«, protegiert vom Römischen König, auf der anderen Seite der Landesherr und die vorwiegend ländliche Bevölkerung, die in diesem Gegner des Adelsbundes ihren natürlichen Verbündeten sieht.

Friedrich trat immer offener auf, seine Truppe wuchs: in Tirol drohte Bürgerkrieg. Rasch wurde ein Landtag nach Meran einberufen, die feindlichen Brüder sollten miteinander versöhnt werden. Dieser Versuch blieb erfolglos, Mitte Juni die ersten Kämpfe.

Fünf Wochen später jedoch wurde in Bozen Waffenstillstand geschlossen. Pfalzgraf Ludwig und der Erzbischof von Salzburg als Vermittler; es gelang ihnen, die Brüder zusammenzubringen: der Ausgleich vom 4. Oktober.

Die Versöhnung wurde am 1. Januar 1417 dokumentiert, in einem Teilungsvertrag: Herzog Friedrich erhielt Tirol zurück, Herzog Ernst durfte die Stadt Hall mit dem lukrativen Salzbergwerk behalten und noch einige Burgen, Ortschaften.

Oswald blieb während dieser kritischen Phase in Konstanz. Nur, weil er hier – als ein getreuer Oswald – auf die Rückkehr seines Königs wartete, der sich wieder einmal Zeit ließ?

Erst Januar 1417 traf Sigmund in Konstanz ein; ungefähr anderthalb Jahre war er unterwegs gewesen.

König Sigmund wurde nun doch aktiv in der Unterstützung der Tiroler Adelsbündner. Am 1. März 1417 ernannte er drei Tiroler Adelsherren, die sich in der Zwischenzeit in der Opposition gegen Herzog Friedrich besonders hervorgetan hatten, zu seinen »Dienern«: Georg von Spaur, Wilhelm von Starkenberg, Michael von Wolkenstein. Und er sorgte dafür, daß das Konzil den Kirchenbann über den Herzog aussprach: die Bannbulle vom 3. März. Und Sigmund verkündete öffentlich, der Herzog, wegen vielfacher Frevel dem großen Kirchenbann verfallen, sei hiermit seiner Lehen verlustig; er forderte alle Lehnsträger des Herzogs auf, am 1. Mai die Lehen von ihm, dem König, zu empfangen.

Um diese Zeit schickte Michael von Wolkenstein einen langen Brief an König Sigmund, schmeichelte ihm hier, ausgeschrieben und abgekürzt, wiederholt mit dem Schmuckwort »kaiserlich« – eine entschiedene Vorwegnahme, denn die Kaiserkrönung wird erst 1433 stattfinden!

»Allerdurchlauchtigster Herr König Sigmund, König von Ungarn und des Römischen Reiches und künftiger Kaiser! Meiner Dienstwilligkeit könnt Ihr jederzeit sicher sein! Ich teile Euer kaiserlichen Gnaden mit, was mir mein Bruder durch meinen Diener übermitteln ließ: Ich sollte mit mehreren Landesherren, zu denen ich in dieser Sache genügend Vertrauen habe, darüber sprechen, daß sie Euer Gnaden Gefolgsleute würden, daß E. G. sich ihnen gegenüber dann gnädig erweisen würden. Das habe ich getan und habe zuerst mit Herrn Peter von Spaur verhandelt, mit Ulrich von Starkenberg, mit Bartholomäus von Gufidaun, mit Sigmund von Gufidaun, mit Hans von Villanders, mit Ulrich von Freundsberg. Sie haben mir zur Antwort gegeben, sie wollten Eure Gefolgsleute werden, sie stünden Euch zur Verfügung mit allen ihren Burgen. Daraufhin habe ich sie gebeten, sie möchten mir das schriftlich bestätigen. Dazu erklärten sie, das sei bei ihnen nicht angebracht, ich solle jedoch E. G. mit Nachdruck versichern, daß sie E. G. gegenüber dienstwillig seien. Das haben sie mir auch bei ihrer Treue an Eidesstatt versichert, und zwar dahingehend, daß sie zu E. kaiserl.-königl. G. stehen werden. Sollte sich aber nun E. G. mit denen von Österreich, mit Herzog Friedrich, versöhnen und sollte Herzog Friedrich im Lande bleiben, so werden sich E. königl. G. ja wohl dessen bewußt sein, daß dies unser Untergang wäre. Trifft es aber zu, daß E. kaiserl. königl. G. das Land in Besitz nehmen wollen, so führt das rasch durch. Ihr habt keine günstigere Gelegenheit, dieses Land zu unterwerfen, als jetzt, denn die Berge sind voller Schnee, so daß sich die Bauern in ihnen nicht aufhalten können. Auch sind die Flüsse noch niedrig in diesem Land, man kann sie überall durchreiten. Eure beste Aufmarschroute führt durch das Engadin; die Engadiner wollen mir das noch genau zeigen. Marschiert hier mit dem großen Fußvolk durch. E. kaiserl. königl. G. wollen mir bitte mitteilen, wann E. G. den Feldzug durchzuführen gedenken, ich würde dann sofort zu E. G. kommen. Ich wüßte dann, wie man am besten alle Pässe überquert. [...] Ferner: laßt auch den Kirchenbann unverzüglich ins Land schicken, sobald es Euch nur möglich ist. Ich habe hier allgemein festgestellt, daß man von nichts so sehr beeindruckt würde und daß man E. G. dann um so eher folgen würde. [...]

Weiter, gnädiger Herr: ich wäre bereit, von hier aus E. G. entgegenzureiten und E. G. zu unterweisen – teilt mir das bitte mit, und ich will mich mit drei Pferden so bald wie möglich zu E. G. begeben. Aber E. G. müssen meinen Bruder Oswald hierher zurückreiten und ihn die Botschaften von E. G. überbringen lassen, und zwar an die richtigen Adressen. Es geht auch darum, daß unsere Burgen auf die Weise ein wenig versorgt wären; es würde E. G. nichts nützen, wenn wir beide bei E. G. wären.«

Im Namen des Königs diktierte Oswald am 14. März 1417 einen Brief an Michael.

»Zuvor entbiete ich, Euer Diener, meine freundlichen Empfehlungen. Wisset, lieber Bruder, Ihr sollt wissen, daß unserem Herrn, dem König, Euer Schreiben wohl gefallen hat, und er wird Eurer Dienste gnädig gedenken, wie auch alle hier, die ihn zu dieser Zeit unterstützen. Auch schicke ich Euch die schriftliche Instruktion unseres Herrn, des Königs, in der alle aufgezählt und gnädig akzeptiert sind, die Ihr seinerzeit in Eurem Brief unserem Herrn, dem König, aufgezählt habt. Und diese Instruktion sollt Ihr den bewußten Herren des Landes zeigen, und zwar so, daß das aufgedrückte Siegel nicht beschädigt wird.

Auch ist in diesem Schreiben eingeschlossen eine Abschrift, die sollt Ihr mit der Instruktion meines Herrn, des Königs, ebenfalls den Herren des Landes zu Ohren bringen. Weiter schicke ich Euch eine Kopie, die von Anfang bis Ende den gleichen Wortlaut hat wie der originale Acht- und Bannbrief. Und laßt Euch dies als Beglaubigung dienen, so daß Ihr und die anderen Diener meines Herrn an diesem Wortlaut nicht zweifeln sollt.

Mit anderen Worten: Unser Herr, der König, will keinen ruhigen

Schlaf finden, solange er das Land an der Etsch nicht besetzt hat, und er trifft hier täglich seine Vorbereitungen, mit ganzer Kraft; er will zuverlässig am St. Georgstag mit großer Heeresmacht von vier Seiten her in das Land einziehen. Auch wird man die Reichsacht dann ins Land schicken.

Bewahrt die Instruktion und die Kopie, die ich Euch schicke, gut auf, damit Ihr sie nicht verliert. Ihr sollt keinen Zweifel haben, Ihr und alle, die meinem Herrn, dem König, wohlgesonnen sind: mein Herr wird sie in keiner Weise im Stich lassen. Folglich tut in jeder Hinsicht, was mein Herr diesbezüglich von euch allen erwartet.«

Trotz der feierlichen Versprechungen: die »Reichsexekution« fand nicht statt, Sigmund verlor den ersten Schwung. So konnte Oswald noch einige Monate in Konstanz bleiben.

Aber im Herbst 1417 spitzte sich die Lage zu: es stand eine militärische Konfrontation bevor zwischen Adel und Herzog. Oswald mußte zurückkehren.

Würde ich Oswalds Leben in Abschnitte gliedern, so müßte hier ein neuer Teil anfangen. Oswald wird Tirol noch mehrfach verlassen, aber die Reisen sind meist relativ kurz; was in seinem Lebenslauf wichtig, entscheidend ist, das geschieht nun hier in Tirol.

Wir verbringen einen Teil der Sommerferien 76 in Südtirol: bei Meran, oberhalb von Algund, haben wir eine Ferienwohnung gemietet, im Schloß Plars. Vor der Buchung hatte ich auf einer Karte gesehen, daß Schloß Plars sehr nah bei der Burg Forst liegt, in der Oswald etwa vier Jahre nach seiner Rückkehr eingesperrt wird; diese Burg könnte, so hatte ich mir ausgerechnet, in Sichtweite von Schloß Plars liegen: auch dies hatte meine Entscheidung beeinflußt.

Und in der Tat: von Schloß Plars aus kann ich den efeugrünen Turm der Burg Forst sehen, dicht neben der Brauerei Forst, von der meist eine Dampfwolke aufsteigt, die sich vor fichtengrünem Hang in immer gleicher Höhe auflöst. Ortsteil, Brauerei und Burg Forst nur schätzungsweise zwei Kilometer Luftlinie entfernt, südöstlich. Und östlich Meran, in der Etschtal-Senke, vor dem Hafling, dem

Ifling: in der entschieden kleineren Stadt am Fuße des Küchelbergs ist Oswald wiederholt gewesen, vor allem in späteren Jahren, als Mitglied des Landtags; in dieser Stadt ist er auch gestorben. Nordöstlich, vielleicht in drei Kilometer Luftlinie, die Burg Unterbrunn, die dem Kanzler und Bischof Ulrich Putsch gehörte, mit dem Oswald verfeindet war. Nach dem Zweiten Weltkrieg wohnte, für einige Jahre, Ezra Pound auf Unterbrunn.

Eine Bergtour an einem herbstklaren Tag im August: von der Leiteralm zum Hochgang, zweieinhalbtausend Meter, ein kleiner Sattel in der Texelgruppe.

Wir setzen uns auf einen Felsbrocken, dem kaltblauen Bergsee die Rücken zudrehend: südwestlich der Schnee- und Eiskegel des Ortler, etwas näher der heilige Angelus, nach Osten hin baut sich die Ortlergruppe ab, wir schauen in das Etschtal, Alto Adige, südlich weitere Bergspitzen, Bergketten, südöstlich die Dolomiten, gezackt, gezahnt, und vorgelagert der Schlern – bei Oswald: »Saleren«.

Man weiß nicht genau, woher der Name kommt, vielleicht aus dem Ladinischen, hier bieten sich die Formen Salara, Salera, Saljera an; dies alles bedeutet: Wasserlauf, und das könnte durchaus zum Schlern passen, der bekannt ist für die Vielzahl von Wasserläufen, Wasserfällen an seinen Flanken, in seinen Schluchten, der ganze Berg rausche, so heißt es, bei Regen: der »Wasserberg«.

Das langgezogene Massiv mit dem beinah ebenen Rücken bricht nordwärts scharf ab; vorgelagert eine Felsspitze: früher die Teufelsspitze, der große Schlernzacken, heute die Santnerspitze. Von ihrem Sockel abwärts eine waldbewachsene Geröllschräge, und mittendrin die Burg Hauenstein, die man vom Hochgang aus freilich nicht sehen kann, aber ich weiß, wo sie ungefähr zu lokalisieren ist, hinter dem vorgelagerten Ritten. Links vom Schlern die Seiser Alm, von dort läßt sich, so weiß ich, der Schlern leicht besteigen, auf seinen grasbewachsenen Rücken wird seit Jahrhunderten Vieh getrieben; Botaniker rühmen die Vielfalt der dortigen Flora. Hinter der Seiser Alm der Plattkofel, daneben der Langkofel, früher: Wolkenstein.

Der Schlern dominierend auf der Hochebene oder Bergstufe von

Völs, Seis, Kastelruth: wir fahren dorthin, weil ich diesmal (unter anderem) die Burg Aichach sehen will, die Leonhard gekauft hatte. Wir biegen ab von der Straße Völs – Seis, fahren auf einem Sandweg hinunter nach St. Vigil, eine Kirche in einer Mulde, ein paar Häuser, der Sandweg steigt nach der Brücke wieder an, wir stellen neben einer Scheune den Wagen ab, gehen zu Fuß weiter.

Links von uns eine Talsenke, tief unten der Schwarzgrießbach, vor uns die Talkerbe des Eisack, dahinter der Ritten mit Wiesen, Waldflächen, Häuserpunkten. Einzelne Häuser auch hier, und Heustadel, Obstbäume; ziemlich mickrige Äpfel, Birnen. Ein Kreuz, ein Votivbild für einen Bauern, der vor rund anderthalb Jahrhunderten von einem Birnbaum gefallen und wenige Tage später gestorben war: der fromme Wandersmann soll seiner im Gebet gedenken. Wir gehen weiter, blicken über die linke Schulter mehrfach zurück zum Schlern; an seinen zerklüfteten Steilwänden zeigen sich den Geologen Formationen von Korallenfelsen des Triasmeeres.

Bald vor uns, etwas unterhalb, die Burgruine Aichach: eine Mauer, ein Turm, mehr ist nicht zu sehen. Auch nicht, als wir Aichach erreichen. Vor der Ruine nun eine alte, riedgedeckte Scheune; zwei Kinder schaufeln Apfelmaische in eine Schubkarre, schieben sie abwechselnd in das Scheunendunkel; das Apfelaroma verdichtet durch Fäulnis und Gärung. Neben der Scheune ein neues Bauernhaus, zumindest frisch verputzt: »Pflegerhof«. An dieser Stelle wird also früher das Haus des Verwalters gestanden haben.

Zwischen Pflegerhof und Scheune zur Ruine; in einer Ecknische Gartenzwerge. Eine offenbar sorgfältig gebaute Mauer aus behauenen Steinen, das zeigt sich auch, als ich die Burgkulisse von hinten, von ›innen‹ sehe. Vorturm, Rundbogenfenster, Zinnen. Leonhard hatte 2000 Gulden gezahlt, als er diese Burg pfandweise kaufte, samt Ländereien.

An der Mauer eine Weinpergola, ein langer Holztisch darunter, zwei Holzbänke: ich setze mich. Sonnenwärme. Das Rauschen des Bachs. Fern ein Hund. Ein Schuß, irgendwo. Gelegentlich Vogelsignale. Fern ein Traktor.

Weiter nach St. Oswald; der Weg schwenkt ein nach Norden. Kein Seitenblick, Rückblick mehr zum Schlern, der wird von einer

Wiesenkuppe verdeckt. Ein paar Bauernhöfe, ein Gasthof, die kleine Oswald-Kirche. Keine asphaltierte Straße, noch nicht, ein heller, sandiger Weg.

Stille in St. Oswald: kein Moped, kein Auto. Eine alte Frau stapelt Brennholz. Eine Katze an einem Teich, wohl hungrig auf Fisch. Am Gasthof eine Holzveranda, ein paar Tische, wir trinken Erfrischendes. Die einzigen Gäste. Wenn wir nicht reden, hören wir die Fliegen an den Scheiben. Zuweilen ein Arbeitsgeräusch aus dem Haus, das hellblau gestrichen ist und Blumenkästen hat vor jedem Fenster. Wir gehen weiter zur Kirche St. Oswald. Eine alte Kirche, in ihrer früheren Bauform wird auch Oswald gewesen sein, um zu seinem Namensheiligen, seinem Schutzpatron, zu beten: Heiliger Oswald, bitt für mich. An einem Fenster am Chor eine Inschrift, auf Glas gemalt: Gewidmet von Anton Wilhelm und Engelhart Grafen von Wolkenstein-Trostburg, 1900. Fortführung einer Familientradition: Bekenntnis zum hl. Oswald – wegen Oswald, in Gedenken an Oswald?

Oswald und Oswald der Jüngere, Oswald I, Oswald II: von Brixen nach Mühlbach, am Eingang ins Pustertal; von Mühlbach südwärts nach Rodeneck, schon aus größerer Entfernung sehen wir die Burganlage, weitgestreckt, auf dem südwestlichen Vorsprung des Rodenecker Felsens: Rodenegg bei Rodeneck. Mittagsstille im Dorf, selbst die Hunde scheinen zu schlafen. Ein Viertelstündchen stehen wir auf der Brücke über dem früheren Festungsgraben; sonnenheiße Holzplanken, sonnenheiße Holzbrüstung – wozu sich jetzt bewegen?

Pünktlich um drei wird eine kleine Türe im Tor geöffnet: das Mannsloch. Oswald wird auf der damaligen Burg Rodenegg höchstens zu Besuch gewesen sein, aber sein Sohn war Verwalter dieser Burg, jahrhundertelang gehörte sie seinen Nachkommen. Einer von ihnen hat schließlich auf dieser Burg den Roman *Sabina Jäger* geschrieben und ein Vierteljahrhundert später eine Biographie über Oswald. Ich habe einige Stichwörter zu Fragen über Arthur von Wolkenstein-Rodenegg notiert, will sie nach der Führung loswerden. Zuvor: die Stallungen; die vordere Bastei; Pechnase und Schwungrute; Fallgitter; der halbrunde Veitsturm; der alte Rodanker Turm: Herren von Rodank als Erbauer der Burg.

Die Sakristei der Schloßkapelle. Eine Steintreppe: wir sind im alten Rodanker Wohnturm. Arthur hat ihn renovieren lassen. An die Wand gemalt ein riesiger Stammbaum: Linien, die zu Oswald führen, Oswald als Stammvater dieses Familienzweiges. Auf einer Holzempore Bilder von Schloßherren, gemalt auf schwarzem oder schwarz gewordenem Grund; Perücken, höfische Kleidung. Ein Andreas-Venerand von Wolkenstein oder ein Michael-Fortunat von Wolkenstein oder ein Josef-Maria-Bernardin von Wolkenstein oder ein Peregrin-Theodor von Wolkenstein.

Genaueres wüßte ich gern über Arthur von Wolkenstein-Rodenegg oder: von Rodank, aber die Frau mit Kopftuch und Kittel erinnert sich nur daran, daß der alte Herr 1939 gestorben ist, und Baronin Call, die mir Auskunft geben könnte, macht einen Ausflug. Ankündigung der wenige Jahre zuvor entdeckten Iwein-Fresken, wir gehen über den Schloßhof.

Ich sehe eine Frau die Außentreppe herunterkommen, blaues Leinenkleid, zwei Bücher, einen Schnellhefter unter dem Arm, spreche sie an. Und sie weiß Bescheid über Arthur: keinerlei Verwandtschaft mit denen von Rodank, nur sein Schriftstellername, es gibt noch ein Archiv im Haus, Buch-Manuskripte, ich könnte sie mir gern mal anschauen, nur vorher bitte ein paar Zeilen an die Baronin Call. Aber ich will kein Arthur-Forscher werden, meine Fragen sind rasch beantwortet.

Und wir sprechen über Oswald, über die Veranstaltungen, die in Seis und auf der Trostburg »anläßlich der 600. Wiederkehr des Geburtsjahres Oswalds von Wolkenstein in feierlichem Rahmen« durchgeführt werden sollen, Vorträge, Lesungen, Konzerte. Und eine Gedenkmünze, einmal in Gold, einmal in Silber, mit Oswald vorne drauf, und die österreichische Bundespost bringt eine Sondermarke heraus.

Bei diesem Gespräch erfahre ich, daß sie die Frau des Leonhard von Wolkenstein-Rodenegg ist, der in Innsbruck wohnt, ein Beamter, und sie haben einen Sohn, sie ruft: Ossi!

Das schmale, blonde, blauäugige Kerlchen, das nun herankommt, heißt komplett Oswald von Wolkenstein-Rodenegg, ein direkter Nachkomme Oswalds. Ich bin perplex, hatte nie von einem kleinen Oswald von Wolkenstein gehört, da steht er nun.

Ende September 1417 ist Oswald wieder – dokumentarisch nachweisbar – in Tirol.

Ich nehme an, Oswald hat zuerst Michael besucht, auf der Trostburg oder auf Wolkenstein. Sicher hatte Michael einige Fragen an seinen Bruder: Warum hat der König den Feldzugsplan nicht ausgeführt, den er, Michael, vorgelegt hatte? Konnte Oswald dazu eine mündliche Botschaft des Königs überbringen?

Am 28. September schickte Sigmund einen Brief an Oswald; er kündigte ihm und damit seinen Freunden und Adelskollegen eine baldige militärische Aktion an: »Du sollst hier ganz sicher sein und ohne jeden Zweifel, daß Wir am Sonntag vor Simon und Judas in Feldkirch sein wollen. Stelle Dich darauf ein.« Der Einmarsch der Reichstruppen war demnach auf den 24. Oktober angesetzt.

Oswald wurde durch dieses Schreiben wohl kaum überrascht; vor seiner Rückkehr dürfte ihm König Sigmund eine baldige militärische Aktion zugesichert haben; Oswalds Rückkehr war vielleicht sogar unmittelbar motiviert durch den neuen Kriegsplan.

Seine Rolle als Verbindungsmann zwischen König und Adel wurde durch diesen Brief bestätigt. Oswald hat Freunde und Gesinnungsgenossen sicher umgehend informiert. Damit wurden alte Diskussionen wohl neu aktiviert: Konnte man diesmal der Zusicherung des Königs trauen, nach der Enttäuschung einige Monate zuvor? Gewiß ist Oswald mehrfach danach befragt worden, und er wird jedesmal den Satz zitiert haben: »Du sollst hier ganz sicher sein und ohne jeden Zweifel.« Man hörte denn auch, in Ungarn träfen die Grafen von Cilli Kriegsvorbereitungen gegen Friedrich, auch habe der König die Zürcher zu einem Etsch-Feldzug aufgerufen.

In den *Regesta Imperii* zeigt sich, daß Sigmund am 28. September wegen des geplanten Feldzugs nicht allein an Oswald geschrieben hatte, es wurde eine Serie von Schreiben losgeschickt. Eins davon an die Stadt Frankfurt: er, Sigmund, stehe im Begriff, gegen Herzog Friedrich, der dem sogenannten Papst Johannes zur Flucht verholfen habe, einen Kriegszug zu unternehmen: er forderte die Stadt nachdrücklich auf, zum 24. Oktober fünfzig bewaffnete Reiter nach Feldkirch zu schicken. Gleiche Schreiben gingen, unter anderem, nach Kolmar, Mülhausen, Straßburg, Freiburg.

Von diesen Kriegsvorbereitungen wußte man in Tirol nichts, und so bestanden Zweifel, ob der König es so ganz ernst meinte. Einer aber wollte nicht länger zögern: Heinrich von Schlandersberg. Entweder glaubte er, es sei dem König diesmal wirklich ernst, oder er wollte durch die Eröffnung der Kampfhandlungen den König zwingen, seine Zusagen einzulösen.

Ausgangspunkt seiner Aktionen waren Burgen, die der Schlandersberger im Münstertal besaß, im damals westlichsten Winkel von Tirol – und von Westen her, über Feldkirch, wollte der König ja auch in Tirol einmarschieren.

In der *Geschichte Tirols* von Brandis wird nur hingewiesen auf »räuberische Ausfälle auf die Untertanen des Herzogs«. Demnach könnte der Schlandersberger Feldzug und Raubzug kombiniert haben; das war im damaligen Bewußtsein keineswegs eine ›unsaubere‹ Kriegsführung, dies war offiziell anerkannte Praxis der Fehde: den Gegner schädigen, wo und wie es nur geht. Verpönt war nur das Verwüsten von Feldern und Weingärten, das Abholzen von Obstbäumen. Sonst galt jede Art der Kampfführung als legal, auch Plündern, Brandschatzen, Mordbrennen.

Überhaupt dürfen wir die militärische Opposition des Tiroler Adels gegen Herzog Friedrich nicht mit heutigen Kategorien beurteilen, etwa als Rebellion einer Verschwörergruppe gegen den legitimen Landesherrn. Es gab damals noch nicht, was man heute als souveräne, legale Staatsmacht bezeichnen würde; die Macht war aufgeteilt.

Es gab die legitime Macht des Landesherrn, es gab die legitime, wenn auch stark reduzierte Macht des Adels in Tirol. Der wollte dem energischen und zielstrebigen Landesfürsten nicht noch mehr Macht und Privilegien abgeben, so kam es zum offenen Kampf. Also Standesinteressen. Vielleicht aber verbanden sie sich mit einer politischen Konzeption: Bekämpfung des Regionalismus, Stärkung der Königsmacht (und damit wiederum der eigenen Macht).

In anderen europäischen Ländern, das dürfte Oswald auf seinen Reisen erfahren haben, war der Prozeß der Zentralisierung schon recht weit gediehen, vor allem in Frankreich, auch in England: dort besaßen die Könige, in den Hauptstädten Paris und London, zentralistische Macht. Zumindest theoretisch konnte man also ein großes Ziel proklamieren: gemeinsam mit dem König die politisch notwendige Einheit des Reiches herstellen.

Friedrich rief auf zur militärischen Unterstützung seines Kampfes gegen den Schlandersberger, der das »Land gegen alles Recht« bekriege, zog mit der »Mannschaft des Burggrafenamtes« in das Münstertal, belagerte die Burg Rotund. Heinrich von Schlandersberg war vorgeprescht, ohne die volle und vor allem: koordinierte Unterstützung seiner Adelskollegen zu finden; eine gemeinsame Truppe aufzustellen und gegen den Herzog ins Feld zu führen war dem Adel offenbar nicht gelungen – hatte man es überhaupt geplant?

Offenbar bestand in den politischen Zielen keine Übereinstimmung unter den aktiven Adligen. Nach Noggler war es nur eine verhältnismäßig kleine Gruppe unter Oswald von Wolkenstein, die reichsunmittelbar werden wollte; andere Adlige wollten sich nicht vom Hause Habsburg lösen, wollten nur den allzu energischen, zielstrebigen Friedrich ersetzen durch seinen Bruder Ernst, der ihnen mehr Freiheiten, größere Privilegien gewähren sollte.

So zog kein Entsatzheer ins Münstertal. Der Herzog eroberte Rotund, ließ dann Galsaun belagern; nur zeitweise nahm er an dieser Belagerung teil, führte die Regierungsgeschäfte in Innsbruck weiter. Bis zum 22. März 1418 war auch Galsaun erobert.

Schickte der Herzog nun sofort Truppen aus gegen die Wolkensteiner? Friedrich war sicher bekannt, welche Koordinationsrolle Oswald spielte; er wußte, daß Michael zu seinen Gegnern gehörte; er wird mit Recht auch Leonhard zu seinen Opponenten gezählt haben – waren sie nun als nächste dran?

Es muß zu dieser Zeit zum Waffeneinsatz gegen die Wolkensteiner gekommen sein, denn im ›Staatsvertrag‹, der am 10. Mai 1418 geschlossen wird, heißt es in einer Zusatzregelung: »Was der obengenannte Friedrich dem Heinrich von Schlandersberg, Oswald von Wolkenstein und seinem Bruder von ihren Burgen, Dörfern, Leuten und Gütern abgenommen hat, soll er ihnen in der Gesamtheit zurückgeben; soweit er verschiedene Burgen erobert und niedergebrannt hat, soll er ihnen den Grund und Boden zurückgeben, damit sie wieder bauen können, falls sie es wünschen.«

Leider sind die eroberten und niedergebrannten Burgen nicht genannt – um eine Lappalie kann es sich bei dieser Schadensregulierung jedenfalls nicht gehandelt haben, sonst wäre dieser Punkt nicht in den ›Staatsvertrag‹ aufgenommen worden.

Im Frühjahr 1418 veränderte sich, wieder einmal, die politische Lage: es bahnte sich eine Verständigung an zwischen Herzog und König. Sigmund hatte den Kampf der Schlandersberg, Starkenberg, Wolkenstein und Co. auch diesmal nur ideell, nicht aber militärisch unterstützt. Anfang April zeigte sich, daß der Herzog wieder Herr im eigenen Lande war – diese Tatsache mußte der König in seinem politischen Kalkül berücksichtigen.

Papst Martin, in Konstanz gewählt, trat auf als Vermittler zwischen Friedrich und Sigmund. In Münsterlingen ein ›Gipfelgespräch‹ zwischen König und Herzog, man einigte sich in einem Vergleich.

Ein Festakt auf dem Marktplatz von Konstanz: in Anwesenheit von Vertretern der Reichsstände, zahlreicher Ritter, vieler Zuschauer erhielt der Herzog vom König als Lehen sein Land zurück, abzüglich der verlorenen Gebiete. Das war der letzte Staatsakt des Konstanzer Konzils.

Einige Tage später, am 16. Mai, verließ Papst Martin die Konzilsstadt. Auch dies ein feierlicher Vorgang: König Sigmund führte sein Pferd, vier Reichsgrafen trugen einen Baldachin, Herzog Friedrich und Pfalzgraf Ludwig hielten die Enden der Satteldecke. Bei Gottlieben stieg der Papst auf ein Rheinschiff. Herzog Friedrich kehrte nach Tirol zurück.

Friede im Land, vorerst. Oswald wird in diesem Sommer seinen Hausstand gegründet haben; geheiratet hat er vielleicht schon vorher.

Daß Oswald in seinem Konstanzer Jahr geheiratet hat, ist denkbar: von der Konzilsstadt war es nicht allzu weit bis Schwangau, so konnte Oswald Margarete (wiederholt) besucht haben; vielleicht war Margarete mit männlichen Familienmitgliedern (sie hatte vier

Brüder) auch mal nach Konstanz gekommen. Kurz, die Beziehungen konnten sich in dieser Zeit intensiviert haben, und so wurde in dieser Phase vielleicht auch der Ehevertrag ausgehandelt, die Mitgift in Höhe von 500 rheinischen Gulden festgelegt, und auf Schwangau fand die Hochzeit statt.

Ob Oswald in diesem Fall seine Frau nach Tirol mitgenommen hat? Ich kann es mir nicht vorstellen: er wußte, daß Bürgerkrieg drohte, also wird er Margarete in Schwangau gelassen haben, bis die Lage in Tirol geklärt war. Nun, im Sommer 1418, konnte er sie abholen, oder: einholen. Vielleicht fand die Hochzeit erst in diesem Sommer statt.

Oswald hat mit Margarete von Schwangau eine standesgemäße Wahl getroffen – doch war diese Ehe offenbar mehr als nur ein ›Zweckverband‹. Oswald hat eine Reihe von Liedern geschrieben, in denen er Margarete, seine Gretl, preist. Freilich gibt es (später) auch literarische Klagen über diese Frau, das Preislied überwiegt jedoch. Nun können wir weder aus Preisliedern noch aus Klageliedern Schlüsse ziehen auf die Beziehung, hier spielt zuviel literarische Konvention mit. Aber Oswald hat seine Frau auffallend oft besungen, rühmend – sollten das bloß literarische Pflichtübungen gewesen sein?

Die Schwangauer – Hans Pörnbacher hat einen Aufsatz über sie geschrieben; er ist die Grundlage dieses Kapitels.

Hohenschwangau war zu Beginn des fünfzehnten Jahrhunderts ein reichsunmittelbares Herrschaftsgebiet, etwa vier Quadratmeilen groß, das im Süden an Tirol grenzte, westlich an den Lech, nördlich und östlich an die »Hofmarken« der Klöster Steingaden, Rottenbuch, Ettal.

Eine alte, angesehene Familie in einem reichsunmittelbaren, reichsfreien Gebiet – das klingt eindrucksvoll. Aber wir müssen uns alles wegdenken, was der »Märchenkönig« Ludwig im neunzehnten Jahrhundert in Hohenschwangau architektonisch inszeniert hat: der Sitz derer von Schwangau war bescheiden. Pörnbacher zitiert einen Bericht aus dem Jahre 1523: Demnach war Vorder-Schwangau ein dicker, gemauerter Turm und obendrauf ein Holzbau, darin zwei Stuben und drei Kammern – und wohl nur diese Räume konnten bewohnt werden. Hinter-Schwangau war ebenfalls ein Turm mit hölzernem Aufbau; ein tiefer Keller, zum Teil in Fels gehauen, mit Gefängnisverlies; oben drei Stuben, vier Kammern. Beide Gebäude, im Bericht der Kommissare als »Schlösser« bezeichnet, waren zum Zeitpunkt dieser Besichtigung schon nicht mehr bewohnbar: die Stiegen zerfallen, die »Ingebäude« baufällig, und Hinter-Schwangau mit schlechten Schindeln gedeckt. Es wird noch ein drittes Schloß Schwangau erwähnt, zwischen beiden Seen »auf einem niederen Schroffen«; das Gemäuer sei nur ganz dünn und innen alles aus Holz, aber »übel erbaut«; Dach und Stiegen fehlten bereits. Völlig zerfallen das vierte »Schloß«, Frauenstein – es sei überhaupt nichts mehr wert. Zwölf Jahre nach Erstellung dieses Berichts war die Familie von Schwangau ausgestorben.

Wenn auch zu Beginn des fünfzehnten Jahrhunderts die Dachschindeln noch gut, die Stiegen noch begehbar, die wenigen Räume noch bewohnbar waren, großartig war der Besitz gewiß nicht, in dem Margarete aufgewachsen ist. Wahrscheinlich werden sich die Schwangauer nicht ganz freiwillig als Raubritter betätigt haben, wie das überliefert ist; die Zolleinnahmen reichten nicht aus. Ihr ›Arbeitsgebiet‹ dürfte vor allem die Ettaler Bergstraße gewesen sein, die in der Nähe dieser kleinen Gebäude vorbeiführte. Berichtet wird auch von Auseinandersetzungen mit dem benachbarten Kloster Steingaden und dem Hochstift Augsburg. Streitigkeiten, Übergriffe – da fand Oswald in Schwangau ein durchaus vertrautes Milieu.

Und wie kam er überhaupt nach Schwangau? Es gab schon seit langem nachbarschaftliche Beziehungen zwischen Tirol und Schwangau; dazu direkte Bindungen zwischen Wolkensteinern und Schwangauern. So lebte Oswalds Schwester Barbara seit etwa 1402 in der Nähe von Hohenschwangau, als Frau eines Heinrich von Freyburg. Und später heiratete Michael in zweiter Ehe eine von Schwangau, sein Sohn Berthold heiratete ebenfalls eine Schwangauerin, seine Tochter Beatrix einen Schwangauer.

Im sonst recht konventionellen Frühlings- und Liebeslied Kl 75 gibt es eine Passage, in der Oswald mächtig aus sich herausgeht, sprachlich. Anlaß, Stimulans dazu ist eine Grete. Nun war dieser Name damals sehr beliebt, wir haben bereits die Bauernmagd Gretl kennengelernt, die mit dem Künzel aus dem Zillertal schläft; so ist durchaus möglich, daß die Grete der folgenden Zeilen nichts mit Margarete von Schwangau zu tun hat. Ausschließen läßt sich aber nicht, daß diese Liedzeilen ein Reflex sind auf intime Beziehungen zu Margarete – und so soll diese Strophe die Hommage à Grete eröffnen.

> Begrün dich, Büschli!
> Streck dich, Kräutli!
> In das Bädli,
> Ösli, Gretli!
> Blumenblüte
> macht uns frisch!
> Baut ein Dach
> aus Blättergrün. Metzli,
> bring den Bottich,
> jetzt wirds lustig.
> Wasche, Maidli,
> mir das Scheitli.
> Reib mich, Knäbli,
> hier ums Näbli.
> Hilfst du mir,
> pack ich wohl dein Schwänzli!

Bei diesem Geplansche und Gerangel im traditionellen Maienbad zeigt Oswald sprachlich einen entschiedenen Zugriff.

Ganz anders geht es zu in Kl 68: ein formelles Liebeslied, in dem die Spielregeln der hohen Gesellschaft penibel eingehalten werden: Anbetung der Herrin; es wird betont, von welch guter Herkunft sie ist, die Lady Grete, wie groß ihre Ehre ist, ihr Anstand; alles, was sie tut, um dem guten Oswald das Leben zu verschönern, das ist und bleibt sehr tugendhaft. Nur an wenigen Stellen zeigt sich im konventionellen Textmuster etwas von Oswalds Originalität, Individualität, etwa wenn er, in der zweiten Strophe, der Schwanaugerin zuliebe ein schwäbisches Wörtchen einbringt.

> Mit Ehren, auserwähltes G,
> erfreust mi sehr in meinem Herz!
> Danach das edle R und E –
> beglücken mich mit rotem Mund,
> der immer heiter ist.
> Am Ende dieses Wortes hat das T
> die Bindung zwischen uns besiegelt.
> Mein bester Schatz, mach dir das täglich klar;
> ich will es gleichfalls tun
> und geh davon nicht ab.

Und jetzt ein Liedtext (Kl 110), der ebenfalls auf Margarete bezogen ist: diesmal wird nicht Namensbuchstabe nach Namensbuchstabe, sondern Körperregion nach Körperregion gepriesen.

> Ich hör, daß mancher allgemein
> die Frau von Adel schätzt, gleichviel
> aus welchem Land, aus welcher Stadt,
> von welchem Schloß sie stammen mag.
> So denk ich nicht! In manchem Land
> war ich – mein Herz verlor ich nie.
> Doch nun lockt mich ein roter Mund
> aus Schwaben, lockt Gebärde, Wort
> und insgesamt: Figur, Person.
>
> Die stolze Schwäbin macht das wahr,
> an der ich keinen Makel fand;
> die schloß ich fester in mein Herz
> als alle, die ich sonst noch kannte.
> An Auge, Nase, Mund und Hals
> ist sie sehr schön geformt. Die Haut
> ist weiß und rot, ganz zart getönt.

Die Arme, Hände, Brüste – größte Lust!
Ganz straff und hell im Teint.

Die Taille schmal, der Hintern dick
und rund gewölbt, schön unterteilt,
die Schenkel voller heißer Glut,
die Waden schlank zur Fessel hin
und ihre Füßchen klein und schmal,
hübsch modelliert. Ihr Lebenswandel:
er gibt zu keinem Tadel Anlaß.
In Tun und Lassen rechtes Maß.
So hat sie mich in der Gewalt!

Oswald hat ein zweites Körper-Preislied geschrieben, das an eine
Dame, eine Geliebte ohne Namen gerichtet ist: Kl 61. Es dürfte aus
der Zeit der eben vorgestellten Körper-Arie stammen.

Wenn man voraussetzt, daß Oswald das Loblied auf die schöne
Schwäbin in ihrer Anwesenheit gesungen hat und vor Freunden, so
ist wenig wahrscheinlich, daß auch das folgende Lied der frisch an-
getrauten Frau gewidmet ist, in dem Fall hätte Margarete wohl mit
Recht bemerkt, Oswald fange an, sich zu wiederholen. Dieser Liedtext soll zeigen, daß die scheinbar so konkrete Beschreibung der
Schwangauerin auch literarisches Muster war; nach den Liedanga-
ben läßt sich kein ›Phantombild‹ der Schwäbin entwerfen.

Viel Glück und Segen wünsch ich dir
zum Neuen Jahr, Geliebte!
Ich werde dir auch weiterhin
sehr treu ergeben dienen,
du wirst es schon bemerken!
Dein hübscher Mund, er ist dran schuld,
das Liebes-Paar der roten Wangen,
von hellen Äuglein überstrahlt,
die Öhrchen und sodann das Haar,
gewellt, gedreht, gelockt, gekraust,
goldblond und flockenleicht.

Und Nase, Zähne, Kinn und Kehle!
Harmonisch gehts zum Hals hinab,
zum Sitz der beiden festen Brüste;
das Tal dazwischen preise ich!
Ein rechtes Maß hat jedes Glied:
die Arme lang, die Hände schmal,
das Bäuchlein hell und glatt,
der Pelz vor allem ist famos!
Das Hinterteil ist wie gedrechselt,
hier ist sie drall bestückt.
Die Füße zierlich ausgeformt.

Die Schönheit ihres Körpers ist
vollendet. Gute Herkunft, Tugend,
Erziehung, Anstand, Adelsglanz –
dies zeigt beständig ihr Verhalten,
hier ist sie schlicht vollkommen!
In jeder Hinsicht ist sie gut.
Geliebte Freundin, denk an mich!
Der Deine bin ich ganz und gar:
drum laß dir, Liebste, abgewinnen,
worauf ich schon so lange warte –
das weckt Verlangen, Lustgefühl.

Trotz dieses Liedes an eine mögliche Nebenbuhlerin: Oswald war
der Gedanke an eheliche Treue nicht unbekannt. Dies zeigt das folgende Dialoglied, Kl 77.

He, Gretchen, Grete, Gretelein,
du schöne Freundin und Geliebte,
bleib mir und deinem Ansehn treu.
»Das liegt an dir, mein Ösilein,
für immer will ich bei dir lernen,
was treue Ehebindung ist.«
Was jetzt dein roter Mund gesagt,
das werde ich nie mehr vergessen,

das wird im Herzen eingraviert.
»Mein Schatz, dasselbe wünsch ich mir.
Schwanken ist mir fremd.
Denk nur an mich, liebs Ösilein,
dein Gretchen wird dich dann erfreun.«

Die schönste Freude ist für mich,
wenn ich in deinen Armen liege –
der größte Glückspilz bin ich dann!
»Dabei werd ich nicht träge sein,
sehr rührig heize ich dir ein,
das ist mir wahrlich keine Last!«
Sehr gut, du mein Verbündeter,
das werde ich dir nicht vergessen;
ich liebe ja nur dich allein.
»Nichts Schlimmes brauchst du, Liebster,
von mir je zu befürchten.«
Dank sei dir, mein Gutes.
»Mein lieber Mann, mir ist so wohl,
wenn ich die Arme um dich lege.«

Dein Herz, das gibt mir höchste Freude,
dazu dein wunderschöner Körper,
wenn er sich zärtlich an mich schmiegt.
»Mein Freund, ich gurre vor Vergnügen,
dein einzig Weib, es ist voll Lust,
wenn deine Hand die Brüste drückt.«
Ach Frau, das gibt dem Affen Zucker,
das fährt mir süß in alle Glieder –
bewahr mir deine Liebesgunst!
»Du kannst mir ganz vertrauen,
Öslein, und für immer.«
Gretchen, bleibe auch dabei –
es soll sich zwischen uns nichts ändern;
nur so hält sich dies Glück.

Ich will hier keine Idylle entwerfen, aber ich nehme an, Oswald hat dieses Lied für den ›Hausgebrauch‹ geschrieben, hat es gemeinsam mit Margarete gesungen, vor Verwandten, Freunden. Es läßt sich kaum vorstellen, daß Oswald die Ösi-Abschnitte selbst vorgetragen, die zweite Stimme dagegen mit einer Spielmannsfrau oder einem Spielmann im Diskant (Altus) besetzt hat. Margarete dürfte in einem Internat für höhere Töchter gewesen sein, in einem Nonnenkloster. Und dort lernte man dies auf jeden Fall: Notenlesen, Singen.

Margarete und Oswald von Wolkenstein – wo sollten sie wohnen? Er durfte keine Frau mitnehmen in das Pfründnerhaus im Klosterbereich. Und ein (wenn auch ansehnlicher) Bauernhof, ein (wenn auch repräsentatives) Stadthaus hätten seinem Stand nicht entsprochen. Oswald brauchte eine standesgemäße Behausung in der Nähe seiner wichtigsten Besitzungen. Und hier bot sich nur eins an: Hauenstein.

Auf diese Burg besaß Oswald freilich nur den Drittel-Anspruch. Sollte er der Familie Jäger die zwei Drittel abkaufen? Mit der Burg war der Besitz mehrerer Bauernhöfe verbunden, die Burg allein ließ sich kaum verkaufen; Martin Jäger wäre auf solch einen Vorschlag nicht eingegangen. Was tun? Oswald löste das Problem mit einem Handstreich: er besetzte Hauenstein.

Das Datum dieser Aktion ist nicht bekannt. Wenn Oswald 1418 geheiratet hat, so wird er die Besetzung wohl in diesem Jahr durchgeführt haben, vielleicht schon im Frühsommer. Mit ein paar Mann wird er sich Einlaß verschafft haben, möglicherweise unter einem Vorwand, wird den Verwalter vor die Tür gesetzt, wird erklärt haben: Hier bleibe ich.

Das konnte Martin Jäger im fernen Tisens nicht hinnehmen, für ihn konnte es nur *ein* Ziel geben: Oswald aus Hauenstein rauszuwerfen. Damit waren die oft dramatischen Vorgänge der nächsten Jahre vorprogrammiert.

Hauenstein – unter den Burgen, in denen Oswald lebte, ist sie am engsten mit seinem Namen verbunden; etwa ein Jahrzehnt dauerte der Streit um Hauenstein. Gleich bei der ersten Südtirol-Reise schaue ich mir diese Burgruine an.

Ich fahre von Seis in Richtung Ratzes, Bad Ratzes, halte an einem Schnittpunkt von Waldwegen. Ein Wildbach. Ich schaue auf der regionalen Wanderkarte nach: der Frötschbach. Er fließt, unterhalb der Ruine Hauenstein, westwärts, mündet in den Schwarzgrießbach, und der mündet, unterhalb der Burgruine Aichach, in den Eisack.

Ich falte die Karte zusammen, laufe los. Fichtenwald. Ein Weg schräg hoch in die Richtung, in der die Burg liegen muß, im Hauensteiner Wald zwischen Seis und dem Sockel der Santnerspitze. In meinem Kopf ein Verspaar, es beginnt sich mechanisch zu wiederholen: Ich hör die Vögel groß und klein In meinem Wald um Hauenstein. Ich sage dieses Zeilenpaar halblaut vor mich hin, rasch gehend: Ich hör die Vögel groß und klein In meinem Wald um Hauenstein, komme nicht frei von diesem Zweizeiler: Ich hör die Vögel groß und klein IN MEINEM WALD UM HAUENSTEIN. Schon bestimmt dieser Satz meine Wahrnehmung: ich horche auf Vögel, als könnte sich das durchschnittliche Vogelgeräusch eines Fichtenwaldes vom durchschnittlichen Vogelgeräusch dieses Fichtenwaldes unterscheiden.

Vom Weg führt ein Pfad ab; auf orangerotem Schild wird die Burg in der zweiten Landessprache der Autonomen Provinz Bozen als »castel vecchio« bezeichnet, als Alte Burg; dem Übersetzergremium war anscheinend nichts Besseres eingefallen.

Plötzlich, nach einer Pfadwendung: vor mir, über mir Gemäuer, auf einem Felsblock: HAUENSTEIN! Stehenbleiben, hochgucken: Hauenstein, tatsächlich HAUENSTEIN! Wie oft habe ich mittlerweile diesen Namen gelesen, in Texten Oswalds, in Arbeiten über Oswald, wie oft schon habe ich diesen Namen geschrieben, in Kapitelentwürfen – nun sehe ich HAUENSTEIN.

Der Pfad führt an den Felsklotz heran: ein »isolierter Dolomitblock«, wie ich gelesen habe, und diese Bezeichnung ist im Bewußtsein geblieben: isolierter Dolomitblock. Dieser isolierte Dolomitblock nun dicht vor mir, Realität, in die ich einen Meißel schlagen könnte: ISOLIERTER DOLOMITBLOCK. Der steigt senkrecht auf vor mir, über mir, und dieser senkrechte Fels setzt sich unmittelbar fort in Mauerwerk; verschiedene Fensteröffnungen auf dieser Südseite, ein Abtritt.

Ich gehe um den isolierten Dolomitblock herum, den Oswald als »kofel« bezeichnete. Ein Pfad, der eine steile Schräge hinaufführt, zickzack: dort muß schon zu seiner Zeit der Pfad gewesen sein, der zum Burgeingang führte. Ich steige noch nicht hinauf, will erst den Felsklotz, den Kofel umkreisen. Steinbrocken. Gebüsch. Mauerreste: vielleicht die Stallungen, seinerzeit.

Nach der Pfad-Rampe steigt der Fels wieder senkrecht auf, im Schnitt zwölf Meter hoch. Talwärts, nördlich hängt der Fels sogar über, düster, feucht; auf dieser Seite war die Burg absolut sturmsicher. Richtung Osten steigt er wieder senkrecht auf.

Wie kam dieser Felsklotz hierher? Diese Frage hatten sich offenbar schon andere gestellt, früher, viel früher, sonst hätte sich nicht diese Fabel entwickelt: Es war einmal ein kleiner See hier in der Nähe, ein inzwischen verschwundener See, und in sternklaren und mondhellen Nächten fuhr auf diesem See eine Wassernymphe umher in einem silberglänzenden Kahn. Nein, das ist zu grob gesagt: schwerelos glitt sie in ihrem silbrigen Kahn über die sternlichtschimmernde, mondlichtkühle Wasserfläche. So fiel sie einem Berggeist auf, einem Kobold, sicher oben am Schlern, am großen Zacken, und dieser Kobold wollte die schöne Nymphe besitzen, er zog sich ein prachtvolles Gewand an, stieg herunter, stellte sich ans Seeufer, umwarb die Nymphe. Aber sie wies ihn ab. Da packte den Berggeist der Zorn, er tobte die Bergwaldschräge hinauf, entwurzelte zahlreiche Bäume, brachte Felsbrocken zum Rollen. Und auf den größten dieser Brocken bauten die Hauensteiner ihre Burg, Generationen von Hauensteinern bewohnten sie, bis schließlich die Wolkensteiner kamen.

Ich gehe weiter am Felskofel entlang, schaue hoch: diese Burg konnte nur von einer Seite her angegriffen werden, an der steilen Schräge westlich, an der schon damals der Pfad hinaufführte, vielleicht in den Fels geschlagen, aber nun ist dort viel Schutt herabgerutscht, inzwischen überwachsen. Ich steige hoch, ein Holzgeländer, drei Kehren, stehe vor der Maueröffnung: Eingang Hauenstein.

Durch die Türöffnung gehend, bin ich gleich wieder im Freien, auf einer kleinen Rampe, mit einer Bank, Blick ins Tal, Richtung Seis und Kastelruth, zwischen Bäumen hindurch, Fichten. Die Wiesenhänge, die meist einzeln liegenden Häuser, kleine Feldscheunen und als Bildabschluß die Bergzüge auf der westlichen Seite des Eisacktals: der Ritten.

Das registriere ich kurz, will mich erst einmal im Burgbereich umschauen, steige zum höchsten Punkt, zum Turm, von dem bloß noch zwei Mauern stehen, Südmauer, Westmauer. Kein Bergfried, so habe ich gelesen, der lag üblicherweise an der Hauptangriffsseite einer Burg; unterhalb dieses Turms gab es keine Angriffsmöglichkeit, also war dies ein Wohnturm, ein Palas. Mauerlöcher zeigen an, wo die Deckenbalken eingesetzt waren: drei Stockwerke. Die Balken längst verschwunden, verbrannt oder verfault, nur noch Holzreste in einigen Mauerlöchern. Und Nischen: was stand darin? Ganz oben ein Gewölbefenster.

Talwärts sind die Mauern erheblich niedriger, und recht groß die Fenster: waren dort auch Wohnräume? Wurden sie in späterer Zeit angelegt? Ich steige in eine dieser Fensteröffnungen: der Hang auf der anderen Talseite, Wiesen, Waldflächen, Bauernhöfe. Nach Südosten verengt sich das Tal, hinter Ratzes. Und ringsumher Wald. Wenig Vogelgeräusch. Fern der Frötschbach. »Mir tost der Bach mit Hurlahei / den Kopf entzwei.« Das Rauschen ist nicht stärker als der Geräuschpegel des fernen Verkehrs, in Seis, die Straße hinauf zur Seiser Alm. Nun wird im Winter, vor allem im Frühjahr das Wasser entschieden stärker und rascher geflossen sein zwischen den Steinbrokken – trotzdem frage ich mich, ob Oswald in seinem Lied nicht übertrieben hat. Nach seiner Darstellung hatte ich mir vorgestellt, der Bach laufe unmittelbar an der Burg vorbei, von Felsen herab. Aber der Bach ist einige hundert Meter entfernt, in der Talsohle.

Ich gehe langsam umher, ertappe mich dabei, wie ich diese Burg zu rekonstruieren versuche, Wände hochziehend, Decken einsetzend, Figuren in den Räumen verteilend – als ginge es darum, sich in einem Erzähltext auszumalen, wie Oswald gelebt, und womöglich: wie er in dieser Burg einige seiner Liedtexte ausgearbeitet hat. Ich ermahne mich dazu, nur Fakten zu registrieren, Informationen zu verifizieren: das Gemäuer des Wohnturms unten zwei Meter dick, oben einen Meter, nach oben hin werden die Fenster größer, nach Osten der Rest eines kleinen Balkons; grobes Bruchsteinmauerwerk mit viel Mörtel, in den kleine, scharfkantige Steinbrocken gemischt sind; kaum behauener Stein, für den Türsturz wurde meist Holz verwendet, eine billig gebaute Burg.

Verteidigungsanlagen vor allem nach Westen, sehr starkes Mauerwerk aus behauenem Stein, Schießscharten, aber diese Fortifikation wurde erst später gebaut, Ende des 15., Anfang des 16. Jahrhunderts. Zu Oswalds Zeit waren hier gewiß auch schon besonders starke Mauern, die Erbauer von Burgen dachten zugleich als Angreifer, und denen bot sich, einen schwachen Steinwurf weiter westlich, ein Fels an, auf den man ein Wurfgerät stellen konnte: die Burg auf gleicher Höhe. Ich fotografiere sie von dort aus.

Und steige weiter hoch: der Hang beleuchtet von der Morgensonne dicht neben der Santnerspitze; Felsbrocken, kahl und überwachsen, sind plastisch hervorgehoben. Die Vögel im Wald um Hauenstein. Auch Pilze im Wald um Hauenstein. Mein beschleunigter Atem im Wald um Hauenstein. Auf gleicher Höhe, dann unterhalb: das helle Gemäuer der Burgruine auf dem Felsklotz.

Ich war 1977 wieder in Seis, war wieder zur Burg Hauenstein hinaufgestiegen, und hier hatte sich in der Zwischenzeit einiges geändert: Restaurierungsarbeiten zum Oswaldjahr. Man hatte einen großen Teil des Schutts entfernt, der tiefergelegene Räume füllte, hatte Büsche und Bäume abgesägt, hatte Mauerkronen etwas höher gezogen und mit Spezialzement konserviert. Noch war und ist der Kellergrund nicht erreicht, aber schon jetzt zeigt sich, daß in der Burg mehr Raum war, als der Nichtfachmann vor lauter Schutt und Bäumen sah...

Aber: wieviel Wohnraum hatte hier Oswald von Wolkenstein mit seiner Familie, seinem Personal? Eine Grundrißkarte im vierten Band des Tiroler Burgenbuchs zeigt es, und der Text bestätigt es: nur der Wohnturm stammt aus dem ›hohen‹ Mittelalter.

Im 15. Jahrhundert war an der Südseite ein Anbau errichtet worden; heute zeigt dies eine Mauernaht an. Auch war in dieser Zeit der Wohnturm aufgestockt worden – eine Mauerfurche markiert »die ehemalige Lage eines Pultdaches«. Erst im 16. Jahrhundert, so bestätigt das Kapitel von Helmut Stampfer, waren die massiven Wehranlagen im Westen gebaut worden, mit »vier gewölbten Geschützständen«. Auch im Osten wurde erst zu dieser Zeit die Burg erweitert, mit einem zweiten Turm, von dem freilich nur noch Fundamentmauern erhalten sind.

Von diesen Erweiterungsbauten im Westen und Osten des Felsplateaus muß man also absehen, will man sich Oswalds Wohnstätte vergegenwärtigen. Ihm stand letztlich nur der Wohnturm zur Verfügung.

Wie groß der Anbau war, läßt sich nicht genau erkennen; an der Aufstiegsseite des »Kofels« ist die Begrenzungsmauer nicht mehr vorhanden; auf jeden Fall aber war die Grundfläche des Anbaus noch kleiner als die des Wohnturms. Sicher waren noch Wirtschaftsgebäude auf der Felsfläche. Eine Ringmauer.

Das Bild, das man sich von Hauenstein machen kann, wird auch durch Funde verändert, die bei den Ausgrabungsarbeiten gemacht wurden, vorwiegend im Wohnturm: Bruchstücke von Scharnieren und Türbeschlägen, eine Fußangel, Keramikscherben, Glasscherben, elf Armbrustbolzen, achtundfünfzig handgeschmiedete Nägel, eine ganze und eine halbe Kugel einer Steinbüchse, ein Mühlstein, eine Silbermünze aus Meran, mit Tiroler Adler und einem Leopold. Unter den Keramikscherben: eine aus der frühen oder mittleren Bronzezeit – dieser Felsklotz war also schon (mal?) in vorgeschichtlicher Zeit bewohnt.

Überraschungen bei den Grabungen! Scherben von grün glasierten Ofenkacheln mit figürlichen Darstellungen – eine Frau mit gelocktem Haar, faltenreichem Gewand; zwei Engel halten ein Tuch. Der Ofen muß aus der Mitte des fünfzehnten Jahrhunderts stammen. Weiter: im Wohnturm wurden einige hundert Freskenfragmente gefunden. Ornamentale Motive, in Rot, in Hellblau, mit breiten Pinselstrichen, kreisförmig, kreuzförmig, vor allem aber: Freskenfragmente mit Darstellungen von weltlichen und geistlichen Personen. Anderthalb Augen, plus Tonsurschädel; ein Männergesicht mit roter Kappe; zwei Augen, eine Nase; ein Auge, eine Kappe; ein Ohr, Tonsurhaarkurve; eine Hand, vor Faltenwurf; ein Tonsurkopf, ein zweiter daneben, aber nur noch mit einem Auge; zwei einzelne Augen; Handbruchstücke. Die Fragmente etwa handtellergroß bis briefmarkenklein.

Diese Funde werden datiert auf die erste Hälfte des fünfzehnten Jahrhunderts. Vielleicht ergibt sich bei weiteren Funden ein genauerer Ansatz zur Datierung, und damit eine Verschiebung. Aber nach jetziger Kenntnis ist es, laut Stampfer, wahrscheinlich, daß sie aus Oswalds Zeit stammen.

Oswald muß ein gutes Auge gehabt haben für Bildende Kunst. Das zeigt die Wahl der Künstler, die er beauftragte: für den Gedenkstein in Brixen, für das Porträtgemälde. Denkbar also auch, daß er einen guten Maler engagiert hat, von ihm auf Hauenstein Fresken malen ließ.

Wie lebte man damals auf einer Burg? Ich lese beispielsweise dies: War nur einigermaßen Platz vorhanden, so wurden innerhalb der Ringmauer Ställe und Wirtschaftsgebäude zusammengepfercht, meist Holzbauten, mit Stroh und Schindeln gedeckt – sie sind spurlos verrottet. Das Wiehern von Pferden, das Brüllen von Kühen, das Schreien von Eseln, das Bellen von Hunden, das Gakkern von Hühnern, das Kreischen von Pfauen, deren Fleisch als Delikatesse galt.

Im Wohnbereich war die Raumaufteilung meist so: die Herrenkammer, mit einer anschließenden kleinen Stube; die Ritterkammer mit Ritterstube; die Hauskapelle; Kammern für den Schreiber, den Hausverwalter, den Kellermeister; Räume für die Frau, für die Kinder. Die Burgherren, Grundherren jener Zeit hatten nicht mehr den Ehrgeiz und auch nicht mehr das Geld, neue Burgen zu bauen; selbst zur Erweiterung oder Verschönerung der von den Vorfahren erbauten Burgen war kein Geld da. So war die Inneneinrichtung bescheiden: Betten mit Strohsack, Federkissen, Decken; ein paar Truhen; Tische und Stühle.

Oswald, der die Burg Hauenstein besetzt, wohl mit Gewalt – da schreibt sich ein Wort fast von selbst: Raubritter. Er hat sich in der Tat, durch diese Burg geschützt, zahlreiche Übergriffe geleistet auf fremdes Eigentum, vor allem von Martin Jäger, hat Bauern auf dessen Höfen gezwungen, ihm den Pachtzins zu zahlen, zu liefern. Fortführung der Mafia-Methoden also, die er (ein Jahrzehnt zuvor) gegen Bauern auf Besitzungen seines Bruders Michael angewendet hatte.

Als ›Besitzer‹ der Burg konnte Oswald wiederum seine Bauern besser gegen ähnliche Praktiken von Adelskollegen schützen: seine Methoden, Bauern auf fremden Besitzungen zu Zahlungen und Leistungen zu zwingen, waren damals beinah standesüblich. Wir werden später sehen, wie beispielsweise Anton von Thun gegen Pächter Oswalds vorgeht.

Diese Burg war zugleich Statussymbol des Ritters, des »Herrn«: Hauenstein als standesgemäßer Wohnsitz, als Verwaltungszentrale für die verstreuten Höfe und Ländereien. Mit der Besetzung von Hauenstein hatte sich Oswald Vorteile errungen, freilich keine Vorrechte erworben.

Oswald, das muß hier betont werden, war nicht Grundherr der Bauern auf seinen Gütern und Höfen, er war nur Grundbesitzer, der Güter und Höfe verpachtete, und zwar an Erbpächter, die fast Besitzerstatus hatten. Sie konnten die Güter und Höfe vererben, doch mußte die Grundrente weitergezahlt werden.

Freilich, in einigen Punkten unterschied sich das damalige Pachtverhältnis von einem heutigen Pachtvertrag. Zwei Punkte waren es, die dazu führten, daß es 1525 sogar in Tirol zum Bauernaufstand kam: der Gesindezwang und das Anfeilrecht. Der Gesindezwang bedeutete: Jungbauern mußten eine Zeitlang beim Grundbesitzer dienen. Und das Anfeilrecht war ein Vorkaufsrecht der Grundbesitzer auf landwirtschaftliche Erzeugnisse der Pächter.

Dieses Recht wurde genutzt: die Grundbesitzer boten landwirtschaftliche Erzeugnisse ihrer Pächter »feil«, kassierten die Handelsgewinne. Allerdings: der Lebensmittelmarkt war lokal begrenzt; Fernhandel mit landwirtschaftlichen Produkten war bei den damaligen Transportverhältnissen nicht möglich.

Der Wolkensteiner als (teil-legitimer) Burgherr; er ließ nun, wie es sich für einen Grundbesitzer mit Herrenhaus gehörte, ein Urbar-Buch anlegen. Dieses Verzeichnis von Besitzungen, Einkünften und vor allem von Schuldbeträgen ist datiert: anno dom. 1418.

Das Verzeichnis liegt im Wolkenstein-Archiv des Germanischen Nationalmuseums in Nürnberg. Auffällig das Format: zehn mal dreißig Zentimeter, wie eine große Fliegenklatsche. Der Umschlag aus Pergament; hier wurde eine alte Urkunde verwendet: die Innenseite des Umschlags ist dicht beschrieben. Die unbeschriebene Außenseite speckig abgegriffen. Auf der Rückseite ist eine Schnur befestigt, also konnte dieses Heft zugebunden werden. Dies alles zeigt, daß Oswald (oder sein Verwalter) das Verzeichnis häufig bei sich trug.

Im Schriftbild entspricht es kaum einem Urbar: keine Lettern auf Pergament, wie sonst üblich, sondern: verschiedene Schreiber haben hier (meist flüchtig-rasche) Eintragungen auf Papier gemacht; zahlreiche Zusätze, Änderungen. Erledigte Punkte sind durchgestrichen – aber wie! In vorbildlichen Urbaren wird beispielsweise der Name eines verkauften Hofes schön waagrecht durchgestrichen; häufig sind auch Rasuren: Abschabungen der Eintragungen vom Pergament. Hier aber wurde aus dem Handgelenk gestrichen, schräg, senkrecht, jeweils über mehrere Zeilen hinweg.

Dieses Heft enthält – als Urbar – nur die Einkünfte aus dem Gebiet von Rodeneck. Die Besitzungen, die darüber hinaus in der Teilungsurkunde von 1407 verzeichnet sind, werden hier nicht aufgezählt. Nun sind allerdings mehrere Seiten herausgeschnitten – waren hier die weiteren Besitzungen und Einkünfte eingetragen?

Schauen wir uns einige der Pachteinnahmen aus der Rodenecker Region an. Hans auf der Leite: 1 Schilling, 1 Kitz, 2 Schinken, 10 Hühner, 40 Eier. Dietel vom Eck: 6 Pfund, 1 Kitz.

Ein »Pfund« oder ein »Pfund Berner« – diese Währungseinheit in heutige Valuta umzurechnen wäre sinnlos. Besser ist, ich gebe Vergleichswerte an, die auf die Kaufkraft eines Pfundes schließen lassen: für ein Pfund bekam man vier Spanferkel oder vier Gänse oder vier Kitze oder vier Kapaune. Oder drei Lämmer oder drei Kälber.

Und damit weiter im Urbar-Text, zu den Pachteinnahmen im Gebiet von Rodeneck. Entschieden mehr als ein Dietel vom Eck lieferte hier ein Heinrich Huber: 3 Mut Roggen, 2 Mut Gerste, 1 Mut Hafer, 6 Pfund Berner, 1 Schaf, 2 Schinken, 1 Kitz, 3 Hühner, 60 Eier.

Auch hier wieder ein Hinweis zur Umrechnung: Getreidequantitäten wurden nicht nach Gewicht, sondern nach Hohlmaßen angegeben. So entspricht ein Mut 30 bis 40 Litern, je nach Region. Eine andere, damals noch gebräuchlichere Maßeinheit war das Star. Auch hier regionale Unterschiede; ich setze in der Umrechnung (aufrundend) 30 Liter ein.

Was Kunz Zimmermann, Hans von Untergassen und andere namentlich aufgeführte Bauern an Oswald zu liefern und zu zahlen hatten, das soll hier im Detail nicht weiter aufgezählt werden, ich summiere die Pacht-Einkünfte der zehn Bauern bei Rodeneck: etwa 35 Liter Weizen, rund 600 Liter Roggen, 550 Liter Gerste, 70 Liter Hafer, 13 Schinken, 5 Schafe, 13 Kitze, 20 Hühner, 1500 Eier, 43 Pfund Berner.

Interessant sind an diesem Heft weiter die Eintragungen der Außenstände. So heißt es gleich auf der ersten Seite, an fünfter Stelle, ich übersetze: »Die Hausmann schuldet 25 Dukaten.« Hinzugefügt: »Und 24 Silber und 7 Kreuzer.« Ein ansehnlicher Betrag, dafür konnte man beispielsweise einen großen Teil des Hausrats kaufen, den man damals in höheren Kreisen besaß.

Nach dieser Eintragung zunächst meist Kleckerbeträge: mal ist ihm eine Messerschmiedin etwas schuldig, mal der Pfarrer von Hall (Weinschulden!). In der dritten Spalte dann: »Mein Herr, der Römische König schuldet meinen Jahreslohn und einen Zelter.« Der Jahreslohn: das sind die 300 ungarischen Dukaten, laut Bestallung von Konstanz. Das »zelten pfärd« ist dort allerdings nicht genannt: dieses Repräsentationspferd war wohl mündlich ausgehandelt worden.

Interessant auch diese Eintragung: »Summa: das ist das Korn, das auf Hauenstein liegt.« Und das sind umgerechnet etwa 1260 Liter Weizen, 2600 Liter Roggen, 1260 Liter Gerste, 540 Liter Bohnen.

Und noch einmal König Sigmund: er schuldet Oswald dreitausend Gulden. Diese Eintragung ist durchgestrichen, aber sechs Spalten weiter ist, von einem anderen Schreiber, der gleiche Betrag noch einmal verzeichnet: »Mein Herr, der Römische König, schuldet mir für alle meine Tätigkeiten bis auf den vergangenen St. Georgstag dreitausend Gulden. Im 1418. Jahr.«

Eine sehr hohe Summe! Außenstände »für alle meine Tätigkeiten« – also auch als »Diener«, als königlicher Rat? Denkbar, daß Sigmund bereits mit einem oder zwei Jahresgehältern im Rückstand war. Da wäre Oswald nicht der einzige gewesen, dem Sigmund das Gehalt schuldig blieb. Die *Regesta Imperii* zeigen, daß Sigmund diverse Außenstände hatte. Da wird einmal versprochen, die Schulden bis zu einem neu angesetzten Termin zu begleichen, da wird in einem anderen Fall die Reichssteuer einer Stadt verpfändet, um einem Mitarbeiter drei ausstehende Jahresgehälter zu entrichten – und so weiter.

Selbst wenn Sigmund seinem Tiroler Rat noch kein einziges Jahresgehalt gezahlt hätte – es bliebe ein großer Rest. Hier kann es sich wohl nur um Reisespesen für die Mission auf der Iberischen Halbinsel handeln. Oswald hat wahrscheinlich vorstrecken müssen. Ob Sigmund diese Ausgaben jemals zurückgezahlt hat? Da bin ich skeptisch: seine fast chronisch schwache Liquidität, seine notorisch schlechte Zahlungsmoral. Die so ehrenvolle diplomatische Mission war für Oswald möglicherweise ein großer finanzieller Verlust.

O swald wird in diesem Jahr mit seinen Brüdern und weiteren Mitgliedern des Adelsbundes über die politische Entwicklung gesprochen haben. Wurde ihm dabei (wieder?) vorgeworfen, ›sein‹ König habe sich erneut als unzuverlässig, unglaubwürdig erwiesen, und nun sogar die Einigung mit dem Landesfürsten, wie es denn eigentlich in Zukunft weitergehen solle? Hat man Oswald aufgefordert, so bald wie möglich Kontakt mit dem König aufzunehmen, persönlich, und ihn zu fragen, was er in Zukunft für den Tiroler Adel zu tun gedenke? Oder ist Oswald von sich aus zum König nach Ungarn geritten? Wollte er, als königlicher Rat, Dienstbereitschaft zeigen? Wollte er sein Gehalt abholen? Wollte er Schulden eintreiben?

Ich schätze, Oswald ist Anfang des Jahres 1419 losgeritten. Weil er sowieso durch Innsbruck kam, hat er bei dieser Gelegenheit einen Abstecher nach Zirl gemacht, zu Parzival von Weineck auf der Burg Fragenstein. Parzival war mit Magdalena, einer Schwester Margaretes, verheiratet; er hatte für die Zahlung der Mitgift gebürgt, durch eine Verpfändung; nun wurde die vertragliche Garantie für die Mitgift modifiziert.

Dieses Dokument zeigt, daß die Schwangauer sehr knapp bei Kasse waren. Und es zeigt, wie ausgetüftelt solche Verträge auch unter Verwandten waren, wie argwöhnisch hier jede Möglichkeit des Betrugs bedacht wurde, wie sehr man sich voreinander absicherte.

»Ich, Oswald von Wolkenstein, erkläre für mich und meine Erben und gebe mit dieser Urkunde allen bekannt, die sie lesen werden oder vorgelesen bekommen: Mein lieber Schwiegervater, Ulrich von Schwangau, und sein Bruder Bartholomäus haben mir als Mitgift für Margarete, meine Ehefrau, fünfhundert rheinische Gulden versprochen; zur Absicherung dieses Versprechens hat mir mein lieber Schwager Parzival von Weineck eine Anweisung gegeben: er hat mir sein Eigengut zu Bozen verpfändet, das nun von Jakob Stäbel bewirtschaftet wird, nach Inhalt und Wortlaut der Urkunde, die ich diesbezüglich innehabe. Ich, obengenannter Oswald von Wolkenstein, gelobe und verspreche: Sobald mein lieber Schwiegervater Ulrich von Schwangau und Konrad, Markhart, Bartholomäus, alle vier Gebrüder von Schwangau, sowie der edle Herr Ulrich von Ahalfingen, Wilhelm von Törringen, Wieland Schwelcher und Parzival von Weineck gemeinschaftlich einen Schuldschein ausstellen, auf den sie mir oder meinen Erben die besagten fünfhundert rheinischen Gulden auszahlen und aushändigen werden (100 Gulden am kommenden St. Martinstag, gewissenhaft acht Tage vorher oder nachher, und weiter in den folgenden vier Jahren am St. Martinstag 100 rheinische Gulden, zahlbar wie die besagte erste Rate, so daß die 500 rheinischen Gulden im Laufe von fünf Jahren vollständig ausgezahlt werden, ohne jede Schmälerung und ohne jeglichen Mißbrauch), sobald mir der besagte Schuldschein in diesem Sinne ausgestellt und ausgehändigt wird, werden ich oder meine Erben dem genannten Parzival oder dessen Erben den Pfandschein über das obengenannte Gut zu Bozen wieder aushändigen und übergeben, und zwar unverzüglich, ohne jeden Widerspruch.«

Ich nehme an, Oswald ist bald nach Abschluß dieses neuen Vertrags weitergeritten. Über die Fortsetzung der Reise wissen wir wenig, zu wenig. Angenehm war die Reise bestimmt nicht: mindestens 600 Kilometer, also drei bis vier Wochen Reisezeit, und das im Winter. Oswald traf den König in Preßburg. Am 1. April wurde ihm von der königlichen Kanzlei ein Geleitbrief für die Rückreise ausgestellt.

Abgesehen von der Auszahlung des Jahresgehalts – was hat die Reise nach Ungarn gebracht? Möglicherweise hat nicht der König seinem Tiroler Rat Hilfeleistung zugesichert, sondern umgekehrt: Oswald mußte dem König seine persönliche Unterstützung zusagen für den Fall eines Krieges.

Was wieder dokumentiert ist: am 5. Mai verlieh in Blindenburg Herzog Przemko von Troppau »dem edlen Oswald von Wolkenstein, unserem lieben, getreuen Freund, das Wappen den Kohlkorb«. So heißt es in der Verleihungsurkunde. Oswald durfte in sein Wappen jetzt also auch einen kleinen Kohlkorb aus Holzgeflecht aufnehmen, und zwar zwischen den standesüblichen Büffelhörnern mit Pfauenspiegeln.

November 1419 ist Oswald wieder nachweisbar in Tirol, und zwar in einer Urkunde, die eine fromme Stiftung bezeugt; mit Datum vom 20. November widmete er Mieteinnahmen aus seinem Haus in der Nähe des Brixener Friedhofs der Margaretenkapelle in Neustift; jährlich sollte für fünf Pfund Berner (ein üblicher Betrag) Öl zur Beleuchtung der Kapelle gekauft werden; der Mesner, der auch für die Beleuchtung zuständig war, sollte ein sechstes Pfund erhalten.

Wollte sich Oswald den Herren von Neustift damit wieder in Erinnerung bringen, nach längeren Abwesenheiten? Oder wurde von einem Pfründner erwartet, daß er sich gelegentlich durch eine Spende, eine Stiftung erkenntlich zeigte? Oder hatte diese Stiftung familiäre Gründe? Die heilige Margarete war Namenspatronin und Schutzheilige seiner Frau. Eine längst überfällige Stiftung also, die er

nun nachholte, oder gab es einen besonderen Anlaß? Die Stiftung als
Dank für die Schutzpatronin oder als Bitte und Verpflichtung?

Hat Oswald einmal seine persönliche Einstellung gegenüber
Bauern artikuliert? Direkte Aufschlüsse könnten Briefe oder
Tagebuchaufzeichnungen geben, aber diese Äußerungsformen wa-
ren damals noch nicht entwickelt – private persönliche Tagebücher
gab es kaum, Briefe waren meist Geschäftsbriefe. Immerhin aber hat
Oswald ein Lied geschrieben (Kl 82), in dem eine Dame und ein
Bauer einen Dialog führen, einen Wechselgesang; aus diesem Text
lassen sich vielleicht ein paar Schlüsse ziehen.

>»Grüß Gott. Und: schönen, guten Morgen,
Ihr sehr geehrte Kaiserin!
Mir taucht just der Gedanke auf:
Ihr seid ein Fräulein, derart schön,
daß jeder hier Euch kennen muß.«
»In diesem Punkte bin ich sicher.
Und wißt: ich bin verliebt
in einen Burschen, schön und stark.
Sein Wohnsitz, der ist ›Unter Kraa‹ –
so heißt der Hof bei Kastelruth.«
»Schau, schau. Da weiß ich schon was mehr!
Da hat er ja Verpflichtungen…
Der junge Mann, so gut bestückt,
er soll sich was beeilen,
daß Ihr ihm nicht entwischt.«
»Kein Weg, der würde mir zu lang,
ich wäre selbst bis Wien gereist,
um diesen hübschen jungen Mann
vom Liebeskummer zu befrein;
er soll da nichts zu klagen haben.
    Frisch und fröhlich, frei,
    juhu, juchhe, juchhei,
    narrisch, närrisch, Nackedei,

lustlich, lüstlich, Rangelei,
holterpolter, Knall auf Fall,
Rumpeln, Bumsen überall –
ja, mein Schmerz ist gleich vorbei,
sehe ich sein Konterfei!«

»Ohweh, ohwei! Mein schönes Goldstück,
wie toll könnt Ihr doch sprechen!
Ein Schreck durchrieselt mich,
dös haut mi direkt um,
wann ich Euch derart reden hör!«
»Mein guter Bauer, wer mich liebt,
dem macht mein Sprechen keine Angst.
Auch nicht ein Tröpfchen Gift
braut sich in meinem Herz zusammen.
Du mußt da gar nicht zittern.«
»Ja, numerdum in numini!
Pardon, das war mir rausgerutscht...
Ich hätte da ein dickes Rind,
ich geb es Euch, wenn Ihr mi liabt
und leucht dem Burschen hoam.«
»Herr Landwirt, nein, das wird nicht gehn;
ich bin hier durch Vertrag gebunden.
Dafür erquickt mich denn mein Schatz,
mein Freund, mein Bübchen, schön gelockt,
wenn es die Mähne kämmt.
Frisch und fröhlich, frei,
juhu, juchhe, juchhei,
narrisch, närrisch, Nackedei,
lustlich, lüstlich, Rangelei,
holterpolter, Knall auf Fall,
Rumpeln, Bumsen überall –
ja, mein Schmerz ist gleich vorbei,
sehe ich sein Konterfei!«

»Ja, do schau her! Du Heiliger Geist,
Sankt Hedwig und Sankt Jennewein!
Was seid Ihr denn so arg fexiert
auf diesen ausgefickten Kerl?
Wenn ich bloß wüßte, wie er heißt!«
»Der Allerliebste ist er mir,
ich geb ihn keinem preis.
Und niemand bringt ihn von mir ab.
Ich möcht ihm dienen, ganz nach Lust,
mit meinem roten Mund…
Und jetzt paßt auf, Herr Agronom!
Ich höre mir nicht länger an,
wie Ihr da grob verfälscht,
was ich mit Euch parliere
in eleganten Worten.
Los, Holz gehackt – und schwitz dabei!
Heiz ein mit Reisigbündeln!
Das Korn drisch Tag und Nacht!
Erspar mir dein Geschwätz!
Nun reute, mähe, pflüge!
　　Frisch und fröhlich, frei,
　　juhu, juchhe, juchhei,
　　narrisch, närrisch, Nackedei,
　　lustlich, lüstlich, Rangelei,
　　holterpolter, Knall auf Fall,
　　Rumpeln, Bumsen überall –
　　ja, mein Schmerz ist gleich vorbei,
　　sehe ich sein Konterfei!«

So arrogant auch der Schluß ist – vorher vermittelt der Text einigen
Spaß. Vor allem im Refrain: eine Sprachklang-Ejakulation! Im Originaltext:

　　Frisch frei fro frölich
　　ju jutz jölich
　　gail gol gölich gogeleichen

hurtig tum tümbrisch
knaws bumm bümbrisch
tentsch krumb rümblisch rogeleichen...

Hier erhält der Text eine Eigenbewegung, klanggesteuert, die Leser, Hörer, Interpreten fortführt von der ernsthaften Erörterung einer soziologischen Situation.

Wenn uns der Text dennoch helfen soll, Oswalds Einstellung zu ›seinen‹ Bauern zu erkennen, müssen wir die Form in Material zurückverwandeln, und das ist nur begrenzt möglich. Zwar wird der Vorgang lokalisiert durch den Namen des Hofs, auf dem der junge Mann wohnt, ein Hof im Bereich von Hauenstein, zugleich aber wird hier distanziert durch literarische Stilisierung.

Denn: der Bauer, der über seine Verhältnisse hinaus redet und dabei immer wieder auf seine vier Buchstaben fällt, war damals eine literarische Standardfigur.

Bezeichnendes Beispiel: der versuchte Aufschwung ins Lateinische. »In nomine domini, amen«, will der Bauer sagen, aber heraus kommt eine groteske Verballhornung. Ein literarisches Klischee auch hier – so liest man bei Oswalds Zeitgenossen Wittenwiler (im *Ring*) ein entsprechendes »numer dumen amen«. »Wenn eine Mücke ein Hühnerei legen will, ist es ihr Tod« – dieses Sprichwort wurde gern von Adligen auf Bauern angewendet.

Wir dürfen also (auch) diesen Liedtext nicht direkt beim Wort nehmen, dürfen hier nicht eine Selbstdarstellung Oswalds im Verhältnis zu ›seinen‹ Bauern herauspräparieren – zuviel hat das literarische Muster mitformuliert! Aber: daß Oswald dieses Bauernschwankmuster verwendet, es für seine Zwecke umgewandelt hat, diese Tatsache zeigt wiederum eine soziale Situation an: daß der Adel die relativ gute Lage der Bauern in Tirol nicht akzeptieren wollte, daß man versuchte, durch Spott und Hohn zu kompensieren. In diesem Text ließ er eine Standesperson so sprechen, selbstherrlich-grundherrlich, wie man es sich in der Realität kaum noch leisten konnte. Zumindest nicht bei den eigenen Pächtern...

Einer der Verträge, die Oswald mit den Pächtern seiner landwirtschaftlichen Güter geschlossen hat, ist erhalten geblieben. Ich lege ihn ungekürzt vor, damit ablesbar wird: nicht ein Grundherr von Wolkenstein diktiert einem Untertanen Bedingungen, sondern es wird ein Vertrag geschlossen zwischen zwei rechts- und geschäftsfähigen Partnern.

»Ich, Oswald von Wolkenstein, erkläre mit dieser Urkunde öffentlich als Verpflichtung für mich und alle meine Erben und tue jedermann kund, daß ich recht- und ordnungsgemäß die Nutzungsrechte des Hofs mit Namen Siessler, gelegen in der Villanderer Pfarre, in der Sektion St. Jakob zu Barbian, dem voll berechtigten Mitglied der Bauerngemeinde, Erhard dem Sighart, verliehen und eingeräumt habe, sowie allen seinen Erben oder wem auch immer er die obengenannten Nutzungsrechte zuweist oder verleiht.

Dies geschieht unter folgenden Bestimmungen und Bedingungen: der Obengenannte soll eine Raute Land roden binnen fünf Jahren, und sie soll in diesen fünf Jahren als Weingarten ausgebaut sein, soweit ihm das Grundstück ausgewiesen ist bis hin zum Feld des Hofers und bis zum ständig eingezäunten Grundstück, das sich vom Burgacker abwärts erstreckt und das ebenfalls zum obengenannten Hof des Siessler gehört.

Um ihn darin zu unterstützen, habe ich ihm ein Stück Weingarten verpachtet, das mir, dem obengenannten Oswald, bisher die Hälfte des Weinertrages eingebracht hat und das unterhalb des Hofgebäudes zum Siessler liegt. Auch habe ich ihm sonstige Unterstützung angedeihen lassen, unter der Bedingung, daß er mir, dem obengenannten Oswald von Wolkenstein und allen meinen Erben, oder wem ich den Besitz des obengenannten Hofes einräume oder rechtsgültig übertrage, nach Bestimmung der vorliegenden Urkunde an Dienstleistung und Zins an einem alljährlich wiederkehrenden Jahrestermin die Hälfte des Weinertrages und zusätzlich sechs Yren Zinswein [etwa 480 Liter] geben soll, und zwar aus der ersten Pressung, bevor die Torggl angesetzt wird. Weiter soll er auch den obengenannten Weinanteil und -zins abliefern von all den Weingärten, auf denen jetzt angebaut wird oder auf denen angebaut werden soll.

Aus dieser Zinspflicht ausgenommen ist das geplante Stück Weingarten. In Bezug darauf ist mir, dem obengenannten Oswald von Wolkenstein, ebensowenig wie irgendeinem meiner Erben der obengenannte Erhard und irgendeiner seiner Erben oder sonst jemand, der dieses Grundstück als Acker oder als Weingarten nutzt, künftig irgend etwas schuldig.

Darüber hinaus mag der obengenannte Erhard und alle seine Erben mit den oben aufgeführten Nutzungsrechten, wie beschrieben, tun und lassen, wie es ein anerkannter Landwirt mit seinen Nutzungsrechten tun und lassen darf, gemäß dem Recht der Bauerngemeinde und des Landes.

Zur Bekundung dessen, daß dies der Wahrheit entspricht, gebe ich, Oswald von Wolkenstein, ihm diese Urkunde, gesiegelt mit meinem eigenen anhängenden Siegel. Als Zeugen treten auf die gerichtsfähigen Männer Heinrich Kampedeller, Bartholomäus Österreicher, Peter Schreiber, Bürger zu Brixen, dazu viele andere gerichtsfähige Personen. Dieser Vertrag ist geschlossen im Jahre 1417 nach Christi Geburt, am 28. Dezember.«

Oswald als Besitzer und Verpächter von Weingärten, Weingütern – der Siessler-Hof war nicht sein einziges Weingut! Wir können voraussetzen: ein Teil des Zinsweins war zum Eigenverbrauch bestimmt.

Weiter läßt sich voraussetzen: dieser Besitzer von Weingütern, dieser Weintrinker (in Liedtexten preist er vor allem den Malvasier und den Traminer) war auch Weinkenner. Damit wiederum können wir voraussetzen, daß Oswald, interessiert an einer möglichst guten (damit entsprechend einträglichen) Qualität des Weines, das Abc des Weinbaus gekannt hat, von Abrebeln, dem Abkämmen der Weintrauben, bis Zumm, der hölzernen Bütte. Er hatte dafür Wörter seiner Zeit und seiner Region, aber diese historischen Wörter werde ich nicht übernehmen, ich bringe nur einige Wörter aus der heutigen Weinbauernsprache Tirols; Oswald soll ja für *uns* als Weinbauer und Weinhändler, als Weintrinker und Weinkenner präsent werden.

Wortdurstig ziehe ich das Buch eines Mannes heran, der Weinbauer, zugleich Philologe war: Franz Tumler, *Herkunft und Terminologie des Weinbaues im Etsch- und Eisacktale*. Ich lese, daß es schon in der Römerzeit die für diese Region typische Baumziehung gab, und so wurden gewiß auch zu Oswalds Zeit »Pergeln« angelegt, die Gerüsthölzer, Laubengänge: Pergolen. Die erste Arbeit im Jahr der Weinbauern ist das Aufstellen und Befestigen dieser Pergeln, mundartlich »stoaßen«. Dem »stoaßen« folgt das »firmen«, der Rebschnitt. Und es findet das Aufbinden der Reben an die aus Eichenholz oder Kastanienholz gefertigten »Pergeln« statt. Es folgt das Hauen; wenigstens dreimal im Jahr soll der Boden gelockert werden: wenn die Rebe zu treiben beginnt, zur Zeit der Blüte, kurz vor der Reife. Zu dieser Zeit auch das »Abschweben«, das »Wegschneiden der am Wurzelstock der Rebe seitwärts wachsenden Schweb- oder Tauwurzeln«.

Ich will nicht lückenlos das Weinjahr in Wortfolgen umsetzen, nur dies noch zum Abschluß: wenn sich an der Oberfläche des Weins Schimmelpilz bildet, so »kunt« der Wein, und wenn er einen Essigstich hat, so »zickt« er, und hat er Faßgeruch, so »töbelt« er, und hat er Hefegeschmack, so »peggelt« er, und wahrscheinlich hat Oswald ein saures Gesicht gemacht, wenn er erfuhr, sah oder roch, daß ein Faß oder Fuder Wein gekunt oder gezickt, getöbelt oder gepeggelt hat.

D er Wolkensteiner als Weingutbesitzer, als Verpächter von Bauernhöfen und als Landwirt mit eigenem Betrieb: zur Burg Hauenstein gehörten auch Ställe, einige Kühe und Ochsen. So mußte er mehr als nur theoretische Kenntnisse der Agronomie besitzen.

Beispielsweise wenn dieser »Hörndlbauer« für sich eine Kuh kaufte, so mußte er sie begutachten. Dabei wird er weniger auf ein schönes Fell geachtet haben als auf Euter und Striche, auf große Milchadern und tiefen Bauch. Und weil er gelegentlich Bauernhöfe verkaufte und andere, für ihn günstiger gelegene Höfe erwarb, mußte er Bodenqualitäten einschätzen können. Etwa bei einem Viehhof: feuchte, moosige Wiesen, »Faulwiesen«? Zu viele Kälberblumen, Disteln, zuviel roter Hennrich? Entscheidend für die Erträge seiner Viehhöfe war die Futterquote.

Besonders schwierig war damals die Winterfütterung – bis ins 18. Jahrhundert wiederholten sich Berichte, nach denen das Stallvieh im Frühjahr so matt war, daß es sich kaum auf den Beinen halten konnte. Dauerte ein Winter länger als gewöhnlich, so wurde die Situation bedrohlich: wenn das Winterfutter (trotz allen Strekkens) aufgefressen war, mußte man das Vieh austreiben, selbst wenn es draußen kaum etwas zu fressen fand, nur Knospen an Büschen. In solch einem Jahr gingen die Einkünfte auch eines Oswald von Wolkenstein zurück; nach einem Gesetz aus dem Jahre 1406 entschied in Härtefällen eine Kommission, um welchen Prozentsatz der vertraglich vereinbarte Grundzins der Pächter ermäßigt wurde.

Was sich auf die Einnahmen des »Hörndlbauern« Oswald gleichfalls negativ auswirken konnte, waren die bis ins 18. Jahrhundert sehr häufigen Viehseuchen: von der Maul- und Klauenseuche bis zur Rinderpest.

W enn Oswald ICH WOLKENSTEIN sagte oder dachte, war das spontan und selbstverständlich ein »Ich Wolkenstein, der Dichter, Komponist, Sänger«? Oder: beschäftige ich mich hier mit einem Dichter und Musiker, der sich gar nicht primär als Dichter und Musiker verstand? Konnte im Adelsbewußtsein eines von Wolkenstein das Dichten, Komponieren, Singen mehr sein als nur eine ›noble Passion‹? In Konstanz hatte Oswald mit einer unvergleichlichen Intensität und Extensität gedichtet und komponiert, er war dort sehr viel häufiger als sonst mit seinen Liedern aufgetreten: das hatte gewiß Rückwirkungen auf sein Bewußtsein, auf sein Selbstverständnis. Aber vor Konstanz und danach?

Diese Frage muß ich mir mit Entschiedenheit stellen, denn Gewohnheit hat in meinem Bewußtsein längst schon *diesen* Oswald von Wolkenstein fixiert: den Dichterkomponisten, der auch auf anderen Gebieten tätig war. Für ihn selbst sah es wahrscheinlich anders aus: Oswald als Politiker, Ritter, Landbesitzer, Landwirt, der auch dichtete, komponierte, sang.

Hier ist es an der Zeit, genauer in Oswalds Geschäftsbücher zu schauen. Mich interessiert die ökonomische Basis seiner nebenberuflichen Tätigkeiten als Dichter, Komponist, Sänger. Außerdem: könnten in seiner wirtschaftlichen Lage Motivationen liegen für seine zahlreichen Übergriffe auf fremdes Eigentum?

Das Urbar-Buch von 1427: ich werde es später beschreiben. Hier ziehe ich schon mal Informationen heraus, die wir in dieser Phase der Biographie brauchen. Ich gehe davon aus, daß sich die Pachteinnahmen gar nicht oder nur geringfügig änderten, trotz Silberentwertung, schwankender Preise für Lebensmittel. Um diese Annahme zu überprüfen, schaue ich zuerst nach, ob sich etwas an den Abmachungen mit dem Pächter des Siessler-Hofs geändert hat: nein.

Und wie ist es bei den Pächtern im Gebiet von Rodeneck? Hans von Untergassen, zum Beispiel, liefert wie im Jahre 1418 und sicher auch weiterhin: ein Mut Weizen, drei Mut Roggen, fünf Star Gerste, fünf Star Hafer, sechs Pfund Berner, einen Hammel, vier Schinken, ein Kitz, ein Lamm, sechs Hühner, hundertzwanzig Eier – einer der größten Pächter dieses Gebiets.

Dagegen ist nur ein Klacks, was Dietel aus dem Anger oder Kunz Zimmermann abliefern und auszahlen. Auch sonst bringen die Höfe in dieser Region nur wenig ein. Fünf Höfe, der eine wie der andere: ein Schaf, ein Kitz, ein Lamm, zwei Star Futter.

Und wie sieht es aus mit Oswalds Pachteinnahmen bei den Höfen im Gebiet von Kastelruth? Der Schwaighof Runsal bringt pro Jahr sechs Zentner Käse und dazu, offenbar durch Unterpacht, fünf Pfund Berner und drei Pfund »Holzgeld« – Brennholz im Wert von drei Pfund. Der Hof Kalkadin liefert vier Star Roggen, vier Star Bohnen, vier Star Gerste. Dann der Mutzenhof: vier Pfund in bar, sechs Star Weizen, ein Mut Roggen, zwei Star Bohnen, zehn Star Gerste, ein Kitz, vier Hühner, sechzig Eier, drei Pfund Holzgeld. Einer der größten, für Oswald ergiebigsten Höfe!

Ergiebig auch die Weingüter. Der Österreicher-Hof bringt pro Jahr sieben Yren Klausener Maß. Jeder größere Ort hatte eigene Maßeinheiten, aber allzusehr wird sich dieses Maß von der Durchschnittszahl 70 bis 80 wohl kaum entfernt haben, also lieferte dieser Hof etwa 500 Liter im Jahr. Der Hof Walpun: etwa 300 Liter.

Nun ins Grödnertal, nach Lajen. Dort bringen zwei Höfe jeweils fünf Pfund pro Jahr, ein dritter acht Pfund, ein vierter zwei Pfund. Reichere Einkünfte beim Hof »Zum Sabadyn«: achtzehn Pfund, zwei Schinken, Schmalz für sechs Kreuzer, ein Lamm, ein Kitz, dreißig Eier, dazu drei Pfund Pacht für eine Wiese.

Wenn ich die Einkünfte durchschnittlicher Höfe sehe, so habe ich den Eindruck: Viel ist es nicht, das Oswald hier einzieht. Ich sehe damit bestätigt, was ich mehrfach gelesen habe: Die Grundrente in Tirol war gering, verglichen mit angrenzenden, umliegenden Ländern.

Andererseits, wenn ich das Urbar durchblättere, original in Nürnberg, auf Ablichtungen zu Hause, so summieren sich die vielen Einzelangaben, und ich sehe, im Zeitraffer der Lieferwochen, Gruppen nach Hauenstein ziehen, Bauern, Bäuerinnen, Bauernkinder, Knechte, Mägde, die Hühner, Eier tragen, Lämmer, Hammel, Kitze treiben, und auf Eseln, Mulis, Pferden, auf Karren Säcke voller Getreide oder Bohnen, Fässer Wein...

Zum großen Teil waren diese Lieferungen zum Eigenverzehr bestimmt: Oswalds große, immer größere Familie. Und wieviel Personal war auf Hauenstein mit zu versorgen, vom Büchsenmeister bis zum Stallknecht?

Was man nicht verbrauchte oder lagerte, das wurde verkauft. Ich nehme an, vor allem in Brixen, zum Teil vielleicht auch in Neustift, soweit die Augustiner nicht autark waren. Die Einnahmen aus dem Verkauf der Naturalabgaben dürften insgesamt recht gering gewesen sein. Und der Verkauf der landwirtschaftlichen Produkte, für die er das Vorkaufsrecht, das Anfeilrecht hatte? Ich deutete schon an: Der Lebensmittelmarkt war regional begrenzt, große Umsätze konnte Oswald damals kaum machen. Und er hatte viel Konkurrenz in der Umgebung, die anderen Herren wollten ebenfalls Geld verdienen, das sie dringend brauchten.

Waren diese Einkünfte nun insgesamt knapp, ausreichend oder üppig? Ich kann jetzt nicht, Posten für Posten, zusammenrechnen, was Oswald im Jahr als Gesamtpacht eingezogen hat. Das ist wahrscheinlich auch gar nicht nötig: auf dem leeren Pergamentvorblatt des Urbars fand ich einen Zusatz von späterer Schreiberhand, der bisher nicht beachtet worden ist, vielleicht, weil er so unscheinbar wirkt: winzige Buchstaben und Zahlen, mehrere Kürzel.

Die zweite Zeile entzifferte ich zuerst: demnach »bringt der Wein 55 Mark«, und zwar für das Jahr 46. Also ein Jahr nach Oswalds Tod – die Erben ließen ausrechnen, was der Besitz insgesamt einbrachte.

In der ersten Zeile steht, für dasselbe Jahr, die »Gülte«, also die gesamte Pachteinnahme betrage 72 Mark. Weil sich diese Einnahmen nicht geändert haben, schließe ich: Oswalds Jahreseinkünfte lagen insgesamt bei etwa 130 Mark. Umgerechnet in rheinische Gulden, in Tirol weithin akzeptiert: rund 260 Gulden.

Welche Kaufkraft hatte dieser Betrag? Ein gutes Pferd kostete zwischen vierzehn und zwanzig Gulden. Ein paar Betten mit Laken und Decken an die fünfzig Gulden. Diese Hinweise finde ich bei Zingerle, und ebenso: für ein paar einfache, gebrauchte Überkleider und Kopftücher einer Frau, für einen Mantel und eine Truhe aus Zypressenholz wurden in einer Nachlaßberechnung 110 Gulden angesetzt. Der Neuwert war also noch höher.

Hier bestätigt sich schon in wenigen Details: Einrichtungsgegenstände und Kleidungsstücke waren damals sehr teuer; eigentlich nur Bürger, beispielsweise Kaufleute, konnten sich Luxus leisten, kaum noch Adlige. Und Oswald, wir werden es noch im Detail sehen, besaß nicht die geringsten Luxusartikel.

Zu berichten ist nun: Oswald zog Naturalabgaben und Zinszahlungen auch von Pächtern des Martin Jäger ein; mit der Besetzung von Hauenstein übernahm er mehr und mehr die Rolle des Besitzers der zugehörigen Ländereien.

Martin Jäger wohnte in Tisens bei Meran, also – nach damaligem Maßstab – zwei bis drei Tagesreisen entfernt. Das machte Oswald die ›Arbeit‹ gewiß leichter – die Bauern konnten sich nicht unmittelbar an den Pachtherrn wenden, hilfesuchend.

Trotz der großen Entfernung – es wird nicht genügt haben, wenn Oswald den Pächtern des Martin Jäger erklärte oder ausrichten ließ: Von nun an werden mir, dem Wolkensteiner, der Getreidezins,

Weinzins, Hühnerzins, Eierzins abgeliefert, wird mir das Bargeld ausgezahlt – Oswald muß Gewalt zumindest angedroht haben.

Vielleicht hat er zuerst ein paar Knechte zu solch einem Pächter geschickt und die kündeten an: Falls man nicht ab sofort zahle und liefere, werde ein Getreidefeld abbrennen oder eine Scheune, vielleicht sogar das Haus. Wenn dies nicht den gewünschten Eindruck machte, wurden Prügel angedroht oder: man werde im Verlies von Hauenstein eingesperrt. Wer jetzt noch nicht nachgab, gegen den wurde Gewalt angewendet, im Auftrag Oswalds, vielleicht sogar in seiner Gegenwart. So oder ähnlich muß es abgelaufen sein: Mafia-Methoden.

Martin Jäger führte eine Verlustliste, sie ist erhalten geblieben. Er gab ihr die Überschrift: »Dies sind die Güter, die mir Oswald der Wolkensteiner ohne Recht, mit Gewalt genommen hat.« Diese Liste zeigt im Detail, wie Oswald seine Einkünfte aufbesserte. Die Hofnamen, die Jäger jeweils angibt, spare ich (meist) aus – sie wären nur dem Heimatkundler nützlich.

Widerrechtlich und gewaltsam zog Oswald ein: 18 Pfund Geldrente jährlich von einem Bauernhof oder den Gegenwert in Käse; 6 Pfund Geldrente jährlich von einem anderen Hof, dazu als Mühlzins 6 Hühner. Einem Bauern bei Lanatz wurde vom Wolkensteiner ein neues Haus abgenommen, auch wurde widerrechtlich ein Weg auf dessen Pachtgebiet angelegt, der Bauer wurde schließlich vertrieben. Einkünfte aus einem Gut, das »zu Hauenstein, unterhalb der Burg liegt«: 5 Pfund jährlich, 1 Kitz, 30 Eier, 2 Hühner. Martin Jäger merkt an, daß der Wolkensteiner ihm diese Einkünfte »ohne Recht abgenommen hat, solange er die Burg innehat und bewohnt«. Weiter: Einkünfte von 5 Pfund jährlich aus einem verpachteten »Gütlein« und noch mal 5 Pfund aus einem Hof, »der auch bei Hauenstein liegt«, dazu als Zinsabgaben: 3 Star Roggen, 4 Star Gerste, 1 Kitz und 30 Eier – Oswald als Eierräuber!

Ein Bauer bei Kastelruth wurde vom Wolkensteiner ebenfalls beraubt: 10 Star Gerste im Jahr. Und Hänsel Mesner zu Kastelruth mußte Jäger pro Jahr zwei Hühner liefern – selbst dieser geringe Zins war Oswald einen Übergriff wert; Oswald von Wolkenstein als Hühnerräuber!

Ein weiteres Opfer: »Die Frau, die gelegentlich Brot buk, mit Namen Schwärzlin, sie zinst pro Jahr 4 Hühner von einem Hof mit zugehörigem Acker.« Auch die Hühner eines Schusters mit Namen Schmätzer zog Oswald zwangsweise ein: 6 Stück im Jahr. Weiter: ein Star Hafer von zwei kleinen Gütern. Und Erben des Mutzenbauern, wohnhaft in einem Turmhaus bei Lanatz, mußten Oswald jährlich 12 Hühner abgeben. Von einem Weinhof im Tal unterhalb von Kastelruth zog er die Hälfte der Weinproduktion ein, in drei Jahren waren es nach Jägers Berechnung 6½ Fuder, Klausener Maß.

Dann zählt Jäger auf, was ihm Oswald an Einkünften von Besitzungen im Gebiet Völs abnahm. Wein auch hier, und zwar 9 Yren jährlich, also 600 bis 700 Liter. Von einem weiteren Weinhof zog Oswald in drei Jahren etwa 2000 Liter ein. Von diesem Hof auch noch 12 Pfund jährlich und vom selben Pächter, der zusätzlich einen anderen Hof bewirtschaftete, 3 Star Weizen, 4 Star Roggen, 6 Hühner. Und eine Yre Wein jährlich von einem anderen Bauern. Und 8 Groschen im Jahr vom Mayer in Obervöls. Und 6 Groschen als Zins für eine Wiese. Und vom Huber in Niedervöls 1 Star Roggen, 1 Star Gerste, 1 Star Hafer, 1 Star Hirse und 30 Groschen noch dazu. Von einem anderen Bauern 1 Star Weizen, 2 Star Roggen, 2 Star Gerste und 5 Pfund in bar. Von einem weiteren Bauern 3 Star Weizen und Roggen und Gerste und 3 Groschen. Von einem nächsten Bauern 6 Star Weizen jährlich, 6 Star Roggen, 6 Star Gerste und 6 Groschen. Und so weiter…

Die Burg Hauenstein wird von Martin Jäger auf der Verlustliste nicht genannt – das wirkt erstaunlich, ist aber verständlich, denn: Einkünfte brachte die Burg nicht, im Gegenteil, sie kostete Geld. Es ging Jäger allein um die Pachteinnahmen aus landwirtschaftlichen Besitzungen, die seine Frau, geborene Hauenstein, in die Ehe eingebracht hatte.

O swald als Mafioso. Und als Dichter, Komponist, Musiker: das setzt ein differenziertes Bewußtsein voraus, eine hohe Reflexionsstufe, zumindest in diesem Sektor seiner Tätigkeit, seiner Selbstverwirklichung. Lassen sich hier Rückschlüsse ziehen auf ein Bewußtsein, das auch im gesellschaftlichen Verhalten stärker differenzierte als bei Standesgenossen?

Oswald hat, schätzungsweise Mitte dieser zwanziger Jahre, ein Beichtlied geschrieben, Kl 39 – kann es uns weiterhelfen?

Ich klag Euch, Priester, meine Sünd und Schuld
in Stellvertretung des Allmächtigen.
Ich sage offen, klar, voll Scham und Furcht,
die Augen von Zerknirschung naß:
Ich hab den Vorsatz, willentlich nie mehr
zu sündigen, wo immer es auch sei.
Mit Demut und aus freiem Willen, Herr,
bekenne ich mich schuldig in der Beichte:
Ich hege Zweifel an dem Glauben,
ich fluche oft bei Gottes Namen,
und meinen Eltern, die ich ehren sollte,
hab ich das Leben schwer gemacht.

In Rauben, Stehlen, Töten bin ich groß,
will Leben, Ehre und Besitz von anderen,
beachte nie die Fast- und Feiertage,
falsch Zeugnis geben fällt mir leicht.
Im Spielen, Raffen bin ich unersättlich,
bin untreu, falsch, benutze Zauberei,
Verrat begehe ich und lege Feuer.
Voll Hoffart ist mein Leben.
Die Habgier läßt mir selten Ruh,
und Spott, Zorn, Unzucht kenn ich gut,
und Prassen, Saufen, früh und spät.
Bin eselsträge, hundescharf.

Zur Sünde treibe und verleite ich,
begehe Sünden, schaff Gelegenheiten,
verhindre nicht die Sündentaten,
ich nehme teil, verschweige sie.
Die Nackten hab ich ignoriert,
den Armen Durst und Hunger nicht gestillt.
Wer krank, gefangen, sterbend, heimatlos –
ich habe ihm Erbarmen nie gezeigt!
Vergossen habe ich unschuldig Blut,
den Bauern bürd ich große Lasten auf.
Auch treibe ich die Sodomie.
Verdienten Lohn entrichte ich nur halb.

Erkenntnis, Weisheit, Wissen Gottes,
sein Rat und seine Stärke, seine Inbrunst,
und Gottesfurcht, das Denken über Gott
und Gottes Liebe, Güte: alles ist mir fremd.
Den Priester höhne ich und brech die Ehe,
gedenke nicht der Taufe und der Firmung,
das Sakrament empfang ich ohne Würde,
verachte Ölung, Buße, Beichte.
Ertrage keine Armut, tue Böses,
vergeude so die Lebenszeit.
Bin ohne Mitleid, hasse drum voll Zorn
die göttliche Gerechtigkeit, die gnädig ist.

Mein Sehen, Hören brauche ich zur Sünde,
mein Schmecken, Riechen zum Genuß,
mißbrauch Berühren, Gehen, Denken,
dem Herrn erweis ich nicht Tribut.
Der Himmel, Erde einst erschuf,
und was sich darin eingerichtet,
der gab mir, Wolkenstein, den Rat,
ich sollt ein Beispiel geben in der Beichte
in meinem Lied für viele dort am Hof,
und manchen Menschen, die, verwirrt,

die Richtung ganz verloren haben,
so wie in Böhmen die Hussiten.

Hier wird in der Tat Schuld bekannt: ein vollständiger Katalog aller nur denkbaren Sünden – oder ist hier versehentlich etwas ausgelassen worden? Fast mit Stolz schlägt sich hier jemand an eine durch und durch sündige Brust. Weiter kann man es in dieser Hinsicht kaum bringen, auch hier steht Oswald groß da: Ich, Wolkenstein, Sünder von Format!

Oswald bietet sich hier beinah exhibitionistisch der Betrachtung an – sehen wir ihn jetzt deutlicher? George Fenwick Jones hat eine kleine Untersuchung über dieses Lied und die Beichtlied-Tradition geschrieben. Diese Arbeit verhindert falsche, allzu direkte Rückschlüsse.

Zuerst einmal macht dieser Aufsatz bewußt: Dies ist keine Beichte, die jemand, überwältigt von Sündenbewußtsein, für sich schreibt, diese Beichte hat einen didaktischen Zweck, sie soll dem Publikum zeigen: So wirds gemacht!

Ich will nicht Sündenpunkt für Sündenpunkt erörtern, will nur auf das »Rauben und Stehlen« eingehen: erweist sich Oswald hier nicht als durchaus schuldbewußt? Können wir demnach schließen, er habe mit schlechtem Gewissen die Bauern anderer Verpächter gezwungen, ihm den Pachtzins zu zahlen, zu liefern?

Daß die Mächtigen bestimmen, was Recht, was Unrecht ist, das hat sich in früheren Jahrhunderten entschieden deutlicher gezeigt; heute werden diese Fakten von einem immer feiner ausgearbeiteten juristischen Gespinst verhüllt. Recht war damals weithin Faustrecht, für den Adel. Die Übernahme fremden Eigentums wurde, so lerne ich durch Jones, nach folgender Faustregel beurteilt: Wer stiehlt, nimmt einem anderen etwas weg, ohne daß er es bemerkt, ohne daß er sich wehren kann, und dieses Verhalten ist eines aufrechten Mannes nicht würdig, entspricht nicht seinem Ehrenkodex; also muß man fremdes Eigentum direkt wegnehmen, mit Gewalt, denn so hat der Besitzer wenigstens die Chance, sich zu wehren – und dafür eventuell totgemacht zu werden.

Dies – leicht pointiert – zur Ideologie des Standes, dem Oswald angehörte. Es läßt sich also voraussetzen, daß Oswald keine Schuldgefühle hatte, als er Hauenstein besetzte, und keine Reuegefühle, solange er die Burg bewohnte: alles geschah ganz offen! Ebenso direkt zwang er verschiedene Bauern, den Zins an ihn zu zahlen und nicht an ihren Zinsherrn – Androhung und Anwendung von Gewalt als Alibi. So war vor der Welt, deren Wertmaßstäbe immer noch vom Adel gesetzt wurden, alles in Ordnung.

Nur gab es die Forderungen und teilweise doch anderen Maßstäbe der Kirche: sie stellte diese Selbstverständlichkeiten in Frage. Oswald nimmt also das Rauben in seine Sündenregisterarie auf. Wir müssen uns allerdings fragen, ob sich Oswald hier mit dem kirchlich vorgeschriebenen Sündenbewußtsein identifizierte oder ob er diesen Punkt nur genannt hat, weil er im damaligen Beichtschema aufgeführt war: es sollte ja eine vorbildliche Beichte werden, fiktiv vor einem Priester, faktisch vor einem Publikum, und diese vorbildliche Beichte setzte voraus: Vollständigkeit. Also auch das Spielen, natürlich um Geld, um Besitz. Also auch die Völlerei. Also auch die Sodomie. Aber hier müssen wir nicht unbedingt den Schluß ziehen, daß Oswald in den Stall ging, wenn Margarete nicht wollte.

Oswald blickt hier in den Spiegel, prüfend, zugleich aber schaut er in den damals üblichen Beichtspiegel.

Martin Jäger zog, wohl im Herbst 1421, einen Schlußstrich unter die Verlustliste und addierte. In Bargeld: über 13 Mark. Dafür konnte man damals, umgerechnet, etwa zehn Kühe kaufen oder einen kleineren Bauernhof mit Ländereien. Dann: etwa 450 Liter Weizen, 600 Liter Roggen, 675 Liter Gerste. Oswald wird diesen Zinsweizen, Zinsroggen, diese Zinsgerste zum größeren Teil verkauft haben.

Der Hauptposten allerdings waren in Jägers Schlußabrechnung 14 Fuder Wein. Demnach hat Oswald dem Martin Jäger mindestens 8000, maximal etwa 12 000 Liter Wein abgezapft.

Nach Feststellung dieser Ergebnisse wird Jäger zum Schluß gekommen sein: Nun reicht es! Alles, was er bisher versucht hatte, um den Wolkensteiner vor Gericht zu bringen, war gescheitert, sämtliche Briefe, Petitionen umsonst, er mußte jetzt eine andere, entschiedenere Methode wählen, um an sein Recht zu kommen.

Suchte sich Martin Jäger nun Helfer? Oder schlossen sich ihm andere an, denen Oswald ebenfalls Unrecht getan hatte – Jäger als langjähriger Experte im Rechtskampf mit Vater und Sohn Wolkenstein? Es bildete sich eine Interessen- und Aktionsgemeinschaft; ihre Mitglieder werden in Dokumenten wiederholt aufgezählt: Jäger und die Hausmannin, Neithart und Frey.

Die »Hausmannin«: dies kann nur Anna Hausmann sein, die Schulmeisterstochter aus Brixen. 1409, um daran zu erinnern, hatte Oswald, als Verwaltungschef der Diözese Brixen, eine Stiftungs- und Schenkungsurkunde der Hausmann besiegelt; seit dreizehn Jahren, so wird er bald dichten, ist sie seine Geliebte. Was trieb diese Vertraute, Freundin, Geliebte zu Oswalds Fehdegegnern?

Die Hausmann, so zeigt sich im Verzeichnis von 1418, hatte Schulden bei Oswald, zumindest die notierten 25 Gulden. Konnte Anna Hausmann diese Summe nicht zurückzahlen, holte sich Oswald daraufhin den Gegenwert bei Bauern auf Besitzungen der alleinstehenden Frau? So etwas konnte mitspielen; das Objekt der Auseinandersetzungen aber ist in den Dokumenten genannt: der Grotthof. Die Hausmann hatte Besitzanspruch auf diesen Hof; Oswald ließ ihn aufnehmen in das Verzeichnis seiner Pachtgüter. Schwob: »Ein Besitzstreit, der vermutlich weniger in der Willkür einer Seite seine Ursache hatte, sondern eher auf unklaren Rechtsverhältnissen beruhte, scheint der Grund für die Fehde zwischen Oswald von Wolkenstein und Anna Hausmann gewesen zu sein.«

Nun der Neithart. Er arbeitete für den Landesherrn, offenbar auch in prekären Missionen. War er Martin Jäger deshalb willkommen, als Mann mit direkter Verbindung?

Und der Frey? In der Schuldnerliste von 1418 steht der Name Frey dreimal. Hatte Oswald Schulden auch bei ihm? Hatte er auch Besitz des Hans Frey geschmälert?

Offenbar haben nun diese beiden Männer mit einigen Knechten das Kidnapping durchgeführt – so wird es jedenfalls protokolliert. Wollte der alternde, schon alte Martin Jäger nicht direkt mit zupakken?

Und die Hausmann? Oswald deutet in einigen Liedstellen an, er sei durch die Freundin, Geliebte in die Falle gelockt worden, und zwar habe sie ihm zu erkennen gegeben, sie wolle mit ihm eine Wallfahrt unternehmen – und das hieß damals, bei einem Verhältnis: eine kleine Reise machen, ganz unter sich. Oswald ritt – nach seiner Darstellung – zum verabredeten Ort, aber hier wartete diese Frau nicht allein auf ihn: er wurde überwältigt, verschleppt, eingesperrt.

Ich nehme an, Oswald hat hier erheblich stilisiert. Dennoch: seine Fiktionen umspielen stets Fakten. Was könnte hier der Kern gewesen sein? Denkbar wäre: Anna Hausmann bot ihm an, über eine gütliche Einigung zu sprechen, und das war dann – mit ihrem Wissen oder ohne ihr Wissen – eine Falle.

Das letzte Dokument, das Oswald im Jahre 1421 als freien Mann ausweist, ist auf den 14. September datiert. Das erste Datum, das sich auf seine Gefangenschaft in der Burg Forst bezieht, ist der 19. Oktober. »Im Herbst«, wie Oswald schreibt, also gegen Ende September, Anfang Oktober, wurde er gekidnappt, und Martin Jäger ließ ihn zuerst in seine Burg bringen.

D ie Spur, die nach Prissian führt, ist nur eine Zeile, eigentlich nur eine Silbe breit.

Unter sieben Liedern, die alle auf *eine* Melodie geschrieben sind und die meist um Erfahrungen aus dieser Gefangenschaft kreisen, Klagelieder, Entsagungslieder, in dieser Serie gibt es einen Liedtext (»Hör, Christenheit!«), in dem Oswald Gottesliebe predigt, Abkehr von der sündigen, trügerischen Welt, Verzicht auf Fleisch und Wein, und man solle auf Stroh liegen.

Die letzte Zeile dieses Liedes Kl 4 ist entscheidend für die Spurensicherung: »des lig ich Wolkensteiner inn der fall«. Die direkteste Übersetzung wäre: »Darum stecke ich, Wolkenstein, in der Falle«. Gemeint sein kann zugleich: »Darum stecke ich, Wolkenstein, ›in der Fall‹.« Werner Marold hat nachgewiesen, daß »in der Vall« die damalige Bezeichnung war für die Fahlburg zu Tisens, Fraktion Prissian. In einem Dokument heißt es: »Jaeger in der Vall«. In einer Regeste, also einem Dokumentenhinweis mit kurzer Inhaltsangabe, wird geschrieben von »Barbara Jägerin« und dem »Thurm auf Tisens zu Prissian, genannt Die Vall«. Diese Burg muß demnach Barbara Jäger gehört haben.

Damit dürfte der Wohnsitz der Familie Jäger, zumindest einer der Wohnsitze, lokalisiert sein: Tisens, Ortsteil Prissian, Fahlburg.

W ir fahren von Plars über die Etsch nach Lana, Richtung Gampenpaß; recht bald schon biegt eine Straße ab nach Tisens und Prissian auf dem Zwischensockel des Tisener Mittelgebirges, ein paar hundert Meter über dem Etschtal.

Wir parken in der Nähe der Kirche. Nur noch Reste der Bausubstanz der Kirche, in der Ulrich Putsch als Pfarrer amtiert hatte: Vom romanischen Bau stehe noch der Turm mit vertieften Feldern und Rundbogenfriesen, lese ich, und aus dem 17. Jahrhundert der achteckige Aufbau mit Kuppelhaube.

Auf dem Friedhof, der die Kirche umgibt, beschauen wir uns Grabsteine, meist marmorweiß, mit Goldbeschriftung, mit Medaillonfotos der Verstorbenen, braunviolett. Erstaunlich viele Wirte, überwiegend aber Bauern mit ihren Frauen – jeder für sich in seinem Medaillon. Die Frauen haben meist großflächige Gesichter, von Backenknochen betont; jedes Jahr werden diese Frauen ein Kind geboren haben, ein Dutzend wohl insgesamt, im Durchschnitt, und Arbeit, Arbeit, Arbeit, sonntags eine saubere Schürze, die gleiche Arbeit. Die oft schnurrbärtigen Männer werden auch kaum anderes gekannt haben als Arbeit, Arbeit, Arbeit; einige von ihnen sehen freilich aus, als hätte es, von Zeit zu Zeit, wüste Ausbruchsversuche gegeben, durch Suff, Prügelei.

Ziemlich gegen Schluß dieses Rundgangs wird plötzlich Oswald präsent: auf einem der Medaillonfotos der Gassbauer, 1956 verstorben, massiger, runder Schädel, das Fleisch unter dem Kinn weich auslappend, das rechte Auge geschlossen. Er ist etwas älter, wabbeliger als Oswald, den das Portraitgemälde zeigt, dennoch: wie aus Oswalds Gesicht geschnitten. Ein Zufall, aber frappierend. Im Dorf nachfragen, wann der Gassbauer sein rechtes Auge verloren hat? Womöglich als Kind? Oder im Ersten Weltkrieg, bei Kämpfen in den Dolomiten? Ich fotografiere die Fotografie, über das Grab-rechteck vorgebeugt, will das Bild vorzeigen können, unter Freun-den, Bekannten: so hätte, fotografiert, der alte Wolkensteiner aus-sehen können...

Spaziergang durch den Ort und hinaus in Richtung Prissian, an Apfelbäumen vorbei, die so dicht und schwer tragen wie in der Flußebene: Äste heruntergebogen wie Angelruten beim Hechtbiß.

Prissian: ein, zwei Kilometer südlich von Tisens. Auf einer Holz-tafel mit dem bunt gemalten Panorama des Dorfs und seiner Um-gebung sehe ich vier Burgen und Schlösser: südöstlich Schloß Kat-zenzungen und westlich Zwingenstein, südlich die Werburg, in der Mitte des Dorfs die Fahlburg.

Diese Fahlburg ist ein Hotel, und das ist geschlossen. Die schmut-zige Hofmauer, das Tor. Von einem Seitenweg aus sehen wir einen Turm, der ein alter Turm sein könnte.

In der Fahlburg wollte Martin Jäger den Gefangenen wohl zwin-gen, möglichst rasch seinen Verzicht zu erklären auf Hauenstein und rechtsverbindlich eine Ausgleichszahlung für die zwangsweise eingezogenen Pachtzinsen zu garantieren. Dabei war allerdings Nachdruck notwendig; Oswald berichtet mehrfach, er sei gefoltert worden.

Können wir aus Oswalds Liedtexten Rückschlüsse ziehen auf die Foltermethoden? Oswalds Hinweise sind nicht sehr exakt, aber das ist kaum verwunderlich: wohl jedem seiner Zuhörer waren (durch eigene Aktivitäten, durch passive Erfahrungen, zumindest durch Berichte) die damaligen Foltermethoden bekannt; hier genügten Stichworte.

Oswald wurde mit Eisenringen (und Seilen) gefesselt: ein Eisen-ring um den Hals, Eisenringe an den Gelenken, und zusätzlich wa-ren die Daumen umschlossen: hier konnte es sich nur um Daumen-zwingen handeln, und dies hatte mit der strengen, damals üblichen Fesselung nichts zu tun, dies war bereits eine Foltermethode.

Sarkastisch berichtet dann Oswald in einem der Lieder: »des ward ich hübschlich aufgedrät / mit füssen an die stange«. Und Geld plus Hauenstein wurde von ihm gefordert, »do mich der smerz / macht kerren an dem strange«. Er hat also vor Schmerzen geschrien, als er am Seil hochgezogen wurde, Füße an der Stange.

Doon, Okken, Cox haben einen kleinen Beitrag publiziert zur Frage: *Wurde Oswald von Wolkenstein gefoltert?* Und hier wird das »Aufziehen« so beschrieben: »Dem Opfer werden die Handgelenke auf dem Rücken zusammengebunden und die Füße der gespreizten Beine an einer Stange befestigt. Dann wird das Opfer an den Fesseln der zusammengebundenen Handgelenke hochgezogen, bis es frei über dem Fußboden schwebt; die Arme, die sich rückwärts ohne Gewalt nicht über die Schultern heben lassen, werden unter dem Eigengewicht des Mißhandelten und durch Nachhilfe des Folter- knechts ausgerenkt.« Und zwar so: »Über die Stange, welche die Beine gespreizt hält, kann ein Hebel gelegt werden, den der Folter- knecht mit einem Fuß herabdrückt, um sein Opfer zu recken.«

Man wird Oswald in der Fahlburg also »aufgezogen« haben – vielleicht aber begnügte man sich damit, trat die Stange nicht nach unten, renkte ihm die Arme nicht völlig aus.

Weiter berichtet Oswald, daß die Frau ihm »mit ainer boien mi- chel swer / die schienbain freuntlich hin und her / hiess reiben ane sitten«. Hier könnte ein Fußblock gemeint sein; ein Fußblock be- stand vielfach aus zwei miteinander starr verbundenen Eisen- oder Schraubstiefeln.

»Entwurff der Anlegung der Schraubstiefeln«: Abbildungen dazu, aus dem 17. und 18. Jahrhundert, sehe ich im kleinen Burgmu- seum in Salzburg, in einer Ausstellung zu früherer »Rechtspflege«. Diese Schraubstiefel faßten nicht die Füße ein, sie schlossen sich um die Unterschenkel: etwa 25 Zentimeter lange, ungefähr zwölf Zenti- meter breite Eisenplatten, eingewölbt, und in diesen Einwölbungen »stumpfige Knöpfe«, laut Bilderläuterung, also Eisennoppen. Zwei dieser miteinander verbundenen Platten wurden unter den Waden, zwei auf den Schienbeinen angelegt, wurden miteinander ver- schraubt: damit waren zugleich die Beine gefesselt, parallel gehal- ten.

»Entwurff der Anlegung der Schraubstiefeln«: das Opfer auf einem Stuhl mit Rückenlehne – hier ein älterer Mann mit bloßem

Oberkörper, halblanger Hose. Hinter der Stuhllehne ein Knecht, er soll die kreuzweise auf der Brust verschränkten Arme des Opfers festhalten. Vor dem Stuhl ein »Schemerl«. Hier sollen, laut damaligem Erläuterungstext, die Fersen des Opfers aufliegen. Ein zweiter Knecht hält die Füße fest – sie könnten trotz der Eisenstiefel hochgerissen werden.

Detaillierte Angaben zur »Anlegung der Schraubstiefel«: die sollen bis zu einem »Mannszoll« an die Kniescheiben heranreichen; werden sie höher angelegt, so werden lateinisch benannte Muskeln und Sehnen beschädigt, es wird eine »Steifigkeit« erzeugt, ein bleibender Schaden.

Vorausgesetzt, man hat Oswald tatsächlich gefoltert, hat auf diese Weise aber kein Zugeständnis erzwingen können: als man dies einsah, wird man ihn zur Burg Forst gebracht haben; Martin Jäger war ihr Verwalter.

Natürlich mußte er vorsichtig sein: er wartete mit der Überführung des Gefangenen einen Zeitpunkt ab, an dem der Burgherr, Ulrich von Starkenberg, verreist und seine Frau in Meran war. Jäger wird gewußt haben, daß er trotzdem recht bald Schwierigkeiten bekommen würde, hatte sie wohl auch einkalkuliert: nachdem alle anderen Mittel versagt hatten, wollte er auf diese Weise erzwingen, daß Oswald endlich vor ein Gericht gestellt und verurteilt wurde.

An einem Sonntagnachmittag fahren wir zur Burg Forst: sie ist ebenfalls ein Hotel, scheint ebenfalls geschlossen, nur ein Gartencafé ist geöffnet, aber wir wollen in die Burg hinein. Eine alte Frau, die zufällig aus dem ein wenig geöffneten Tor herausschaut, jemand erwartet, aber nicht uns, sie läßt uns herein. Ein Innenhof, der bestimmt schon oft als »lauschig« bezeichnet wurde; Renaissance-Hofgalerie, Brunnenplätschern, Forellen in einem Glasbassin, Topfpflanzengrün, Rankengrün; Burghotelromantik.

Ein Barraum, leer, halbdunkel; es geht einige Stufen hinunter zu einer Oswald-Taverne, das steht so in der Türöffnung, und in dieser

Taverne, nachdem das Licht angeknipst ist, sehen wir an die Wand gemalt einen Oswald, der aussieht wie ein bleicher, magerer Pirat, auf dem Fresko an die Wand gefesselt mit einer Kette und mit einem eisernen Halsband, die genau der Kette und dem eisernen Halsband entsprechen, die man zur Demonstration an der Wand befestigt hat, an der Oswald, laut Inschrift, angekettet gewesen sein soll. Auch wenn man die Kette anpacken, das sichtbare, fühlbare Eisenhalsband vergleichen kann mit dem gemalten Eisenhalsband: diese Verdoppelung der Fiktion erzeugt noch nicht Realität.

Wir gehen durch die Türöffnung neben dem bleichen Piraten, steigen ein paar Stufen hinunter in einen runden Raum, in dem Tische und Stühle stehen, Erweiterung des Restaurants, der Taverne, und dies hier, so erklärt die Frau, war das Verlies, in das man Oswald geworfen hatte, wortwörtlich geworfen; schon als Kind habe sie in dieser Burg gelebt, der Boden dieses Verlieses sei ursprünglich mehrere Meter tiefer gewesen, sie könne sich noch daran erinnern; mittlerweile sei er angehoben worden. Und sie knipst das Licht aus in der Taverne nebenan, knipst es aus in diesem runden Raum: kein Fenster, nur ein Luftschlitz in Kreuzform, durch dieses Schlitzkreuz habe Oswald hinausgesungen...

Auch nach mehreren Sekunden: das Licht durch den Luftschlitz reicht nicht aus, um den Raum aufzuhellen. So können wir uns vorstellen, wie zappendüster es war, als Oswald in diesem Loch hockte, einige Meter tiefer, ein wahrscheinlich pißfeuchtes, sickerwasserfeuchtes, strohfauliges, scheißestinkendes Loch. Die alte Frau knipst das Licht an, wir stehen wieder in einem leeren Restaurant.

Sobald Michael (und damit auch Leonhard) erfuhr, daß Oswald auf Forst eingekerkert war, protestierte er beim Besitzer dieser Burg.

Daß man Oswald vorher auf Prissian eingesperrt und gefoltert hatte, werden die Brüder kaum gewußt haben, das hatte Jäger bestimmt geheimgehalten, aus Angst vor den wilden Wolkensteinern. ›Offiziell‹ begann Oswalds Haft erst auf der Burg Forst. Martin Jäger hatte den Gefangenen vielleicht auch deshalb auf die Burg seines Dienstherrn bringen lassen, weil er hier sicherer war vor Rache-Aktionen der Wolkensteiner: die Burg eines Freundes würden sie wohl nicht gleich anstecken...

Die Brüder Wolkenstein konnten auf der fernen Trostburg, im fernen Aichach auch nicht wissen, daß der Hausherr in Wien, seine Frau in Meran war. So wird es ihnen kaum in den Kopf gegangen sein, daß Oswald ausgerechnet in der Burg eines Mannes eingesperrt war, mit dem (und mit dessen Bruder Ulrich) sie besonders eng kooperierten; vielleicht bestanden sogar freundschaftliche Beziehungen zwischen den drei Wolkensteinern und den beiden Starkenbergern. Um so entschiedener forderte nun Michael eine Aufklärung dieses Vorfalls.

Ursula von Starkenberg handelte rasch, wartete nicht erst die Rückkehr ihres Mannes ab: sie schickte von Meran zwei Vertraute zur Burg. Ludwig Sparrenberger und Jakob Murrenteiner nahmen einige Bürger mit; in einer so unklaren, brisanten Situation war es wohl besser, man trat als Gruppe auf.

Was ihr die beiden Vertrauten nach der Rückkehr berichteten, faßte Ursula von Starkenberg (vermutlich unterstützt von einem Juristen) in einem Schreiben zusammen, das sie an das Ratskollegium des Landesfürsten schickte; ich übersetze den Brief.

»Betr.: Bericht an meinen gnädigen Herrn, bezüglich des Wolkensteiners und des Jägers.

Ihr sollt wissen, was Ihr meinem gnädigen Herrn zu berichten habt: Martin Jäger hat den Oswald Wolkensteiner gefangen und auf unsere Burg Forst gebracht und hält ihn dort weiterhin fest, gemeinsam mit den Knechten, die ihm den Wolkensteiner überliefert haben. Ich habe in dieser Angelegenheit Ludwig Sparrenberger und Jakob Murrenteiner zu dem Jäger geschickt und habe durch sie untersuchen lassen: Als er den Wolkensteiner gefangen und auf unsere Burg gebracht hat, hatte er dazu die Erlaubnis durch meinen Mann oder dessen Bruder? Darauf gab er zur Antwort, er habe dies ohne Auftrag, Einverständnis und Wissen meines Mannes, dessen Bruders und meiner selbst getan; wenn dafür Rechenschaft verlangt würde, so wolle er in dieser Angelegenheit tun, was sich für einen

Ehrenmann gebühre. Darauf haben die Obengenannten erklärt, er solle den Wolkensteiner aus der Burg führen und außerdem alle diejenigen, die mit ihm dorthin gekommen seien; ich gestatte es nicht, daß er auf der Burg gefangen und zu Zahlungen gezwungen werde; er werde ja wohl selbst einsehen, daß dies gegen meine gnädige Herrschaft etc., gegen Land und Leute und gegen den genannten Wolkensteiner gerichtet sei, sowie gegen alle seine Brüder und gegen seinen Anhang; dadurch könnte uns eine große und empfindliche Schädigung durch Wort und Tat entstehen.

Darauf rechtfertigte sich der obengenannte Jäger so: Der erwähnte Oswald Wolkensteiner habe seiner Frau die Burg Hauenstein, die sie vom Vater geerbt hatte, mitsamt den Lehens- und Rechtstiteln widerrechtlich abgenommen, habe ihm auch viele seiner eigenen Güter entrissen und seine Bauern zinspflichtig gemacht. Er habe sich zu wiederholten Malen bei meinem Herrn, Herzog Friedrich, und bei allen Bischöfen, die seither in Brixen waren, beklagt, aber es konnte weder ihm noch seiner Frau Abhilfe zuteil werden. Weil der Wolkensteiner sich seines Besitzes bemächtigt habe, habe er sich seiner Person bemächtigt, und er halte ihn fest und werde ihn auch weiterhin festhalten und wolle mit ihm verfahren wie mit einem Gefangenen seiner selbst und seiner Mithelfer, sei es in der Burg oder außerhalb.

Darauf antworteten die Obengenannten, was es denn mit uns zu tun habe, daß der Neithart und seine Partner ihn auf unseren Burgen gefangenhalten und zu Zahlungen zwingen? Sie wüßten doch, daß der gefangene Wolkensteiner nicht allein stehe. Darüber hinaus verlangten der Sparrenberger und der Murrenteiner vom Jäger, daß er von der Verwaltung des Hauses zurücktrete und ein Inventar all dessen anfertige, was er darin zurücklasse, oder er solle es abschließen. Ich würde daraufhin die Burg in eigene Verwaltung nehmen und mit unseren Leuten besetzen und innehalten, bis seine Angelegenheit mit meiner Herrschaft und dem genannten Wolkensteiner und seinem Anhang gerichtlich geregelt sei; erst danach könne er das Haus wieder in seine Verwaltung nehmen und behalten bis zur Rückkehr meines Mannes oder meines Schwagers; die wüßten die Angelegenheit dann schon mit ihm zu klären. Nach viel Rede und

Gegenrede antwortete der Jäger, er wünsche in dieser Sache eine Bedenkfrist von acht Tagen, er werde mir dann eine Antwort geben.

Bei all diesen bisher genannten und folgenden Verhandlungen waren anwesend die gerichtsfähigen und rechtskundigen Leute Heinrich vom Turm, Ambrosius Spetzger, Albrecht Gottlieb, Heinrich Zischk, allesamt Bürger von Meran, und Konrad Kellner, seinerzeit Richter auf Schenna.

Als die Verhandlungen so weit gediehen waren, gingen sie allesamt zum Wolkensteiner. Und als sie zu ihm kamen, da wollte er den Sparrenberger und Murrenteiner allein sprechen und erklärte: Er habe gehört, daß sie dem Jäger und seinen Helfern nicht gestatten wollten, daß er in dieser Burg gefangengehalten und zu Zahlungen gezwungen werde, und er bat sie, mich und alle, die sich in dieser Sache verwendeten, zu bitten, daß ich ihn nicht aus der Burg holen ließe, denn erst jetzt sei er zu anständigen Menschen gekommen, und er habe Anlaß zur Sorge, daß es ihm an Leben und Besitz gehe, falls er weiter weggebracht werde; er sei nicht in einer Ehrensache gefangen, sondern allein in einer Besitzfrage, und es wäre ihm am liebsten, wenn in unseren Burgen in dieser Sache verhandelt würde. Sollte er aber weiter weggebracht und von den Burgen weggeführt werden, so würde uns das mehr ins Gerede bringen, als wenn er dabliebe und gefangengehalten würde; und wenn er je wieder freikommen sollte, so würde er darüber Klage führen, daß ihm von uns Unbill widerfahren sei.

Darauf antworteten sie, sie wüßten sehr wohl: Wenn mein Mann und mein Schwager über seine Gefangenschaft informiert würden, so würde ihnen das ehrlich leid tun, denn ihrer beider Vorfahren und sie selbst seien so sehr in Güte und Freundschaft miteinander verbunden, daß es ihnen nicht recht sei, wenn er auf unseren Burgen gefangengehalten und zu Zahlungen gezwungen würde. Ganz besonders Herr Michael habe sich in dieser Sache hart und grob geäußert, und er nehme uns diese Angelegenheit sehr übel. Dazu antwortete der Wolkensteiner, er wisse sehr wohl, daß ihnen das an die Ehre ginge und daß sie in dieser Sache keine Mitwisser seien und folglich keine Schuld trügen. Aber er wisse wohl, daß ihn seine Brüder mit scharfen Worten allein nicht befreien und ihn mit ihrem

Besitz auch nicht auslösen könnten; er wollte aber sein eigenes Gut zum Lösepfand machen. Und er verlangte daraufhin vom Jäger, er solle ihm einen gerichtlichen Termin setzen.

Darauf wurde ihm der Rat gegeben, er solle an meinen gnädigen Herrn schreiben und ihn bitten, daß er mir schreibe. Und er solle in dieser Sache auch seinen Brüdern, den Herren Michael und Leonhard, schreiben, daß sie mir schrieben und mich bäten, ihn gefangenzuhalten. Wenn das geschähe, so sei es mir leichter, in dieser Angelegenheit tätig zu werden. Damit war er einverstanden.«

In der Burg des Freundes konnte er sich in der Tat sicherer fühlen, hier würde man dem Verwalter Jäger auf die Finger schauen; Frau Ursula hatte sich ja als sehr resolut erwiesen. Aber sie war auch vorsichtig: um jeden Irrtum auszuschließen, wünschte sie schriftliche Bevollmächtigung dafür, daß Oswald, seinem eigenen Willen entsprechend, vorerst auf Forst blieb. Was er fürchtete, war wohl weniger ein Rücktransport zur Fahlburg, eine Fortsetzung der Folterungen, er hatte offenbar die Sorge, Jäger würde ihn dem Landesfürsten ausliefern. Konnte Friedrich bei dieser Gelegenheit Rache an ihm nehmen? Oswald sah nur eine Möglichkeit in dieser Lage: in Forst bleiben und mit dafür sorgen, daß möglichst bald ein Rechtstag angesetzt wurde.

Sobald ihn Nachrichten über Jägers Aktion erreichten, schaltete sich auch Ulrich von Starkenberg ein. Schwob hat undatierte Aufzeichnungen des Starkenbergers gefunden, so etwas wie Aktennotizen. Ich übersetze: »Anschließend kam der Sparrenberger nach Bozen, kam zu Herrn Michael und zu Leonhard, den Wolkensteinern, und informierte sie über den Vorgang. Sie forderten ihn daraufhin auf, mich zu bitten, ich solle auf den Jäger dahingehend einwirken, daß er ihren Bruder in der Burg lasse, damit er dort für sie erreichbar bleibe. Falls das nicht geschehe, so sei das, ihrer Meinung nach, ein unfreundlicher Akt meinerseits. Ich habe mich auch entsprechend verhalten. Daraufhin hat der Jäger dem Sparrenberger in Gegenwart des obengenannten Murrenteiner und der erwähnten Bürger als meinen Stellvertretern versprochen, den Wolkensteiner in der Burg zu belassen und ihn vor dem nächsten Sonntag in drei Wochen nicht wegzubringen. Eine längere Frist wollte er dieser Sache nicht ein-

1. Oswald von Wolkenstein, Ritter.
Das repräsentative Portrait (mit allen Orden) in der
Innsbrucker Liederhandschrift

2. *Die Burgruine Wolkenstein und das Langental,*
auf einer Zeichnung von 1837

3. Die Trostburg, im Vordergrund der Eisack.
Eine Zeichnung von 1825

4. *Oswald als Kreuzritter*
auf dem Marmor-Gedenkstein von Brixen
aus dem Jahre 1408

5. *Oswald von Wolkenstein neben einem Petrarca-Brief.*
Ausschnitt einer Seite einer Wolfenbütteler
Handschrift

Schloß Hauenstein

aß K. v. Lutterotti 1902

6. *Burg Hauenstein,*
gezeichnet im 19. Jahrhundert, ohne Santnerspitze
und Schlern

7. *Die Burg Greifenstein über dem Etschtal,*
von Osten gesehen

räumen, denn er ist der Meinung: Falls sein Anhang oder sonst jemand für ihn einen Gerichtstermin anberaume, so habe man Zeit genug dafür; während dieser Frist sei er dort auch erreichbar. Sollte es während dieser Frist in seiner Sache nicht zu einem Schiedstermin kommen, so wolle er, nach Ablauf der drei Wochen, nach eigenem Ermessen verfahren, würde ihn entweder noch länger dort behalten oder ihn woandershin schaffen.«

Als die Frist abgelaufen war und Oswald nicht freigelassen wurde, sah Leonhard von Wolkenstein die Stunde der Rache gekommen – sein Bruder Michael war auf Dienstreise. Am 20. November kidnappte er mit mehreren bewaffneten Knechten Heinrich Millauner (Propst von Neustift, Kanzler des Landesherrn), als er zu einem Rechtstag nach Bozen ritt; wahrscheinlich hat ihm Leonhard unterhalb seiner Burg am Hangweg aufgelauert. Der Propst wurde in Aichach eingesperrt.

Damit war Leonhards Wut noch nicht verraucht, er kam jetzt erst richtig in Schwung: auf Millauners Pferd ritt er in das Nachbardorf Völs, wohl wieder begleitet von seinem Trupp, drang in das Pfarrhaus ein. Hatte der Pfarrer es gewagt, etwas gegen die Wolkensteiner zu sagen und für ihre Opfer?

Über Leonhards Aktion in Völs berichtet Herzog Friedrich in einem Brief: »Er hat da den Pfarrer gefangen, Sackmann in seinem Haus gemacht und alles auf Aichach geführt.« Sackmann machen: so nannte man damals das Plündern. Dabei hat Leonhard auch den Pfarrer eingesackt.

Diese Aktionen reichten ihm noch immer nicht, er lauerte Ulrich Putsch auf, dem Erzpriester von Tirol, ebenfalls Kanzler des Landesherrn. Putsch aber war an diesem Tage krank, er verschob die Reise.

Was den Herzog besonders ärgerte: Leonhard hatte all diese Aktionen ohne Ankündigung oder Vorwarnung unternommen, und dies als sein »Diener«, sein Gefolgsmann!

Ulrich und Wilhelm von Starkenberg, die ja sicher sofort von den Racheaktionen des jüngsten Wolkensteiners erfuhren, schrieben am 25. November aus Wien einen Brief an ihren Verwalter auf Burg Forst. »Zuvor unser Gruß. Martin Jäger, uns ist geschrieben und

mitgeteilt worden, daß du den Oswald Wolkenstein gefangengenommen und ihn auf unsere Burg Forst gebracht hast, die du für
uns verwaltest. Es wundert uns sehr bei dir und erregt unser entschiedenes Mißfallen, daß du auf diese Weise vorgehst und ihn auf
unsere Burg überführst, ohne unsere Zustimmung. Dadurch können für uns nur Schwierigkeiten und Feindschaften entstehen, obwohl wir in dieser Angelegenheit völlig schuldlos sind. Wir sind der
Auffassung, daß du in dieser Angelegenheit den Diensteid, den du
uns wegen unserer erwähnten Burg leisten mußtest, entschieden
verletzt hast. Deshalb fordern wir dich auf und legen es dir dringlich
nahe, den obengenannten Oswald freizulassen und ihn auf eine
Weise zu behandeln, daß wir in dieser Angelegenheit nicht in Verruf
kommen. Gib deine schriftliche Antwort diesem Boten mit.«

Offenbar gab Jäger den Gefangenen aber noch nicht frei. Die Starkenberger kündigten ihm schließlich.

Was Oswald befürchtet hatte, traf zu: im Dezember 1421 schaltete sich der Landesfürst ein. Er ließ Martin Jäger und den
Nebenklägern folgende Rechtsgarantie zustellen: »Wir, Friedrich
von Gottes Gnaden Herzog zu Österreich, zu Steir, zu Kärnten und
zu Krain, Graf zu Tirol etc., erklären hiermit: Martin Jäger (in Wahrung seiner eigenen Interessen und als Rechtsvertreter seiner Ehefrau), die Hausmann, der Neithart und der Frey haben Oswald von
Wolkenstein gefangen und in ihren Gewahrsam genommen. Nun ist
aber mit Wissen und Willen der Brüder, Verwandten und Anhänger
des genannten Oswald ein Verhandlungstermin anberaumt worden.
Dies schließt ein, daß Wir ihnen einen Geleitbrief hin zum Gerichts-
ort und von dort zurück bis zu ihrer sicheren Behausung aushändigen lassen, wie es die Urkunden, die dazu ausgefertigt wurden, detailliert beinhalten. So verbürgen Wir auch den Obengenannten,
dem Jäger, seiner Ehefrau, der Hausmann, dem Neithart und dem
Frey und all denen, die mit dieser Sache zu tun haben, samt allen, die
sie zur Gerichtssitzung mitbringen, Unser gutes Sicherheitsverspre-
chen und das freie Geleit: dies gilt vom Ausstellungsdatum dieser
Urkunde bis zum Tag der Gerichtssitzung.«

Besonders wichtig war für Martin Jäger diese Zusage am Ende der Erklärung: »Auch wenn dem Recht Genüge geleistet ist, so dürfen Wir ihn dennoch nicht freilassen, außer wenn er die Genannten (Jäger, dessen Frau, die Hausmann, der Neithart und der Frey und alle, die in dieser Angelegenheit mitverantwortlich oder die mit ihnen verwandt sind) mit einer verbindlichen, rechtskräftigen Urfehde in dieser Sache zufriedengestellt hat, und zwar uneingeschränkt.« Urfehde, das hieß, die Fehde ist endgültig beigelegt.

Mit dieser rechtsverbindlichen Erklärung des Landesherrn war die Partei Jäger / Hausmann / Neithart / Frey sicher einverstanden; nachdem alle Einwirkungsversuche in der Fahlburg und in der Burg Forst ergebnislos geblieben waren, konnten sie jetzt nur noch auf den Landesherrn hoffen.

Die Höhe der finanziellen Forderungen Martin Jägers und seiner Nebenkläger / Helfer ist hier noch nicht dokumentiert; es scheint aber, als sei ein Streitwert von 6000 Gulden angesetzt worden – jedenfalls muß bald eine Kaution in dieser Höhe geleistet werden.

Sechstausend Gulden – ein eminent hoher Betrag! Ein paar Vergleichszahlen sollen das verdeutlichen. Ein wichtiger Einnahmeposten im Haushalt der Grafschaft Tirol waren Zollgebühren. Die einträglichste Zollstation war seit jeher Lueg am Brenner. Hier wurden 1415 rund 720 Mark Berner eingezogen, also 1440 Gulden. Zwanzig Jahre später werden es 1260 Mark sein, rund 2500 Gulden. Im Jahre 1432 wird die landesfürstliche Kammer aus den sieben Hauptzollstätten des Landes insgesamt 2700 Mark ziehen, 5400 Gulden – weniger als die Kautionssumme! Die Zolleinnahmen machten im Durchschnitt ein Achtel bis ein Siebtel der gesamten Einnahmen des Landes Tirol aus. Die lagen demnach, umgerechnet, bei 40000 bis 45000 Gulden. Ich lese freilich auch die Zahl 70000. Trifft sie zu (dank der Bergwerksabgaben, vor allem der Silbergruben), so wurde hier immerhin eine Kaution gefordert, die einem Zehntel des Landeshaushalts entsprach!

Noch eine Umrechnung, und die fasziniert mich besonders: wie Mück nachweist, konnte man zu jener Zeit für 100 Gulden rund 15000 Liter Wein kaufen. Rechne ich hoch, so komme ich auf einen Gegenwert von 900000 Litern Wein!

Wäre ein Schuldbetrag, eine Schadensersatzforderung von 6000 Gulden berechtigt gewesen, so hätte Oswald ganze Landstriche ausplündern müssen! Natürlich, Jäger wird mehr gefordert haben, als er im Detail addiert hatte, jedes Ei verbuchend – wie hoch war eigentlich seine reale Schuldforderung, in bar?

Diese Umrechnung will ich hier nachholen, sie ist wichtig. Rekapitulieren wir: etwas über 13 Mark in bar. Dann 13 Star Weizen; pro Star fünfzehn Kreuzer, macht knapp 200 Kreuzer, also knapp 17 Pfund. Runden wir auf: 20 Pfund, also 2 Mark. Weiter: 20 Star Roggen; das Star neun Kreuzer, macht 2 Mark. Ein ungefähr gleicher Betrag bei der Gerste. Nun der Wein: das Fuder etwa 24 Pfund Berner, bei 14 Fudern kommen wir aufgerundet auf 350 Pfund, also 35 Mark. Runde ich beim Addieren dieser Beträge noch einmal auf, so komme ich auf etwa 60 Mark, umgerechnet 120 Gulden. Selbst, wenn man hier noch einmal aufrundet, auf 200 Gulden, so erreicht man erst ein Dreißigstel der realen Schuldforderung. Wie kam es zu dieser Potenzierung?

Beim Streit mit Oswalds Vater hatte sich gezeigt, daß Martin Jäger in seinen Forderungen nicht ängstlich war. Aber daß er sechstausend Gulden verlangte, scheint mir kaum vorstellbar. Solch einen Betrag konnte nur der Landesherr fordern, ein Souverän. Er verhielt sich hier wie ein geschickter Rechtsanwalt, der einen möglichst hohen Streitwert ansetzt, um den Fall interessant zu machen. Zugleich sehe ich hier eine Imponiergebärde des Habsburgers, der einem Untertan mal zeigen wollte, zu welchen Donnerschlägen er in der Lage ist. Lange genug hatte er keinerlei Initiative entwickelt in dieser Sache, trotz aller Briefe, Mahnungen, Petitionen – nun wollte er wohl auftrumpfen.

Auch konnte dies mitwirken: der Herzog wollte mit dieser Summe einen Vorwand schaffen für harte Maßnahmen gegen den Wolkensteiner: Seht, der ist nicht nur politisch aufsässig, der ist auch ein Verbrecher großen Stils. Kriminalisierung politischer Opposition.

Jäger mag, im ersten Reflex, dieser Forderung begeistert zugestimmt haben: Rache für den mittlerweile jahrzehntelangen Ärger durch Vater und Sohn Wolkenstein!

Aber Jäger konnte auch rechnen, und so wird ihm schnell klar geworden sein, daß diese Forderung illusorisch war; er kannte die Pachtsätze, die Lebensmittelpreise, er wußte, daß Oswalds gesamter Besitz nur einen Teil dieser Summe wert war – vorausgesetzt, man konnte den Streubesitz unter günstigen Konditionen verkaufen. So wird Martin Jäger gleich geahnt haben, daß der Herzog ihm den Fall aus der Hand genommen hatte: aus der Schuldforderung war eine Waffe geworden, mit der Herzog Friedrich eine renitente Adelsfamilie zur Raison bringen, zur Loyalität zwingen wollte. Wenn Oswald beim Fälligkeitstermin solch eine Summe nicht selbst aufbringen konnte, mußte (nach damaligem Kodex) die nächste Verwandtschaft helfen: damit wären auch Michael, Leonhard und vielleicht noch ein paar andere Verwandte mittellos geworden.

Martin Jäger wird gewußt haben, jetzt schon, daß mit einem baldigen Abschluß des Rechtsstreits nicht mehr zu rechnen war.

Auch wenn Oswald sich skeptisch geäußert hatte über seine Brüder: Michael protestierte nicht nur und Leonhard lief nicht nur Amok, sie nahmen Verhandlungen auf mit dem Herzog.

Dabei diente Propst Millauner als Faustpfand. Zwar hatte inzwischen Bischof Berchtold von Brixen Leonhard mit dem Kirchenbann belegt, aber das war für die beiden Wolkensteiner vorerst kein Anlaß, den Propst freizugeben. Michael, der als der Ältere die Verhandlungen führte, erklärte, der Propst werde freigelassen, sobald Oswald freigegeben sei. Außerdem bot er dem Herzog an, er wolle für ihn Fürsprache einlegen beim König, der über sein Verhalten sehr erzürnt sei. Dieser Hinweis auf Beziehungen zum König war eine Herausforderung und zugleich eine Drohung: falls Friedrich sich nicht als konzessionsbereit erwies, konnte man den königlichen Zorn ebensogut auch schüren...

Herzog Friedrich scheint Konzessionsbereitschaft vorgetäuscht zu haben, denn der Propst wurde von den Brüdern freigegeben; Oswald aber blieb in Haft.

Der Landesherr, als oberste Rechtsinstanz, setzte einen Rechtstag an auf den 8. März 1422, teilte dies rechtzeitig, am 31. Januar, Martin

Jäger und den Nebenklägern mit: »Wir, Friedrich, von Gottes Gnaden Herzog zu Österreich, zu Steir, zu Kärnten und zu Krain, Graf zu Tirol etc., vermitteln Unseren Getreuen, Martin Jäger, seiner Ehefrau, der Hausmann, dem Frey, dem Neithart Unser Wohlwollen und alle guten Wünsche. Ihr habt Oswald von Wolkenstein in Haft genommen. Indessen ist er mit Wissen und Willen seiner selbst und seiner nächsten Anhänger in Unsere Verfügungsgewalt übergeben worden, kraft einer Vereinbarung, nach der er sich wegen der Forderungen, die ihr ihm gegenüber zu haben meint, vor Uns und Unseren Räten zur gerichtlichen Schlichtung bereit erklärt. Wir sollen ihn festhalten, bis er euch gegenüber erfüllt hat, was von euren Forderungen gerichtlich bestätigt wurde. Wir setzen hiermit einen Rechtstag an auf den nächstfolgenden Sonntag Reminiscere in der Fastenzeit und fordern euch nachdrücklich auf, an diesem genannten Tage zu Uns hierher oder dorthin, wo Wir zu diesem Zeitpunkt im Lande sein werden, zu Uns und Unseren Räten zu kommen. Wir werden euch dann gegenüberstellen und anhören und jeder Partei das zusprechen, was ihr rechtmäßig gebührt. Versäumt diesen Termin nicht. Wir haben dem genannten Wolkensteiner die gleiche Anweisung erteilt.«

Auf diesem Rechtstag wurde freilich keine Einigung erzielt. Dennoch wurde Oswald zehn Tage später freigelassen, bis zum nächsten Rechtstag am 24. August. In dieser Zwischenzeit sollte Oswald wohl versuchen, eine Einigung mit Martin und Barbara Jäger, Anna Hausmann, Frey und Neithart vorzubereiten.

Der Herzog hatte vor dieser Entlassung freilich eine Kaution von Oswalds Anhang gefordert, und zwar in Höhe der Forderung: sechstausend Gulden! Trotz dieser enormen Höhe – die Bürgschaft wurde übernommen, vor allem von Michael und einem Verwandten, Hans von Villanders. Ich übersetze die Bürgschafts-Urkunde.

»Ich, Michael von Wolkenstein, ich, Hans von Freundsberg, ich, Hans von Villanders und ich, Hans Velseck, geben mit dieser Urkunde öffentlich die Erklärung ab: Seine Durchlaucht, der hochgeborene Fürst Herzog Friedrich, Herzog von Österreich, etc., unser gnädiger, lieber Herr, hat Oswald von Wolkenstein von Martin Jäger und seinem Anhang, die ihn gefangengenommen hatten, selbst übernommen, um eine rechtliche Entscheidung herbeizuführen nach Ausweis der Urkunden, die hierüber in vollem Wortlaut und Umfang ausgestellt worden sind. Auf unsere wiederholten Bitten hin hat dieser unser gnädiger Herr für den erwähnten Oswald einen Rechtstag angesetzt auf den nächsten St. Bartholomäustag. Wir haben dem erwähnten, unserem gnädigen Herrn Herzog Friedrich gelobt und versprochen, in vollem Frieden und kraft dieser Urkunde, daß wir den obengenannten Oswald zwischen jetzt und dem genannten Bartholomäustag auf der Burg Tirol als Gefangenen zu seinen Händen wieder ausliefern werden; wir werden das dem Burggrafen von Tirol oder seinem Stellvertreter acht Tage vorher ankündigen, ohne Täuschungsabsicht. Tun wir das nicht und stellen wir den obengenannten Oswald nicht in der oben festgelegten Weise, so sind wir alle vier gleichermaßen dem obengenannten unserem gnädigen Herrn sechstausend Dukaten schuldig, innerhalb der nächsten drei Monate, um seinen Schaden zu begleichen. Bezahlen wir dies innerhalb der bezeichneten Frist allerdings nicht, so kann und soll er sich an uns und an unserem gesamten Besitz schadlos halten; die Vollstreckung kann auf dem Rechtsweg oder unter Ausschluß des Rechtswegs erfolgen, ganz nach seinem Belieben und Gefallen, ohne daß wir dagegen Einspruch erheben und Rechtsmittel einlegen können.«

Diese Urkunde ist datiert auf den 18. März 1422. Am selben Tag wurden zwei weitere Urkunden ausgestellt. So verpflichteten sich die Herren Michael von Wolkenstein, Hans von Villanders und Hans Velseck, alle drei auch im Namen der Herren Bartholomäus von Gufidaun und Leonhard von Wolkenstein, dafür zu sorgen, daß alles gesetzlich einwandfrei geregelt werde, dies solle mit gebührendem Nachdruck geschehen.

Die dritte Urkunde wurde vom Landesherrn ausgestellt. Ich übersetze sie, weil sie ganz klar festlegt, was nach Oswalds »Gestellung« mit der Bürgschaft geschehen sollte – hier wird es später erhebliche Probleme geben!

»Wir, Friedrich von Gottes Gnaden Herzog von Österreich etc., verkünden hiermit: Wir geben nunmehr Oswald von Wolkenstein frei. Unsere lieben Getreuen Michael von Wolkenstein, Hans von

Freundsberg, Hans von Villanders und Hans Velseck haben für ihn gebürgt und haben sich verpflichtet, daß sie diesen Oswald am nächstkünftigen St. Bartholomäustag wieder stellen werden, und zwar Unserem Burggrafen auf der Burg Tirol oder dem, der sonst zu dieser Zeit in Unserem Auftrag die Verwaltung führt. Wenn die obengenannten Bürgen den obenerwähnten Oswald innerhalb der festgesetzten Frist zurückbringen und stellen wollen, so sollen sie das acht Tage vorher dem Burggrafen oder seinem Stellvertreter auf Tirol mitteilen, unter Berufung auf diese Urkunde. Man soll ihn dann unverzüglich an Uns ausliefern. Sobald er sich wieder in Unserer Gewalt befindet, werden die obengenannten Bürgen von der Bürgschaftsleistung in Höhe von sechstausend Gulden freigestellt, und zwar gänzlich. Der Bürgschaftsbrief, den Wir in Höhe dieses Betrags erhalten haben, wird ihnen daraufhin wieder ausgehändigt. Auch werden Uns die Bürgen dann dieses Dokument zurückgeben, ohne Täuschungsversuch.«

Alle drei Urkunden wurden besiegelt, Oswald war wieder frei, nach mehreren Monaten Haft. Eine Woche später, am 25. März, mußte er (sicher nach harten Vorverhandlungen, die wohl gleich auf der Rückreise begannen, dann wahrscheinlich auf der Trostburg weitergeführt wurden) mit den beiden Hauptbürgen einen Vertrag schließen: sie forderten Sicherheiten für ihr Bürgschaftsversprechen.

»Ich, Oswald von Wolkenstein, erkläre öffentlich in dieser Urkunde für mich und meine Erben: die Ritter, mein lieber Bruder Herr Michael von Wolkenstein und Hans von Villanders, haben mich von Seiner Durchlaucht, dem hochwohlgeborenen Fürsten Herzog Friedrich von Österreich etc., meinem gnädigen Herrn, durch eine Kaution in Höhe von sechstausend Gulden befreit, laut Urkunde, die sie darüber ausgestellt haben; auch haben andere mitgebürgt. Dafür habe ich ihnen versprochen und zugesagt all meinen Besitz, den ich jetzt habe und künftig hinzuerwerbe, es sei zu Lehen oder als Eigentum; Schlösser und Burgen davon nicht ausgenommen. Ich habe ihnen dies als rechtmäßiges Pfand ausgehändigt aus meiner und meiner Erben Verfügungsmacht mit der Zusicherung, daß sie wegen der genannten Bürgschaft für mich keinerlei Schaden erleiden sollen. Im Schadensfall genügt schlechthin ihre Erklärung, ohne Eid und sonstiges Beweismittel, und sie können sich für den Schaden gänzlich an den obengenannten Besitz halten; auch dürfen sie dieses Gut so lange besitzen, bis sie, diesbezüglich, in einem Klageverfahren unterliegen, eingeleitet von mir und von meinen Erben und von sonst jemand, der mit meiner Vollmacht handelt.«

Um diese (und spätere) Vorgänge richtig zu verstehen, habe ich einen Juristen befragt; was ich mir zuvor nur vage vorstellen konnte, das wurde mir nun mit allen Konsequenzen klar: Oswald hatte mit diesem Vertrag den beiden Hauptbürgen seinen »Besitz eingeräumt«. Diese »Besitzeinräumung«, so der juristische Fachausdruck, bedeutete: Michael von Wolkenstein und Hans von Villanders hatten nun das Recht, aus diesem Besitz sämtliche Einkünfte zu »ziehen«. Das heißt wiederum: Oswald standen, nach Vertragsabschluß, keinerlei Einkünfte aus seinen Besitzungen mehr zu, weder in bar noch in Naturalien. Hatte er noch ein paar Geldrücklagen, eine ›eiserne Reserve‹? Sie wurde ihm auch bald abgenommen...

Mit diesem Vertrag hatte Oswald nicht nur seine ökonomische Existenzgrundlage verloren, er handelte sich hier für die Zukunft ungeheuren Ärger ein.

Die schlimme Lage, die finsteren Zukunftsaussichten übten auf Oswald offenbar keine lähmende Wirkung aus, auch stimulierten sie keine hektische Aktivität – er schrieb oder vollendete erst einmal Lieder über Haftzeit und Folterungen.

Das Konstanzer Jahr war so etwas wie eine Explosion gewesen: in dieser verhältnismäßig kurzen Zeit hatte Oswald einen großen Teil seines Werks verfaßt. Nun eine zweite ›Explosion‹, oder soll ich sagen: eine Implosion? In Konstanz hatte ihn auch die äußere Situation stimuliert zu einer sehr vielfältigen Produktion; bei diesem zweiten Produktionsschub war sein Artikulationsspektrum vergleichsweise schmal; eine schmerzhafte Erfahrung wurde wiederholt beschrieben. Ich will hier nicht bloß ein, zwei charakteristische Beispiele dieser Phase bringen, sondern mehrere Texte, damit

wir lesend miterleben, wie Oswald den einen, wunden Punkt umkreist.

Der nun folgende Liedtext (Kl 1) steht am Anfang seiner beiden
Sammelhandschriften – wohl auch, weil er mit der ersten Zeile das
Stichwort dazu bringt. Auf dem Notenblatt, das Oswald auf dem
Vollbild der ersten Handschrift hochhält, ist der Beginn dieses Lie-
des »Ain anefangk« erkennbar.

> Als Anfang dies:
> auf Dauer keine Gottesfurcht,
> Gewissen schwach und Sünden ohne Zahl –
> was hier Gelehrte auch erdenken,
> mit viel Verstand, doch ohne Gott,
> das böse Ende können sie nicht von uns wenden!
> Drum bin ich krank
> an meiner Seele, habe Angst vor meinem Tod
> und bitt dich, heilge Jungfrau Katharina,
> verwende dich für mich
> beim Sohn Mariens,
> daß Er mir Seinen Schutz bewahre.
> Ich dank dem Herrn, dem Preis gebührt,
> daß Er sich darin zeigt:
> mit der ich mich versündigt habe,
> durch die läßt Er mich büßen.
> Daraus mag jeder schließen:
> es gibt auf Dauer Glück nicht ohne Leid.
>
> Die schöne Frau –
> ich hab ihr sehr viel Zeit gewidmet,
> wohl dreizehn Jahre und noch mehr,
> war ihr stets treu gesonnen,
> war ihr zu Willen, wie sies wünschte,
> kein Mensch auf Erden war mir lieber.
> Gebirge, Wald und Feld
> hab ich in manchem Land durchritten
> und mich doch nicht von ihr entfernt.

Ich habe viel durch sie gelitten,
mein Haß, der wurde sanft.
Ihr roter Mund, er hat mich ganz verstört.
Sie war der Anlaß, daß ich wiederholt bedachte,
was viele Liebende erleiden mußten.
Mit Lust hat sie so manche Nacht
sich nackt mit mir vereint.
Es tut mir weh, wenn ich dran denk –
an Armen, Beinen bin ich hart gefesselt!

Nur Liebe wars,
wenn wir uns kaum ein Leid ersparten,
die Liebe löste es nicht auf:
ich liege hier ja äußerst fest
von ihrem Liebesband gefesselt!
Nun schwankt mein Leben auf der Kippe.
Mit Haut und Haar
hat mich der Herr durch sie zu Fall gebracht.
Weil allzu schwer die Sünde wog,
da sank ich auf der Waage ab.
Sie läßt mich büßen, schmerzhaft leiden –
nur halbwegs reicht hier meine Sprache aus.
Ich liege vor ihr, streng gefesselt
mit Eisen und mit Seilen;
sie hat mich allzu schlimm behandelt,
das nahm mir meine Lebensfreude.
Oh Herr, im Richten zeigst du oft Geduld –
die Zeit ist reif, daß du mich sühnen läßt!

Kein kluger Mann
darf sagen, ist er bei Verstand,
daß er den Weg nicht gehen wird,
der für die Zukunft ihm bestimmt.
Die Zeit bringt Unglück wie das Glück;
was vorbestimmt ist, wurde nie umgangen.
Des Sünders Weg

ist oft auf abenteuerliche Weise
verstellt mit raffinierten Fallen.
Kein Meister kann so was erfinden,
nur Gott, der jedem seinen Anteil
zuwiegt mit Seiner heilgen Hand.
Voll Eifersucht ist Er auf Männer, Frauen
und alle Kreatur:
Er will die größte Liebe haben
in Seiner höchsten Würde.
Wer das versäumt, versündigt sich:
Er läßt ihn frei, bis ihn die Falle schnappt.

Die Liebe ist
ein hohes Kapital, legt man sie richtig an;
die Liebe überwindet alles,
die Liebe zwingt auch Gott, den Herrn,
daß Er dem Sünder aus Bedrängnis hilft,
ihm Aussicht gibt auf Heil.
Ach Liebe, höchstes Gut,
wie hast du, lieblos, mich geblendet,
daß ich mit Liebe Dem nicht dankte,
der Seinen Tod erlitten hat
für mich und manchen kalten Sünder.
So lieg ich hier nun in der Glut der großen Angst.
Hätt ich nur halbwegs, wie es sich gebührt,
bei Gott die Liebe angelegt,
die ich, voll Zärtlichkeit, der Frau geschenkt,
die mich so hart behandelt –
ich ginge sündenfrei dahin!
Oh, Liebe dieser Welt, wie schwer sind deine Fesseln!

Mich reut erst recht,
daß ich, derartig frevelnd, Den erzürnte,
der mir so lange Frist gegeben,
daß ich mir abstoß meine Hörner
der allzu großen Missetat.

Fünf Eisenfallen wurden mir gestellt:
nach Seinem Willen
fiel ich in zwei hinein mit beiden Füßen,
in eine mit dem linken Arm,
die Daumen mußten büßen,
ein Stahlring meinen Hals umschloß,
da warens fünf, wie ich zuvor gesagt.
So hielt mich meine Liebste eng
umschlungen, mit allzu hartem Druck.
Ah, brrrr, wie kalt war die Umarmung!
Begattung ohne Liebe!
Wie sehr ich ihr mein Leid auch klagte –
erbarmungslos hat sie mir Trost verweigert.

Mein Herz wird schwach
in mir, es bricht vor Sorge, Furcht,
wenn ich den bittren Tod bedenke,
bei Tag, bei Nacht, am Morgen –
ach, wie beklemmend ist die Angst!
Ich weiß ja nicht, wohin die arme Seele fährt.
Oh Sohn Mariens,
steh mir, dem Wolkensteiner, bei in der Bedrängnis,
sei gnädig meinem Tod.
Hilf allen, die mich töten,
daß sie gleich hier den Frevel büßen,
den sie an mir so hart begangen haben.
Bei meinem schweren Tod
beschwöre ich, mit Nachdruck,
daß ich der Frau stets loyal
gesonnen war, mit ganzem Herzen.
Wenn ich aus dieser Welt nun scheide,
so bitt ich Gott, Er mög es sie nicht büßen lassen.

Im Lied Kl 59 werden Gefangennahme und Folterung in einer Art
Ballade, fast in einem ›Bänkellied‹ besungen: eine völlig andere Tonlage!

Macht mir Kummer graues Haar,
werde ich durch Schaden klug,
danke ich das den Manschetten,
angelegt von meiner Liebsten.
Nur für sie hab ich getragen
einst ein Kettchen, golden, fein,
unterm Ärmel, gut verschlossen –
offenbar hat sies vergessen...
Seit in deutlichem Kontrast
nun ein Eisen, breit: drei Finger,
schmerzhaft fest dank ihrer Liebe
diese Stelle eingenommen,
sie mich auch noch dadurch triezt,
daß sies mit nem andren treibt,
der mir reichlich Ärger brachte –
kommt mir gleich die Suppe hoch!

Eilte zu ihr, voll Vertrauen
(meine Liebe war so groß!),
hab so manchen harten Stoß
bei dem Gang zu ihr erhalten!
Hatt die ›Wallfahrt‹ falsch verstanden,
hieß es doch: sie wolle reisen...
Den Verzicht auf solche Tour
nähm kein Heiliger ihr krumm!
Diese Sache sah ich so:
meinem Heile dient die Reise...
Wär es himmelwärts gegangen,
würde ich für sie dort beten,
weil sie äußerst liebevoll
höllisch grob mit Eisenstiefeln
und durch Schraubenspindeldrehen
mir das Schienbein maltraitierte.

Schön, auch so was wird geschluckt!
Wohlgetan, was Liebe tut...

Gutes Kind kriegts hintendrauf!
Leidenschaft mich eng umschlang –
hab gespürt, wie scharf sie ist!
Kluge Liebe schaut aufs Geld:
wurde ganz schön hochgezurrt,
beide Füße an der Stange.
Viertausend Mark verlangte sie und
Hauenstein, das war ihr Preis!
Habs gespürt, als mich der Schmerz
aufschrein ließ am Seil!
Sie fauchte mir ihr Katzenlied,
ich pfiff die Mäuselitanei.
Fünf Eisen haben mich umfaßt,
sehr fest: dies war ihr Wunsch.

Was macht Oswald uns hier vor? Eine Frau, sogar eine (frühere) Geliebte, forderte von ihm Hauenstein und 4000 Mark? Falls das übernommene Umrechnungs-Schema stimmt, wären das weitaus mehr als 6000 Gulden gewesen! Wenn hier jemand Hauenstein zurückverlangen und dazu eine hohe Geldforderung stellen konnte, so war das Martin Jäger, gemeinsam mit Herzog Friedrich! Aber eine Frau? Soll das die Hausmann sein? Wieviel Fiktives wird hier mit Realität vermischt?

Vielleicht war es so: als er im Keller der Fahlburg saß, wurde ihm nicht nur von Jäger, Frey und Neithart zugesetzt, und zwar hart, es zeigte sich auch die Hausmann, wiederholte ihre Forderungen. Damit war für Oswald wohl alles klar: sie hilft ihm (trotz früherer Liebe?) nicht aus seiner Notlage, also hat sie alles so gewollt, ist an allem schuld. Und Oswald machte aus realen Vorgängen ein schaurig-schönes Melodram.

Sehr wahrscheinlich hat er diese Lieder über Kidnapping, Haft und Folter einem engen Kreis vorgetragen, Familienmitgliedern, Freunden – und die kannten die Fakten! Also hätte sie eine wahrheitsgetreue Wiedergabe der Tatsachen kaum sonderlich unterhalten; der Witz lag in der Verquickung von Fakten und Fiktionen. Zu dieser Umformung hat Oswald ein altes literarisches Muster benutzt, wie sich am Schluß dieses Kapitels zeigen wird: der Mann, der seiner Geliebten hörig ist, als »Minnesklave«, und er wird von ihr ins Unglück gestürzt.

Dieses literarische Muster benutzte Oswald konsequent noch jahrelang: er flunkerte mit System. So wird er 1424 König Sigmund in einem Lied sagen lassen, an seinem Unglück sei nur eine Frau schuld. 1427 wird Oswald noch einmal behaupten, eine Frau, und zwar die Hausmann, habe alles Unglück über ihn gebracht. Dabei wußte König Sigmund ebensogut wie Oswalds Zuhörer, daß eine Verflechtung von zivilrechtlichen und landespolitischen Vorgängen der Grund war für Oswalds zweifellos große Schwierigkeiten. Aber wie lassen sich solche komplexen Vorgänge unterhaltsam gestalten? Oswald löste das Problem, indem er rabiat vereinfachte, rigoros veränderte; daß eine Frau zur Gläubigergruppe, zur Aktionsgemeinschaft gehörte, war für ihn Motivation genug, sie zur Hauptfigur zu machen, die ihn fesseln und foltern ließ. Jeder Zuhörer wußte, daß so etwas Männersache war, daß Oswald sich hier also etwas ganz Tolles ausgedacht hatte, etwas mit haut goût.

Und nun wieder ein geistlich-meditativer Text: Kl 2. Oswald beginnt mit üblichen Formeln des Gotteslobs, läßt die Darstellung seiner Erfahrungen folgen, versucht schließlich, beides in einer Synthese zusammenzufassen. Heuchelt Oswald in diesem Meditations- und Klagelied? Ich glaube durchaus, daß ihn das Kidnapping, die Gefangenschaft, die harte Behandlung geschockt haben – der wiederholte Hinweis auf die Folterung könnte fast auf ein Trauma schließen lassen. Aber auch in diesem Liedtext: Fakten und Stilisierungen.

> Erwach, du Menschentier!
> Benutzt doch den Verstand, ihr Fraun und Männer!
> Bist du so tief gesunken
> in deinen Sündenpfuhl,
> daß du nicht Furcht hast vor dem Zorn des Herrn,
> der dir den Leib, die Seele lieh?
> Lauf, such Ihn rasch,
> solange du noch siehst – es dunkelt bald.

Wenn einer dich erlösen kann,
es muß durch Ihn geschehn.
Die Hölle brach Er auf, die keine Kälte kennt,
und Seine Macht durchdringt die ganze Welt,
auch Sonne, Mond und Firmament.
Den Blümchen auf der Heide
verleiht Er Farbe, hellen Glanz.
So manche Schönheit der Natur
bezeugt Sein Dasein – auch für den,
der sonst an Gott nicht glauben will.

Wer hält den Himmel
und die Erde, Meere und Gebirge?
Wer bringt den Donner, Schnee und Sturm?
Allein das Firmament –
es ist Beweis für Gottes Kind,
das Mann und Vater seiner Mutter ist.
In Tiefenfinsternis
beschützt Er Fische, läßt sie nicht ertrinken.
Er hält die Vögel in der Luft,
damit sie nicht herunterstürzen.
Den Berg, das Tal, den Wald verschönert Er
mit Schmuck, den so kein Mensch erdenkt!
Wer nährt das Würmchen in der Erde,
den Raben jung und zart,
verlassen von den Eltern,
die seine weißen Federn fürchten?
All dies bewirkt nur Gottes Kraft!
Ja, Seine Macht ist ohne Anfang, ohne Ende.

Der alles Wesen,
der Mensch und Vieh und Wild gestaltet,
daß eins dem anderen nicht gleicht,
der sei mir gnädig, jetzt und hier,
und weise dieser Frau den Weg zur Buße,
in deren Auftrag man mir noch die Beine bricht!

Rücksichtslos
liegt sie mir ständig in den Ohren,
erpreßt mich, will mein ganzes Geld.
Ich höre da nicht hin –
und wenn sie wie ein Zeisig sänge!
Ja, mein Vermögen hat sie leicht.
Doch spreche ich von Liebesworten,
die sie mir einst gesagt,
und daß sie diesen Eisenblock
von meinen Füßen nehme
(die Fesseln mag sie sonst geschlossen lassen) –
damit vertreibe ich sie bloß, sehr weit!

Erkenn daran,
du Sinnenliebe: rasch verblüht dein Glanz.
Wär ich einst hundert Meilen fort gewesen,
sie hätte mich auch dann erreicht –
sie war mein ganzes Leben!
Nun fügt sie mir das Gröbste zu.
Die starken Beine,
die spannt sie härter ein als einem Gaul;
ich kann auf ihnen nicht mehr stehn.
Mit Hinterlist
hat sie mich zum Gefangenen gemacht;
vertrauensselig nahm ich ihre ›Wallfahrt‹ ernst.
Den Daumen, Arm, dazu den Hals
hat sie mir fest umschmiedet.
Ach, Frau, wie ätzend ist dein Saft!
Sie macht den Körper schwach:
jetzt kriege ich, was ich verdiene!
Nun helf mir Gott, der mir das zugedacht.

Wieder ein Wechsel der Perspektive, der Tonlage: ein Fastnachts-
lied, Kl 60.

Es geht nun auf die Fastnacht zu,
da wollen wir toll, närrisch sein!
So rückt zusammen, Paar um Paar,
wie Turteltäubchen, liebevoll.
Ich freilich hab mich hübsch liiert –
mit meiner Krücke!
Die hat mein Liebchen mir verschafft
fürs ›Liebesspiel‹.
    Ich zieh die Krücke dicht heran,
    ich schmiege sie ins Achselloch,
    ich presse sie voll Leidenschaft,
    da muß sie ächzen!
    So vor der Fastnacht könnt es mir
    kaum besser gehn...
    Äh, hört schon auf zu quengeln!

Nun, da die wilden Vögel schon
gepaart sind, voller Zärtlichkeit,
was sollen da die jungen Leute
noch fackeln (wo der Mai doch naht!)
beim Küssen, Kosen schöner Mädchen?
Schmatz, laß dich vernaschen!
Setz deinen jungen Körper ein –
diskret, mit Lust!
    Ich zieh die Krücke dicht heran,
    ich schmiege sie ins Achselloch,
    ich presse sie voll Leidenschaft,
    da muß sie ächzen!
    So vor der Fastnacht könnt es mir
    kaum besser gehn...
    Äh, hört schon auf zu quengeln!

Die Fastnacht und die Maienzeit
sie dudeln gern aus einem Sack.
Was sich im Jahr verborgen hielt,
das kommt nun an das Tageslicht.

Doch meine Dame schob den Streich
mit falscher Liebe
hinaus zum Herbst. Beklage ihre ›Reise‹ –
muß jetzt hinken!

In der Darstellung von Gefangenschaft und Folterung zeigt Oswald eine große Spannweite zwischen balladeskem Song und geistlich-meditativem Klagelied. Auch im geistlich-meditativen Lied ist Oswalds Spektrum weit.

Erinnern wir uns: die geistlichen und die frommen Lieder des Oswald von Wolkenstein waren von kirchlich-liturgischen Funktionen abgelöst. Der Grad dieser Ablösung differiert: die geistlichen Lieder in Oswalds Werk unterscheiden sich jeweils durch einen hohen Anteil an objektiven oder an subjektiven Inhalten und Formulierungen. Zwei Beispiel-Strophen sollen diese Gegenpositionen markieren; ein Liedtext soll dann zeigen, wie Oswald in einer fast aberwitzigen Pointe allgemeines Gotteslob und private Bitte vereinigt…

Zuerst das damals häufig angestimmte Lob Gottes, das Preislied seiner Schöpfung; hier äußert sich der Autor als Mitglied einer Gruppe, dient einer höheren Aufgabe, hält sich selbst weitgehend aus dem Text heraus.

Du schwacher Mensch, bereu hier innig deine Sünden!
O heilger Geist, vermittle uns des Vaters Lehre,
laß mich, ein wenig, von der Macht und Würde zeigen,
in meinem Lied von Gott, dem hier nichts gleicht.
Neun Engelschöre preisen Gott beständig,
ihn preisen Sonne, Mond und Sternenglanz,
ihn preist der Himmel, der das Erdenrund umschließt:
was auf ihm lebt, verherrlicht Seinen Namen.
Der Berg, das Tal, der Fisch im Wasser, Vogelsang,
und was da kriecht und läuft – so glaubt mir, was ich sage –
und Laub, Gras, Felder, wilde Wasser, Nacht und Tag,
sie ehren, loben Gott, vor dem der Teufel weicht.

Dies ist die Eröffnungsstrophe des Liedes Kl 8. Und nun die dritte Strophe des Liedes Kl 9: O welt, o welt.

Was hilfts mir nun, daß ich in fremde Länder reiste,
in manches Königreich, das ich so kennenlernte,
was hilft mein Dichten und mein Singen
vor mancher schönen Königin?
Was hilft mir Kenntnis der Kulturen fremder Länder,
seit ich nun hilflos wurde wie ein Kind
und mich bedrückende Gedanken
zu Klageliedern zwingen?
Was hilft mir Silber oder Gold,
seit ich mir selbst
nicht mehr so recht gefallen mag?
Daß mich die Welt mit ihrem Schein so sehr betrogen hat!
Ach großer Gott, kraft deiner heilgen Trinität
komm mir zu Hilfe, fang mich auf
mit meinem Schmerz und Leid.

Ein subjektiver Ansatz: nicht Gottes Schöpfung wird besungen, sondern eins von Gottes Geschöpfen singt über sich selbst. Daß sich eine subjektive, ja private Beziehung zwischen einer Person (namens Oswald von Wolkenstein) und dem Herrn der Schöpfung artikulierte, war damals etwas Neues, und die Kirche zeigte sich nicht bereit, dieses Neue aufzunehmen: einer der Gründe, weshalb kein eigenständiger geistlicher Liedtext Oswalds in einer Klosterhandschrift aufgezeichnet ist.

Wie unorthodox Oswald als Dichter geistlicher Texte war, bestätigt das folgende Beispiel, Kl 31. Hier wird ein Vorschlag gemacht: Ich singe Dir, Gott, (mit Deiner Hilfe!) ein Preislied, hilf Du mir dafür gegen meine persönlichen Feinde.

Das formal Außerordentliche an diesem Text: er ist letztlich ein einziger Satz, der nicht einmal von den Strophen-Enden unterbrochen wird. Oswald holt sehr weit aus, eine Sprachbewegung von kosmischer Weite, und landet, in einer für uns überraschenden Pointe, bei sich selbst: eine auf die Spitze gestellte Pyramide.

Der oben schwebt, der unten trägt,
der vorne, hinten, seitlich stützt,
der ewig lebt, der ohne Anfang ist,
der alt und jung, von Anbeginn
dreifältig einbeschlossen in ein Wort,
in Harmonie, in unauflöslicher Verflechtung,
der schmerzhaft starb, nie tot gewesen,
der keusch empfangen, ohne jeden Schmerz
geboren wurde, frisch und stark, von einer Magd,
der viele Wunder hat vollbracht,
die Hölle aufgesprengt, den Teufel festgesetzt,
der allen Pflanzen Stengel, Saft und Dolden gab,

dem alle Herzen offen sind,
ob bös, verderbt, schwach, sündig, gut,
dem kein Gedanke bleibt verborgen,
dem Tun und Lassen unterstehn,
die Himmelssterne, Sonne, Mond
und Erde, Mensch und Tier, die Wasserläufe,
der Ursprung allen Wissens ist,
der ganzen Schöpfung jederzeit
ein schönes Äußeres verleiht,
dem alle Tiere, zahm und wild,
hier dankbar sind, weil er die Saat gesetzt
zur Nahrung, reichlich, köstlich, körnerklein,

der Himmel, Erde festgefügt
den Grund schuf, ohne Fundament,
der Wasser fließen läßt in fernen Strömen –
von seinen Wundern wär noch mehr
zu singen, tausendfach und überall,
mit reichem Klang, doch fehlt mir hier die Kunst:
der mir die lichte Seele gab,
Leib, Ehr und Gut, Vernunft und Christentum,
der helfe mir, daß ich ihm derart danke,
daß er, zum Lohn, mich vor den Feinden schützt,

hier ringsumher, damit sie mich nicht schlagen.
O keusche Frau, so hilf mit deinem Wort.

Ja, Oswald brauchte Schutz und Hilfe, vor allem gegen Hans von
Villanders, der für ihn mitgebürgt hatte. Die Kautionssumme
wurde erst fällig, wenn Oswald nicht pünktlich zum Rechtstag auf
der Burg Tirol erschien; solange er den Vertrag einhielt, stand die
Forderung von 6000 Gulden nur auf dem Papier.

Aber Hans von Villanders war entschlossen, aus dieser Bürgschaft Geld zu machen. So mußte Oswald schon wenige Wochen
nach der befristeten Entlassung einen hohen Geldbetrag bei ihm
hinterlegen und weitere Sicherheiten leisten.

Am 17. April 1422 stellte ihm der Verwandte eine Quittung
aus: »Ich, Hans von Villanders, erkläre öffentlich mit dieser Urkunde, daß mir mein lieber Verwandter und Schwager Oswald
von Wolkenstein zweitausend Dukaten zur Aufbewahrung übergeben hat und einen Pfandbrief über Neuhaus in Höhe von sechshundert Mark, sowie drei Schuldbriefe der Starkenberger über
eine Summe von insgesamt zweihundertsechzig Mark, so daß ich
für die Bürgschaft oder das Bürgschaftsversprechen gegenüber
dem durchlauchtigen, hochgeborenen Fürsten Friedrich von
Österreich etc., meinem gnädigen Herrn, keinerlei Schaden erleiden werde; wird die Kaution fällig, so kann ich mich an den
obengenannten Besitz halten, sowie, ohne jede Einschränkung, an
seine sämtlichen Besitzungen. Dies habe ich, ohne Arglist, bei
Ausstellung dieser Urkunde mit meiner eigenen aufgedrückten
Petschaft besiegelt.«

Und Oswald mußte noch eine Nachzahlung leisten! »Ich bitte
Dich«, hieß es in einem späteren Briefchen, »daß Du meiner Frau
zweihundert Dukaten übergibst und sie mir leihst«, er müsse das
Geld seinem Bruder geben. Was hatte Oswald mit den Familien-
schulden dieses Verwandten zu tun? Trotz der Schlußbitte, ihn
nicht im Stich zu lassen – dies war kein Hilferuf unter Familienmitgliedern in einer Notsituation, sondern: Oswald wurde ein Messer
an die Kehle gesetzt!

Daß er die enorme Summe von 2000 Dukaten (oder Gulden) und zusätzlich einen Pfandbrief, drei Schuldbriefe und noch mal 200 Dukaten auslieferte, dies muß eine Vorgeschichte haben! Wenn ich umrechne und addiere, so hat Oswald mehr als zwei Drittel der gesamten Kautionssumme in bar und in Papieren bei Hans von Villanders hinterlegen müssen.

Wahrscheinlich hat ihm Hans von Villanders ohne Schnörkel erklärt: Mein lieber Oswald, deine Bauerngüter und so weiter sind niemals sechstausend Gulden wert, ich brauche deshalb zusätzliche Sicherheiten, deponiere bei mir also deine Schuldscheine und so weiter, außerdem wünsche ich eine Bar-Hinterlegung in Höhe von 2000 Dukaten, sonst sehe ich mich nicht in der Lage, meine Bürgschaft weiterhin aufrecht zu erhalten, und dann sieht es finster aus für dich, ein anderer wird kaum für mich einspringen...

Zweitausend Dukaten: sicher mußte Oswald diesen Betrag als Darlehen aufnehmen – und dieses Geld kostete Geld! Für Hans von Villanders hingegen war es ein zinsloses Darlehen, das ihm pro Jahr etwa 200 Dukaten an Zinsen einbringen konnte.

Oswalds Lage war ausweglos: von diesem Verwandten ausgeplündert, konnte er weniger als zuvor die überzogenen Forderungen akzeptieren, die von Friedrich gestellt wurden.

Oswald wird die Frist von fünf Monaten erhalten haben, um in Vorverhandlungen mit der Partei Jäger/Hausmann/Neithart/Frey dafür zu sorgen, daß man sich auf dem Rechtstag einigen konnte. Noch besser für ihn, wenn er dem Herzog melden konnte: Wir haben uns an einem zwischenzeitlich angesetzten Schiedstag geeinigt. So hätte er sich dem strafenden, rächenden Zugriff des Landesherrn vorerst (vielleicht) entziehen können.

Die Vermittlungsversuche blieben allerdings vergeblich, es wurde kein Schlichtungstermin angesetzt. Es läßt sich vorstellen, daß Martin Jäger abblockte: von einem Schiedsgericht, für das sich Oswald-Freunde einsetzten, konnte er kaum eine entschiedene Vertretung seiner Interessen erwarten.

Ob nun freilich eine Schlichtung erfolgte oder nicht, Oswald mußte auf jeden Fall am 24. August auf der Burg Tirol sein; acht Tage vorher sollte dies von seinen Bürgen angekündigt werden, verbindlich. Aber daran hielt man sich nicht: Oswald erschien nicht.

Aber seine Bürgen – mußten die nicht dafür sorgen, notfalls mit Nachdruck, daß Oswald sich dem Burggrafen von Tirol stellte? Sie waren vertraglich dazu verpflichtet. Hans von Villanders, so läßt sich vorstellen, wird kaum gedrängelt haben: er wollte nicht wieder herausgeben, was er Oswald abgenommen hatte, und wenn die Kaution fällig wurde, so wollte er sich, das hatte er dokumentiert, zusätzlich an Oswalds Besitz schadlos halten. Er war der einzige der vier Bürgen, so vermute ich, der keinen Eigenbesitz zu riskieren hatte. Bei Michael dürfte es anders gewesen sein, der setzte Besitz aufs Spiel. Vorstellbar ist aber, daß er – wie Oswald – Sturheit gezeigt hat: Ein Wolkensteiner erscheint nicht unterwürfig pünktlich beim Stellvertreter des Herrn Landesfürsten, mit dem man dauernd Ärger hat.

Am 30. August, eine knappe Woche nach Ablauf der Frist, war Oswald noch in Brixen, fungierte hier als Schiedsmann in einem Rechtsstreit zwischen dem Hochstift Brixen und einem Pächter, es ging um ein Wasserrecht. Sollte der Termin ein Alibi sein: Ich mußte in Brixen bleiben, eine Rechtsangelegenheit, in der mich der Bischof berufen hat...?

Ja, Berchtold hat Oswald persönlich berufen – derselbe Bischof, der den Kirchenbann über Leonhard ausgesprochen hatte, und dieser Kirchenbann wird erst Jahre später aufgehoben. Mußten zu dieser Zeit also nicht Spannungen bestehen zwischen dem Bischof und den Brüdern Wolkenstein? Und nun dieser Auftrag? Der Bischof wußte doch wohl, daß Oswald zu dieser Zeit bereits auf Tirol sein mußte – trotzdem übertrug er Oswald diese Schlichtung?

Als sich Oswald, und sei es verspätet, auf der Burg Tirol nicht stellte, forderte Herzog Friedrich die Kaution, bei Michael. Der wies in einem Schreiben die Forderung des Landesfürsten zurück und erklärte ihm die Fehde: »Deswegen will ich Euer Feind sein und mit Euren Feinden im Bündnis bleiben.« Ängstlich, zimperlich waren die Wolkensteiner wahrhaftig nicht!

Der Wolkensteiner: ein Mann, der offenbar alles riskierte. Ein Mann, der, nach seiner Körperkonstitution, Choleriker gewesen sein könnte. Es läßt sich leicht vorstellen, wie er über den Herzog sprach, in der Familie, unter Freunden: Ach, der soll mich mal...

Nun war Herzog Friedrich auch nicht gerade weich – offenbar neigte er zum Jähzorn, wenigstens zu Wutanfällen. Und hatte ihm Oswald bisher nicht Anlässe genug dazu geboten? Hatte er keine Angst, der Herzog könnte rigoros gegen ihn vorgehen, nach diesen Demonstrationen von Selbstbewußtsein, Standesbewußtsein, nach diesen Provokationen? Könnte Oswald suchen, festnehmen, einsperren lassen? Könnte seine Familie unter Druck setzen?

Oder war es so: daß der Landesherr erheblich mehr zu tun hatte, als sich ständig mit einem Oswald von Wolkenstein zu befassen? Daß ihm dieser Fall schon mal lästig oder gleichgültig wurde, er ihn zeitweise sogar vergaß? Und wenn er ihm wieder einfiel oder in Erinnerung gebracht wurde, so geschah doch so schnell nichts, weil Wichtigeres dazwischenkam? Selbst wenn sein Fall für einige Monate ›verschlampt‹ wurde, einmal mußte nun doch etwas geschehen!

Schließlich ergriff Oswald die Flucht nach vorn: er verließ Tirol, ritt, im Winter, nach Ungarn, zu seinem König.

Offenbar ritt Oswald nicht allein; Ulrich von Starkenberg muß ihn begleitet haben, in eigener Sache. Die Starkenberger, wir sahen es mehrfach, gehörten neben den Schlandersbergern und Wolkensteinern zu den zähesten, härtesten Gegnern des Herzogs, und der versuchte ab 1420, die Starkenberger wirtschaftlich zu schwächen, verlangte die Auslieferung der Herrschaft Ehrenberg und des Gerichts Schlanders, die den Starkenbergern verpfändet waren. Die Starkenberger weigerten sich, Friedrich bestand auf seinen Forderungen, die Starkenberger drohten mit bewaffnetem Widerstand.

Daß sich Ulrich von Starkenberg nun an den König wandte, war ebenfalls eine Flucht nach vorn. Denn dies warf der Herzog den Gebrüdern Starkenberg ja gerade vor: daß sie in Verbindung standen mit dem König. Ulrich von Starkenberg: »Auch wies er mich darauf hin, daß ich und mein Bruder des allerhöchsten Herrn, des Römischen Königs, Diener seien, seitdem unser Herr, Herzog

Friedrich, von Konstanz an die Etsch zurückgekehrt war, und ebenfalls, daß unsere Häuser unserem Herrn, dem Römischen König, offengestanden haben sollen, als er auf sie ziehen wollte, und daß ich ihn weiterhin unserem Herrn, dem Römischen König, gegenüber verleumdet haben soll.«

Das streitbare Duo also auf dem Weg nach Ungarn, zur Winterresidenz von König Sigmund. Für Oswalds Anwesenheit in Preßburg gibt es indirekte Beweise und einen direkten: am 21. November wurde ihm in der königlichen Kanzlei ein Schutz- und Geleitbrief ausgestellt, gültig für alle Länder des Römischen Reichs – also auch für Tirol. Aber Oswald kehrte noch nicht zurück, er wollte sich wohl erst davon überzeugen, daß wirklich etwas geschah.

Und es geschah etliches. Am 6. Dezember gab der König in Preßburg eine Erklärung ab.

»Wir, Sigmund, von Gottes Gnaden Römischer König, allzeit Mehrer des Reiches und König von Ungarn, Böhmen, Dalmatien, Kroatien etc., geben mit dieser Urkunde allen bekannt, die sie sehen oder sie vorgelesen bekommen: Unser Diener und lieber und treuer Oswald von Wolkenstein war grundlos in die Haft Unseres lieben Freundes und Fürsten Friedrich von Österreich gekommen. Für sein rechtzeitiges Erscheinen vor Gericht mußte sein Anhang eine Bürgschaft leisten in Höhe von 6000 Gulden; diese sechstausend Gulden glaubt der oben genannte Friedrich von Oswalds Bürgen nun fordern zu dürfen. Ein solcher Anspruch besteht aber weder nach Unserer Meinung noch nach dem Vertrag, den der obengenannte Oswald mit seinen Bürgen geschlossen hat. Zu diesem Befund sind Wir und die Unsrigen in Übereinstimmung mit bisherigen Rechtsgepflogenheiten gekommen; diesem Gutachten haben beigestimmt der hochgeborene Herzog Ernst, Unser lieber Schwager, und Unser Schwiegersohn, Herzog Albrecht, sowie ihre beiden Räte, ebenso Wir selbst und Unsere Räte. Wir sind zu der Erkenntnis gekommen, daß Friedrichs Verweigerung herrührt von den Auseinandersetzungen und dem Streit, der sich seinerzeit zwischen Uns und dem obengenannten Friedrich abgespielt hat und in dem der obengenannte Wolkensteiner Unser Helfer und Diener gewesen ist. Nun ist allerdings Friedrichs Groll Uns gegenüber vollständig beigelegt worden, gemäß den Urkunden, Eiden und Gelöbnissen, die Wir von seiten Friedrichs erhalten haben. Kraft dieser Urkunde untersagen Wir, daß Friedrich oder irgendeiner in seinem Auftrag zukünftig an den Wolkensteiner oder an seine Bürgen, wie sie auch heißen mögen, irgendwelche Forderungen oder Ansprüche wegen jener Sache stellt; Friedrich soll ihm und seinen Bürgen alle Urkunden betreffs der Gefangenschaft und der Geldleistungen unverzüglich übergeben und aushändigen, ohne jedes Wenn und Aber. Geschieht das nicht, so kann sich der obengenannte Oswald zukünftig als der Unsrige nach Ausweis der Dokumente und Artikel verhalten, die Wir von Friedrich diesbezüglich innehaben. Wir gebieten jedermann – er heiße, wie er wolle –, daß man ihn in dieser Sache nicht behindere, sondern ihm vielmehr Hilfe leiste, weil Wir das so wünschen; dies gilt so lange, bis ihm Genugtuung widerfahren ist. Das ist Unsere ganz entschiedene Meinung und Unser Befehl.«

Und am 18. November 1422 diktierte Sigmund ein Schreiben an Michael und Leonhard. Er wies hin auf frühere Ungerechtigkeiten, Übergriffe, Untaten des Herzogs; nur »mit Macht« habe man ihn dazu bringen können, dem abzuschwören. Es heißt weiter: »Nun werden Uns von verschiedenster Seite, besonders vom edlen Ulrich von Starkenberg und von Oswald von Wolkenstein, Unseren lieben Gefolgsleuten, gravierende Beschwerden vorgetragen darüber, daß er ihnen Gewalt antue, ihre Rechte schmälere, ihnen Unrecht zufüge, und zwar gegenüber ihrem Besitz und ihren Leuten, und dies gegen Gott, die Gerechtigkeit und alle guten Sitten, und daß von ihm in keiner Form Gerechtigkeit zu erwarten sei, ja daß er, insbesondere, den obengenannten Oswald inhaftiert hatte und ihn zu Zahlungen zwingen will, obwohl keine Schuld vorliegt. [...] Diese und andere Verhaltensweisen erscheinen Uns ungerechtfertigt und machen Uns große Sorgen; Wir gedenken so etwas in keiner Weise mehr hinzunehmen. Darum bitten Wir Euch mit Entschiedenheit, ja weisen Euch in diesem Schreiben mit vollem Nachdruck an: Wenn Euch die genannten Ulrich und Oswald, einzeln oder beide gemeinsam, in Unserem Namen bitten, sie vor Unrecht zu schützen, daß Ihr ihnen dann beisteht, ihnen in jeder Form Unterstützung gewährt, so daß ihnen nicht wieder unrechtmäßig Zwang auferlegt wird. Damit würdet Ihr Uns zu besonderem Dank verpflichten.«

Der König, dem Oswald und Ulrich wohl entschieden ›einheizten‹, ging noch weiter. Er ließ vorsorglich die Erklärung der Reichsacht gegen Herzog Friedrich ausfertigen. Und bereitete einen Reichskrieg gegen Tirol vor, zumindest nominell: Das Land am Inn und an der Etsch sollte als verfallenes Lehen eingezogen werden. Am 12. Januar 1423 wandte sich Sigmund an den Herzog Philippo Maria Visconti und bat ihn – nach Altmanns Inhaltsangabe in den *Regesta Imperii* – »um Hilfe gegen den Reichsfeind Herz. Friedrich v. Österreich u. um Aufnahme seiner Bevollmächtigten Ulrich u. Wilhelm v. Starkenberg u. Oswald Wolkenstein in des Herz. Schlössern, damit diese v. dort aus gegen Herz. Friedrich vorgehen können.«

Ob Sigmund das ganz ernst genommen hat? Der König von Mailand war, erstens, verschwägert mit Herzog Friedrich. Er war, zweitens, nicht gerade einer der treuesten Gefolgsleute des Königs, deshalb ja auch Sigmunds erfolgloser Feldzug in die Lombardei. Bei Visconti war Sigmund an der falschen Adresse – oder hatte er Visconti Anteile an den eroberten Gebieten zugesichert? Dies zumindest hätte er anbieten müssen, kaum aber anbieten können.

Es kam nicht zu einem Einmarsch Mailänder Truppen unter der landeskundigen Führung der Brüder Starkenberg und des Oswald von Wolkenstein.

Zwei Liedtexte nun, die während oder kurz nach dieser Reise geschrieben wurden. Die Datierung wird bestätigt durch den Handschriftbefund; Mayr hat dies nachgewiesen. Auch zum folgenden Liedtext liegt eine Wortschatzuntersuchung von Okken vor.

> Womit mein Schatz mich je beglückt –
> ich habe daran arg gewürgt!
> So manches Eisenstück mit Rost
> servierte sie als Liebesmahl.

Hier kommt die Sprache nicht mehr mit.
Mich ließ das Glück doch sehr im Stich,
seitdem sie mich, o große Qual,
voll Liebe aufzog, Füße an der Stange.
Dazu kam andere Tortur,
mit der die Liebe mich gepackt.
Falls sie dafür ein Danklied wünscht,
da wird sie noch ein Weilchen warten müssen!
    Nur wegen ihr
    da leide ich
    in Ungarn hier
    an ›Flöhen‹, menschengroß:
    die zwicken mich
    und zwacken mich
    und zippen mich
    und zoppen mich –
    zur Buße wird die Reise!

In Preßburg vor dem Ofenloch,
da hielt ich mit dem Ebser Rat.
Ja schüren, heizen konnt ich noch –
hab so den König rausgejagt!
Ich machte auf mich aufmerksam.
Er sagte mir: »An deinem Leid
ist die nur schuld, die dich verließ,
weil deine Geldpotenz ihr nicht mehr reichte.«
Ich gab zur Antwort, ganz naiv:
»Hätt ich nen schweren Sack gehabt,
verstehn Sie, Hoheit, was ich meine,
es wär bei ihr gelaufen, wie geschmiert!«
    Nur wegen ihr
    da leide ich
    in Ungarn hier
    an ›Flöhen‹, menschengroß:
    die zwicken mich
    und zwacken mich

und zippen mich
und zoppen mich –
zur Buße wird die Reise!

Ich hoffe, der Prozeß steht gut –
gäb Herzog Friedrich nur mal nach!
Falls er den Streit noch weiterführt,
so endet dieser Spaß sehr schlimm.
Sechstausend Gulden fordert er –
ja, welche Liebe hält das aus?
Hätt ich die Trennung akzeptiert,
ich müßte mich auf dieser Bank nicht wälzen,
in Ungarn hier, in langer Nacht,
wo man als Kissen Sättel nimmt.
Deshalb – beim Lieben denkt daran:
euch soll die Freundin glücklich machen!
   Nur wegen ihr
   da leide ich
   in Ungarn hier
   an ›Flöhen‹, menschengroß:
   die zwicken mich
   und zwacken mich
   und zippen mich
   und zoppen mich –
   zur Buße wird die Reise!

»In Preßburg vor dem Ofenloch«: ist hier ein allgemeines ›Einheizen‹ gemeint, oder hat diese Anekdote einen realen Kern? Möglich wäre dies: ein Ofen, der vom Vorzimmer her geheizt wurde, und nach (allzu) langem Antichambrieren wurde tüchtig geschürt, der König hielt es nach einiger Zeit vor Hitze nicht mehr aus in seinem Arbeitszimmer und kam – wohl fluchend – heraus.

   Der Mitheizer Ebser taucht in einer Vortragsvariante dieses Liedes auf – für ein Publikum, das ihn kannte. In einem Brief des Ulrich von Starkenberg wird »der Ebser« erwähnt – offenbar identisch mit Wilhelm Ebser, nach Schwob »Söldnerführer im Dienst Herzog

Albrechts im Hussitenkrieg«. Dieser Ritter aus Ebbs bei Kufstein war Parteigänger der Starkenberger. So schließt sich der Kreis.

Nach diesem Lied (Kl 55) nun ein Reiselied (Kl 30), dessen erste Strophe ich bereits vorgestellt habe. Auch bei diesem Text: Oswald wollte kein gereimtes Reisetagebuch vorlegen, er wollte ein Lied verfassen, das ihm beim Schreiben und Singen, das seiner Clique beim Zuhören Spaß machte. Erschreckend für uns die Ratschläge zur Kindererziehung. Reflexionen zur Erziehung gab es in seiner Zeit aber so gut wie überhaupt nicht, sie setzten erst später ein, mit dem Humanismus. Oswald formulierte hier wohl Methoden, nach denen er selbst erzogen worden war und nach denen er auf Hauenstein seine Kinder zurechtstauchte.

> An Plagen, die das Ausland bot,
> da wurde mir nichts mehr zur Last
> als eine Unterkunft mit vielen Kindern.
> Ihr Schreien hat mich oft betäubt,
> daß ich mein eignes Wort nicht mehr
> verstehen konnte. Ganz speziell im Winter,
> wenn ich den langen Tag nur fror,
> mich müderitt – da machte so was wenig Spaß!
> Die größte Stube wurde mir zu eng!
> In mancher Wiege lag ein Kind
> dort mit Gebrüll, hat mir die Ohren vollgegellt!
> Da hör ich lieber doch die Nachtigall…
>
> Die Schreierei, dies Hurlahei!
> Da lob ich mir den sanften Mai,
> besonders, wenn sich zwei in Liebe finden.
> Mir wirds zuviel, wenn so ein Kind
> mir lästig wird mit dem Gebrüll
> und mich beim Singen irritiert, verwirrt
> mit mancher schlimmen Dissonanz,
> und falsettierend, nichts von schöner Harmonie!
> Was da erklang, das hat mich arg verdrossen!
> Mal schweigen, nein, das ist zuviel.

Sind widerspenstig wie so manche böse Katz.
Mit meiner Pratze kriegen sies zu spüren!

In Preßburg, Ungarn, war ein Kind,
das machte manches Haar mir grau,
nur zweieinhalb wars, ließ mich kaum mal schlafen,
die ganze Nacht gings durch.
Auch Flöhe hielten mich auf Trab –
was ich erwischte, hussa!, mußte büßen.
Das Kind schrie oft: »Ich habe Durst!«
Sofort trug man ihm Wein auf, Bier, als seis ein Fürst,
und Fisch, Huhn, Wurst – grad, was sein Herz begehrte.
Und trotzdem gab es selten Ruh.
Ich hab so manches Mal es in die Haut gezwickt,
ganz heimlich, fest – das änderte den Klang.

Ich staune sehr, daß mancher Mann
mit seinem Kind nicht fertig wird,
nur alles hingehn läßt, ganz ohne Schläge:
da zeigt sich wahrlich kein Verstand,
das ist ein Gehen wie auf Eis,
so macht man sich am Nachwuchs nicht verdient.
Ihr Mütter, habt ihr nie gelesen,
was altbekannt ist: »Wer sein Kind liebt, schlägt es«?
Den Herrn im Himmel macht ihr nur zum Spott,
wenn ihr sie frei gewähren laßt,
das macht euch auf die Dauer doch nur Ärger, Last,
das wird sich rächen, hat nur schlimme Folgen.

Herzog Friedrich ließ sich von den Deklarationen aus Preßburg offenbar nicht beeindrucken; am 16. Januar schrieb er dem König, er bleibe bei seinen Maßnahmen gegen die Starkenberger, sie seien ungehorsam. Wieder einmal eine politische Krise zwischen dem König und dem Landesherrn von Tirol.

Die Lage wurde im Juli 1423 erneut brisant: der König bereitete noch einmal den Reichskrieg gegen Herzog Friedrich vor; Graf Johannes von Lupfen erhielt Vollmacht, für diesen Kampf Heinrich von Sargan in Dienst zu nehmen und Friedrich von Toggenburg. Am 17. Juli rief Sigmund diese Herren und den schwäbischen Adel zu den Waffen gegen Herzog Friedrich, der König und Reich ungehorsam sei; Hauptmarschall von Pappenheim wurde mit der Leitung der militärischen Aktion betraut: Das Reichsbanner gegen den Reichsfeind führen...

Am folgenden Tag bildete sich in Tirol erneut ein militanter Adelsbund – diese Gründung hing nicht unmittelbar zusammen mit dem Kampfaufruf des Königs in Ungarn, denn diese Nachricht brauchte ein paar Wochen, ehe sie in Tirol eintraf, aber es war mit den Wolkensteinern und Starkenbergern wohl abgesprochen, daß es Mitte Juli endgültig losgehen werde. Die Kampforganisation konstituierte sich als Bund der Herren, Ritter, Knechte, Städte, Märkte, Gerichte und Täler der Grafschaft Tirol, der Landschaft an der Etsch und im Inntal und der drei Bistümer Trient, Brixen und Chur – eine Adelsvereinigung mit demokratischer Schminke. Welche Stadt, welcher Marktflecken war letztlich daran interessiert, die Adelsinteressen verteidigen zu helfen?

Worum es zumindest den führenden Köpfen bei diesem Kampf ging, darüber konnte es bald keinen Zweifel mehr geben – Hauptleute der Starkenberger wurden bei Greifenstein festgenommen und befragt, ihre Aussagen sind in einem Protokoll zusammengefaßt; hier die wichtigsten Punkte.

»Item: man wird den Starkenbergern den gesamten Besitz wiedergeben. [...]

Item: Was die Mitglieder des Bundes in ihren Besitz bringen, soll der Königskrone unterstellt werden, das ganze Land also.

Item: Alle Lehen, die von der Landesherrschaft ausgehen, werden zukünftig von der Königskrone empfangen und als Lehen von ihr abhängig sein.«

Der entschiedene Versuch also, den Landesfürsten auszuschalten und reichsunmittelbar zu werden!

Zu berichten ist von einem Kompromiß, den Oswald zu dieser Zeit erkämpft hat, vor allem gegenüber dem erpresserischen, geldsaugenden Verwandten Hans von Villanders: Oswald schloß mit den beiden Hauptbürgen einen neuen Vertrag. Auch hier ein bisher unveröffentlichtes Dokument.

»Ich, Oswald von Wolkenstein, erkläre öffentlich mit dieser Urkunde für mich und alle meine Erben: Der Ritter, Herr Michael von Wolkenstein, mein lieber Bruder, und Hans von Villanders, mein lieber Verwandter, haben eine Bürgschaft für mich übernommen, und ich habe ihnen wegen dieses Bürgschaftsversprechens eine Anweisung auf meinen Besitz gegeben, laut Urkunden, die sie diesbezüglich von mir besitzen. Dafür haben sie mir aus besonderem Freundesdienst zugestanden, die Einkünfte aus diesem Besitz einzuziehen, unter der Bedingung, daß ich ihnen ebenfalls das Einziehen zu ihrer Versorgung gestatte und daß ihnen der Prozeß gegen mich und meinen Anhang künftig keinen Schaden bringen soll.«

Das Ausstellungsdatum: 5. Oktober 1423. Was bedeutete diese Abmachung? Im ersten Vertrag (mit beiden Partnern kurz nach seiner Freilassung geschlossen) hatte Oswald ihnen noch die volle Verfügung über seinen Besitz einräumen müssen, somit das Recht, sämtliche Einkünfte aus seinen Besitzungen einzuziehen. Nun hat es Oswald (nach mittlerweile anderthalb Jahren!) erreicht, daß er wenigstens teilweise das Verfügungsrecht über seinen Besitz zurückerhielt. Es gibt hier zwei Möglichkeiten: Man teilte die Einkünfte auf, oder man zog abwechselnd Einkünfte ein.

Ich nehme an, Michael wird vor diesem 5. Oktober den hartnäckigen Verwandten ebenfalls bearbeitet haben; Oswald mußte wenigstens ein Minimum an Einkünften haben, wäre sonst auf eine dauernde Unterstützung seiner Brüder angewiesen gewesen.

Auch nach diesem Teilerfolg – Oswald zwang weiterhin Pächter des Martin Jäger, ihm den Pachtzins zu zahlen, zu liefern. Am 20. Oktober dieses Jahres beschwerte sich Jäger beim Landesfürsten.

»Durchlaucht, hochgeborener Fürst, Herzog Friedrich, Herzog von Österreich, von Steir, Kärnten und Krain, Graf von Tirol etc., gnädiger Herr! Ich, Martin Jäger, entbiete Euren Fürstlichen Gnaden als meinem gnädigen Herrn meine willigen, untertänigen Dienste.

Oswald von Wolkenstein hat sich in meiner Haft befunden wegen etlicher Forderungen, die ich als Rechtsvertreter meiner Frau an ihn zu stellen habe; dieser Oswald hat gemeinsam mit seinen Brüdern und seinem weiteren Anhang mit Euren Gnaden eine Abmachung getroffen: in Eurer Haft hat er sich verpflichtet, die Sache gerichtlich entscheiden zu lassen, den Gerichtsbeschluß auszuführen und zu erfüllen. Nun haben mir Eure Gnaden versprochen, diesen Oswald nicht aus Eurer Haft zu entlassen, ehe der Prozeß zwischen ihm und mir beendet ist; so weisen es die Urkunden aus, die ich von Euren Gnaden diesbezüglich innehabe.

Entgegen dem Wortlaut dieser Dokumente ist mir noch nicht Genüge geleistet worden; ich habe darüber hinaus schwere Schäden erlitten und erleide sie täglich weiterhin. Obendrein bin ich weder meines Lebens noch meines Gutes sicher.

Edler Fürst und gnädiger Herr! Ich wende mich hilfesuchend an Eure Gnaden und erinnere Euch an die gesiegelten Urkunden, die ich von Euren Gnaden in dieser Sache erhalten habe; Eure fürstliche Gnaden mögen sich in dieser Angelegenheit vornehmen, mögen anweisen, regeln, verordnen, daß mir Erfüllung und Genugtuung zuteil werde, nach Wortlaut und Ausweis Eurer Urkunden. Ich weiß nicht, an wen ich mich wegen dieser Schädigungen sonst wenden sollte, außer allein an Eure Gnaden. Und so bitte ich Eure Fürstliche Gnaden, Euer Gnaden mögen es nicht ungnädig aufnehmen oder mir übel vermerken; mich zwingt die Notlage zu dieser Bitte; ich würde diese Sache gern endgültig hinter mich bringen. Ich habe Euer Gnaden gegenüber volles Vertrauen darin, daß diese Sache nicht länger hinausgezögert wird, sondern daß von Euren Gnaden gehalten wird, was verbrieft und versiegelt ist.«

Die Gebrüder Wolkenstein unterstützten nun ihre Freunde, die Brüder Starkenberg, bei der Verteidigung der Burg Greifenstein: mittlerweile die letzte Bastion der Starkenberger in Tirol. Es sind Vorfälle dokumentiert, die uns zeigen, in welche Kumpanei sich Oswald und seine Brüder begaben.

So hatte Wilhelm von Starkenberg zusätzlich zur Burgbesatzung die seinerzeit gefürchteten Mordbrenner und Räuber Jacomel senior und junior engagiert; der Burgherr wollte durch die Aktionen der Jacomels offenbar so viel Schrecken verbreiten, daß sich die Bauern bei einer Belagerung tunlichst zurückhielten.

In einem kleinen Aufsatz von Luis Oberrauch finde ich einige Materialien hierzu. Demnach rühmte sich vor allem Jacomel junior seiner Mordtaten; er warf die Leichen in das »Moos«, also in die Sümpfe des Etschtals. Dem Starkenberger gefiel das, er gab, ich übersetze: »dem Jacomel Auftrag, anzugreifen, soviel er Lust hatte, bei Tag und Nacht, mit Gewalttaten und anderen Verbrechen.«

Daraufhin quittierte Burghauptmann Ortner seinen Dienst: »Wollt Ihr Krieg führen, so führt einen ehrlichen Krieg. Ihr bekriegt nicht Hirten, sondern einen Fürsten.« Die Stelle des Burghauptmanns wurde neu besetzt, mit einem Schiltberger, und der wird sich kaum über Aktionen von Jacomel junior beschwert haben. Unter seinem Kommando kam es auf Greifenstein zu einem Mord an einem Gesandten der Stadt Bozen, dem reichen Bürger Nikolaus Hochgeschorn. Als man ihm den »blauen Mantel« herunterreißen und die Sporen abschnallen wollte, flehte er um sein Leben, bot 400 Gulden an, er wollte das Geld am nächsten Tag bei St. Cosmas übergeben, der Wallfahrtskirche unterhalb von Greifenstein. Das Angebot half dem reichen Bürger nichts, er wurde umgebracht.

In diesem ›Ambiente‹ (wenn auch sicher nur kurzfristig) Oswald von Wolkenstein und seine Brüder. Mit der Erpressungssumme von 6000 Gulden war Oswald die Garotte angesetzt: der Herzog brauchte dieses Würgegerät nur zuzudrehen… War Oswald sicher, daß der König endlich doch einmal Truppen für die Adelsfronde einsetzte, nach all den Ausflüchten und Rückziehern der Jahre zuvor? Mir fällt zu Oswalds Verhalten in dieser Zeit nur ein Wort ein: Desperado.

Oswalds Lied über den Ausfall aus der belagerten Burg Greifenstein ist eins seiner bekanntesten Werke: mehrere Einspielungen auf Schallplatten. Kl 85: ein Song, der in Text wie Melodie außerordentlich ist – der Zweivierteltakt eines raschen, energischen Marschlieds.

»Pack zu!« rief Herr Michel von Wolkenstein,
»Die hetzen wir!« rief Oswald von Wolkenstein,
»Los, schnell!« rief Herr Leonhard von Wolkenstein,
»wir jagen die jetzt weg von Greifenstein!«

Da stob auf Gewirbel aus Funkenglut,
die Felsen hinunter, dort blühte es rot.
Rüstungen, Armbrüste, Helme dazu,
die ließen sie zurück: das pulverte uns auf!

Wurfmaschinen, Hütten, sowie ihre Zelte
wurden eingeäschert, am oberen Plateau.
Ich höre, wer Wind sät, erntet Sturm.
So wollen wir bezahlen, Herzog Friederich!

Das Lied ist offenbar in zwei Phasen geschrieben worden – bei den folgenden vier Strophen ein anderes Reimschema; darauf haben Philologen wiederholt hingewiesen. Diesen beiden Phasen könnten zwei Etappen der Befreiungsaktion entsprechen. Zuerst wurde der Belagerungsring durchbrochen, wurde am Gegenhang abgeräumt und niedergebrannt. Danach wohl eine ›Verschnaufpause‹, der Sieg wurde gefeiert – mit dem Liedtext, von Oswald vorgesungen und danach wohl gemeinsam gesungen von den Gebrüdern Wolkenstein und Starkenberg. Die nächste Aktion dann gegen die ›Etappe‹ der Belagerer, gegen die Burg Raubenstein über dem Eisacktal. Zu dieser Zeit wohl erst werden sich die Bauern zusammengerottet haben – es dauerte, ehe man von den Höhen- und Berggemeinden der näheren und weiteren Umgebung von der militärischen Aktion erfuhr.

Scharmützel, Scharmetzel, hart auf hart –
das war dort am Raubenstein, unten im Ried.
Ein spannlanger Nagel wurd manchem reingehaun,
die Armbrüste schnellten die Pfeile ab.

Die Bauern von St. Georgen, die ganze Gemeinde,
brachen, im Meineid, beschworenen Dienst.
Auch kamen ›gute Freunde‹ herab vom Raubenstein.
»Gott grüß euch, ihr Nachbarn, Treue kennt ihr nicht!«

Ein Werfen, ein Schießen, ein Sturmangriff
begann unverzüglich: schlag Krach und schlag zu!
Nun rühr dich, Herr Edelmann, setz alles aufs Spiel!
Auch brannte manches Dach mitsamt den Mäusen ab.

Aus Bozen, vom Ritten und auch von Meran,
vom Hafling, aus Mölten, die zogen oben auf,
auch Särntner, Jenesier, rebellisches Volk:
die wollten uns kassieren – doch kamen wir davon!

Nun werden die Wolkensteiner nach Hause geritten sein – Bauern
konnten den herzoglichen Belagerungstrupp nicht ersetzen. Kein
zwingender Anlaß also, bei den Starkenbergern auf der Burg zu
bleiben. Die Besatzung konnte sich wieder, für die nächsten Jahre,
mit Proviant und Pulver eindecken – es war damit zu rechnen, daß
der Belagerungsring erneut geschlossen wurde, nach einiger Zeit.

Greifenstein – da stehen wir im Tal, an der Straße, staunen hinauf: ein Waldhang, recht steil, und aufgesetzt ein Felsklotz mit
senkrechten Wänden und obendrauf Mauern: vierhundert, vier-
hundertfünfzig Meter über der Talsohle. Entschieden eindrucks-
voller, als ich mir das nach Fotos und Beschreibungen vorgestellt
habe.
    Der Wagen an einem Weingut abgestellt; eine Frau gibt uns Aus-
kunft: erster Anstieg auf einem Wirtschaftsweg, bald werden uns

Markierungen weiterhelfen – Schnittpunkt mit dem Pfad herauf vom Ortskern Siebeneich. Ich nehme die Spiegelreflex mit.

In weiten Wegschwingungen geht es hinauf zu einer Kirchenruine, dicht neben einem verlassenen Bauernhaus: St. Cosmas und Damian. Der Weg, der von hier aus weiterführt, muß der alte Burgweg sein: grobe, stellenweise zerstörte Pflasterung. Ein Weg für Mulis oder Esel – zu Fuß werden die Herren von Greifenstein, von Starkenberg, von Wolkenstein kaum hinaufgestiegen sein. Auf diesem Weg sicherlich die Versorgung der Burg: die kürzeste Verbindung zum Tal. Also wird man diesen Weg bei der Belagerung abgeriegelt haben, damit keiner der Belagerten, durch einen geheimen Ausschlupf die Burg verlassend, hier herunterstieg, um Proviant zu besorgen. War es bei der Belagerung, die Oswald miterlebte, daß man ein feistes Schwein über die Burgmauer schmiß, um den Belagerern zu zeigen oder vorzutäuschen, man sei bestens versorgt, könne die Belagerung noch sehr lang aushalten? Auf italienisch heißt Greifenstein: Castel del Porco.

Während des Aufstiegs sehen wir vorerst nichts von diesem »Sauschloß«; ringsum Wald. Es hat in der Nacht geregnet, Sonne scheint wieder, dämpfige Luft, schweißtreibend: ab und zu stellen wir uns unter einen tropfnassen Baum, schütteln ihn – Naturdusche. Weiter auf dem gepflasterten Weg, der uns endlich an den Felssockel führt. Wir müssen die Köpfe noch weiter zurücklegen, denn senkrecht steigt das Felsmassiv auf, und ganz oben, als könnte es jeden Moment abrutschen, das Mauerwerk.

Wie hoch ist dieser Felsklotz? Kann ich schwer schätzen, aber hundert Meter werden es gewiß sein. Der Weg führt, weiterhin steil, südöstlich um den Felsklotz herum. Hier kämen nur Alpinisten hoch, die alle paar Meter einen Haken ins Gestein schlagen. Schließlich erreichen wir den kleinen Erdsattel östlich der Burg; sie ist nun von Bäumen verdeckt.

Gleich weiter auf dem Pfad, der dicht an der Felswand entlangführt, die hier zehn, zwanzig Meter hoch ist. Im Norden, Westen, Süden war die Burg also sturmsicher, im Osten war sie zumindest gut gesichert, die Felswand auch hier beinah senkrecht, man hätte schon sehr hohe Sturmleitern anlegen müssen.

Der Pfad führt um den Felsblock herum, die Burgöffnung im Nordosten: nicht größer als eine Haustür und drei Meter über uns. Wir steigen das Mauerwerk hoch, stehen im Eingang der Burgruine Greifenstein. Damals war diese Türöffnung bestimmt noch ein, zwei Meter höher über der Bodenfläche, die Schutt abgeschrägt hat im Lauf der Zeit: so wird man auf einer Leiter heraufgestiegen sein, oder es wurde eine Rampe hinabgelassen, für die Reiter, und gleich wurde sie wieder hochgezogen.

Mauerwerk rechts und links, trichterförmig erweitert es sich: wir sind im Innenbereich der Burg, die größer ist, als mir das eine Rekonstruktionszeichnung suggerierte. Bevor wir uns dieses Ruinenareal anschauen, wollen wir zum höchsten Punkt: die Südostecke der Burg. Fast völlig senkrecht unter uns die Felswand, zerklüftet; der recht steile Waldhang; die Obstbaumflächen des Etschtals; die Festung Sigmundskron; Ausläufer von Bozen; westlich des Etschtals ein schräger Waldsockel, darauf eine lange, hellgraue Felswand, Grepa Laures, 1800 Meter, dominierend.

Ich schaue nun nach Südosten, zum »oberen Feld«, »oberen Plateau«. Ja, so ähnlich habe ich mir das vorgestellt, nur habe ich nicht erwartet, daß es so nah liegt: ein schmaler Sattel zwischen dem Felsklotz hier und dem Naifer Bühel drüben, die Burg 737 Meter hoch, diese runde Kuppe 827 Meter, eine Weide an der Flanke, Kühe grasen mit Glockengebimmel, zwischen ihnen ein Pferd – dort drüben haben die Belagerer ihre Wurfgeschütze aufgebaut, die Bliden, man suchte hierzu stets einen höhergelegenen Punkt: das ist er. In dieser Richtung sicher auch die stärksten Mauern, die höchsten Verteidigungsanlagen der Burg, die meisten Soldaten. Kuhglockengebimmel, gelegentliches Pferdeschnauben, fast kann man in der Windstille das Grasrupfen der Kühe hören – hier dürfte manches Wortgefecht stattgefunden haben!

Genauere Inspektion des Burggeländes: das noch ziemlich hohe Mauerwerk des Hauptgebäudes. Diese Burg hatte keinen Burgfried, keinen Wohnturm: auf einer Rekonstruktionszeichnung ein langgestrecktes Gebäude, eine Zinnenmauer Richtung Etschtal, und in der dicken Ostmauer, lese ich, seien Schießscharten gewesen.

Ich gehe auf dem Sockel dieser Mauer, sie ist gut einen Meter stark. Schaue hinab auf Raumgrundrisse. Gehe hinüber zur Westmauer, setze mich in eine Fensternische, auf eine Steinbank, blicke ins Etschtal. Gehe wieder zum höchsten Punkt dieser nach Süden schräg ansteigenden Kuppe, falte die Karte auseinander, lege sie, eingenordet, auf eine Felsplatte, versuche, mir Belagerung und Ausfall zu vergegenwärtigen.

Zuerst einmal wurden sämtliche Bäume gefällt zwischen Burg und Hügel, auch alle Büsche abgehackt, niedergebrannt: keine Überraschungsangriffe! Und man wird Lebensmittel gelagert, Waffen präpariert haben. Vielleicht recht bald schon das Auftauchen der ersten Belagerungseinheit, dort drüben, wo jetzt die Kühe bimmeln, das Pferd schnaubt. Und es wurde bestimmt ein Sperriegel gelegt auf dem Weg hinab nach Siebeneich. Die Posten hier bauten sich Hütten, aus Steinen, aus Bäumen, denn solch eine Belagerung dauerte Monate; bei dieser Burg konnte es noch länger werden. Hütten, auch Zelte östlich der Burg, am Weg nach Glaning, hinter der Hügelkuppe. Waren es schon die eigentlichen Belagerer, die Vorbereitungen zum Sturm auf die Burg trafen, oder kam hier erst so etwas wie eine Pioniereinheit?

Der Ausfall, da bin ich sicher, wurde durchgeführt zu einem Zeitpunkt, als der Trupp des Herzogs noch nicht die volle Kampfstärke erreicht hatte. Sonst hätten die Gebrüder Wolkenstein mit ihren paar Mann kaum Chancen gehabt, sie wären zurückgeschlagen oder eingeschlossen und aufgerieben worden.

Ein Ausfall von Belagerten aus einer Burg – hier assoziiert man Filmbilder: das Herausdrängen von berittenen Gewappneten aus einem plötzlich geöffneten Tor, Schreien, Trompeten, Wimpelwinken, Waffenblitzen, Losgaloppieren, ein Keil hineingetrieben in den Ring der Belagerer. Was hier bei Greifenstein geschah, war eher ein Stoßtruppunternehmen. Wir wissen, aus späteren Dokumenten, wie groß ungefähr die Besatzung von Greifenstein war: etwa zwanzig Mann. Selbst wenn die Wolkensteiner zusätzlich Knechte und Soldaten mitgebracht hatten – mehr als insgesamt dreißig Kämpfer werden es kaum gewesen sein, denn zu viele Fresser konnte man in dieser Burg auf längere Zeit nicht durchbringen.

Die drei Wolkensteiner und selbstverständlich die Gebrüder Starkenberg werden mit dem Trupp die Burg im ersten Frühlicht des Wintertags verlassen haben, leise, um unbemerkt auf das »obere Plateau« zu kommen, hier in das Feldlager einzudringen und möglichst viele Belagerer niederzumachen, dann den roten Hahn zu setzen auf Zelte und Hütten. Die nächste Aktion war die Zerstörung der Wurfmaschinen und Büchsen, der vielleicht schon vorbereiteten Sturmleitern. Dann vielleicht die ›Verschnaufpause‹, mit wildem Triumphgesang. Und die Wolkensteiner/Starkenberger zogen am nächsten oder an einem späteren Tag ostwärts auf dem Weg, auf dem die Belagerer sehr wahrscheinlich die Geräte herangeschafft hatten, und von Glaning aus in Richtung Rafenstein (696 Meter), dann zur Flußebene unterhalb dieser Burg, mehr als 400 Meter tiefer, das »Ried«.

Ich muß mir vergegenwärtigen, daß die größeren Flußtäler bis in neuere Zeit vorwiegend Überschwemmungsgebiete der Flüsse waren: Sümpfe, Auwälder. Reisende früherer Jahrhunderte berichten von »fauligen«, von »bösen Dämpfen«, von »verpesteten Sümpfen«, von fieberverzehrten Talbewohnern, und die Straßen, die Wege hatten früher nicht durch die Talsenken geführt, sondern meist an Hängen entlang, etwa in einer Höhe, wie sie bei Meran die Burg Tirol anzeigt und im Eisacktal die Burg Stein am Ritten und schräg gegenüber die Burg Prösels und weiter nördlich die Burg Aichach und die Trostburg, eine frühere Raubritterburg, und im Grödner Tal die Felsenburg Wolkenstein und hier nun bei Bozen: Raubenstein. Erst im 16., 17. und 18. Jahrhundert wurden die Täler trockengelegt, die Flüsse reguliert, wurden in den Talsohlen Straßen gebaut.

Wie die ausladende Bezeichnung des neuen militanten Adelsbundes zeigt, hatten die Herren die Vorstellung, sie würden im Kampf gegen Herzog Friedrich breite Unterstützung finden. Dieser Star wurde den Herrschaften gestochen: der Herzog konnte sich auch jetzt auf seine Bauern und Bürger verlassen.

Militärisch erfolgreich, berief er einen Landtag ein nach Meran, erklärte hier am 30. November in einer Rede, daß etliche in seinem

Land einen Bund geschlossen hätten, gegen ihn und die Landschaft, wissentlich und willentlich, dadurch sei ihm und den Seinen und dem ganzen Land großer Schaden entstanden. Und er betonte, der Bund sei ein Verbrechen, sei gegen geschriebenes und gesetztes Recht, der Bund solle sich auflösen, der Bundesbrief dürfe niemand mehr binden.

Über diesen Antrag sollten die 72 Räte diskutieren und entscheiden. Neben Hans von Villanders spielte hier eine wichtige Rolle der Bischof von Brixen. Nach dem Vortrag des Herzogs erklärte er, diese Angelegenheit sei zu wichtig, als daß er sich ohne vorhergehende Beratung äußern könne. Er zog sich mit zwanzig Abgeordneten zurück, ließ bei Wiedereröffnung der Plenarsitzung erklären: Nach reiflicher Überlegung habe er erkannt, daß dieser Bund – vor allem, weil er ohne Wissen und Willen des Landesfürsten geschlossen worden war – ein Verbrechen und gegen alle geschriebenen und gesetzten Rechte gewesen sei, er solle deshalb nicht weiter bestehen, der Bundesbrief müsse herausgegeben werden. Eine Bedingung stellte der Bischof allerdings: der Herzog müsse die Freiheiten der Landschaft (d. h. der Repräsentation der Landstände) bestätigen. Also ein politisches Geschäft. Der Herzog war zu dieser Erklärung bereit, der Landtag nahm seinen Antrag an.

Damit waren die militanten Adligen isoliert. König Sigmund hatte seine Zusage, ihre Aktionen durch Truppen zu unterstützen, auch diesmal nicht gehalten.

Am 17. Dezember gaben gut zwei Dutzend Adlige eine feierliche Erklärung ab: Versöhnung mit dem Herzog. Unter anderen sind in dieser Kapitulationsurkunde genannt: Michael von Wolkenstein von der Trostburg, Kaspar von Gufidaun, Heinrich von Schlandersberg, Konrad von Schlandersberg, Leonhard von Wolkenstein, Parzival von Weineck – Oswalds Schwager.

Diese Herren bekennen, daß sie ein Bündnis miteinander geschlossen haben gegen den durchlauchtigen, hochwohlgeborenen Fürsten Herzog Friedrich, ihren gnädigen Herren, und es werden Kampfhandlungen erwähnt, »vor Greiffenstein«, im Vinschgau und Inntal, »mit brannt mit angriffen« durch die Adelsbündner. Nun aber kündigen sie ihren Bund auf, das Vergehen wird eingestanden, es sei hier gerichtet und geschlichtet worden. Man werde sich wieder so verhalten, wie man durch Freibrief und Eid verpflichtet sei. Die vertragsübliche Erklärung, man habe keine bösen Hintergedanken.

Am Schluß wird festgestellt, von dieser Erklärung seien »ausgenommen« Ulrich und Wilhelm von Starkenberg: auf Greifenstein hat man noch nicht kapituliert – das wird noch Jahre dauern! Nicht einmal erwähnt ist in dieser Erklärung Oswald von Wolkenstein: der wird als allerletzter Adliger in Tirol den Kampf aufgeben.

Die Jahre nach der Rückkehr aus Konstanz waren für Oswald teilweise turbulent gewesen; in diesem Jahr 1424 aber wurde es anscheinend etwas ruhiger.

Oswald wird sich ausführlicher um seine Besitzungen gekümmert haben: besuchte er Pächter, ließ er Pächter nach Hauenstein kommen? Hat Oswald auch Pächter des Martin Jäger aufgesucht, in Begleitung von Knechten, zitierte er diese Pächter nach Hauenstein? Ein Jahr später wird ihm der Herzog fortgesetzte Gewaltakte gegen Martin Jäger vorwerfen, und das muß bedeuten: gegen seine Pächter.

Bis zu Oswalds Lebensende zeigt sich: Vorhaltungen, Ermahnungen nützen bei ihm nichts; noch in hohem Alter wird er mit rabiaten Mitteln seine Einnahmen zu steigern versuchen. Wir haben also keinen Anlaß, uns im Oswald dieses Jahres einen sanft gewordenen Grundbesitzer vorzustellen: wenn er zusätzlich Gelder, Naturalien brauchte, nahm er sie den Bauern des Martin Jäger ab. Dessen Schuldforderung lag ja fest, höher konnte sie kaum werden; vielleicht hat sich Oswald vorgenommen, den Raubgewinn dieser Schuldforderung ein wenig mehr anzugleichen.

Wahrscheinlich 1424 ließ Oswald seine erste Ausgabe gesammelter Lieder und Liedsätze anlegen.

Der Zeitpunkt ist einerseits verwunderlich, andererseits verständlich. Oswalds wirtschaftliche Situation war miserabel – und ausgerechnet jetzt die hohen Kosten für eine Pergamenthandschrift in repräsentativer Aufmachung! Andererseits: Oswald wußte nicht, was ihm die Zukunft brachte und vor allem: nahm – so war es höchste Zeit, die Arbeiten zusammenzutragen.

Angefertigt wurde die Handschrift gewiß nicht auf Hauenstein – dazu waren Experten nötig. Und die gab es beispielsweise in der Schreibstube des Klosters Neustift – Textschreiber, Notenschreiber, Initialenmaler unter einem Dach. Es ist oft erörtert worden, ob und wieweit Oswald die Herstellung der Handschrift(en) beaufsichtigt hat: war er hier gleichgültig, großzügig oder gewissenhaft?

Pauschal läßt sich, zumindest für diese erste Handschrift, sagen: Oswald hat keine ständige, geschweige denn systematische Kontrolle durchgeführt – dann wäre die Zahl der Schreibfehler, Lesefehler, ja Verständnisfehler erheblich kleiner! Oswald hat, nach der Darstellung von Erika Timm, im Skriptorium Einzelblätter vorgelegt, die er für sich und mitwirkende Musiker benutzte.

Die Handschrift liegt in Wien. Das Format 37 mal 27, insgesamt 61 Pergamentblätter; der Ledereinband, rissig und wurmstichig, stammt aus dem 15. Jahrhundert; die Texte sind mit brauner und schwarzer Tinte geschrieben, die Notenlinien und technischen Anmerkungen mit roter Tinte, die Initialen sind meist blau und rot; auf Blatt 38 das Inhaltsverzeichnis für die ersten 42 Lieder – es ist datiert auf 1425.

Die Handschrift enthält insgesamt 108 Lieder; mehrere von ihnen sind in Nachträgen aufgezeichnet, unter ihnen auch ältere Texte. Die letzte dieser Eintragungen von (ungefähr) 1441 – zu diesem Zeitpunkt war die zweite Liederhandschrift längst fertig. Und das ist interessant: für Oswald war die erste Handschrift demnach keineswegs überholt, als er die zweite anfertigen ließ.

Im Spätherbst des Jahres 1424 begann sich eine neue politische Entwicklung anzudeuten, zumindest für die gut Informierten, und zu denen dürften die Wolkensteiner gehört haben; über Freunde, zumindest Sympathisanten am Innsbrucker Hof werden sie erfahren haben, daß – durch Briefe oder Delegierte – Verhandlungen stattfanden zwischen König Sigmund und Herzog Friedrich, daß eine erneute Versöhnung vorbereitet wurde.

In einer politischen Allianz zwischen König und Herzog konnte Oswald nur eine Gefahr sehen, politisch und persönlich. Politisch: der König hatte sich bisher zwar nur durch Proklamationen, nicht durch Aktionen für den Adelsbund eingesetzt, aber immerhin: er hatte Partei ergriffen, hatte dem Tiroler Adel ideellen Rückhalt gegeben. Falls nun die Konfrontation zwischen König und Herzog aufgehoben wurde, so war der Adel isoliert, zumindest für die nächste Zeit.

Und in persönlicher Hinsicht: auch hier hatte die Hilfe des Königs meist nur in schriftlichen Bekundungen bestanden, kaum in direkter Unterstützung – aber sollte nun auch dies wegfallen? Es gab hier für Oswald nur zwei Möglichkeiten: daß sich König und Herzog gemeinsam von ihm abwandten, aus politischem Kalkül, oder: daß er nun auch beim neuen Verbündeten des Königs um Schutz, um Protektion, zumindest um Wohlwollen bat.

Die Versöhnung fand statt. Friedrich erhielt Orte und Ländereien zurück, die Sigmund in Konstanz als »verfallene Herrschaften« eingezogen und verpfändet hatte. Weiter wurden Friedrich einige Pfandbeträge garantiert, mal 50, mal 60 Gulden, mal 41 Mark in Silber. Aus vielen Posten setzte sich der Gesamtpreis für Friedrichs künftige Loyalität und Kooperation zusammen.

Zwischen 1422 und 1425 hat Oswald ein großes Klagelied geschrieben über die Falschheit dieser Welt, über die Eitelkeit menschlichen Treibens, auch des eigenen. Bei diesem Text (Kl 11) habe ich, wie auch bei einigen anderen Liedern dieser Phase, Assoziationen an eine spätere literarische Epoche: an Dichtungen des Barock, speziell des Andreas Gryphius. Nur Assoziationen – hier bestehen keine direkten Beziehungen, der Schlesier kann den Tiroler nicht gekannt haben, Wolkensteins Werk war längst vergessen, dennoch gibt es erstaunliche Entsprechungen, nicht bloß im gemeinsamen Gebrauch rhetorischer Formeln, auch in der Intensität,

mit der sie ihre Vergänglichkeitsarien anstimmen, die Klagen über
die Eitelkeit alles Irdischen: vanitas… memento mori…

Du schlechte Welt –
wie lange mich auch Leib und Gut mit dir verbinden,
ich sehe nur, daß du ganz nichtig bist
in Worten, Taten und Verhalten.
Du bist so unbeständig,
daß ich dich vorn und hinten nicht versteh!
Mit Lug und Trug
kannst du allein entgelten;
mit Mühe, Mühsal, großer Last,
mit Winkelzügen, Tücke
machst du den Weg zur Hölle kurz.
Darüber klagt, ihr eitlen Frauen, Männer!
Wir streben täglich, Tag und Nacht,
nach Ehre und Besitz –
erreichen wir, was wir gewünscht,
so haben wir zuletzt nicht mehr
als magre Speise, dünnes Kleid –
und was an guten Taten oben für uns spricht.

So mancher sagt,
er wäre mir für immer fest verbunden,
er diene mir mit Leib und Gut,
das würde sich nicht ändern…
Doch käme ich als armer Mann zu ihm,
da wünschte er, ich wäre, wo der Pfeffer wächst!
Zu Adams Kindern
darf man nicht viel Vertrauen haben,
nur einem soll man dienen: Gott.
Die Welt besteht aus Dreck.
Drum wende dich mit Grauen ab
und hoff auf Den, der Hilfe bringen kann.
Manch guter Mann, er tut mir leid,
und ich mir selber auch,

weil man doch nicht erkennt,
daß wie ein Rauch vergeht,
was man so angestrengt der Welt zu Diensten tut.
Wo ist der Lohn, wenns heißt: Dies ist der Tod?

Kein ärmres Tier
hab ich gefunden unter allen Kreaturen,
als eines, das den Fürsten dient.
Mit Haut und Haar verkauft man sich
an seinen Herrn für kleinen Lohn –
das tät ein Esel nicht, und wär er frei!
Reit, schlag und stich,
stiehl, raub und brenn und schone nicht die Menschen,
nimm Roß und Wagen, Huhn und Hahn,
zeig keine Rücksicht mehr –
du weißt, dein Herr hat Spaß an dir,
wenn er dich sieht bei solchem Treiben.
Ja, lauf ihm nach und wart auf ihn,
(vor allem: ist er Fürst!)
schau ständig nach ihm aus, umdiene ihn,
damit er dich bemerkt;
und falls er huldvoll mal ein Wörtlein sagt,
so nimm es als Geschenk des Himmels!

Ihr Vögelchen
und auch ihr andren Tiere, wild und zahm,
ihr kennt die rechte Liebe:
ein jedes sucht sich seinesgleichen,
ein jedes Männchen hat sein Weibchen,
wenn Not ist, helft ihr gegenseitig.
Doch meine Freunde –
sie würden zusehn, wie ich krumm werd, lahm,
eh mich mal einer unterstützte!
Und könnte man mich damit retten,
Gesundheit geben, Schmerzen nehmen –
ich würde eher wie der Schnee vergehn!

Die Liebe, die ein Mensch dem anderen erweist,
sie hätte keinen Wert,
gäb es nicht Aussicht auf Geschenke
und Hoffnung auf Besitz.
Dem eignen Kind wär ich zuviel,
wenn es auf Dauer keinen Nutzen von mir hätte.

Und könnte ich
mir ganz nach Lust, recht wie es mir gefällt,
das Leben selbst gestalten,
mit allem Philosophenwissen –
ich könnte es nicht richtig planen,
es ginge mir auf Dauer alles schief.
Was hilft denn meine Gier
nach viel Besitz, gesellschaftlichem Rang,
was hilft mir Silber oder Gold,
was hilft die Frauenliebe,
wenn Weltlust rasch entwertet wird,
und ich doch weiß, daß ich bald sterben muß.
Mach nur Turniere, lauf, tanz, spring
auf einem großen Platz,
sorg nur für Kurzweil, Hofplaisir,
mach Sprünge wie die Katz –
sobald der Spaß vorüber ist,
geh noch mal hin: da ist die Stätte öd.

Mich wundert sehr,
daß wir so fest auf diese Erde bauen
und sehen doch, wie es vergeht.
Wo sind denn meine Freunde und Kumpane?
Wo meine Eltern und die Ahnen?
Wo sind wir alle denn nach mehr als hundert Jahren?
Mich wundert außerdem,
daß ich nie loskam von der Frau,
die mich so lang betrogen hat
und mir nur Unglück brachte;

mich hat mein eitler Sinn verblendet,
ich sah nicht, daß sie mir gefährlich war.
Wir bauen uns den größten Tand
an Häusern, schönen Burgen –
dabei reicht schlichtes Mauerwerk,
das wird uns überdauern.
Hört, Brüder, Schwestern, arm und reich:
Baut nur auf Den, der euch auf ewig schützt.

Ist das nicht eine alte Leier: daß sich jemand einsichtig äußert und
uneinsichtig verhält? Daß einer moralische Erwägungen anstellt
und unmoralische Handlungen ausführt? Nähme man den Oswald
dieses Liedes beim Wort, er müßte ein ganz anderer Oswald sein:
einer, der sein rücksichtsloses, oft brutales Besitzstreben aufgibt,
weil er die Eitelkeit, den Wahn durchschaut – einer, der weise wird.
Oswalds Verhalten läßt aber nicht darauf schließen. Hat er also literarisch geheuchelt? Oder gab es bei ihm zumindest Ansätze zu solchen Einsichten?

Vor die Frage nach dem Verhältnis zwischen literarischer Äußerung und biographischer Realität stellt uns auch die folgende Altersklage: Kl 5.

Ich sehe, höre,
daß mancher klagt, wenn er Besitz verliert;
ich freilich traure meiner Jugend nach,
daß ich die Leichtigkeit verlor,
mit der ich früher so dahingelebt,
und die mir nicht geschadet hat, in dieser Welt.
Geschwächt und krank
verkünden Kopf und Rücken, Beine, Hände, Füße nun das
    Alter.
Was ich vertan hab, ohne Not,
Herr Leib, den Übermut laßt Ihr nun büßen
mit fahlen Farben, roten Augen,
mit Runzeln, Grau – gemessen sind jetzt Eure Sprünge.
Mir werden schwer Gemüt und Hirn, die Zunge und der
    Schritt.

Mein Gang ist vorgebeugt.
Das Zittern schwächt mir alle Glieder.
»Ohweh!« heißt nun mein Lied,
das stimm ich an bei Tag und Nacht.
Und brüchig ist schon mein Tenor.

Ein krauses, helles Haar
hat früher meinen Kopf bedeckt, in dichten Locken –
das wird nun scheckig, grau und schwarz,
durchsetzt von kahlen Stellen.
Was an mir rot war, wird nun blau –
das hat schon meine Freundin abgestoßen.
Mißfarben, stumpf
sind meine Zähne, taugen nicht zum Kauen;
würd ich die ganze Welt besitzen,
ich könnte sie nicht mehr erneuern,
noch mir die Lässigkeit erkaufen –
allein im Wunschtraum will mir das gelingen.
Beim Raufen, Tanzen, Rennen,
da bin ich arg behindert.
Und kein Gesang, nur Husten in der Kehle;
der Atem wird mir knapp.
Nach kühler Erde sehn ich mich,
seit ich so schwach bin, so verächtlich.

Ja, junger Mann,
lern dies hieraus: Bau nicht auf deine Schönheit,
auf Wuchs und Stärke. Richte dich empor
mit geistlichen Gesängen.
Wie du jetzt bist, so bin ich einst gewesen.
Besuch mich mal – dich wird die gute Tat nicht reun.
Dies täte not:
ein Leben, das Gott wohlgefällig ist,
mit Fasten, Beten, Kirchbesuch;
auf Knien müßte ich um Gnade bitten.
Doch halte ich das nicht recht durch,

seit Alter mir den Körper schwächte.
Ich sehe immer vier statt einen,
ich höre wie durch Steingemäuer,
die Kinder lachen mich schon aus,
die hübschen Mädchen ebenfalls.
Die Unvernunft hat mir das eingebracht.
Ihr Mädchen, jungen Männer: verspielt nicht Gottes Gnade!

Oswald war nun Mitte bis Ende Vierzig: bei der damals sehr niedrigen Lebenserwartung ein recht alter Mann – höchste Zeit, wieder einmal eine Altersklage anzustimmen?

Der amerikanische Literaturwissenschaftler G. F. Jones hat einen Aufsatz über dieses Lied geschrieben, und er stellt fest: Was Oswald hier an Alterserscheinungen benennt, stammt aus der literarischen Tradition. Jones führt zum Beleg eine Revue von Alterserscheinungen vor, wie sie im Mittelalter immer wieder genannt wurden: Das Augenlicht wird schwach, man hört schlecht, die Haare fallen aus, das Gesicht wird bleich, die Zähne werden brüchig, die Haut wird trocken, der Atem stinkt, die Brust sinkt ein, Lachen schlägt um in Husten, die Knie sind weich, Gelenke und Fesseln schwellen an. Und stereotyp heißt es, lateinisch wie deutsch: Wie ihr jetzt seid, so waren wir; wie wir jetzt sind, so werdet ihr.

Das sind literarische Kataloge. Sind hier nicht zugleich auch Kataloge von Alterserscheinungen, die sich wiederholen? Oswald nennt denn auch Punkte, für die Jones keine Textparallelen gefunden hat. Wie er auch zugeben muß, daß sich dieser Text von den sonst üblichen allegorischen Altersbeschreibungen unterscheidet durch eine betont subjektive Position und Perspektive. Deshalb sollte sich die Suche nach literarischen Mustern und Entsprechungen nicht allzu selbständig machen. Zwar können wir in diesem Lied insgesamt kein realistisches Selbstporträt eines alternden Mannes sehen, aber in einigen Punkten könnten doch konkrete Erfahrungen formuliert sein.

Beispielsweise: wenn Oswald schreibt, er sehe immer vier statt einen – ist das eine rhetorische Figur oder eine spezifische Erkrankung des alternden Auges? Ein Ophtalmologe weist mich darauf hin, in einem Gespräch, in einem ausführlichen Schreiben, daß es solche »Mehrfachbilder« tatsächlich gebe, gelegentlich, sie würden »je nach Beleuchtung, Kontrast usw. ungleichmäßig und wechselnd in Erscheinung treten. Sie beruhen auf speichenartigen Trübungen der Linsenrinde und Wasserspalten zwischen ihren Fasern, die bei beginnendem grauen (Alters-)Star auftreten.«

Und warum ist Oswalds rechtes Auge geschlossen, auf allen Einzeldarstellungen? Auf dem Porträtgemälde der Handschrift B ist deutlich zu erkennen: die Lidspalte ist vollständig geschlossen; die Lidwölbung ist erhalten; der Unterlidrand ist gerötet.

Eberhard Kleberger: dieser »vollständige Lidschluß« beruhe eindeutig auf »einer völligen Lähmung des Lidhebermuskels«. Keine angeborene Ptosis, sondern eine »erworbene«. Mögliche Ursachen: Rheuma oder Syphilis. Häufigste Ursache: eine Verletzung. Das »Familienhistörchen« von der Augenverletzung auf der Trostburg hat für ihn die größte Wahrscheinlichkeit. Der Ablauf: das Kammerwasser läuft nach der Verletzung aus, nach dem Verheilen von Hornhaut »und / oder Lederhaut« bildet sich erneut Kammerwasser, der Augapfel füllt sich wieder. Nur nach »einer sehr starken, innerlich zerstörenden Verletzung« oder einer »durch sie ausgelösten chronischen Entzündung« wird kein Kammerwasser mehr produziert; »in diesem Fall wäre das Lid nicht mehr vorgewölbt.« Zusammenfassend: »Das Lid ist durch Verletzung gelähmt, das Auge verletzt und dadurch mehr oder weniger blind, aber nicht geschrumpft, jedoch mit chronischer Reizung der Bindehaut und Lidränder.«

Ich berichte hier nun gleich von weiteren Beobachtungen, weiteren Konsultationen. Einer Werksärztin, die es vor allem mit äußeren Verletzungen zu tun hat, legte ich ein plakatgroßes Blow-up einer Farbfotografie des Porträtgemäldes vor. Sehr deutlich nun die Narbe an der Unterlippe links: eine Schnitt- oder Stichverletzung, wahrscheinlich durch eine Klingenspitze, die von unten in die Lippe gestoßen wurde, einen Hautlappen ablöste. Weil nicht genäht, auch kein Preßverband angelegt wurde, ist dieser Hautlappen locker aufliegend wieder angeheilt, wulstig angewachsen.

In dieser eindrucksvollen Gesichts-Landschaft zeigt sich eine weitere Narbe, als Kreissegment über der Oberlippe. Durch eine Hieb- oder Stichwaffe kann diese wie gezirkelte Narbe nicht entstanden sein, nur durch einen scharfrandigen, runden Gegenstand. Also wohl durch ein Gefäß – ein Trinkgefäß? Ein irdener Krug oder Becher kann es nicht gewesen sein, dessen Rand ist zu dick. Ein Glas auch nicht – die Glasränder waren damals ebenfalls recht dick, auch wäre das Glas wahrscheinlich zersplittert, und das würde man der Narbe ansehen. So war es wohl ein Zinnbecher, der Oswald beim Anheben oder Ansetzen hart gegen das Gesicht geschlagen wurde, und so schnitt sich der recht scharfe Rand des Bechers in das Fleisch ein.

Und nun: Oswalds Stimme – wurde hier das Alter hörbar? Oswalds Zuhörer waren der Antwort näher: bestätigten Stimmführung und Stimmklang die Klagen über die Hinfälligkeit?

Oswald weist hin auf einen Qualitätsverlust seiner Singstimme, schreibt vom »tenor« – damit ist die melodieführende Stimme gemeint. Ich habe den Wortakzent auf die zweite Silbe verlagert, habe damit seine (wahrscheinliche) Stimmlage benannt. Ob ténor oder Tenór – wurde die Stimme des Mittvierzigers brüchig? »Meine Singstimme ist mit Runzeln gut überdeckt« – so lautet Oswalds Aussage, wörtlich übersetzt. Eine unkonventionelle, sehr plastische Beschreibung; die Stimme nicht mehr glatt, geschmeidig, es hat sich auf ihr so etwas wie Craquelée gebildet (Haarrisse in einer Glasur oder in der Farbfläche eines Ölgemäldes). Musiker sagen in solch einem Fall: Die Stimme wird brüchig. Das hat Oswald so exakt beschrieben, daß ich mir nicht vorstellen kann, dies sei wieder ein literarisches Klischee.

Bei heutigen Konzertsängern (und hier bei Tenören früher als bei Bassisten!) rechnet man mit einem Leistungsabfall etwa ab Mitte Vierzig: zunehmende Verknöcherung (Ossifikation) der bis dahin weichen Kehlkopfknorpel, die Bänder zwischen den Knorpeln sind nicht mehr so elastisch, die sehr diffizile Muskulatur des Organs ist nicht mehr so flexibel – die Singstimme verliert an Qualität, vor allem in den Höhen. Hat Oswald das gemeint?

Andererseits: der Verlust an Qualität bei der Singstimme ist ein normaler physiologischer Vorgang, und so war es wohl kaum Stilisierung, wenn Oswald sang, seine Singstimme werde brüchig. Als erfahrener Sänger hatte er freilich Techniken, das (so bald) nicht hörbar werden zu lassen. Beispielsweise konnte er die Schlüssel tiefer ansetzen, und er sang baritonaler; der (bei Oswald erstaunlich große) Tonumfang blieb damit gleich, nur vermied er allzu riskante Tonhöhen. Falls Oswald die Transpositionsschlüssel nicht senkte, hatte er eine andere Möglichkeit: er sang hohe Partien nicht mehr mit Brust-, sondern mit Kopfstimme. Auf einer Opernbühne oder einem Konzertpodium trägt eine Kopfstimme nicht genügend, aber in den damals kleineren Räumen, auch Sälen genügte Kopfstimme durchaus.

Wenn Oswald sang, seine Stimme werde brüchig, so konnte er das durchaus hörbar werden lassen, ohne zu karikieren, er konnte das aber auch übersingen, durch Transposition oder Registerwechsel. Es läßt sich also voraussetzen, daß der Sänger Oswald von Wolkenstein auch in dieser Zeit und in den folgenden Jahren Beifall fand.

Oswald als Einaug – mußte er kompensieren? Oder ist schon diese Frage eine Projektion aus unserer Zeit in Oswalds Zeit?

Wir leben, in Zentraleuropa, in einer Gesellschaft, die körperliche Gebrechen so gut wie vollständig kaschiert – auch, weil sie das Geld dazu hat. Amputierte Gliedmaßen werden durch Prothesen ersetzt, zerstörte Augen durch Glasaugen; bei störend sichtbaren Verletzungen wird, so weit wie möglich, kosmetische Chirurgie angewendet; wer sehr verunstaltet ist, lebt meist in sozialer Quarantäne.

Völlig anders war das zu Oswalds Zeit: Krankheiten, Seuchen, Unfälle, Kriege hinterließen so viele sichtbare Spuren, daß hier Kaschieren fast aussichtslos war. In Beschreibungen jener Zeit, auf Bildern: sehr viele Krüppel! Amputierte Beine wurden höchstens durch Holzstempel ersetzt, sonst half man sich mit Krücken und Wägelchen; von den zahlreichen Bettlern wurden Gebrechen marktschreierisch vorgezeigt; und wie viele Gesichter waren von Blatternarben entstellt?

Da wird Oswald von Wolkenstein mit dem geschlossenen Lid wohl kaum besonders aufgefallen sein. Wahrscheinlich war ihm die Ptosis lästig: der rote Unterlidrand zeigt an, daß er mit verstärktem Tränenfluß zu tun hatte und wohl auch mit kleineren Entzündungen. Hätte ihn das geschlossene Auge jedoch psychisch verunsichert, so wäre er nicht immer wieder öffentlich aufgetreten, Lieder singend!

Möglicherweise war er zuweilen sogar stolz auf das geschlossene Auge: daran erkannte man ihn sofort! Das vom Lid vollständig bedeckte Auge – es zwang ihn wohl kaum zur Kompensation, sozial und literarisch.

Am 31. März 1425 schickte Martin Jäger einen Brief an den Landesfürsten, der, zu Wien, erneut einen Gerichtstermin angesetzt hatte in Sachen Wolkensteiner. Jäger sah Anlässe, sich wieder einmal über Oswald und seine Brüder zu beklagen.

»Durchlaucht, hochgeborener Fürst, mein gnädiger, lieber Herr, ich entbiete Euch wie stets meine untertänigen und dienstwilligen Grüße. [...]

Gnädiger Herr! Ich wäre gern selbst zu Euren Fürstlichen Gnaden geritten, denn die Notwendigkeit dazu ist dringlich; die Gewalt und all das Schlimme, das sie mir angetan haben und weiterhin antun, kann ich Euren Gnaden schlechterdings nicht beschreiben! Weil sie mich derart mittellos gemacht haben und weil ich von ihrer Seite aus an Leib und Leben nicht sicher bin, bitte ich Euer Fürstliche Gnaden: Laßt mich Euren Fürstlichen Gnaden anempfohlen sein, gedenkt der Notlage und Bedrängnis, in der ich mich befinde. Ihr seid mir Eure Hilfe schuldig (wie überhaupt Euren Untertanen, gemäß den Versprechen, die Eure Gnaden vor Land und Leuten gegeben haben), und so habe ich volles Vertrauen zu Euren Gnaden und erwarte, daß mir mein und meiner Frau Besitz zurückgegeben wird, den sie mir mit Gewalt und ohne Recht genommen und vorenthalten haben. [...]

Gnädiger Herr! Hättet Ihr mir den Oswald Wolkensteiner überlassen, so wäre ich von ihm und seinen Brüdern wohl mit einer anderen Regelung auseinandergegangen, die mir den großen, verderblichen Schaden erspart hätte, den ich seither habe hinnehmen müssen.«

Jäger wollte also noch einmal Dampf machen, denn nun mußte endlich das Urteil gefällt werden! Mehr als drei Jahre waren schon wieder seit dem ersten gescheiterten Rechtstag vergangen! Und mehr als ein halbes Jahrhundert dauerte bereits sein Streit mit Vater und Sohn Wolkenstein – wie lange sollte das noch so weitergehen?

Oswald hatte zwar einen Schutz- und Geleitbrief für die Reise nach Wien, zum Gerichtstag, doch er ließ ihn verfallen. Nach der Versöhnung zwischen König und Herzog fühlte er sich wohl nicht mehr ausreichend protegiert. Er erschien nicht vor Gericht.

Im Mai 1425 siegelte Oswald einen Verkaufsvertrag eines Bauern zu Gais im Tauferertal: zu dieser Zeit wohnte er demnach in der Burg Neuhaus oberhalb von Gais. Oswald war Pfleger, also Verwalter dieser Burg und der zugehörigen Ländereien – war dies ein Routinebesuch? Oder hing der Aufenthalt damit zusammen, daß er nicht in Wien erschienen war? Mußte er mit der Möglichkeit rechnen, daß ihn der Herzog festnehmen ließ? Wie oft konnte sich der Herzog einen solchen Affront noch bieten lassen?

Die Burg Neuhaus lag damals im ›Ausland‹, in der Vorderen Grafschaft Görz. Repräsentiert wurde sie zu Oswalds Zeit durch Graf Heinrich von Görz. Bis 1424 schloß er sich vor allem König Sigmund an; mit ihm war er auch verschwägert. Als Herzog Friedrich in Konstanz im Gefängnis saß, unterstützte Heinrich dessen Bruder Ernst, der die Macht in Tirol übernehmen wollte, unterstützt von den Adelsbündlern. Auch kooperierten die Görzer mit den angesehenen und mächtigen Grafen von Cilli, deren Hauptinteresse es war, reichsunmittelbar zu werden. Oswald war hier also durchaus in der richtigen Umgebung! Heinrich von Görz macht Oswald einige Jahre später zu seinem »Rat und Diener«.

Weil an der Mühlbacher Klause das Territorium und die Macht von Herzog Friedrich endete, war Neuhaus für Oswald in dieser Situation ein Refugium, fast ein Exil. Er wohnte hier nicht nur als

Verwalter, er besaß auch einen Pfandschein über Neuhaus, hatte ihn jedoch bei Hans von Villanders deponieren müssen.

In Oswalds Schuldnerliste von 1418 war auch ein Hans von Görz aufgeführt. Erst schuldete er Oswald 6 Dukaten, dann 24 Dukaten. schließlich über 1000 Gulden. Man war im Hause Görz also nicht immer liquid, mußte schließlich sogar die Burg verpfänden. Für den Betrag von immerhin 600 Mark, also etwa 1500 Gulden, wird Oswald die kleine Burg samt Ländereien übernommen haben, er konnte hier Einkünfte ziehen, bis er das Pfandobjekt an den Verpfänder zurückgeben mußte – das Einlöserecht. Bis dahin konnte und kann man (Pfandrecht ist germanisches Recht geblieben) einen Pfandschein an Dritte abtreten. Oswald war durch Hans von Villanders dazu gezwungen worden. Eigentlich hätte der Verwandte nun auch den Neuhauser Besitz übernehmen können, pfandweise, aber Hans von Villanders hatte sowieso schon Wohnsitze in der Grafschaft Görz, und ihm ging es vor allem um Geld.

Es gibt nun einen Brief, leider unadressiert und undatiert, in dem Oswald sich dagegen wehrt, das Pfandobjekt Neuhaus wieder zurückzugeben. Dieser Brief kann nur an einen Grafen von Görz gerichtet sein.

Waren die Besitzer nun wieder liquid, wollten deshalb die Burg einlösen? Oder gab es hier politische Motive: man wollte keine Schwierigkeiten kriegen mit dem mächtigen Nachbarn Friedrich? Konnte er es den Görzern nicht verübeln, daß sie dem Rechtsbrecher Asyl gewährten? Wenn Oswald pfandweise die Burg Neuhaus besaß, so konnten sie ihn nicht einfach hinauswerfen. In solch einem Fall mußte man den Pfandschein zurückkaufen. Und dagegen wehrte sich Oswald.

»Hochwohlgeboren! Mit untertänigem, willigem Dienst stehe ich Euer Gnaden allzeit zur Verfügung.

Bezüglich der Einlösung von Neuhaus haben sich Euer Gnaden kürzlich in schriftlicher Form auf etwas unklare Weise geäußert, in der Öffentlichkeit jedoch verlautet, daß Euer Fürstliche Gnaden mit Entschiedenheit die Einlösung wünschen.

Nun ist meine Lage so, daß ich derzeit mit Leben und Besitz nicht mehr sicher bin vor meinem Herrn von Österreich; auch ist mein

Geleitbrief mit dem vergangenen St. Georgstag [April] erloschen. Ich bitte Euer Fürstliche Gnaden, mir von der Urkunde, die Euer Gnaden von mir noch in Besitz haben, möglichst rasch eine Abschrift schicken zu lassen, aus der hervorgeht, ob ich nach dem Wortlaut des Dokumentes zur Rückgabe des Pfandes zu diesem Zeitpunkt überhaupt noch verpflichtet bin. Ich werde mich in diesem Fall danach zu richten wissen, um mein Leben und meinen Besitz so in Sicherheit zu bringen, daß mir nichts Abträgliches widerfährt. Sollten Euer Fürstliche Gnaden mich hier im Stich lassen und sollte durch meinen Herrn von Österreich ein Übergriff auf mein Leben und meinen Besitz erfolgen, so hätte ich das von Euren Fürstlichen Gnaden nicht verdient, und darum, gnädiger Herr, verhaltet Euch mir gegenüber so, wie es meinem Vertrauen und meinen Verdiensten gegenüber Euer Gnaden entspricht.«

Eine Einlösung setzte voraus, daß Oswald überhaupt erst wieder über den Schein verfügte. Hätte er Hans von Villanders gebeten, ihm diese Urkunde auszuhändigen, so hätte der wohl sofort den Gegenwert in bar verlangt, als Sicherheitsleistung. Auf diese Weise hätte Oswald die Pfandsumme verloren – und Neuhaus, das Refugium, das er gerade in dieser Zeit brauchte. Also suchte er nach einer juristischen Möglichkeit, die Einlösung zu verhindern: gab es eine Frist, nach der er nicht mehr verpflichtet war, das Pfand zurückzugeben? Selbst wenn diese Chance nur gering war – er wollte zumindest Zeit gewinnen.

Die Burg Neuhaus, so habe ich gelesen, ist um 1914 restauriert, ja umgebaut worden: die Burg, zu der ich hinaufgehe, ist also kaum noch identisch in ihrer Bausubstanz mit der Burg, in der Oswald zeitweise gewohnt hat.

Ihre Lage zeigt Ähnlichkeiten mit der von Schöneck: Wiesen und reichlich Fichtenwald, auf gleicher Höhe und noch höher hinauf. Ein dominierender Turm, mit Dach. Rot und weiß gestrichene Fensterläden; Querstangen halten sie offen, kein Fallwind, Steigwind soll sie zuschlagen. Ein Erker mit Butzenscheiben. Keine Wehrmauern mehr, nur noch Umfassungsmauern, Terrassierungsmauern. Ein rot gestrichenes Holztor, es ist geschlossen. Keine Tafel mit Hinweisen. In einem alten Bauernhaus nebenan eine Schenke: ein tonnenartig gemauerter Ofen im Schankraum, Stühle auf den Tischen. Ich erfahre, daß die Burg Privatbesitz ist, keine Besichtigungen. Ich gehe wieder hinaus, in den Biergarten, die Stühle schräg an die Tische gelehnt. Nachsaison, Ende September.

Am Biergarten eine kleine Kirche. Über dem Eingang zwei Terrakotta-Putten, wahrscheinlich aus der Barockzeit, ihre Gesichter verwittert. Die beiden halten eine Schrifttafel: Buchstaben abgeblättert, verwischt. Ich stelle mich ans Geländer neben der Kirche: die Talsohle etwa hundert Meter tiefer. Wiesen- und Waldhänge gegenüber, die Berge sind verhängt: Hochnebel. Gelegentliche Wolkenlöcher zeigen an, daß die Umgebung imposanter ist als bei Schöneck: Felsgrau oberhalb der Vegetationsgrenze.

Die für diese Umgebung kennzeichnenden Bergkonturen, wie Oswald sie gesehen hat, ich sehe sie nicht. Die Burg, die er gesehen hat, wenn er von dort unten herauffritt, sie ist stark verändert. Dennoch: Neuhaus, das ist jetzt mehr für mich als ein Burgzeichen auf einer Landkarte, mehr als ein sich wiederholender Name.

Etwa Mitte des Jahres 1425 ist Anna Hausmann gestorben, schätzungsweise fünfunddreißig Jahre alt. Arthur von Wolkenstein-Rodenegg, als erfahrener Trivialromanautor, formuliert dieses Ereignis in seiner Oswald-Biographie so: »Mit dem Tode dieser Frau sank jenes dämonische Weib ins Grab, welches für Oswalds Schicksal so unheilvoll geworden.«

Die Hausmann ist zum Phantom der Oswald-Sekundärliteratur geworden, zur großen Femme fatale verschiedener Oswald-Romane. Je zahlreicher die Fiktionen, desto unwirklicher wurde sie; so ist man fast perplex, wenn der Name dieser Frau in Dokumenten auftaucht. Beispielsweise in einem Brief des Landesfürsten vom 25. Juli dieses Jahres.

»Getreuer Wolkensteiner. Was Du Uns jetzt geschrieben hast, haben Wir genau zur Kenntnis genommen. Dir dürfte bekannt sein, daß Wir im Auftrag und auf Geheiß des allerdurchlauchtigsten Fürsten, unseres gnädigen Herrn, des Römischen etc. Königs, und des hochgeborenen Fürsten, Unseres lieben Verwandten Herzog Albrecht etc., zum Sonntag Quasimodogeniti einen Rechtstag in Wien anberaumt haben, wegen Dir und den Starkenbergern. Wir haben Dir einen Schutz- und Geleitbrief ausgestellt und bei Unseren obengenannten Verwandten hinterlegt. Wir haben die Abmachungen gehalten und Unsererseits nicht gebrochen. Ja, Wir haben sogar, auf Bitte Unserer Verwandten, das Stillhalteabkommen nochmals bis heute verlängert und Uns zu anderen Verhandlungsterminen bereit erklärt. Inzwischen aber sind durch die genannten Starkenberger und durch Dich verschiedene Übergriffe Uns gegenüber erfolgt und erfolgen noch täglich. Ganz besonders enthältst Du Martin Jäger und anderen der Unsrigen das Ihre vor und schädigst sie ohne jedes Recht. Und das Gut, das Wir von der Hausmann erlöst haben und das Unser Erbe ist, hast Du in Besitz genommen; auch anderes, was Wir beanspruchen, behältst Du für Dich. Über all das haben Wir bisher geschwiegen. Jedermann kann hier erkennen, ob Du Dich Uns gegenüber so anständig verhältst, wie Wir Uns Dir gegenüber verhalten haben.«

Im Nürnberger Wolkenstein-Archiv liegt das (bisher unveröffentlichte) Konzept eines Briefs, in dem Oswald die Vorwürfe und Anklagen seines Landesherrn zu entkräften, zu widerlegen versucht.

»Durchlaucht, hochgeborener Fürst. Untertänig und willig stehe ich Euren Fürstlichen Gnaden stets zu Diensten. Was mir Eure Fürstliche Gnaden kürzlich geschrieben haben, das habe ich sehr wohl zur Kenntnis genommen. [...]

Bezüglich des Martin Jäger: Hier ist der gesamten Landschaft wohl bekannt, daß ich von Euren Fürstlichen Gnaden zum nächstmöglichen Termin eine Verhandlung vor dem Landtag in Meran erbeten habe, zu der ich auch heute noch gern erscheinen will.

Weiter schreiben mir Eure Fürstliche Gnaden, ich hätte mir die Güter angeeignet, die Ihr als Erbsitz von der Hausmann eingelöst habt. Dazu teile ich Euren Fürstlichen Gnaden mit, daß mir gegenüber weder durch Eure Gnaden noch durch andere je ein Anspruch darauf erhoben worden ist, weder mündlich noch schriftlich, nachdem ich das Gut zu Lebzeiten der Hausmann in meinen Besitz gebracht hatte, mit dem Recht, das man sich einem erklärten Feind gegenüber nehmen darf – aber ich will in diesem Punkt nicht unnötig ausführlich werden.

Da aber nun gemäß dem Wortlaut Eures Schreibens ein Anspruch darauf erhoben wird, so will ich es Euren Fürstlichen Gnaden bereitwillig abtreten; ich wäre dazu längst bereit gewesen, wenn mir Eure Fürstliche Gnaden zu erkennen gegeben hätten, daß ich es abgeben soll.

Weiter entnehme ich Eurem Schreiben, daß ich vor kurzem, namentlich aber nach der Verständigung, die zwischen meinem allerdurchlauchtigsten gnädigen Herrn, dem Römischen König etc., und Euren Fürstlichen Gnaden zustande gekommen ist, gegen Eure Fürstliche Gnaden gehandelt habe. Davon ist mir nichts bekannt. Ich will meine Schuldlosigkeit unter Beweis stellen, gemäß dem Privileg, das die gesamte Landschaft von Euren Fürstlichen Gnaden und allen Fürsten in Tirol innehat, und bitte Euer Fürstliche Gnaden, in mir künftig den Euren zu sehen.«

Herzog Friedrich versuchte Ende 1425 in neuem Anlauf, den Landfrieden wiederherzustellen, ging militärisch vor gegen einige Adlige, die sich weiterhin aufsässig zeigten – trotz der Loyalitätserklärung vom Dezember 1423.

Der Kampf wurde vor allem um Greifenstein geführt. War diese Burg mittlerweile Symbol geworden für den Widerstand gegen Herzog Friedrich? Auch Ende des Jahres 25 hatte die Mannschaft noch nicht kapituliert: demnach blieben Beschießungen ebenso wirkungslos wie Sturmangriffe, die Burg konnte nur ausgehungert werden, aber man hatte auf Greifenstein offenbar sehr viel Proviant gelagert. Hauptmann Ortner, der einige Jahre zuvor den Befehl niedergelegt hatte, er war inzwischen wieder Kommandant.

Ich nehme an, es ist nicht ununterbrochen gekämpft worden – wahrscheinlich geschah wochen- oder monatelang gar nichts. Nun aber, Ende 25, wurde Friedrich wieder aktiv, wollte die Opposition endgültig niederschlagen, gab entsprechende Erklärungen ab, als

Drohungen an ›bestimmte Adressen‹ – und die Adressaten horchten auf. Im Januar unterwarf sich Michael von Wolkenstein formell, wurde am 28. Januar wieder als Diener und Rat des Herzogs anerkannt. Das machte offensichtlich Eindruck auf Oswald; auch er zeigte nun Friedensbereitschaft, wenn auch nur indirekt. War hier Einsicht oder die Angst, der Herzog könnte jetzt wirklich einmal mit aller Härte durchgreifen?

Anton Noggler hat in einem Aufsatz über *Die Starkenbergische Streitschrift* Oswalds Friedensbemühungen dokumentiert, nach einem Dossier, das die Starkenberger anlegen ließen.

Oswald wandte sich nicht direkt an seinen Landesherrn, obwohl er sich während des Vermittlungsversuchs in dessen Nähe aufhielt: auf der Burg Fragenstein (bei Zirl), dem Sitz seines Schwagers Parzival von Weineck. Der Burgherr, so setze ich voraus, war mit Oswalds Initiative einverstanden. Durch einen Boten schickte Oswald am 11. Februar ein Schreiben an den Bischof von Brixen, der sich zu dieser Zeit am Hof des Herzogs zu Innsbruck aufhielt.

»Hochwürdiger Fürst! Willig und untertänig stehe ich Euer Gnaden stets zu Diensten. Ich habe im Lande erzählen hören, daß Seine Durchlaucht, der hochgeborene Fürst, Herzog Friedrich, Herzog von Österreich etc., mein gnädiger Herr, vor einiger Zeit dem Landtag erklärt habe, er wolle den Streitfall unterbreiten, der sich aus der Feindschaft entwickelte, als es zu einer Konfrontation Seiner Gnaden mit den Starkenbergern gekommen war. Falls es Seine Fürstliche Gnaden nicht verschmähen oder ablehnen, so würde ich mich, mit Seinem Einverständnis, in dieser Angelegenheit gern in voller Loyalität einsetzen, als sein untertäniger, abhängiger Landesbewohner, um Frieden und Ruhe zu schaffen für seine Lande und Leute. Ich hoffe, ich kann meinen Einfluß auf den Starkenberger und auch auf seine Helfer so geltend machen, wie es zum Besten vor allem meines Herrn und auch der Landschaft sein dürfte. Falls Euer Gnaden damit einverstanden sind, könnte ich diese Angelegenheit durchaus meinem gnädigen Herrn von Österreich vortragen. Falls Seine Gnaden darüber verhandeln lassen wollen, so würde ich mich gern zu Seinen Gnaden begeben. Bitte teilt mir durch diesen Boten umgehend mit, was Ihr in dieser Angelegenheit erfahren habt.«

Dieses Schreiben läßt Rückschlüsse zu auf Oswalds Situation: keine direkte Verbindung mehr mit dem Herzog, keine Teilnahme an Sitzungen des Landtags – sonst hätte er die Erklärung des Herzogs ja direkt gehört. Oswald wandte sich an den Bischof in der Hoffnung, es könnte sich ein direktes Gespräch mit dem Herzog ergeben, bot hierzu eine Vorleistung an. Um seine eigene Unterwerfung ging es hier nicht, konnte es in seiner vertrackten Situation auch nicht gehen, aber er wollte auf diese Weise wohl dokumentieren, daß er grundsätzlich friedenswillig war.

Noch am selben Tag antwortete der Bischof. »Edler und lieber Gefolgsmann. Wir haben zur Kenntnis genommen, was Ihr Uns geschrieben habt, und haben die Angelegenheit sofort Unserem Herrn von Österreich etc. vorgetragen. Er teilte Uns mit, er habe auf Bitten Unserer und auch Seiner Räte einen Schlichtungstermin angesetzt, den er nicht verschieben wolle. Damit Ihr diesbezüglich informiert seid, sende ich Euch in der Anlage dieses Briefes eine Abschrift; unter Bezug auf sie könnt Ihr mit dem von Starkenberg verhandeln, oder tut sonst, was Ihr Förderliches in dieser Sache erreichen könnt, damit die Angelegenheit zu einem guten Ende kommt. Dabei wollen Wir Euch gern mit ganzer Kraft helfen.«

Kein Wort davon, daß der Herzog an einer Besprechung mit Oswald interessiert sei. Der Vermittlungsversuch wurde zwar akzeptiert, Oswald wurden Unterlagen zur Verfügung gestellt, sonst aber zeigte der Herzog Zurückhaltung. Wahrscheinlich war Friedrich in diesem Fall auf Oswalds Vermittlung angewiesen: nur er wußte, wie man an die Starkenberger, zumindest, wie man an Wilhelm herankam.

Noch an diesem 11. Februar schrieb Oswald an Jörg von Tor, einen Freund der Starkenberger: drei Vermittler also zwischen dem Herzog und den rebellischen Starkenbergern!

»Ich bitte Dich als Freund, den Vorgang und die Willenskundgebung, wie sie hiermit schriftlich vorliegen, Wilhelm von Starkenberg zu unterbreiten und Dich darüber mit ihm und seinen Herren und seinem Anhang zu besprechen und zu beraten. Übermittle mir bitte in einer schriftlichen Antwort durch diesen meinen Boten, wie Ihr in dieser Angelegenheit denkt und wie Ihr Euch verhalten werdet.

Das will ich dann wieder dem Rat meines gnädigen Herrn von Österreich vortragen oder wahrscheinlich sogar ihm selber. Ich will alles, soweit es in meinen Kräften liegt, tun, um die Sache zu einem guten Abschluß zu bringen. Es scheint mir überdies ratsam, daß Wilhelm von Starkenberg und Du in der nächsten Zeit zusammenkommt, sei es in München, sei es auf Hornstein oder anderswo; dies für den Fall, daß ich, aufgrund der Antwort, die Ihr mir auf dieses Schreiben geben werdet, selber komme oder einen Boten schicke; ich müßte Euch dann in erreichbarer Nähe finden. Ich rechne damit, daß in dieser Sache wahrscheinlich weitere Verhandlungen und Aktionen nötig sein werden, damit es überhaupt zu einer Verständigung und Einigung kommt; ich will dazu alles tun, was in meiner Kraft und in meinem Vermögen liegt. Wenn Du es wünschst, so kannst Du diesen meinen Diener Ulrich so lange bei Dir behalten, bis Du mir Deine und Wilhelm von Starkenbergs Willensäußerung schriftlich übermitteln kannst. Beeile Dich, so gut es geht, denn alle Räte und die Landschaft sind sehr bereit, an einer Friedensregelung mitzuwirken.«

Dieser Brief erreichte Wilhelm von Starkenberg; er schickte am 28. Februar ein Schreiben an Oswald. Er habe sich seinen Brief angehört, habe auch die Anlagen zur Kenntnis genommen; nach dem Rat seiner Herren und Freunde scheine es ihm aber nicht richtig, den angesetzten Schlichtungstermin wahrzunehmen. Der Starkenberger schlug aber sogleich einen anderen, etwas späteren Termin vor, den 7. April. Und betonte, ihm liege sehr an einer Versöhnung mit dem Herzog; er bat um freies und sicheres Geleit für die Anreise zum Rechtstag sowie für die Rückreise. Abschließend heißt es in seinem Brief: »Lieber Freund, ich bitte Dich, die Sache unverzüglich meinem Herrn, Herzog Friedrich von Österreich etc., vorzutragen und Dich mit Unterstützung der obengenannten Fürsten, Herren, Ritter, Knechte und gerichtsfähigen Personen diesbezüglich einzusetzen und keinerlei Mühe zu scheuen, damit die Zwistigkeiten und Streitereien beendet werden und ich und mein Bruder, falls er noch lebt, sowie seine Kinder wieder die Gnade meines Herrn von Österreich genießen können und er uns wieder ein gnädiger Herr und Fürst wird. In dieser Sache bin ich bereit, mich zukünftig als loyaler Untertan und als abhängiger Untergebener um Seine Fürstliche Gnaden mit Leib und Gut nachdrücklich verdient zu machen.«

Der Kontakt mit dem Bruder war in dieser Zeit offenbar abgerissen. Ich schließe daraus, daß es wirklich nur technische Gründe waren, wenn Wilhelm um Aufschub bat. Oswalds Vermittlungsversuch schien (vorerst) erfolgreich; zumindest einer der beiden Starkenberger zeigte Friedensbereitschaft. Das wird sich rasch herumgesprochen haben unter den wenigen Adligen, die noch immer nicht die Opposition gegen Herzog Friedrich aufgegeben hatten.

Am 3. April folgte Leonhard dem Beispiel seines Bruders Michael, auch er wurde rehabilitiert. Der Pfarrer von Kastelruth sorgte nun sogleich dafür, daß Leonhard, der zu dieser Zeit krank war, vom Kirchenbann des Bischofs von Brixen befreit wurde.

Margarete übertrug im April dieses Jahres Oswald ihren Anteil am väterlichen Erbe.

Ich stelle die Überschreibungs-Urkunde vor; einmal, weil sie eine der wenigen Urkunden von Oswalds Frau ist; zum anderen, weil sie am Schluß eine höchst irritierende Pointe bringt.

Den Anfang raffe ich – zu viele Rechtsformeln, die für uns nicht wichtig sind. »Ich, Margarete von Wolkenstein, geborene Schwangau, gebe für mich und meine Erben mit vorliegender Urkunde öffentlich allen bekannt, denen sie vorgelesen wird oder die sie sehen, daß ich – im vollen Besitz meiner Gesundheit und meiner geistigen Fähigkeiten – aus eigenem Antrieb alle meine Rechte, Forderungen und Ansprüche, die ich von meinem lieben verstorbenen Vater Ulrich von Schwangau geerbt habe und die ich noch zukünftig erhalten mag, seien es Häuser, Burgen, herrschaftliche Güter, Eigenbesitzungen, Lehen, Zölle, Wildbann, Fischwaid, Leute und Güter, mobiler und immobiler Besitz, Barschaften, daß ich all dies dem Ritter, meinem lieben Gemahl, Oswald von Wolkenstein vermacht habe, damit er sie zu Lebzeiten nutznieße, wie es zu seinem Lebensunterhalt notwendig ist.« Ein Widerruf sei ausgeschlossen. Es folgen Bestimmungen für den Fall, daß Oswald vor ihr stirbt, und für ihren eigenen Todesfall – von Juristen formulierte Textpassagen.

Und nun die Überraschung! Am Schluß des Dokumentes heißt es: »Auf mein fleißiges Bitten hin« wurde die Urkunde versehen »mit den anhängenden Siegeln des Ritters Hans von Villanders und danach des Ritters Heinrich von Lichtenstein.«

Daß Margarete ausgerechnet Hans von Villanders darum bat, (zusammen mit einem anderen Verwandten) eine Aufgabe zu übernehmen, die heute Notaren zusteht, das will mir nicht in den Kopf. Wollte man diesem Vampir etwa zeigen, daß man, bitte sehr, durchaus noch Reserven hatte? Zu erwarten wäre eher, daß man ihm die Überschreibung verschwieg, damit er nicht gleich neue Forderungen aushheckte. Margarete wird kaum gegen den Willen ihres Mannes gehandelt haben, dem sie ja helfen wollte. Und es gab genügend andere Adlige, die in diesem Fall siegeln konnten – in Bruneck beispielsweise die Gufidauner. Warum nun ausgerechnet Hans von Villanders?

Im Sommer des Jahres 1426 wurde Oswald von Pfalzgraf Ludwig aufgefordert, an seiner Pilgerreise ins Heilige Land teilzunehmen.

Oswald, in prekärer politischer und persönlicher Situation, sagte höflich ab. Sein Brief an Ludwig ist im Konzept erhalten. Der Schluß dieses Schreibens: »Gegeben zu Neuhaus, am 19. August 1426. Und helfe mir der allmächtige Gott und das Heilige Grab, in dem Gott selber gelegen hat, daß Eure Fürstliche Gnaden fröhlich und glücklich und gesund wieder heimkehren. Dieser Wunsch, Euer Gnaden, ist ganz ehrlich gemeint.

Gnädiger Fürst! Eure Fürstliche Gnaden mögen sich im Heiligen Land, wo Gott Eure Gesundheit erhalten möge, ordentlich versehen, daß Euer Gnaden nicht auffallen und angezeigt werden. Dem Sultan und seinen Befehlshabern ist in ganz Syrien nicht zu trauen; sie werden sich bei einem Fürsten, der nicht mehr inkognito ist, weder an die Immunität noch an einen Geleitbrief halten.

Könntet Ihr eine eigene, gut gebaute Galeere nehmen, so scheint mir das ratsamer, als auf einem Kaufmannsschiff zu reisen. Auch wäre es standesgemäßer und sicherer und komfortabler und auch gesünder auf der ganzen Reise. Weiter sollten Eure Gnaden sich nicht dazu überreden lassen, zum Jordan oder nach Jericho zu reisen, denn dort liegen viele gaunerische Heiden auf der Lauer, die Christen zu überfallen und zu ermorden. Mit denen halten es heimlich die Dolmetscher und die Begleiter. Nach Bethlehem freilich ist der Weg sicherer. Aber wenn Ihr die Heiligen Stätten zu Jerusalem besuchen werdet, so sollten Eure Gnaden sich ebenfalls vorsehen und ganz besonders im Tal zu Josaphat, in dem Unsere Liebe Frau begraben ist.   Oswald von Wolkenstein«

Der Winter 1426/27 war für Oswald offenbar deprimierend. Alle anderen Mitglieder der Adelsgruppe hatten sich inzwischen mit dem Herzog versöhnt, versöhnen müssen, Oswald war nun isoliert, politisch, vielleicht auch gesellschaftlich: manchem, der sich erneut mit dem Landesherrn arrangiert hatte, mochte ein Umgang mit ihm für die nächste Zeit nicht opportun erscheinen.

Die Lage mies, die Aussichten düster, dazu noch Winter – in dieser Situation dichtete Oswald einen seiner bedeutendsten Liedtexte: Kl 44.

> Nordafrika, Arabien,
> Armenien und Persien,
> die Krim und dann nach Syrien,
> Byzanz, ins Türkenreich,
> Georgien –
> die Sprünge sind vorbei!
> Durch Preußen, Rußland, Estland,
> nach Litaun, Livland und zur Nehrung,
> nach Schweden, Dänemark, Brabant,
> und Flandern, Frankreich, England,
> ins Schottenland –
> so hoch gehts nicht mehr raus!
> Durch Aragón, Kastilien,
> Granada und Navarra,

von Portugal bis noch León,
zum Cabo Finisterre,
Marseille und die Provence –
in Ratzes vor dem Schlern,
da sitz ich fest, im Ehestand,
da mehre ich mein Mißvergnügen
höchst verdrossen,
auf einem Felsklotz, rund und steil,
von dichtem Wald umschlossen.
Ich seh hier zahllos, Tag um Tag:
nur Berge, riesig, Täler tief,
und Felsen, Stauden, Schneestangen.
Und noch etwas bedrückt mich hier:
mir hat das Schreien kleiner Kinder
die Ohren oft betäubt,
nun durchbohrt.

Was mir an Ehrung ward zuteil
durch Fürsten, »manig« Königin,
und was ich so an Schönem sah,
das büß ich ab in diesem Bau.
Mein Unheil hier –
es zieht sich lange hin!
Ich bräuchte sehr viel Mutterwitz:
muß täglich sorgen für das Brot!
Dazu werd ich noch oft bedroht.
Kein schönes Mädchen tröstet mich!
Die früher auf mich hörten,
sie lassen mich im Stich.
Wohin ich schau: es stößt der Blick
auf Schlacke teuren Schmucks.
Kein feiner Umgang mehr, statt des:
nur Kälber, Geißen, Böcke, Rinder
und Bauerndeppen, häßlich, schwarz,
im Winter ganz verrotzt.
Macht froh wie Pansch-Wein, Wanzenbiß…

In der Beklemmung hau ich oft
die Kinder in die Ecken.
Da kommt die Mutter angewetzt,
beginnt sogleich zu zetern.
Gäb sie mir eines mit der Faust,
ich müßt auch das erdulden!
Sie schreit: »Die Kinder hast du ja
ganz fladenflach geschlagen!«
Vor ihrem Zorne graust mir sehr,
ich spür ihn wahrlich oft genug,
scharf, mit Scheiten!

An Unterhaltung fehlt es nicht:
viel Eselschreien, Pfauenkreischen –
davon hab ich die Nase voll!
Mir tost der Bach mit Hurlahei
den Kopf entzwei –
er ist schon völlig wund!
So schlepp ich meine Last…
Nur Sorgen täglich, schlimme Nachricht,
davon wird Hauenstein nicht leer!
Ja, könnt ichs ändern – ohne Folgen!
Wer mir hilft –
auf ewig sagte ich ihm Dank.
Mein Landesfürst ist auf mich bös,
weil kleine Geister mich beneiden,
mein Dienst ist ihm nun unerwünscht:
das ärgert mich und schadet mir.
Mich hat ja sonst – auf Ehrenwort! –
kein Fürstensproß geschädigt
an Leib und Ehre, Ruf, Besitz
in dieser Fürstenpfründe
voll Ertrag!
Mein Freundeskreis ist gegen mich
ganz ohne Grund; das macht mich grau.
Drum bitte ich hier jedermann,

soweit er gut, vernünftig ist,
dazu die vielen hohen Fürsten,
die sich so gerne preisen lassen,
daß sie mich armen Wolkenstein
von Wölfen nicht zerreißen lassen,
hilflos ausgesetzt.

Dieser Liedtext hatte mich früh schon beeindruckt, nach diesem Text hatte ich mir eine erste, skizzenhafte Vorstellung von Oswald gemacht, dieser Text als Impuls, mich genauer über Oswald von Wolkenstein zu informieren und, irgendwann einmal, über ihn zu schreiben.

Bewunderung auch heute noch für diesen Text, aber ich lese ihn jetzt etwas anders: ich sehe in ihm keine unmittelbare, damit ›unverfälschte‹ Selbstdarstellung mehr – so etwas gibt es nicht, jede Selbstdarstellung bricht sich im Medium der Sprache ihrer Zeit, wird mitgeprägt von ihren Bewußtseins- und Darstellungsformen. So zeigen sich, zumindest ansatzweise, auch in diesem Liedtext literarische Muster: das Böse Weib, die »schwarzen« Bauern, aber solche Muster machen nicht den Text, konstituieren ihn nicht, sie spielen höchstens hinein. In diesem SOS aus Hauenstein geht Oswald entschieden über literarische Artikulationen seiner Zeit hinaus.

Allein schon ein Wort wie »sneestangen« – das hatte mich beim ersten Lesen überrascht, beeindruckt, diese Schneestangen waren seither in meiner Erinnerung steckengeblieben: Felsen, Stauden, Schneestangen sieht er, sieht sie täglich: Felsen, Stauden, Schneestangen – kein Muster prägt diese Beobachtung, diese Benennung vor, hier werden literarisch neue Grenzmarken gesetzt.

Am 27. November 1426 gab Wilhelm von Starkenberg offiziell den Kampf auf gegen den Herzog. Die dreijährige Belagerung der Burg Greifenstein war beendet.

Drei Tage nach dem Starkenberger unterwarfen sich auch die Brüder von Spaur dem Landesfürsten. Der wollte nun auch endlich den Fall Oswald von Wolkenstein abschließen. Am 22. Februar 1427 schickte er ihm eine Vorladung zum nächsten Landtag in Bozen, am 16. März. Auch dieses Schreiben liegt im Nürnberger Wolkenstein-Archiv.

»Lieber Gefolgsmann. Wir erteilen hiermit allen Unseren Rittern und Knechten der allgemeinen Landschaft die schriftliche Anweisung, sich zum kommenden Sonntag Reminiscere in Bozen einzufinden, wohin Wir Uns selbst begeben oder einen bevollmächtigten Rat schicken werden. Es geht um verschiedene Vorgänge und Mißstände, die Unsere Lande und Leute erheblich belasten. Wir legen Dir auf das dringlichste nah, Dich zum genannten Termin ebenfalls dorthin zu begeben und dabei mitzuhelfen, jenen Mißständen ein Ende zu setzen, sowie eine Regelung zu treffen, mit der Wir und Land und Leute Friede und Ruhe erlangen. Unterlasse es nicht! Dies ist Unser Wille.«

Ungefähr gleichzeitig mit dieser Vorladung wird auf Hauenstein die Nachricht eingetroffen sein, daß Parzival von Weineck dem Herzog die Burg Fragenstein (samt Ländereien) verkaufen und Urfehde schwören mußte. So verlor Oswalds Schwager ein Statussymbol und eine Aktionsbasis.

Oswald war damit der allerletzte, der dem Herzog noch nicht Urfehde geschworen hatte. Die Schlüsselrolle, die er in den vergangenen zehn Jahren gespielt hatte, war der »Landschaft« bekannt – würde Friedrich in seinem Fall eine exemplarische Unterwerfung fordern, vor den Vertretern des Landes? Oswald sah wohl nur dies auf sich zukommen: politische Unterwerfung und wirtschaftlichen Ruin.

Er floh Richtung Bodensee. Ritt er den kürzesten Weg, über den Brenner? Dies war wohl zu riskant – der Herzog hatte schon zweimal erlebt, daß Oswald sich einem Gerichtstermin entzog, hatte also vielleicht befohlen, diesen Mann festzunehmen, sobald er sich nördlich von Neustift zeigte. Möglicherweise hat Oswald Tirol deshalb auf einem Umweg verlassen, etwa über Bozen, Meran, vorbei an der Burg Forst, durch den Vinschgau, über den Reschenpaß.

Bei Wasserburg am Bodensee wurde er festgenommen, wurde Richtung Innsbruck eskortiert und in der Burg Vellenberg eingesperrt, dem damaligen Landesgefängnis.

Götzens, Ortsteil Vellenberg: eine Hügelkuppe, ein ausgebauter Turmstumpf, ein Dach aufgesetzt. Die Burg Vellenberg muß zwei Türme gehabt haben – ist der zweite Turm spurlos verschwunden? Aber wo hätte auf dieser Graskuppe ein zweiter Turm stehen können?

Auf der Kuppe umherschlendern, über das Inntal hinweg zur Nordkette schauen, vor der Segelflugzeuge kreisen, Drachenflieger schweben; am Sockel dieser Bergkette, etwa auf gleicher Höhe: Zirl, die Burg Fragenstein. Wo aber sind hier die Reste von Vellenberg?

Am Nordrand des Hügels eine halb eingefallene Kuppel. Ein Pfad, der hinunterführt. Hohes, graues Gemäuer. Ein Kellereingang: steil, keine Stufen, nur Geröll und Sand. Etwas oberhalb zwei Räume: Fensternischen nach Norden, kein Kamin – hier muß es im Winter sehr kalt gewesen sein. Hinuntersteigen, dicht am Gemäuer entlanggehen: Vellenberg als Mauermasse, hineingeschoben in einen Hügel. Am Ostende des Ruinenkomplexes die Hügelflanke hochklettern, Äste packend: wieder, nun von der anderen Seite her, die beiden Räume mit den Fensternischen nordwärts. War Oswald hier eingesperrt? Oder in einem der Kellerräume mit Luftschlitz?

In Bescheid, Spruch, Begründung des Bundesdenkmalamtes Wien, das Vellenberg unter Schutz stellte, lese ich später, daß die Burg zwei Türme besaß, daß die Grundmauern eines dieser Türme im »heutigen kleinen Wohnhaus stecken«, daß ein Mauerzug im südlichen Teil »schön geschichtetes Mauerwerk der ältesten Anlage« zeigt, lese: Zwinger... Rondellrest... Futtermauern... Futtermauerreste... Fluchtgang... lese, die »großteils erhaltenen schönen gewölbten Kellerräume« seien »nach Ausweis des Mauerwerks im wesentlichen maximilianisch«. Anlagen also vom Beginn des 16. Jahrhunderts – in den hier sichtbaren Räumen hat Oswald demnach nicht gesessen...

Vellenberg: Gegenwart des Vergangenen in einer Strophe eines Liedes (Kl 7), das Oswald bezeichnenderweise auf die Melodie der meditativen Klagelieder nach der Haft in Prissian geschrieben hat – erneut Aussichtslosigkeit.

> Ein Angstring
> hat mich fest umschlossen;
> die große Angst, sie bläht das Herz mir auf:
> nur Furcht und Angst hab ich erfahren;
> die Angst durchhallt den ganzen Kopf;
> die schwere Angst raubt mir den Schlaf.
> Vier Mauern, stark,
> umfassen mich; mein Elend ist nun eingekerkert.
> O lange Nacht, verfluchter Tag –
> die Zeit bringt nur Verdruß!
> Viel schlimme Nachricht höre ich,
> doch fällt mir jede Hilfe schwer.
> Ich fühle mich in der Bedrängnis
> nur wenig schuldig vor der Welt,
> jedoch vor Gott, der seinerzeit
> mich, Wolkenstein, erschuf;
> Er sei mir Hilfe, Schutz.
> O Vellenberg, du machst mir jede Freude kalt.

Ein Wechsel der Tonart: die Verhaftung auf der Flucht, der Rückritt in Fesseln als eine von sechs grotesken Episoden beinah tödlicher Gefahren. Zwei dieser Episoden kennen wir bereits, sie erscheinen nun im Kontext von Kl 23.

> Die Wahrheit will ich sagen,
> beginne mit Fall eins.
> Es war ein Lanzenstechen
> zu Pferd, ich stieß daneben,
> und eine Türe, neunzig breit
> und gut einsachtzig hoch,

durchsauste ich mit Schwung –
und ging nicht dabei drauf!
Wohl vierundzwanzig Stufen,
die fiel ich mit Gepolter
tief in den Kellergrund;
mein Roß brach sich den Hals.
Ich dacht, ich würd versaufen
in einem Faß voll Wein,
doch lud ich dann statt dessen
zum Trunk die Freunde ein. –
Und wieder, Wochen später,
hat mich der Herr beschützt:
ich hatte einen Schiffbruch
auf wilder, hoher See,
umarmte rasch ein Faß,
es war voll Malvasier;
das brachte mich zur Küste –
beinah hätt ich verzagt! –
Im Anschluß an die Reise
empfing man mich wie folgt:
ich wurde festgenommen,
man nahm mir alles ab.
Mein Schädel hat gedröhnt,
er wurde wund von Schlägen;
auch bohrte man in mich
ein Schwert – die halbe Klinge! –
Auch schwimmen wollt ich lernen
in einem tiefen See;
ich schoß zum Grund hinab
und blieb dort unsichtbar
für mehr als eine Stunde:
ich kam aus großer Hitze!
Tief unten jagte ich die Fische
mit meiner Nasenspitze. –
Gefangen, abgeführt
wurd ich mal wie ein Dieb,

mit Seilen fest verschnürt.
Mein Liebchen war dran schuld;
es hat mir ja bisher
nur Schmerzen zugefügt;
ach, wär sie wirklich tot!
Noch bringt sie nur Gefahr! –
Ich kriegte das zu spüren,
als ich nach Ungarn ritt:
ich kam durch ihre ›Liebe‹
so richtig in die Traufe –
sehr große Nieder-Schläge!
Man bläute mir Magyarisch ein.
Ich ging da beinah drauf,
am Hals stand mir das Wasser!
Und dann der ›Wasserfall‹
von großen Eichenprügeln:
ich bin hineingeplumpst,
der Spaß ward mir zuviel!
Ich wett um jeden Stein,
zum Edelstein geschliffen:
von hundert überlebts nur einer,
ist er so dumm wie ich.

Eine Moritat, eine geistliche: O Mensch, sei dessen eingedenk, daß
du unablässig in Todesnähe lebst... Wie Oswald die verschiedenen
Todesgefahren darstellt, das entspricht freilich kaum der Ernst-
haftigkeit eines geistlichen Liedes, das ist zum großen Teil Slap-
stick. Und doch: jede dieser Slapstick-Episoden hat einen Kern
biographischer Realität. Vorsichtiger formuliert: kann einen Kern
biographischer Realität haben.

Nach einigen Wochen in Vellenberg, offenbar unter verschärften Haftbedingungen, wurde Oswald nach Innsbruck überführt. Der Herzog ließ Martin Jäger und Heinrich Hausmann kommen; am 1. Mai 1427 wurde der Rechtsstreit beendet.

Fünf Urkunden wurden an diesem Tag besiegelt, alle sind erhalten. Die ersten drei betreffen den zivilrechtlichen Fall. Hier das wichtigste dieser drei Dokumente.

»Ich, Oswald von Wolkenstein, erkläre und gebe öffentlich mit dieser Urkunde bekannt: ich war kürzlich reisefertig, um außer Landes zu reiten; da aber mehrere Leute des Landes, namentlich Martin Jäger und die Gebrüder Heinrich und Hans Hausmann, wegen ihrer und ihres Bruders Kindes, des verstorbenen Georg Hausmann, Ansprüche hatten auf Einnahmen und Besitzungen, weshalb bereits Vorladungen vorlagen und unerledigte Prozesse zwischen uns anhängig waren, haben sich diese Kläger an Durchlaucht den Fürsten, den Herzog Friedrich, Herzog zu Österreich, meinen gnädigen Herrn, gewendet und ihn gebeten, mich im Lande zurückzuhalten, bis ihnen von meiner Seite aus völlige Genugtuung widerfahren sei, und daß ihnen das Recht nicht verweigert würde – er sei ihnen das als Landesfürst schuldig.

Dies hat denn auch mein gnädiger Herr von Österreich getan, und ich bin nach seiner Anweisung wieder zu seinen Gnaden zurückgeritten, um mich ordnungsgemäß den Prozeßgegnern zu stellen. So habe ich mich, mit gebührendem Beistand des Ritters Herrn Michael von Wolkenstein, meines lieben Bruders, und mit meinem sonstigen Anhang dem Gericht gestellt, und es wurde beschlossen und verkündet, was im Folgenden aufgeführt wird.

So habe ich erstens für alle Einnahmen und Güter, wie sie benannt und der Lage nach bezeichnet sind, die ich dem obengenannten Martin Jäger ohne Recht vorenthalten und für längere Zeit in Besitz gehalten habe, und für die Einkünfte, die ich davon in dieser Zeit eingezogen habe, und für alle Schäden, die dieser Jäger an diesen Besitzungen und durch diesen Besitzentzug erlitten hat, und für all die Rechte, die er auf die obengenannten Güter beanspruchte und die er bisher auf keine Weise durchsetzen konnte – dafür habe ich ihm fünfhundert Golddukaten Entschädigung gezahlt.

Ich soll in Zukunft diejenigen Güter behalten, gemäß dem Wortlaut der Urkunden, die wir gesondert miteinander ausgetauscht haben. Ich soll und werde auch den vorgenannten Herren Hausmann ihren Weinhof im Gericht Prösels, Grotthof genannt, dessen Besitz ich ihnen ohne Recht entzogen habe, unverzüglich zurückgeben und hier zukünftig keinerlei Ansprüche mehr erheben, gemäß dem Wortlaut der Verzichterklärung, die ich diesbezüglich ausgestellt habe. Weiter soll jede Feindschaft, Feindseligkeit und Schädigung zwischen den vorgenannten Jäger und Herren Hausmann und mir und dem beiderseitigen Anhang insgesamt, soweit man auf beiden Seiten an diesen Vorgängen beteiligt war, vom heutigen Tag an definitiv unterbleiben.«

In der zweiten Urkunde bestätigte Martin Jäger, er habe 500 Dukaten von Oswald erhalten für die Einkünfte, die ihm Oswald widerrechtlich entzogen hatte. In der dritten Urkunde bestätigten Martin Jäger und Heinrich Hausmann dem Herzog, daß er seinem Versprechen gemäß den Rechtsstreit beendet habe; er habe ihnen gegenüber somit keine weiteren Verpflichtungen.

Oswald war also schuldig gesprochen und verurteilt worden. Die Geldsumme, die er Martin Jäger auszahlen mußte, lag deutlich über der Summe seiner Verluste – ich hoffe, ich habe sie richtig errechnet. Offenbar trifft dies zu, denn in diesen 500 Golddukaten ist der Kaufpreis eingeschlossen für die zwei Drittel Hauenstein samt zugehörigen Besitzungen. Oswald durfte sie jetzt, als Burgherr, allein nutzen.

Im vierten Dokument mußte Oswald versprechen, an einem Feldzug gegen die Hussiten teilzunehmen. Damit wollte sich Herzog Friedrich wohl ein kleines Alibi verschaffen: ihm war schon mehrfach vorgeworfen worden, daß er sich im Kampf gegen die Hussiten passiv verhalte; er fühlte sich in Tirol nicht unmittelbar bedroht, noch nicht, also drückte er sich. So hieß es nun: Oswald voran!

Die fünfte Urkunde schließlich war der Kern des Vertragswerks, die Urfehde.

An der Zahl und am Rang der aufgeführten Zeugen wird erkennbar, daß hier so etwas wie ein Staatsakt stattfand. Es ›zeichneten‹ Hugo von Montfort, zeitweiliger Hofmeister des Herzogs, Graf Eberhard von Kirchberg, ein Rat König Sigmunds, Hans von Hornstein, Wilhelm von Knörigen – die drei letzteren aus Schwaben. Aus der Schweiz: Ulrich Fülhy und Johann Truchsess von Diessenhofen, genannt »Molli«. Aus Tirol Sigmund von Schlandersberg und Hildebrand von Schrofenstein. Und schließlich: Oswald, Veit und Konrad von Wolkenstein.

Nach der formellen Unterwerfung im formelhaften Text eine wichtige Vertragsbedingung: »Ich soll und werde, solange ich lebe, keinen Kontakt suchen zu anderen Fürsten, Herren oder Gemeinden, werde ihnen auch nicht meine Dienste zusagen noch irgendein Bündnis mit ihnen schließen, ohne Wissen und Willen meines hier genannten gnädigen Herrn von Österreich. Vielmehr soll und werde ich ihm und seinen Verwandten, die ebenfalls meine gnädigen Herren sind, und all ihren Erben willig und dienstbar, getreu, gehorsam und behilflich sein. [...]

Falls aber ich, der genannte Wolkensteiner, oder ein anderer in meinem Dienst, dieses Versprechen in seiner Gesamtheit oder zu einem Teil irgendwie übertreten sollte, und dies würde bekannt, und falls ich den Eid, den ich geschworen habe, vergessen oder verharmlosen oder verniedlichen sollte – wovor Gott sei! –, so soll und werde ich als ein pflichtvergessener und ehrloser Mann gelten allerorts und vor aller Welt und vor allen Gerichten, geistlich oder weltlich. In diesem Fall kann mein gnädiger Herr von Österreich oder derjenige, dem er das schriftlich aufträgt, mit mir als einem solchen obenbezeichneten Mann verfahren, mit oder ohne Anwendung des Rechts, allein nach seiner Willkür, vor der mich kein Rechtsmittel in Schutz nehmen wird, das irgendwer irgendwie ersinnen oder vortragen kann. Vielmehr verzichte ich hiermit auf alle Hilfe, auf alles Wohlwollen, auf jeden Rechtsschutz und auf alle Privilegien ausnahmslos aller Fürsten, Herren, Landschaften und sonstiger Rechtspersonen.

Insbesondere sollen vorbenannte Vereinbarung und Schlichtung bezüglich der Bürgschaft und der Kaution, die einige Mitglieder meines Anhangs meinem obengenannten gnädigen Herrn von

Österreich um meinetwillen geleistet haben, diesem meinem Herrn zur Abwendung jedes Schadens zur Verfügung stehen; diese Bestimmung darf nicht durch Arglist entkräftet werden. Zum Zeugnis dessen habe ich mein Siegel an diese Urkunde gehängt.«

Oswald wurde also verboten, was er jahrelang praktiziert hatte: mit Fürsten außerhalb Tirols zu kooperieren, vor allem mit dem König; Oswald wurde zu ungeteilter Loyalität gezwungen.

Entscheidendes Druckmittel war die Bürgschaft. Nach dem formellen Abschluß der Fehde hatte Friedrich kein Recht mehr, diese Urkunde zu behalten, er hätte sie spätestens jetzt den Bürgen aushändigen müssen. Aber er behielt sie – nun so etwas wie eine Schuldverschreibung! Dabei zog er nicht einmal den Betrag ab, den Oswald an Martin Jäger ausgezahlt hatte, Friedrich blieb bei der vollen Summe. Eine wahrhaft willkürliche Entscheidung! Oswald mußte sie akzeptieren.

Herzog Friedrich hatte so Oswald von Wolkenstein und seine Familie weiter in der Hand: sollte er aufmucken, konnte der Herzog die Einziehung der 6000 Gulden anordnen.

Über die Vorgänge zwischen März und Mai 1427 hat Oswald ein langes, balladeskes Lied geschrieben, Kl 26. Auch hier vermischen sich biographische Realitäten und literarische Muster. So wird die Flucht verschwiegen; Oswald behauptet, er sei aufgebrochen, um nicht zu »verliegen«. Dies war ein zentraler Begriff der hochmittelalterlichen »aventiure«-Literatur: der Ritter, der im bequemen, häuslichen Leben die Impulse zu Kampf und Selbstbewährung nicht verlieren will, deshalb das Abenteuer sucht. So wurde Oswalds Zuhörern allein schon durch dieses Wort deutlich gemacht: hier wird stilisiert.

> Zwecks Abenteuern wollte ich
> durch Täler, über Berge, um nicht zu »verliegen«.
> Zuerst zum Rhein, nach Heidelberg...
> Auf England hatt ich gleichfalls große Lust,
> Und Schottland, Irland... Übers Meer

nach Portugal auf großen Segelschiffen...
Ein Kleinod hatt ich mir gewünscht:
den höchsten Orden wollte ich erhalten
von einer edlen Königin
und ihn dann fest bewahren.

Von Lissabon nach Afrika,
nach Ceuta, das ich besiegen half...
(So mancher Maure, stolz und frei,
er mußte den Besitz sehr rasch verlassen!)
Granada hätt ich gern besucht,
wo König Jussuf mich bereits empfangen...
War ritterlich schon ausstaffiert:
vor meinen Knappen wär ich gern dort eingezogen...
Statt dessen – mußte ich am Tisch
mit einem Stubenheizer thronen!

Man hat mir ja schon manches Mal
recht übel mitgespielt – es kam noch schlimmer!
Ich ward auf meinem Pferd
sehr kunstvoll an den Sporen festgezurrt.
Die Technik war mir unbekannt,
zu meinem Nachteil lernte ich sie kennen.
So hab ich Gott mein Leid geklagt.
Warum hab ich auch Hauenstein verlassen!
Ich hatte Angst vorm Weg nach Wasserburg,
als sich die Nacht bestirnte.

In Vellenberg im Kerkerloch –
zwei Fesseln für die Füße, eisenschwer!
Ich schwieg und machte nichts daher,
doch fiel mir mancher schlimme Vorfall ein.
Würd mir die Ritterschaft zuteil –
mit solchen ›Sporen‹ könnt ich Eindruck schinden!
Mein Frohsinn, meine Heiterkeit,
das schlug hier um in trauriges Gestöhne.

Was ich so manchem nun gewünscht –
ich habs nicht ausgesprochen!

So lag ich viele Tage lang –
nicht mal der König macht die Angst mir wett:
ich wußte nicht, wann mein Genick
gebrochen wird, obwohl ich schuldlos bin.
Und oben, unten, ringsumher
war ich von Wächtern streng bewacht!
»He, Peter Merkel, marsch, ans Tor!
Der ist gerissen, darf uns nicht entwischen!«
Wie schlau ich sei, das hat der Fürst
da ständig ausposaunt.

Zum Hof von Innsbruck kam ich dann,
war eskortiert, als gings zum Krieg nach Preußen!
Nach unten war ich auf dem Pferd
dezent gefesselt, daß es niemand sah…
So ritt ich armer Hund dahin
und hab doch nicht des Kaisers Schatz gestohlen!
Das Sonnenlicht entzog man mir,
und Tanzen gab es nicht, drei Wochen lang;
was ich auf Knien abgerutscht,
das sparte ich an Sohlen.

Ein alter Schwabe namens Blank,
der saß zu dicht mir auf der Pelle!
Mein Gott, wie grauenhaft der stank!
Der hat mir meine Lage kaum verschönert.
Am Bein ein offenes Geschwür,
der Atem kam ihm faulig aus dem Maul,
dazu hat er die Luft versaut
von hinten raus, am Arsch, ganz unerträglich!
Ersöffe dieser Kerl im Rhein,
es wäre mir nur recht!

Der Peter Heizer und sein Weib,
der Blank, ein Schreiber (jeden Tag besoffen!) –
in der Gesellschaft kams mir hoch,
wenn wir das Brot gemeinsam tunken mußten.
Es wurd gerülpst, es wurd gefurzt:
ein Arschfagott, das dort den Grundton gab;
ein Büchsenrohr mit zuviel Pulver,
das dann beim Zünden auseinanderkracht.
Mit vollem Schwung schiß da herum
ein jeder, hemmungslos.

Verfinstert war mein heitrer Sinn,
schon die Erinnrung brachte mich zum Schwitzen:
wie ich vor kurzem noch als Gast
am Ehrenplatz bei Pfalzgraf Ludwig saß...
Der Falke glich dem Bauernvieh!
Der König Sigmund hat mich ganz vergessen;
ich war doch auch bei ihm zu Gast
und half das Kraut aus seiner Schüssel essen!
So bin ich denn von hohem First
sehr tief hinabgestürzt.

Noch einer war in diesem Loch:
der Kopp. Den hätt ich gerne stumm gemacht!
Der schnarchte wie ein Russenbär,
sobald ihn der Traminer flachgelegt.
So lauten Schlaf hört ich noch nie!
Ich mußte beide Ohren fest verstopfen.
Den Kopf, den nahm das derart mit,
daß er mir beinah in die Brüche ging.
Wär ich ein Weib – um keinen Preis
würd ich mit dem da schlafen.

Der Herr von Kreig, der Greisnegg
und »Molli« Truchsess taten viel für mich,
der Salz-Dezernent und Neidegg,

auch Seldenhorn, und Grafen, Fremde, Freunde.
Mit großem Nachdruck baten sie
den wohlgebornen und erlauchten Fürsten,
er möge mir doch gnädig sein,
nur ja im ersten Zorn nichts übereilen.
Er sagte: »Männer solchen Schlags,
die wachsen hier nicht auf den Bäumen!«

Was er gesagt, gefiel mir sehr;
Versöhnung mit dem Schirmherrn meiner Freundin.
Vor Jahren ließ sie mich beschlagen
mit starken Eisen unten an den Beinen.
Was sie an ›Liebe‹ mir geschenkt,
das kriegen meine Kinder noch zu spüren!
Und wenn ich mal im Grabe lieg –
sie werden noch die Hände ringen müssen,
weil ich einmal Bekanntschaft schloß
mit dieser Hausmann…

So sprach der Fürst, befreit vom Zorn,
zu seinen Räten, voller Freundlichkeit:
»Wie lange bleibt er noch in Haft?
Könnt ihr den Fall nicht mal erledigen?
Was hilft es mir, daß er dort schmort?
Ich könnt die Zeit ganz gut mit ihm vertreiben:
wir würden singen ›fa, sol, la‹
und höfisch dichten über schöne Frauen.
Die Urfehd: liegt sie nicht bereit,
so laßt sie schleunigst schreiben!«

Den Kanzler rief man gleich herbei,
sehr rasch hat er mich aus der Haft befreit,
mit Brief und Siegel wars perfekt.
Ich sag dem Herzog lebenslänglich Dank.
Der Marschall sprach: »Nun komm herein,
mein Herr hat deine Lieder sehr vermißt.«

Ich trat vor ihn, er lachte froh –
es wurden viele Tränen da vergossen!
Und mancher meinte: »Ohne deine Flucht
wär dieser Ärger nicht gewesen.«

In aller Freundschaft bat ich ihn
um Gnade dann für einen Freund von Adel;
acht Jahre und ein halbes hatte er
im Kerker dieses edlen Fürsten zugebracht.
Der sagte: »Nimm ihn mit nach Haus,
sieh zu, daß ihn sein Anhang unterstützt.«
So kam ich heim nach Hauenstein.
Ich werde diesen Fürsten nie mehr schmähen –
er schenkte mir sehr viel Vertrauen,
so wahr der Herr mir helfe!

Der große, unsichtbare Gott,
der sich in seinem Sohn so herrlich zeigt,
Er gab auf Dauer mich nicht frei:
so hab ich manches Spiel verloren...
Den Übermut, der in mir brannte,
Er hat ihn, ohne Wasser, oft gelöscht.
Ich wollte dies, Er wollte das –
bei diesem Streit hat Er mich überwunden.
Die Strafe für die Liebe war verdient:
sie kostet mich jetzt manche Mark.

In der ersten Liederhandschrift hat Oswald einen Nachsatz schrei-
ben lassen: »Ultimus versus est verissimus. Per Oswaldum
Wolckenstainer.« Ich übersetze: »Der letzte Vers ist nur allzu wahr.
Gez. Oswald von Wolkenstein.«

Wahrscheinlich noch in diesem Jahr ließ Oswald sein neues Urbar-Buch anlegen. Er war nun, rechtlich unanfechtbar, Besitzer der Burg Hauenstein, und so wollte der Burgherr seine weit verstreuten Besitzungen zusammenfassen, wenigstens in einem Büchlein.

Er hatte seit der Anlegung des vorherigen Urbars einiges verkauft und gekauft. Hatte nun auch mit Martin Jäger Besitzungen arrondiert. Besaß inzwischen wohl auch wieder volles Verfügungsrecht über seinen Grund und Boden. Michael hatte ihm die Nutzungsrechte bald schon zurückgegeben, urkundlich. Und Hans von Villanders?

Nach dem Teilsieg von 1423 wird es Oswald spätestens zu diesem Zeitpunkt durchgesetzt haben, daß er die vollen Einkünfte ziehen konnte aus den Bauerngütern, die er diesem Verwandten verpfändet hatte. Möglicherweise war Hans von Villanders auch nicht sehr an diesen Bauerngütern interessiert; das Einziehen von großen Geldbeträgen war weitaus einfacher und ergiebiger.

Eine Konsolidierung wenigstens im Immobilienbesitz. Und so wurde das Verzeichnis der Güter und Einnahmen nicht mehr auf Papier geschrieben, wie in der Teilungsliste von 1407, im Teil-Urbar von 1418, die Besitzungen wurden feierlich auf Pergament eingetragen, mit sorgsam ausgeführten Buchstaben zwischen dünn vorgezogenen Zeilenlinien, mit rot ausgeschriebenen Ortsnamen von Gemeinden, in denen Güter lagen. Die Bedeutung, die Oswald diesem Urbar gab, zeigte sich schon am Umschlag: dominierend auf dem hellen Pergament die schwarz aufgetragenen Embleme eines Ritters, der Visierhelm mit großen Büffelhörnern und kleinen Pfauenspiegeln, zusätzlich Schnörkelschmuck.

Über dem Büffelhornhelm eine Inschrift: »Es schiede gar nicht«, darunter, kleiner: »von«, dann sehr groß, von unten nach oben, genau vertikal: OSWALD VON WOLKENSTEIN, Ritter. Die Inschrift wird bedeuten, daß dieses Buch und damit dieser Besitz sich nicht von Oswald trennen soll – im Namen des Herrn, der in jedem Urbar genannt wird, hier gleich zweimal: zu Beginn der Aufzeichnungen und auf der Heftrückseite.

Dieses Hauptbuch wird eröffnet mit der Kapitelüberschrift

»Castelruth«. Es folgen die Hofnamen, die wir bereits kennen: Schoberstein, Kalkadin, Mutzenhof und so weiter. Nächstes Kapitel: Tisens, damit ist das Dörfchen gemeint, das wie Tagusens an der Nordwestkante des Hochplateaus von Kastelruth-Seis liegt. Tagusens denn auch als drittes Kapitel: zweieinhalb Seiten allein hier. Es folgen die »Zinsen auf Rodeneck«: vier Seiten. Dann: Villanders. Lajen im Grödnertal. Eine Seite »Weingelder«. Danach, von einem anderen Schreiber eingetragen, in nicht mehr so feierlich-steifen Buchstaben: Besitzungen und Einkünfte unter dem Stichwort Völs; zwei Seiten. Eine leere Seite. Dann der Wundsegen, den wir schon kennen.

Gesammelte Besitzungen, aufgezeichnet in einer repräsentativen Ausgabe. Hat Oswald mit Besitzerstolz in diesem Urbar geblättert? War da, wenigstens für kurze Frist, so etwas wie Zufriedenheit? Und er ließ sich ein wenig feiern, vielleicht auch zu seinem fünfzigsten Geburtstag, der in diesem Jahr stattgefunden haben wird? Oder feierte er nur seinen Namenstag, vielleicht mit einem Ritt hinüber nach Aichach und von dort nach St. Oswald, und in der Kapelle betete Oswald zum heiligen Oswald? Und wieder zurück nach Aichach, zum Bruder, auf diesem Weg der Blick zum Schlernmassiv mit vorgelagertem Schlernzacken, und darunter, nur in kleinem Segment zu sehen, die Waldschräge des Hauensteiner Forstes, und er sah diesen Waldabschnitt mit dem (stolzen) Bewußtsein: Das gehört zu »meinem Wald um Hauenstein«?

Hauenstein; wir sollten einmal hineinschauen in diese Burg: wie war sie eingerichtet?

Im Jahr nach Oswalds Tod wurde sein beweglicher Besitz (damals »fahrendes Gut« genannt) inventarisiert; das Verzeichnis ist erhalten geblieben.

Ich gehe davon aus, daß sich bis zur Inventarisierung der Besitzstand nicht wesentlich geändert hat – ja, die Zahl der Einrichtungsgegenstände, der Geräte auf Hauenstein dürfte 1427 eher noch geringer gewesen sein als 1445.

Als erster Posten der Liste: ein rotes Seidenpolster, vier rote Seidenkissen. Dann drei kleine Kissen, ein »Kölner« Polster: ein mit Kölner Leinwand bezogenes Kissen. Weiter: ein türkisches Messer mit Beschlägen (auf dem Griff). Zwei Silberschalen; zwei Orientteppiche. Also Luxus im Hause des Oswald von Wolkenstein?

Schauen wir weiter: zehn große und kleine Betten. Vater, Mutter, mehrere Kinder, Besucher? In großen Betten schliefen normalerweise zwei Personen – demnach waren dies die Betten für die Familie des Hausherrn und die höheren Ränge des Personals; die anderen schliefen auf Strohsäcken. Elf Schafsfelldecken, eine Lammfelldecke. Ein neues Tischtuch, drei gesäumte Handtücher und fünf aus Werg. Vier Paar feine Leinenlaken, sechs Paar grobe, eine dicke, zwei dünne Bettdecken. Nicht viel, wenn man sich vorstellt, wie saukalt es in einer Burg im Winter war.

Nun zur Küche: neun metallene Töpfe, ein Eisenrost, ein Dreifuß, ein Bratspieß, noch ein Rost, sechs Pfannen, »gute und schlechte«, ein Mörser, vier große Kessel, ein kleiner, vier Haferln, drei gute Becken, ein schlechtes. Und drei neue Kannen. Ein großer, flaschenähnlicher Behälter aus Zinn, zwei große Holzgefäße.

Die Waffenkammer, damals meist Harnischkammer genannt. Sechs Brustpanzer. Sechs Hundskappen: Helme mit spitz vorspringendem Visier, das einer Hundeschnauze glich. Vier Harnisch-Schurze, zwei Panzer-Kragen. Eine Mailänder Harnisch-Brustplatte, wohl für den Hausherrn, denn aus Mailand wurden meist die guten und teuren Rüstungsstücke importiert. Zwei Vorderpanzer, ein Rückenpanzer, ein Schulterharnisch: der bedeckte die Schulter und den halben Oberarm, war festgehakt am Eisenkragen, bestand aus Eisenlamellen. Weiter: zwei Streitäxte, ein Beinschutz, zwei kleine Helme, vierzehn Paar Armröhren, ein englischer Helm, zwei kleine Schulterharnische, zwei Ellbogenschützer. Weiter ein Helm mit einem Visier, sieben Helme mit Nackenschutz. Fünf Eisenhüte, fünf Eisenhauben. Sechs Paar Metallhandschuhe. Fünf Lederschilde, zwei ungarische Schilde, noch mal zwei Schilde, fünf Bärenspieße. Ein türkischer Helm, zwei türkische Schuhe (Lamellenschuhe?), zwei Kampfhosen, fischbeinverstärkt, noch mal zwei Kampfschuhe. Ein türkischer und ein ungarischer Streitkolben, zwei türkische Sporen, eine türkische Kampfjoppe (mit eingenähten

Eisenplättchen?). Acht hellebardenähnliche Waffen und dreißig Armbrüste. Dazu: eine Winde, mehrere Haken, mit denen die Sehnen gespannt wurden. Eine Waffenkammer also für die gesamte Burgbesatzung, für einen Trupp.

Die größeren Waffen: zehn neue Handbüchsen, also verhältnismäßig leichte Büchsen, die von einem Mann getragen werden konnten. Neun alte Handbüchsen. Dann zwei Schirmbüchsen: nach Zingerle waren dies Geschütze »mit einem (aufziehbaren) Holzschirm zur Deckung für die Bedienungsmannschaft«. Oswald, natürlich Oswald als der wohl einzige Dichter und Komponist (zumindest) unseres Sprachbereichs, der Kanonen besaß!

Weiter: sieben Geschütze, aus denen Steinkugeln abgeschossen wurden – Steinbüchsen. Eine eiserne Steinbüchse »mit einem Haken«: der Haken unter dem Rohr wurde an einem Mauersockel festgemacht, so wurde beim Abschuß der Rückstoß abgefangen.

Insgesamt: eine beachtliche Feuerkraft auf Hauenstein! Ich habe zum Vergleich in andere Burginventare hineingeschaut: Hauenstein lag über dem Schnitt. Ich habe auch den Eindruck: Oswalds Ausrüstung, zumindest an Feuerwaffen (Kanonen mit Schutzschirmen!), entsprach dem damaligen Stand der Entwicklung.

Neues aus Brixen: Bischof Berchtold war todkrank; als Nachfolger war vor allem Ulrich Putsch im Gespräch – ein Mann, auf den Oswald später in Feindschaft fixiert war.

Ulrich Putsch stammte aus einer schwäbischen Bürgerfamilie, wurde wohl in der Diözese Augsburg zum Priester geweiht, zog, wie manche andere Schwaben, nach Tirol, dort sollte es besonders üppige Pfründe geben. Putsch wurde zuerst Pfarrer von Tisens, wird dort Kontakt mit der Familie Jäger aufgenommen haben. Für Oswald wohl der erste Minuspunkt in der Bewertung des Ulrich Putsch.

Der zweite: die enge Kooperation zwischen Herzog Friedrich und Pfarrer Putsch. Der Landesfürst hatte seinem Schützling offenbar als nächstes die Pfarre von Tirol-Meran vermittelt, eine reich dotierte, sehr angesehene Stelle: fünf Pfarrer von Tirol wurden im

Lauf der Jahrhunderte Bischöfe von Chur, drei von Brixen – also ein Sprungbrett. Ab 1416 war Putsch auch noch Erzpriester im Vinschgau.

Und er war Kanzler des Landesfürsten. Mit Entschiedenheit unterstützte er den Kampf seines Herrn gegen die Adelsgruppe – weiterer Minuspunkt. Als Friedrich in Konstanz eingesperrt wurde, reiste Putsch dem König bis Perpignan nach, um Fürsprache einzulegen für seinen Herrn, aber Sigmund ließ Putsch nicht vor. Als Friedrich nach seiner Flucht aus dem Gefängnis, nach seinem Fußmarsch durch Ötztal und Schnalsertal in Meran eintraf, sich dort rasch wieder etablierte, war eine seiner ersten Handlungen, seinem Kanzler ein Weingut zu überschreiben, bei Meran. Drei Jahre später, 1419, ernannte er Putsch zum Inspektor der Bergwerke Tirols: Vollmachten für Organisation und Kontrolle des Abbaus von »Edelsteinen, Gold, Silber, Kupfer, Blei, Eisen und was sonst an Erz in den Bergen gefunden werden mag«. Zwei Jahre später kaufte Putsch die Burg Unterbrunn.

Als September 1427 in Brixen Bischof Berchtold gestorben war, kandidierte der Kanzler, Bergwerksinspektor und Erzpriester Ulrich Putsch; Herzog Friedrich protegierte ihn auch diesmal.

Es bildete sich Opposition gegen den Kandidaten – wahrscheinlich wegen der engen Kooperation dieses Erzpriesters mit dem Landesherrn. Gehörte Oswald zu den Opponenten? Er war wohl grundsätzlich gegen diesen Mann, erst recht gegen den Mann in diesem Amt in Brixen, in so unmittelbarer Nähe. Freilich: sollte Oswald, wenige Monate nach der Urfehde, schon wieder mitgemischt haben, kirchenpolitisch?

Die Gegenseite, mit oder ohne Oswald, war jedenfalls sehr aktiv, konnte die Wahl dieses Mannes aber nicht verhindern. Ulrich akzeptierte und beschwor die Wahlkapitulation – ihr wird bald eine große Bedeutung zukommen. Heinrich Seldenhorn, Schloßhauptmann auf Bruneck, ein Mann, der mit Oswald offenbar in enger Verbindung stand, setzte die Artikel auf.

Ulrich Putsch führte ein Tagebuch über seine Amtszeit in Brixen, und hier berichtete er nun: »Im Jahr des Herrn 1428, am 19. Tag des Monats Januar, bin ich vom Apostolischen Stuhl in meinem Amt bestätigt worden, dies aber nur gegen erhebliche Widerstände, weil mir meine Neider alle möglichen Hindernisse in den Weg legten; als ihnen gar nichts mehr einfiel, ließen sie dem Herrn Papst Martin V. hinterbringen, ich leide an einer Krankheit, nämlich der Epilepsie; das trifft aber nicht zu.«

Sobald die Bestätigungs-Bulle eingetroffen war, zog Putsch in die bischöfliche Burg von Brixen. Ein Bischof, der seine Residenz bezieht: Glanz kirchlicher Macht? Putsch berichtet in seinem Tagebuch: »Ich fand die Residenz – Wein und Korn ausgenommen – von Geld und Kleinodien glattweg ausgeplündert.« Allein bei den Beamten sei der verstorbene Bischof mit rund 1000 Dukaten im Zahlungsrückstand gewesen. Zusätzlich habe er, Putsch, etwa 2000 Dukaten aufwenden müssen aus seiner Privatschatulle, mit Gottes Hilfe. »Auch habe ich an Hausgerät, Betten und Einrichtungsgegenständen acht vollbeladene Wagen mit mir hierhergebracht.«

Bischof Ulrich berichtete in seinem Tagebuch wiederholt, wie er die Residenz ausbauen ließ: Der Burghof gepflastert, ein steinerner Brunnen angelegt, ein Pförtnerhäuschen und eine Kanzlei gebaut, ein eingestürztes Dach ersetzt, Türme errichtet... Und er ließ Fischteiche und Weinberge anlegen, ließ Straßen pflastern, ließ andere Burgen seiner Diözese renovieren, ausbauen, erweitern. Der erfahrene Verwaltungsmann entwickelte ebenfalls Initiativen.

Ulrich und Oswald – hier haben sich zwei zähe Kampfpartner gefunden. Äußerlich unterschieden sie sich sehr: der Grabstein, den Ulrich zu seinen Lebzeiten herstellen ließ (heute im selben Hof wie Oswalds Gedenkstein), zeigt einen Mann mit schmalem Gesicht, tief eingekerbten Falten, spitzem Kinn, betonter Nase. Sein Nachfolger schrieb später vom »putschischen Kopf«, meinte damit gewiß: Querschädel.

Im ersten Amtsjahr gab es offenbar noch keine Auseinandersetzungen zwischen Oswald von Wolkenstein und dem neuen Bischof – zu dieser Zeit hatte Oswald ganz andere Probleme!

Schon recht bald nach der Rückkehr von Innsbruck wird Oswald den Hans von Villanders aufgefordert haben, die hinterlegten Bargelder, die Schuldbriefe, den Pfandbrief auszuhändigen, und zwar unverzüglich. Seit bereits mehr als vier Jahren behielt dieser Verwandte die Gelder und Papiere! Dabei bestand, wenigstens zu dieser Zeit, kein Anlaß zur Befürchtung, der Herzog werde von Oswald die 6000 Gulden verlangen.

Oswalds Rückforderung ist nicht dokumentiert, auch nicht die Antwort des Schwagers: vielleicht fand eine mündliche Auseinandersetzung statt. Auf die Antwort des Hans von Villanders lassen sich Rückschlüsse ziehen aus den bald folgenden Vorgängen: er weigerte sich rigoros, auch nur einen Gulden herauszugeben.

An den Herzog konnte sich Oswald in dieser Notlage kaum wenden: damit wäre die heikle Bürgschafts-Schuldverschreibung noch einmal zur Sprache gebracht worden – besser, daran wurde nicht gerührt. So geschah Paradoxes: indem Herzog Friedrich den Bürgschaftsbrief in eine Art Schuldverschreibung umwandelte, um Oswald zur Loyalität zu zwingen, zwang er ihn, den Vertrag vom 1. Mai 1427 in einem entscheidenden Punkt zu brechen: Oswald mußte sich, um an sein Recht zu kommen, an eine Institution außerhalb Tirols wenden, ohne Wissen und Willen des Herzogs. Um also die 2200 Gulden und die Papiere zurückzubekommen, mußte Oswald riskieren, daß die Loyalitäts-Garantie über 6000 Gulden fällig wurde. Oswald wagte den hohen Einsatz: er faßte den abenteuerlichen Entschluß, Kontakt aufzunehmen mit der Feme.

Den raffgierigen Verwandten durch die Geheimorganisation der Feme in die Knie zwingen – diese Vorstellung wird Oswald Auftrieb gegeben haben in dieser bedrückenden Situation. Es läßt sich vorstellen: er hat sich die Hände gerieben, als er auf diesen Einfall kam. Kein Wunder, wenn er gleich in der ersten Zeile seines Liedberichtes über die Reise nach Westfalen schreibt, er sei gut gelaunt gewesen, beim Aufbruch.

Kl 41 soll uns die Reise vorausweisend skizzieren: der erste Liedtext übrigens (so stellte schon Mayr fest), der ziemlich exakt die

Reiseroute nennt – kein Zertrümmern mehr der chronologischen und logischen Ordnung. Obwohl Oswald den Reiseverlauf angibt – das eigentliche Reiseziel verschweigt er: die Kontaktaufnahme mit der Feme. Hier gibt es nur zwei geheimnisvolle Andeutungen…

Von Wolkenstein brach ich nach Köln auf, gut gelaunt,
und kam nach Salzburg; mein Gastwirt, der hieß Braun.
Er hatte eine schöne, tugendhafte Frau,
fröhlich, doch mit Anstand, höfisch ihr Benehmen.
Sehr freundlich war sie mir gesonnen, nichts
vergab sie sich dabei. Der Schönen meinen Dank!
Aus ganzem Herzen wünsche ich ihr viele gute Jahre;
der Herr in Seiner Güte schenke ihr das Heil.
Von meiner Ankunft hörte, bestens informiert,
der Bischof dort, Hochwürden Eberhard.
Der lud mich ein; gleich fuhr ich zu ihm hin.
An seiner Tafel haben wir uns müdgegessen.
Wohin ich kam: viel Spaß und hübsche Lustbarkeiten,
die wurden mir geboten, nicht zu knapp,
bei dem und jenem. Ich pflichte ganz dem Ritter bei,
der viel gesehn hat von der Schönheit dieser Welt.

Ich reiste bald darauf nach München; mein Geleit
war frei. Mein Dank der edlen Ritterschaft,
die mich dort einlud zu den schönen, edlen Damen.
Wie üblich haben wir gesungen, uns vergnügt.
In feiner Art hat man mir manchen Wein spendiert
in Augsburg, Ulm – dafür will ich mich gern bedanken.
In Ulm sah ich beim Tanz zu: schön der Reigen
kultivierter Mädchen; höfisch ihr Vergnügen!
Ein Edelmann, der holte seine Ehefrau
zu uns heran: »Nun heiße freundlich ihn willkommen!«
Sie gab zurück: »Das höre ich nun gar nicht gern!
Mir will der Tippelbruder nicht gefallen.«
So mußte ich denn büßen, daß ein Auge fehlt.
Wer nur auf die Erscheinung sieht, dem fehlt Verstand.

Schon oft erregte meine schlichte Kleidung Anstoß.
Mein Mantel sprach: »Warum mußt du auch immer reisen?«

Ich ritt nach Heidelberg zu meinem reichen Herrn.
Fünf Kurfürsten, die fand ich dort, in allen Würden,
drei Bischöfe von hohem Ruf, aus Köln, Mainz, Trier,
den Pfalzgrafen bei Rhein, Markgraf von Brandenburg.
Und hoch am Hang, dort ging ich in das Schloß
von Herzog Ludwig; der überragt die andren Fürsten
an Trefflichkeit und Generosität. Man ließ mich vor –
er hat mich gütigst ins Gespräch gezogen.
Bald mußte ich denn singen, manches Lied vortragen.
Vergnügt ging ich dann in sein Zimmer,
ich durfte darin schlafen; solchen Lohn
und solche Ehre hat keiner meiner Freunde je erlebt.
Ich wurde wie ein Geck bekleidet mit Mantel, Jacke
aus Fuchs und Marder. Die Reisekleidung warf ich fort.
Die schönsten Hüte landeten auf meinem Kopf.
Ich schwor ihm, daß ich seinen Rat für mich behalte.

Auf meinem Pferd und auf dem Schiff nach Köln,
von dort nach Aachen nahm ich einen Rumpelkarren,
im Zickzack fuhr er über Stock und Stein;
ich fühlte mich ganz jämmerlich zerstoßen.
Mein Herr zu Köln und der von Berg, zwei gute Fürsten,
die haben mir sehr gnädig ihre Gunst erwiesen.
Was ich dort wünschte, wurde mir gewährt;
in meiner Sache ward ich gütig unterstützt.
Ich sage nicht, worin ich danach eingeweiht...
Am Rhein hab ich den guten Wein probiert. Zurück
von Fürstenberg nach Heidelberg, zum Bärtigen,
zum Herzog, Pfalzgraf, kurfürstlich im Rang.
Für Reisekosten und Verpflegung kam er völlig auf;
wohin ich kam: ich hatte frei mit Knecht und Pferd.
Nun bin ich hier und weiß schon, wie ichs deichsle,
daß ich das Ziel erreich im Schoße meiner Frau.

Ende 1427 oder Anfang 1428 war Oswald zu dieser Reise aufgebrochen. Sie ging nicht von Hauenstein, nicht von Neuhaus, sondern von Wolkenstein aus: demnach hielt sich Oswald, zumindest gelegentlich, in diesem Felsennest auf. Hier hatte er wohl noch einmal alles überdacht, hatte vielleicht mit Michael, dem Burgbesitzer, über seinen Plan gesprochen – alles klar nun, erleichternd klar, in guter Laune brach er auf.

Die gute Laune hielt offenbar an auf dieser Reise, alles verlief nach Wunsch. Er wurde besonders freundlich behandelt im Hause Braun in Salzburg. Wer war dieser Herr Braun? Oswald nennt ihn einen »wiert«. Aber damit war nicht gesagt, daß Oswald in einem Wirtshaus Braun unterkam, in dem sich die Wirtin sehr entgegenkommend verhielt – »wiert« war damals der Gastgeber allgemein. Um Genaueres zu erfahren, schrieb ich an das Salzburger Landesarchiv und erhielt vom Stadtarchiv die Auskunft, es sei »mit ziemlicher Wahrscheinlichkeit anzunehmen«, daß »Hanns Prawn« der »wiert« gewesen sei. Dieser Hans Braun besaß Stadtämter, war am Handel mit Venedig beteiligt. Oswald hatte also Kontakt zu einem Vertreter des reichen Bürgertums.

Dann die Einladung beim Erzbischof, immerhin, und bei ihm wurde gepraßt.

Weiterreise nach München. Oswald ist es wichtig zu betonen, daß die dortigen Vergnügungen (ebenso wie in Augsburg, Ulm) hochkultiviert waren: vornehme Damen, intelligente Fräulein, höfisches Benehmen.

Dann Heidelberg! Glaubt man Oswalds Liedaussage, so ging es dort äußerst fidel zu: ein allgemeines Hoch. Hat er hier Realitäten ignoriert oder retuschiert?

Ludwig und Oswald werden sich, trotz all der hohen Besucher, auch mal zu einem Gespräch unter vier Augen zurückgezogen haben: der Liedtext deutet es an. Bei dieser Gelegenheit wird Oswald nach der Pilgerfahrt gefragt haben, zu der ihn der Kurfürst eingeladen hatte. Ludwig hatte sich im Heiligen Land, oder, wie man damals sagte: in Syrien infiziert, eine Augenkrankheit; er sah immer schlechter, wurde später blind. Auch soll er von dieser Reise eine schmerzhafte Fußgicht mitgebracht haben – zumindest war sie nun schlimmer geworden. Anfang 1428 waren die Kurfürsten und Bischöfe in Heidelberg zusammengekommen, weil Ludwig in dieser Zeit nicht reisen konnte; Beratungen über die politische Lage. Auch hier war Ludwigs Situation deprimierend: er hatte seine früher so starke politische Position nach der Pilgerreise nicht zurückerobern können – Sigmund hatte sich als stärker, geschickter erwiesen.

Die beiden Männer haben vielleicht nur kurz über die Pilgerreise und womöglich überhaupt nicht über die politische Situation der rheinischen Pfalz gesprochen; *ein* Punkt jedoch wurde bestimmt ausführlich erörtert: Oswalds Absicht, den Verwandten vor der Feme anzuklagen. Ludwig war hier der richtige Gesprächspartner, er war Freischöffe. Er ließ sich wohl über den Rechtsstreit berichten, wird bestätigt haben, daß es in diesem Fall sinnvoll sei, Unterstützung bei der Feme zu suchen. Das war nur möglich, wenn Oswald Mitglied der Feme wurde, Freischöffe, und dazu brauchte er zwei Empfehlungen. Wahrscheinlich hat ihn Ludwig an die beiden Herren zu Köln und Jülich verwiesen – sie nahmen wichtige Positionen ein in der Feme.

Und es wurde gefeiert. Oswald wohl in bester Laune: er war wieder einmal in der Südwestregion des Reichs, hatte hilfreiche Hinweise erhalten, hatte ein äußerst prominentes Publikum – da wird er mächtig aus sich herausgegangen sein, beim Liedersingen.

Der Erfolg jedenfalls muß ›rauschend‹ gewesen sein: Oswald wurde geehrt, beschenkt. Daß er mit dem Kurfürsten von der Pfalz in einem Zimmer schlafen durfte, war in der Tat eine besondere Auszeichnung – einem fahrenden Berufssänger wäre so etwas bestimmt nicht angeboten worden! Selbst unter Adligen war das ein besonderer Gunsterweis.

Nur ein einziges Huldigungslied hat Oswald auf eine Person des öffentlichen Lebens geschrieben: auf Pfalzgraf Ludwig. Oder, um vorsichtiger zu sein: nur dieses eine Preislied ist überliefert. Kl 86 ist zugleich ein Loblied auf Heidelberg, auf die Kurpfalz, dennoch bleibt erstaunlich, daß Oswald solch ein Preislied geschrieben hat; so etwas war sonst lohnabhängigen Hausdichtern vorbehalten.

O Pfalzgraf Ludewig
bei Rhein – dein Preis
tönt weit, verbreitet sich,
denn keiner deinesgleichen,
er reicht an dich heran.
Vernimm, was ich dir sage!
Ganz offenkundig, offenbar
zeigt sich dein Adelsstand:
erweist, beweist ihn, zeigst ihn vor
durch Mut und Klugheit, Generosität.
Auch freun dich, par ma foi, die Frauen –
so hörte ich von deiner treuen
Trauten aus Savoyen.

Ich preis dich, Heidelberg,
dort oben auf dem Hügel,
weil dort die hübschen Mädchen
das Brot, die Müschen mümmeln –
sie übertreiben nichts im Übermut.
Und werden gut behütet:
das »Mechthle«, »Käthche«, »Katharinche«,
und Agnes, »Ingelche« –
sie zeichnet Jugend aus und Tugend;
im Handeln, Wandeln sind sie tadelsfrei.
Ich lob den guten Gott mit aller Kraft
dafür, daß Er erschaffen kann
so wunderschöne »Kinderche«.

Als ich auf dem Neckar reiste,
da floß das Flüßchen reißend
zum Rhein. Und auch der Main, die Nahe
bei Bingen. Neckarau jedoch:
dort wird man übers Ohr gehaun,
dort angelt, hangelt man nach Geld!
Mir ging es wirklich herzlich gut
in Mannheim, Bacharach.

Und winterfest und elegant hat mich
der liebe Bärtige dort ausstaffiert:
er hat mich hübsch in schweren Fuchs gehüllt,
mich sehr mit Marderpelz ermuntert –
ich spielte nicht umsonst!

Hat Oswald in diesem Lied gemogelt? Wir wissen: dieser Pfalzgraf
war längst nicht mehr die glanzvolle Erscheinung, die hier gepriesen
wird. Sein Spiel um die große Macht war verloren, gesundheitlich
ging es ihm schlecht – hier wäre eher ein Klagelied als eine Jubelarie
zu erwarten. Wurden Schwung und Lust vorgetäuscht? Lassen sich
so die unüberhörbaren Textanstrengungen erklären? Vielleicht aber
wußte Oswald nicht genau Bescheid über Ludwigs persönliche Situation, über die politische Lage der rheinischen Pfalz, und er ließ
sich blenden von der erlauchten Versammlung im Heidelberger
Schloß.

Denkbar, ja wahrscheinlich, daß Oswald auch das folgende
Trinklied (Kl 84) beim Aufenthalt in Heidelberg geschrieben
und gesungen hat.

Hans-Dieter Mück weist in seiner Untersuchung zur »Streuüberlieferung« hin auf die Zeile: »her tragt den Fürsten leise« – der Pfalzgraf, der wegen seiner Fußgicht sowieso und bei Trunkenheit erst
recht getragen werden mußte, schonend...

Erhebt euch, wir gehn schlafen!
He, Hausknecht, mach uns Licht!
Es ist jetzt an der Zeit,
sonst sehn wir nicht mehr klar!
Den letzten beißt der Hund.
Wenn Männer, Mönche, Pfaffen
zu unsern Weibern stiegen –
das gäbe böses Blut!

Na Prost, noch einen Schluck!
Da wird die Trennung leichter
von diesem schönen Wein.
Und lähmt er uns die Schinken –
der wird jetzt noch getrunken!
Herr Becher, laßt Euch grüßen!
Wenn wir zu Bette stolpern,
was macht das uns schon aus!

Ganz sachte jetzt zum Türli.
Paßt auf, daß wir nicht torkeln –
der Schritt kommt aus dem Takt.
Was kost ein Faß vom Naß?
Herr Wirt, nu sauft scho mit!
Wir werden doch nicht maulen,
wenn Ihr zuviel verschluckt
nach polnischer Manier.

Tragt sanft den Fürsten her,
damit er uns nicht fällt
auf Gottes Erdenreich!
Ich singe gern sein Lob,
er macht uns freudevoll.
Los, einer führt den andern!
Rutsch auf dem Eis nicht aus.
Herr Wirt, hier schwankt es sehr!

Wir rollen jetzt zur Kammer.
Fragt bei der Hausmagd an:
ist jedes Bett gemacht?
Das Kraut hat sie versalzen,
den Brei auch gleich dazu –
darüber jetzt kein Wort!
Sie hat am Fett gespart –
dafür muß sie jetzt ran!

Fortsetzung der Reise: zu Pferd, dann per Schiff nach Köln. Details über diesen Reiseabschnitt hat uns Oswald nicht berichtet, ich ziehe deshalb einen Bericht von Thomas Coryate heran, der 1608 eine Rundreise durch Europa gemacht hat, zu Fuß, zu Pferd, im Wagen, per Schiff. In seinem Bericht über die Schiffsreise auf dem Rhein finde ich Details, die sich übernehmen ließen: die nur sehr langsamen Veränderungen früherer Jahrhunderte.

Vor der Rheinfahrt war der Engländer auch in Heidelberg gewesen, war von Süden her zu dieser Stadt gewandert, durch Waldgebiete, die so weit und menschenleer waren, daß man fürchten mußte, sich zu verlaufen: Wege, keine Hauptroute. In der näheren Umgebung von Heidelberg registrierte Coryate großen Reichtum an Wild und Vieh, sah sogar Reiherkolonien. Staunend betrat er die Stadt, die schon damals gepriesen wurde.

Ab Mainz die Fahrt auf dem Rhein, mit Segeln, mit Rudern. Rheinaufwärts wurden die Schiffe vielfach von Pferden gezogen. Ab Bingen begann der Engländer zu staunen: »steile und felsige Berge« mit »ungezählten Türmen, Burgen und Festungen«! Oswald wird hier kaum gestaunt haben, wohnhaft unter einem Berg von mehr als 2400 Metern Höhe, gewöhnt an den Anblick von Burgen auf Felsklötzen, auf Felsspitzen, an Felswänden. Eine Besonderheit war wohl auch für ihn diese Burg mitten im Fluß, bei Kaub, etwas Besonderes auch die Stromschnellen zwischen Oberwesel und St. Goar. Wahrscheinlich wurde auch auf seinem Schiff von den Wirbeln, Strudeln dieses Flußabschnitts erzählt; bei Sturm wagte kein Schiffer, diese Zone zu passieren – man konnte verschlungen werden vom großen Strudelschlund!

Eine Zwischenlandung in St. Goar. Zu diesem Städtchen erzählt der Engländer: Gleich hinter dem Stadttor hing an einer Kette ein großer, eiserner Kragen, den hob man jedem Besucher, der zum erstenmal nach St. Goar kam, über den Kopf, und man wurde erst wieder davon befreit, wenn man eine Kanne Wein spendiert hatte, die von den Umstehenden geleert wurde, auf das Wohl des Reisenden. Gab es das schon zu Oswalds Zeit? Schlimme Assoziationen, falls ihm dieser Eisenring übergelegt wurde?

Weiter nach Lahnstein. Und Koblenz, überragt von der mächti-

gen, als uneinnehmbar geltenden Festung. Übernachtung in Ober-
winter; man erzählte sich Geschichten, meist lustige; um drei Uhr
morgens ging es weiter.

Vor allem im letzten Reiseabschnitt fiel Coryate auf: am Rhein
standen die Galgen und Räder so dicht wie nirgendwo sonst auf
seiner Rundreise. Es gab hier auch besonders viele Räubertrupps;
sie plünderten die Reisenden auf den Straßen nicht bloß aus, sie
schnitten ihnen meist auch die Gurgeln durch. Und schnell setzten
sie sich ab in die nahen Wälder. Wurden Räuber gefaßt, so hängte
man sie oder flocht sie aufs Rad: mannsgroße Räder mit eisernen
Kuppen und Spitzen, und die zerbrachen die gestreckten Arme und
Beine, zuletzt wurde der Rumpf zerstört. Diese kaputtgemachten
Körper ließ man erst mal an den Rädern; Leichen, Skelette als Abschreckung. Impressionen einer Rheinfahrt...

Und die führte schließlich nach Köln; diese Stadt bewunderten
alle Reisenden, vor allem wenn sie per Schiff kamen. Die hohen und
starken Stadtmauern bis unmittelbar an den Rhein, die große Zahl
an Kirchtürmen: gab es in Köln wirklich so viele Kirchen wie Tage
im Jahr? Das wurde erzählt, der Engländer wollte das nicht so recht
glauben, aber unvergleichlich groß war die Zahl der Kirchen schon,
kein Zweifel. Und staunenswert die Größe der Plätze, beispielsweise des Heumarkts. Und der unfertige Dom: daß dieser Kirchbau
nicht vollendet war, beklagte der englische Reisende sehr.

In Köln suchte Oswald den Erzbischof Dietrich von Moers auf.
Beim ersten »Reichskrieg« oder »Kreuzzug« gegen die Hussiten,
1421, hatte er sich besonders hervorgetan, das war von König Sigmund honoriert worden: er hatte ihm die Vollmacht erteilt, alle
Freigrafen der Feme in Westfalen versammeln und ihre Handlungen, ihr Verhalten überprüfen zu können; wer seiner Ladung nicht
folgte, galt als meineidig und fiel in die Ungnade von König und
Reich. Im Namen des Königs, der ebenfalls Mitglied der Feme
war, konnte Dietrich auch Belehnungen vornehmen mit Freigraf-
schaften: der Erzbischof als Statthalter über alle »heimlichen Gerichte«.

Möglicherweise legte ihm Oswald eine Legitimation oder Empfehlung von Pfalzgraf Ludwig vor. Erzbischof Dietrich wird daraufhin bereit gewesen sein, für den Wolkensteiner zu bürgen. Oswald mietete einen Wagen, Richtung Aachen, sprach vor bei Herzog Adolf von Jülich und Berg, Stuhlherr einiger Freigerichte: der wird wohl die zweite Bürgschaft übernommen haben. Die beiden Bürgen mußten unter Eid bestätigen, daß der Antragsteller »echt und frei« sei, daß man von keiner Missetat wisse, die ihn unwürdig mache – da war es für Oswald ja günstig, daß Tirol so weit von Westfalen entfernt lag...

Führten ihn diese beiden Männer persönlich vor einen Freistuhl oder ließen sie sich durch Bevollmächtigte vertreten? Von Köln aus wandte man sich vorzugsweise an den Freistuhl Neustadt, im Bergischen. Vielleicht war Oswald mit den Bürgen oder ihren Stellvertretern auch zu einem anderen Freistuhl geritten.

Oswalds Vereidigung fand nicht zu nächtlicher Stunde statt, auch nicht in einem der finsteren Gewölbe, vor denen sich das 19. Jahrhundert so angenehm gruselte, die Freistühle tagten meist morgens bis mittags, und zwar unter freiem Himmel. Sie wurden nach den Ortschaften benannt, trugen aber vielfach Zusatznamen, die den Sitzungsort genauer bezeichneten: auf dem Grashof, unter der Linde, unter der großen Eiche, unter der breiten Eiche, zur eisernen Buche, an der Steinbrücke, vor dem Klüppelberg, unter den vierzehn Eichen...

Vor solch einen Freistuhl also wurde Oswald geführt. Er legte zwei Finger der rechten Hand auf Schwert und Strick, sprach den Schöffeneid: Gelobte, die Feme geheimzuhalten, gelobte, vor den Freistuhl alle Kapitalverbrechen in die heimliche Acht zu bringen, von denen er selbst wußte oder durch zuverlässige Personen erfuhr, gelobte, bei der Hinrichtung eines Verfemten mitzuwirken, beschwor das bei Torf und Zweig, bei Stock und Stein. Danach wurden dem neuen Schöffen heimliche Lose und Zeichen zugeteilt.

Zuerst, so nehme ich an, hatte Oswald eindrucksvoll Ungenaues gehört über eine Rechtsmethode, mit der man auch den stärksten Kontrahenten aufs Kreuz legen kann. In Heidelberg, Köln, Aachen hatte er Genaueres erfahren. Nun, als Freischöffe, war er »wissend«. Was müssen wir wissen von dem, was er jetzt wußte?

Wie diese besondere Art der Rechtsprechung funktionierte und auf welchen Voraussetzungen, darüber informiert das Buch *Die Feme* von Theodor Lindner: Grundstein der Feme-Forschung.

Femegerichte waren oder erklärten sich für zuständig in Fällen von Diebstahl, Verrat, Kirchenschändung, Notzucht, Raub, Mord, und zwar dann, wenn der zuständige Richter den Kläger abwies: Rechtsverweigerung. Außerdem war die Feme zuständig oder erklärte sich für zuständig bei der »Handtat«: ertappten Mitglieder der Feme einen Dieb, Kirchenschänder oder Räuber auf frischer Tat, so hängten sie ihn am nächsten Baum auf: Standrecht. Erhängen beispielsweise für einen Diebstahl: hier war die Feme nicht strenger als die offizielle Rechtsprechung des Mittelalters. »Den Dieb soll man hängen«, lautete ein allgemein anerkannter Rechtsgrundsatz. Auch wer Felddiebstahl beging, Holz stahl, wurde gehängt. Ein Reisender durfte unterwegs für sein Pferd nur so viel Hafer schneiden, wie er mit einem Fuß im Steigbügel, mit dem anderen Fuß auf dem Boden erreichen konnte – schnitt er mehr und wurde dabei erwischt, so verurteilte man ihn zum Tode. Die mittelalterliche Rechtsprechung kannte verschiedene Todesarten, für die Feme gab es nur eine: Hängen. Der Hanfstrick, die Weidengerte als Symbole der Fememacht. Drei Freischöffen mußten die Hinrichtung gemeinsam vollziehen. Ein Grundsatz, der wohl private Racheaktionen verhindern sollte; zugleich eine technische Notwendigkeit, denn ohne Gegenwehr ließ sich kaum ein Dieb am nächsten Baum aufhängen.

Jeder Freischöffe also ein potentieller Henker, und davon liefen in Westfalen mindestens 10000 herum. Das ständige Drohen mit Strick und Weidenrute blieb allerdings wirkungslos: Lindner weist darauf hin, daß in der Blütezeit der Feme die öffentliche Sicherheit in Westfalen geringer war als je zuvor.

Das lag auch daran: die wenigsten Todesurteile wurden vollstreckt. Je weiter der Verurteilte von Westfalen entfernt wohnte, desto sicherer war er. Südlich des Main, südlich der Donau, erst recht südlich des Inn – wo waren hier die Freischöffen, die ein Todesurteil ausführen konnten, vor allem: ausführen wollten?

Wie man den Drohungen Nachdruck verleihen sollte, dies wurde für die Feme schließlich zur Überlebensfrage. Im Lauf der späteren Jahrzehnte und Jahrhunderte wurden die Femegerichte mehr und mehr zu bloßen Rügegerichten.

Die Todesstrafe konnte bei finanziellen Rechtsstreitigkeiten allerdings nicht angewendet werden. Hier lagen im Prinzip Grenzfälle vor; die Feme sollte ja vor allem bei Kapitalverbrechen zuständig sein, also Blutgerichtsbarkeit üben. Es waren aber vorwiegend Geld- und Besitzfragen, mit denen sich die Freistühle befaßten – und mit denen sie reich wurden, durch hohe Gebühren: die Methode des ›kurzen Prozesses‹ war meist außerordentlich langwierig und kostspielig.

Die Freistühle fühlten sich bei Eigentumsfragen zur Rechtsprechung legitimiert, sobald Rechtsverweigerung vorlag. Bei zivilrechtlichen Fällen ließ sich Rechtsverweigerung allerdings nur selten nachweisen – um so öfter wurde Rechtsverweigerung konstruiert, fingiert. Lindner schreibt von Rechtsanmaßung.

Was konnte Oswald von einem Feme-Prozeß gegen Hans von Villanders erwarten? Bei Rechtsstreitigkeiten um Geld und Gut sprach ein Freistuhl einem anklagenden Freischöffen meist das Recht zu, sich am Angeklagten schadlos zu halten, und zwar bis zur Höhe des eingeklagten Betrages. Bei dieser Eintreibung durfte man auch »Gut und Leute« des Prozeßgegners »belasten«, mit frei gewählten Methoden, konnte sie also legal berauben, mit Helfern.

Auf der Rückreise hat Oswald noch einmal den Pfalzgrafen besucht. Der wird ihm jetzt das Dokument vorgelegt haben, das er Oswald vor dem Schöffenschwur nicht zeigen durfte: ein Frage- und Antwortkatalog zur Rechtspraxis der Feme. Gestellt hatte die Fragen König Ruprecht, und zwar 1408; die schriftlich formulierten

Fragen hatte sein Hofschreiber Johann Kirchen (ebenfalls Mitglied der Feme) vier original-westfälischen Freischöffen vorgelegt, die zu dieser Zeit im Heidelberger Rebstockhaus logierten. Einer von ihnen war Landadliger, ein anderer Knappe, sie kamen aus Volmarstein oder aus der Gegend von Unna. Die vier formulierten schriftliche Antworten auf diese Fragen, erteilten auch mündliche Auskünfte, und der Sekretär stellte aus Fragen und Antworten ein Protokoll zusammen. Lindner, der es ediert und kommentiert hat, betont, es handle sich hier nicht um ein »offizielles Rechtsbuch«, sondern um eine »gewissermaßen private Aufzeichnung«. König Ruprecht hatte sie seinem Sohn Ludwig vererbt, der zeigte sie nun Oswald, ließ ihn wohl eine Abschrift anfertigen, Oswald nahm sie mit nach Tirol.

Ein kleines Heft, das aus fünf in der Mitte gefalteten Blättern besteht. Auf der Rückseite ein Siegel aus dunkelgrünem Wachs, freilich nicht mit dem Wolkenstein-Wappen. Einige Reste von Hanffäden unter dem Siegel zeigen, daß dieses Protokoll mit einer Schnur verschlossen worden war: geheime Verschlußsache. Auf der Rückseite zusätzlich der Vermerk, dieses Dokument dürfe nur von Freischöffen gelesen werden. Später wurde hinzugefügt: »Man soll es verbrennen, wenn ich sterbe.«

Dieses Protokoll ist nicht verbrannt worden, es wurde im Wolkenstein-Rodenegger Familienarchiv aufbewahrt. In Verbindung mit diesen »Ruprechtschen Fragen« taucht der Name Oswald von Wolkenstein auch in der Rechtsgeschichte auf, in Untersuchungen zum Femewesen.

Auf der ersten Seite eine Federprobe des Schreibers, quer über das Blatt: »Heidelberg«. Auf der Rückseite ist die Jahreszahl der Abschrift vermerkt: 1428.

Hatte die Feme überhaupt Einfluß, Wirkung, Macht in Tirol? War die Feme jenseits des Brenner mehr als ein Gerücht?

Ich ziehe einen Aufsatz heran von P. Justinian Ladurner, veröffentlicht 1869, *Das Hereinragen des Fehmgerichtes in Tirol.* Hier finde ich aufschlußreiche Details. Zum Beispiel, daß Kaspar von

Gufidaun, Hauptmann zu Bruneck, Freischöffe war; mit ihm stand Oswald in Kontakt, vor allem in seinen späteren Rechtskämpfen mit der Gemeinde Am Ritten. Und ein Landrichter zu Gries, ein Verwalter auf Hoch-Eppan, ein Bürger aus Bozen, sie waren ebenfalls Freischöffen. In einer Urkunde, in der sie sich nannten, stellten sie bezeichnenderweise fest, sie seien als Freischöffen aktiv geworden, »ohne Willen und Wissen« ihres gnädigen Herrn, des Herzogs Friedrich von Österreich. Verständlicherweise, denn Friedrich mußte die Feme (»Reichsgerichtsbarkeit«) ablehnen, weil sie sein Hoheitsrecht als Landesherr umging oder unterlief: er durfte nicht zulassen, daß Rechtsprechung exportiert, Rechtsvollzug importiert wurde.

Um so erstaunlicher: auch Ehrwürden Bischof Ulrich II. von Brixen war Freischöffe! Die Verhältnisse werden immer vertrackter! Wußte Friedrich davon, oder half er diesen peinlichen Punkt vertuschen?

Interessante Hinweise also, aber die entscheidende Information finde ich nicht: wie tief »ragte« die Feme in Tirol »herein«? Ich nehme an, eine direkt bedrohliche Macht war sie hier nicht. Es gab Freischöffen, ja, unter Adligen und Bürgern, auch im Klerus, aber zahlreich werden die Mitglieder des heimlichen Gerichts kaum gewesen sein.

Selbst wenn Oswald von der Feme das Recht zugesprochen wurde, dem verurteilten Schwager abzunehmen, was ihm nicht zustand – Oswald hatte nur wenig aktive Unterstützung zu erwarten bei der Zwangsvollstreckung.

Zusätzlich diese Schwierigkeit: Hans von Villanders hielt sich viel im Ausland auf, in der Vorderen Grafschaft Görz, als Verwalter und Richter im Dienst der Görzer Grafen; einer seiner Sitze war die Burg Heinfels bei Sillian, ein wichtiger militärischer Stützpunkt der Görzer – wie sollte man dort an Hans von Villanders herankommen?

Der Rechtsstreit zwischen Oswald von Wolkenstein und Hans von Villanders: ein schwieriges Kapitel. Im Nürnberger Archiv liegt hierzu ein Faszikel mit ungefähr vierzig Dokumenten, die meisten noch nicht veröffentlicht, nicht einmal in Regesten aufgeführt. Ich nehme an, bei systematischer Suche ließen sich noch mehr Materialien finden. Hoffentlich werden sie einmal von einem Rechtshistoriker ausgewertet. Zwar habe ich Untersuchungen über die Feme gelesen, habe veröffentlichte und unveröffentlichte Dokumente ausgewertet, doch in manchen Punkten sehe ich nicht recht klar.

Offenlassen muß ich bereits, ob sich Oswald nach seiner Rückkehr Zeit gelassen hat, ehe er gegen Hans von Villanders vorging: hat er in der zweiten Jahreshälfte 28 oder erst zu Beginn des Jahres 29 einen Bevollmächtigten nach Westfalen geschickt?

Eins steht auf jeden Fall fest: diese erste Aktion blieb ohne Erfolg; Hans von Villanders reagierte nicht auf die schriftliche Mahnung aus Westfalen. Entstanden für Oswald damit erste Zweifel an der Wirksamkeit der Feme? Im Frühjahr 29 fand eine Briefkampagne statt: Schreiben, in denen Hans von Villanders die Fehde erklärt wurde, mal mit zwei, mal mit vier, mal mit mehr als zwanzig ›Unterschriften‹ – das muß organisiert worden sein!

Als Beispiel ein Brief der drei Brüder von Schwangau. Sie verzichten auf die üblichen Ergebenheitsfloskeln des Briefbeginns, es heißt betont knapp: »Wisse, Hans von Villanders...« Als erstes wird festgestellt, daß ihm die drei aus Schwaben schon einmal geschrieben hatten »wegen unseres Schwagers Oswald von Wolkenstein«, und »daß wir in dieser Angelegenheit keine Antwort von Dir erhalten haben«. Weiter heißt es, Oswald habe sich mit Nachdruck über ihn beklagt, »weil Du ihm seine Urkunden und sein Geld vorenthältst, gegen Gott und alles Recht, die er Dir treuhänderisch übergeben hat.« Dadurch sei ihm und »unserer Schwester und ihren Kindern erheblicher Nachteil und Schaden entstanden und entsteht täglich weiterhin«. Und nun die Fehde-Erklärung: »Darum wollen wir Deine Feinde sein und alle, die wir sonst noch dazu bringen können, bis er und unsere Schwester und ihre Kinder Genugtuung durch Dich erhalten.« Der Brief ist besiegelt durch Heinrich, Hans und

Thomas von Schwangau, »alle drei Brüder«; es folgen 18 weitere Namen – wohl Bürger der näheren Umgebung.

Ob dieser Brief Hans von Villanders beeindruckt hat? Wahrscheinlich war ihm gleichgültig, wie man in der Schwangauer Gegend über ihn dachte – er würde kaum jemals dorthin kommen, damit in Gefahr geraten. Mochten sie im schwäbischen Ausland also drohen und toben…

Oswald wandte sich nach dieser erfolglosen Briefkampagne im September erneut an die Feme. Zwei Regestenhinweise bei Wolkenstein-Rodenegg zeigen mir, daß die Sache in der Zwischenzeit nicht geruht hat. So schrieb am 4. April der Freistuhl von Arnsberg an einen namentlich nicht genannten »hochgeborenen Fürsten« wegen einer Klage Oswalds von Wolkenstein. Und am 29. August schickte König Sigmund aus Wien ein Schreiben an einen Freigrafen des heimlichen Gerichts, kündete Oswald von Wolkenstein an, forderte den Adressaten auf, Oswald behilflich und förderlich zu sein. Die Fäden waren gezogen.

Zur (erneuten) Anklageerhebung reiste Oswald nicht selbst nach Westfalen. War es ihm zu riskant, weil er damit direkt gegen die Abmachung der Urfehde verstoßen hätte? Oder erschien es ihm überflüssig, war ihm die lange Reise zu unbequem? Hier die Vollmacht, die er seinem Stellvertreter ausstellen ließ (durch einen Schreiber, der Mitglied der Feme sein mußte).

»Ich, Oswald von Wolkenstein, Freischöffe, des allerdurchlauchtigsten Römischen Königs vereidigter Diener, entbiete allen Freigrafen der Freistühle des Femegerichts, die Gott und dem Heiligen Reich einen Schwur geleistet haben und denen diese Urkunde gezeigt wird, meine freundlichen Grüße.

Ich habe Eitel Volmar, diesem meinem Diener, den Auftrag erteilt, etwas an meiner Stelle am Freistuhl vorzutragen, das vor allem den Grafen Hans Meinhart von Görz, den Bischof von Brixen und Hans von Villanders betrifft. Zu welchem Freigrafen dieser mein obengenannter Diener kommt, man kann ihn in dieser Sache als meinen Stellvertreter betrachten, als wenn ich selbst an seiner Stelle stünde. Und ich verlange in dieser Sache eine gebührende gerichtliche Behandlung.

Ihr sollt wissen, daß mir der obengenannte Herr von Görz nicht gehalten hat, was er mir mit Brief und Siegel verprach. Eine Abschrift wird Euch vorgetragen werden. Hans von Villanders hat mir nachgesagt, ich hätte mein Ehrenwort gebrochen in einer Angelegenheit, worüber den beiden vom Freigrafen zu Arnsberg einst etwas Schriftliches zugegangen ist, und zwar: sie sollen sich wegen dieser Bezichtigung binnen sechs Wochen mit mir vergleichen. Das ist aber nicht geschehen, zu meinem Schaden.

Mein Diener ist in der genannten Angelegenheit unterrichtet, und Ihr werdet die Sache vorgetragen bekommen, wer auch immer der Freigraf ist, vor den der Kläger gelangt. Ich wünsche in dieser Sache eine gerichtliche Verhandlung.

Versiegelt mit meinem eigenen aufgedrückten Siegel. Gegeben zu Brixen, am 5. September 1429.«

Diese Vollmacht enthält zwei erstaunliche Informationen: daß Oswald zugleich auch Bischof Ulrich und einen der Görzer Grafen verklagt hatte. Zum erstenmal? Oder war mit dem »hochgeborenen Fürsten« des Schreibens vom 5. April auch schon Graf Meinhart von Görz gemeint?

Hier ist einer der Punkte, an denen ich nicht klarsehe. Weshalb klagte Oswald diesen Grafen an? Hans von Villanders war, wie schon erwähnt, Verwalter und Richter in der Vorderen Grafschaft Görz – welcher der Görzer Grafen war sein Dienstherr? In der Urkunde vom 8. Juli 1426 lese ich in der Eröffnungszeile: »Ich, Hans von Villanders, derzeit Lehensrichter des hochgeborenen Fürsten, meines gnädigen Herrn, Graf Heinrich, Graf zu Görz und Tirol«. Mir hätte entschieden besser gepaßt, wenn er Lehensrichter des Grafen Hans Meinhart gewesen wäre, so ließe sich eine Beziehung zwischen zwei Gegnern Oswalds dokumentieren. Daß Hans von Villanders ausgerechnet für den Görzer Grafen arbeitete, der Oswald protegierte, macht die Sache noch undurchsichtiger.

Und der Bischof von Brixen? Welche Rolle spielte er hier? Es mußte schon Gravierendes vorliegen, wenn Oswald sogar den Bischof anklagte – so etwas war alles andere als selbstverständlich! Gewiß hatte Oswald hierzu noch einmal den Ruprechtschen Katalog konsultiert, speziell die 18. Frage. Die lautete: »Wenn einer geweiht ist, kann man ihn dann nicht vorladen und verfemen?« Die Antwort des Expertengremiums aus Westfalen: »Wer geweiht ist, so gering auch sein Rang sei, der gehört vor seinen Vorgesetzten; man soll ihn, bei einem Vergehen, seinem Bischof überantworten.« Knifflige Frage: wem soll man einen Bischof überantworten?

Als Oswald erfuhr, der neue Bischof sei ebenfalls Freischöffe, war dies für ihn die Lösung des Problems, nun konnte er ihn vor der Feme verklagen, Freischöffen unter sich. Das Verfahren lief in solchen Fällen meist so: Der angeklagte Freischöffe legte vor einem Freistuhl seine Version dar, erklärte sich für unschuldig, leistete seinen Eid darauf, gemeinsam mit drei Eideshelfern; der anklagende Freischöffe überbot ihn mit sieben Eideshelfern; der angeklagte Freischöffe »antwortete« mit vierzehn Schwurhänden; der anklagende Freischöffe bot einundzwanzig Eideshelfer auf – höher ging es nicht. Dieses Spiel nannte sich das Übersieben. Worauf ließ Oswald sich hier mal wieder ein?! Offenbar hat er seine Nebenklagen wieder zurückgezogen, denn nach dem Dokument vom 5. September finde ich den Görzer Grafen und den Brixener Bischof nicht mehr erwähnt.

Am 3. Oktober wurde an Hans von Villanders ein Mahnbrief vom Freistuhl zu Volmarstein abgeschickt – neben Arnsberg einer der bekanntesten, offenbar am häufigsten konsultierten Freistühle.

»Sehr geehrter Herr. Bei mir ist, am Freistuhl vor der Burg zu Volmarstein, vor dem öffentlichen Femegericht, ein bevollmächtigter Kläger namens Eitel Volmar gewesen, der Klage erhob im Auftrag des wohlgeborenen Herrn Oswald von Wolkenstein. Diese Klage stellt Euren guten Leumund und Eure Ehre in Frage. Ihr sollt dem obengenannten Herrn Oswald gegenüber getan haben, was ihn an Leib und Ehre trifft. Und zwar geht es um die Urkunden und sein Geld, die er Euch in gutem Glauben anvertraut hat und die Ihr ihm gegen Gott, Ehre und Recht vorenthaltet.

In dieser Sache ist Euch zuvor schon einmal ein Mahnbrief geschrieben und zugestellt worden. Ihr habt darauf weder eine schriftliche noch eine mündliche Antwort erteilt. Dies ist ungebührlich. Darum erfüllt nun binnen vierzehn Tagen dem obengenannten Herrn Oswald gegenüber, wozu Ihr durch Ehre und Recht verpflichtet seid. Geschieht dies aber nicht und klärt Ihr diese Angelegenheit nicht und kommt obengenannter Oswald von Wolkenstein oder der obengenannte Eitel Volmar wieder hierher und fordert, daß ein Richtspruch über Euch gefällt wird, so bin ich verpflichtet, aufgrund der Anklage ein Urteil zu fällen, wie es dem Rechtsgebrauch entspricht: ich kann dies, gebunden an meinen Eid, nicht unterlassen. Richtet Euch danach, so gut es geht.

Wir warnen Euch mit diesem Brief: laßt es nicht so weit kommen, sonst wird mit der ganzen Härte des Gesetzes geurteilt.

Wie Ihr Euch in dieser Angelegenheit zu verhalten gedenkt, darüber verlange ich eine schriftliche Auskunft, und zwar durch den Boten und Überbringer dieses Briefes. Ich werde mir dann entsprechende weitere Schritte vorbehalten. Gott sei mit Euch.«

Offenbar ist Hans von Villanders bei seiner Taktik geblieben: überhaupt nicht antworten. Am 27. November wurde das nächste Schreiben an ihn geschickt, diesmal vom Freigericht im Baumgarten zu Arnsberg. Nun ist der Wortlaut entschieden westfälisch! »Hans von Flanders« wird darüber informiert, daß bereits zum zweitenmal ein Kläger vorstellig geworden ist; der Angeklagte soll sich zum schriftlich mitgeteilten Termin im Baumgarten von Arnsberg einfinden; der Name des Klägers ist Oswald von Wolkenstein; der Angeklagte soll den Gerichtstermin nicht versäumen; die Klage geht an Leben und Ehre.

Wieso wurde Hans von Villanders nun aus Arnsberg angeschrieben – und das zum zweitenmal? Das vorherige Schreiben war doch aus Volmarstein gekommen!

Dieses zweite Schreiben konnte noch keine Reaktion sein auf das Schweigen des Hans von Villanders zum Schreiben vom 3. Oktober. Man brauchte damals knapp vier Wochen für die Reise von Westfalen ins südliche Tirol, dort kam der Mahnbrief also erst Anfang November an; dann zwei Wochen Bedenkzeit, sicherheitshalber vielleicht um eine weitere Woche verlängert: Ende November; wieder die Rückreise eines Boten nach Westfalen: Ende Dezember. Zu dieser Zeit erst konnte man sich auf den Brief vom 5. Oktober beziehen. Die Schreiben aus Volmarstein und aus Arnsberg können demnach keinen direkten Zusammenhang haben, zeitlich nicht und auch grundsätzlich nicht: Freistühle waren Konkurrenzunternehmen. Oswald hat also Hans von Villanders gleich vor zwei Freistühlen, und zwar vor den beiden bekanntesten, verklagt!

Hans von Villanders hatte dennoch wenig Grund, beunruhigt zu sein. Denn in dieser Zeit kam Oswald eine ganz andere Geschichte dazwischen – eine aberwitzige Verknotung, wieder einmal!

O swald war im Oktober dieses Jahres beteiligt, und zwar entschieden, an einer Aktion gegen Bischof Ulrich von Brixen. Dieser energische Mann hatte die Rechte des Domkapitels nicht respektiert, hatte wohl selbstherrlich Entschlüsse gefaßt, die diesem Gremium zustanden. Worum es im Detail ging, konnte noch nicht geklärt werden; über den Ablauf der Ereignisse aber sind wir informiert. Bischof Ulrich selbst hat in seinem Tagebuch ausführlich (wenn auch subjektiv) berichtet; Peter Beier hat mir den Text übersetzt; ich kam mit dem stellenweise krausen Latein nicht zurecht.

»Es folgt hier der Streitfall zwischen mir und den Domherren, und zwar wie sie mich gemeinsam mit einigen Amtsleuten, die ihnen Helfershelferdienste leisteten, gefangensetzten und ohne verständliche Ursache zur Abfassung unrechtmäßiger Schriftsätze zwangen, wobei alles andere als die reine Wahrheit zum Vorschein kam.

Es ist festzuhalten, daß an einem Tag im Oktober das ganze Domkapitel zur Burg kam, um von mir einen Rat zu erbitten in einer Angelegenheit, die ihnen als Vorwand diente. Ich erteilte ihnen gutgläubig meinen Rat, so daß sie wohl zufriedengestellt waren. Danach habe ich ihnen gesagt: ›Meine Brüder, ich hege den Verdacht, daß ihr irgendeinen Anlaß zum Streit mit mir sucht. Wenn das so ist, sagt es mir, und ich bin jederzeit bereit, mich mit euch in Freundschaft zu verständigen.‹

Sie gaben sich darüber hoch erfreut, dankten mir sehr und sagten: ›Ihr sprecht freundlich. Es wäre in der Tat nötig, daß wir mit Euch eine Unterredung hätten.‹

Darauf antwortete ich ihnen: ›Setzt mir einen Termin. Ich komme zu euch und will alles tun, was ich aus Billigkeitsgründen zu tun verpflichtet bin.‹ So trennten wir uns freundschaftlich.«

Aber das war erst der Beginn des Streits, bei dem Oswald schließlich handgreiflich wurde gegenüber dem Bischof. Was hatte er eigentlich zu tun mit den Auseinandersetzungen zwischen Domkapitel und Bischof? Er war kein Mitglied dieses Leitungsgremiums, er war »geborener Gotteshausmann«, zu dieser Zeit freilich ohne Amtsfunktionen im Hochstift. Wahrscheinlich bestanden persönliche Beziehungen zwischen Oswald, dem Dompropst und Magister Seldenhorn.

Wo war hier also die Motivation? Oswald als Verteidiger verbriefter Rechte: auch ein Bischof darf sich nicht über Zuständigkeiten eines Gremiums hinwegsetzen – selbst wenn es vorwiegend aus (studierten) Bürgern besteht? Oder ging es weniger um Prinzipielles als um Privates? Sah Oswald hier eine Gelegenheit, gegen Bischof Ulrich vorzugehen, und zwar direkt, ohne Umweg über die Feme in Westfalen?

Zur Fortsetzung des Berichts nun wieder Ulrich Putsch: »Weiter ist festzuhalten, daß die Domherren mich am sechsten Festtag vor Allerheiligen [28.10.1429] bitten ließen, zur Kapitelversammlung zu kommen, die sie im Hospital hielten. Als ich dort ankam, legten sie mir ein Dokument vor, in dem einige Artikel enthalten waren, die ich seinerzeit abfassen mußte und die zu ändern sie mich baten. Nachdem ich sie durchgelesen hatte, antwortete ich: ›Liebe Brüder, diese Abänderung ist diskriminierend und entspricht weder eurer noch meiner Würde. Wenn wir uns hier gegenseitig verklagen, so könnten daraus üble Konsequenzen entstehen. Ihr solltet jetzt eines tun: Eure Meinung in einem Abänderungsvorschlag niederschreiben, der weder ehrenrührig ist noch verdächtig wirkt. Was immer ich dann mit Gott und der Ehre vermag und was immer ich tun oder lassen muß, ich werde es tun.‹

So sprachen mir alle einmütig ihren Dank aus und versicherten mir, einen anderen Abänderungsvorschlag zu verfassen.

Inzwischen aber (als ich mir bereits sicher war, daß ich von diesen Leuten nichts Gutes erwarten durfte) hatten sie den Dompropst Andreas Kobrill, den Oswald von Wolkenstein und den Magister Heinrich Seldenhorn zum herzoglichen Hof geschickt. Diese Herren warfen mir mannigfache Verbrechen vor, und zwar mit derartigem Nachdruck, daß der Herzog ihnen seine Zustimmung gab,

mich gefangenzunehmen und entweder dem Papst oder dem Erzbischof von Salzburg vorzuführen. Dazu händigte er ihnen auch
ausreichende Bevollmächtigungen aus. Und so bildeten diese drei
mit zweiunddreißig Amtsleuten ein Komplott und kamen am Sonntag vor Allerheiligen nach Sterzing. Dort trafen sie Vorbereitungen,
wie sie mich in die Hände der Sünder überlieferten.«

Peter Beier weist mich darauf hin, daß Putsch hier eine Formulierung aus der Passionsgeschichte zitiert, ohne Anführungsstriche: so
wird hoch-stilisiert! Die Fakten aber werden nicht genannt. Sie
müssen gravierend gewesen sein, sonst hätte der Herzog gewiß
nicht die Genehmigung erteilt, seinen Kanzler und Protegé zu ver-
haften und einer anderen Rechtsinstanz vorzuführen! Allein schon,
daß Oswald von Wolkenstein zu den Wortführern der Oppositionsgruppe gehörte, muß Friedrich gewarnt haben...

Putsch hat bezeichnenderweise eine zweite Version dieser Unterredung diktiert, hat sie aber wieder streichen lassen: »Inzwischen
waren der Dompropst, Oswald von Wolkenstein und Magister
Heinrich Seldenhorn nach Innsbruck gekommen und tischten dem
Herrn Friedrich, Herzog von Österreich, lang und breit Lügen über
mich und meine Person auf. Dabei führten sie derartig Klage und
informierten den Herzog durch Lug und Trug, daß dieser ihnen
erlaubte, mich entweder gefangenzusetzen oder zur Abfassung un-
erlaubter Verfügungen zu erpressen. Aber trotz geringer Befugnisse
taten sie mehr, als ihnen grundsätzlich zustand. Sie beachteten nämlich nicht, daß der Dompropst mir, als seinem Bischof, durch Eid
verpflichtet war und daß Oswald mein Vasall war, der gute Verträge
besaß.«

Am 30. Oktober kam es zum Zusammenstoß. »Genau an diesem
Tag schickte ich Kaspar von Gufidaun und Heinrich Müller zu den
erwähnten Amtsleuten, weil man mich aufgefordert hatte, mich zu
rechtfertigen, und weil ich meine Bereitschaft zu einem gerichtlichen Verfahren vor dem Papst, vor dem König, vor dem Salzburger Herrn oder vor einem geheimen Gericht unter Beweis stellen
wollte. Dies aber lehnten sie rundweg ab mit der Begründung, daß
sie mich viel lieber selbst vernommen hätten.

So standen nun die Dinge; ich hatte keine weitere Sorge oder

Angst, schon gar nicht fürchtete ich die Domherren, weil ich in der Vergangenheit mit einigen von ihnen gespeist hatte und sie auch mit mir.

Die Domherren und die erwähnten Amtsleute versammelten sich im Hospital und schickten zu mir einen Domherrn namens von Freiberg mit der Anfrage, ob ich zu ihnen kommen wolle oder ob sie zu mir kommen sollten, weil sie mir von seiten des Herzogs einiges mitzuteilen hätten. So veranlaßte ich sie, zu mir zu kommen, weil ich ihnen guten Malvasier vorsetzen wollte. Und so kamen sie alle, in einer Gruppe. Und der Magister Heinrich Seldenhorn ging (wie weiland Judas) allein (abgesehen von einem Begleiter) voraus und schlug an die Tür, die nach Sitte und Herkommen sowieso nicht verschlossen war. Er machte Drohgesten zu den anderen, die noch nicht herangekommen waren, sondern noch weiter hinten standen; auf seine Anweisung hin eilten sie herbei, zuerst die Amtsleute und nach ihnen die Domherren. Die Amtsleute betraten sofort den Flur, während die Domherren vor der Tür blieben. Da es an mir war zu reden, hieß ich sie willkommen und nahm sie freundlich auf. Sie dankten, und einige streckten mir sogar die Hände entgegen. Sogleich ließ ich Malvasier holen und führte sie mit mir nach oben in mein Gemach. Als sie aber mein Gemach betraten und ich ihnen Konfekt bringen wollte und dabei in die Nähe der Tür geriet, versetzte mir Oswald von Wolkenstein einen gewaltigen Schlag, indem er mich von hinten mit der Faust stieß und sagte: ›Hiergeblieben! Dein Blättchen hat sich gewendet!‹ Ich antwortete: ›Was tust Du? Ich glaube, Du bist nicht ganz bei Trost!‹ Darauf er: ›Setz dich sofort hin, sonst passiert was!‹ Da setzte ich mich hin. Dann zeigten sie mir einen Abänderungsvorschlag, in dem geschrieben stand, welche Forderungen das Kapitel an mich stellte – und das überstieg nun wirklich alles Maß! Dann übergaben sie mir im Auftrag des Herzogs ein beglaubigtes Schreiben, das ihre Forderungen enthielt und mich zur genauen Erfüllung der Auflagen verpflichtete. Als ich nun sah, daß ich nichts anderes tun konnte, als mich ihrem Willen zu fügen, setzte ich mich hin und verfaßte zwei Schreiben, ein Dokument für die Domherren und ein anderes für die Amtsleute. Ich durfte nicht einmal von ihnen etwas zu essen oder zu trinken erbitten, bevor die Schreiben eigenhändig von mir fertiggestellt und gesiegelt waren.«

Diese Kapitulations-Urkunde ist überliefert; aufschlußreich, daß Oswald hier an erster Stelle der Aktionsgruppe genannt wird. Ich übersetze zwei Abschnitte.

»Wir, Ulrich, von Gottes Gnaden Bischof zu Brixen, erklären hiermit: die renommierten und reputierten Edelleute Oswald von Wolkenstein, Jakob Trautson, Heinrich Seldenhorn, Leonhard Stösser, Hans Erber und Ulrich Raderer haben im Auftrag Seiner Durchlaucht, des hochgeborenen Fürsten Herzog Friedrich, Herzog zu Österreich etc., Unseres gnädigen Herrn, mit Uns unterhandelt: ihm sei von verschiedener Seite über Verfehlungen und Übertretungen Unsererseits berichtet worden, insbesondere dies: Was Wir in verschiedenen wichtigen Paragraphen und Artikeln bei Unserer Wahl Unserem Kapitel hier zu Brixen beschwören mußten, das haben Wir nicht gehalten.«

Worum es bei diesem Streit ging, läßt sich erschließen aus folgendem Gelöbnis. »Erstens: was wir dem Kapitel geschworen haben, werden Wir loyal und vorbehaltlos einhalten und ausführen; den Städten und Landgemeinden werden Wir ihre Privilegien, ihre geschriebenen und ungeschriebenen Rechte lassen, wie Wir ihnen das versprochen und beurkundet haben; ganz besonders aber geloben und versprechen Wir – worauf sie großen Wert legen – daß Wir von jetzt an stets bei Unseren eigenen Rechtsstreitigkeiten und denen Unseres Bistums (sei es gegenüber Geistlichen oder Laien, Adligen oder Nichtadligen, Reichen und Armen, Männern und Frauen) nur verfahren und handeln gemäß den verbindlichen Empfehlungen der ehrsamen Herren –«

Und es werden drei Amtspersonen genannt: der Dompropst, die Magister Gebhard und Seldenhorn. Ulrich Putsch über die drei Herren in seinem Tagebuch: »Keiner von ihnen war richtig im Kopf. Einer mondsüchtig, der andere rasend, der dritte ein wortbrüchiger, treuloser Betrüger.« Später wird er Seldenhorn auch als »gerissenen Verräter und Straßenräuber« bezeichnen. Diesen dreien sollte er sich von jetzt an unterordnen.

Während er »mit eigener Hand« diesen Text schrieb, hatten, so berichtet er in seinem Tagebuch weiter, »die Amtsleute die Burg eilig verlassen und suchten einen Adligen namens Johannes von Annenberg. Den fanden sie auch und hängten ihn mit einem Strick auf. Sie kehrten mit Ungestüm zurück und nahmen alle Hausschlüssel an sich. Der Dompropst nahm mir mit besonderer Frechheit die Schlüssel meines Gemachs ab und verschloß mit einem Strick eigenhändig die hintere Tür, indem er zusätzlich noch eiserne und hölzerne Querriegel vorlegte. Während der ganzen Nacht bewachten mich die Domherren und Amtsleute in voller Rüstung und mit Langschwertern bewaffnet. Auch am Tage zogen sie sich nicht von mir zurück, sondern Domherren und Amtsleute samt ihrer wohlbewaffneten Mannschaft bewachten mich pausenlos. Am dritten Tag zwangen sie mein ganzes Personal, ihnen den Treueid zu leisten und mir den Gehorsam zu versagen. [...]

Und so schüchterten sie mich mit vielen verschiedenen Quälereien zehn Tage und Nächte lang derart ein, daß ich meines Lebens nicht mehr sicher war.

Dennoch weiß ich eigentlich nicht, warum, weil sie mir niemals Einzelheiten über das, was ich getan haben sollte, mitteilten, sondern mir nur allgemein Vorwürfe über viele Übeltaten machten.«

Man merkt diesem Tagebuch deutlich an, daß Ulrich Putsch sich nicht selbst belasten wollte: eine gewiß einseitige Darstellung, aber doch aufschlußreich und interessant genug, um hier (nur geringfügig gekürzt) vorgelegt zu werden. Der lateinische Text dieses Tagebuchs ist übrigens von Victor Schaller veröffentlicht worden, in seinem Aufsatz über Putsch und sein Tagebuch; eine Arbeit, der ich viele Informationen verdanke.

Für Oswald hatten diese Vorgänge Konsequenzen: sie verhakten sich mit den gleichzeitig laufenden Feme-Aktionen. Denn einer der Männer, die Johannes von Annenberg ermordeten, war Eitel Volmar, Oswalds »Diener« und Bevollmächtigter bei der Feme, kurz zuvor aus Westfalen zurückgekehrt; Volmar wurde recht bald schon vor der Feme angeklagt.

Hauptschuldiger an diesem Mord war Jakob Trautson; für ihn war Hans von Annenberg nicht irgendein Höfling, der im allgemeinen Durcheinander aufgehängt wurde, die beiden Männer kannten sich, gehörten zu den Adligen, die sechs Jahre zuvor Herzog Friedrich ihre Loyalität erklärt hatten. Um so erstaunlicher die Tat: hier wurde wohl eine private Rechnung beglichen.

Nach diesen Vorfällen zitierte der Herzog Domkapitel und Bischof nach Innsbruck, auf den 16. November. Bei diesem Schlichtungstermin stellte das Domkapitel klipp und klar die Forderung, Bischof Ulrich solle zurücktreten, sich auf die Lamprechtsburg bei Bruneck zurückziehen, mit einer Jahrespension von 400 Dukaten.

Darauf wollte Putsch nicht eingehen: er war immerhin bereit, die Verwaltung des Hochstifts dem Domkapitel zu überlassen, stellte jedoch die Bedingung, daß er sein Amt in Brixen behalte. Dies akzeptierten die Herren des Domkapitels nicht.

In dieser Zeit schaltete sich König Sigmund ein – hat Oswald dahintergesteckt? Sigmund forderte jedenfalls die Verurteilung des Bischofs. Am 20. November ein neuer Verhandlungstermin. Der Schiedsspruch des Herzogs lautete: Bischof Ulrich wird unter Vormundschaft gestellt. Daß es zu diesem Urteil kam, läßt erkennen, wie stark die ›pressure group‹ unter Oswald war und wie belastend die Vorwürfe.

Ulrich gab sich freilich nicht geschlagen. Er ließ in einem Aidemémoire seine Forderungen zusammenstellen; hier – zusammengefaßt – die wichtigsten Punkte. »Erstens forderte er den Sitz zu Brixen, weil dort der rechtmäßige Bischofsstuhl ist; er kann es nicht mit seiner Ehre vereinbaren, anderswo seinen Amtssitz zu haben. Zudem verlangte er an Bargeld 1500 Dukaten, damit er von den Chorherren unabhängig sei und sie von ihm. Weiter verlangte er 1000 Star Roggen, 1000 Star Hafer, 3000 Käse, 24 Fuder vom besten Wein und 20 Fuder Heu.«

Die Auseinandersetzungen zogen sich hin bis zum Januar 1430. König Sigmund, inzwischen wohl von anderer Seite informiert, setzte sich nun für den Bischof ein. Herzog Friedrich wurde von beiden Parteien als Schiedsrichter für die nächste Verhandlung anerkannt. Vor dem Schlichtungstermin gab Ulrich am 2. Januar die schriftliche Erklärung ab, Herzog Friedrich sei nicht daran schuld, daß er vom Domkapitel gefangengenommen worden sei, vielmehr habe ihm der Herzog die Freiheit verschafft. Dies wurde am nächsten Tag in einem Briefbericht der Aktionsgruppe bestätigt und beglaubigt durch Oswald von Wolkenstein, Heinrich Seldenhorn und andere.

Am 24. Januar der Schiedsspruch des Herzogs: Bischof Ulrich erhielt seine Rechte und Würden zurück. Und es wurde eine Erklärung folgenden Inhalts besiegelt: Alle Feindschaft solle ein Ende haben, keine Partei der anderen wegen des Vergangenen etwas nachtragen; der Bischof solle – wie seine Vorgänger – ungehindert das Amt ausüben, jedoch unter Beachtung der Gelöbnisse und Erklärungen, die er bei der Wahl und Amtsbestätigung dem Kapitel, den Städten und Gerichten gegeben habe; beide Seiten sollten bei ihren Privilegien und Freiheiten bleiben; gerate man wegen irgendeiner Sache wieder in Streit und könne sich nicht einigen, so solle man sich an Herzog Friedrich als den Vogt, Herrn und Landesfürsten wenden.

Bischof Ulrich kehrte nach Brixen zurück, in die Bischofsburg. Oswald hatte die Partie verloren.

Oswald nach seiner Niederlage: wieder ein Winter des Mißvergnügens. Mit Bischof Ulrich hatte er sich noch nicht wieder versöhnt, das sollte noch Jahre dauern. Und der Landesfürst dachte nach der fehlgeschlagenen Aktion gegen seinen Kanzler und Vertrauten bestimmt nicht freundlicher über den ständig renitenten Oswald von Wolkenstein. Blieb jetzt nur noch politische, ja sogar kirchenpolitische Abstinenz? Und Oswald beschränkte sich auf die Verwaltung seines Besitzes, ritt gelegentlich zur Trostburg, zur Burg Wolkenstein, zur Burg Neuhaus, zum Landtag in Bozen oder Meran – aber sonst: keine großen Änderungen, keine Aufschwünge mehr?

Oswald war unzufrieden, mit allem, einschließlich Familie. Das zeigt sich im folgenden Liedtext (Kl 104), in der letzten Strophe: Oswald wiederholt Klagen des Hauenstein-Lieds, das er drei Jahre zuvor geschrieben hatte, wiederholt sie in ähnlichen Formulierungen. Dennoch: der Liedtext ist nicht bloß Reprise, Remake, in den ersten drei Strophen artikuliert sich Oswald auf neue Weise.

Von Kummer bin ich wie betäubt,
seit nun der Bauer Winterklaub
sich wieder eingenistet hat
in seinem alten Wohnsitz.
Der liegt so nah vor meiner Tür,
und ständig schnüffelt er mir nach,
das raubt mir vollends alle Lust –
er ist so plump, so tückisch...
Viel Kälte, Reif und tiefer Schnee,
der Bach mit Eis bedeckt –
das kommt her vom »Bösaier«-Hof,
den Namen preis ich nicht,
denn: gute Frucht von bösem Ei
hat noch kein Vogel ausgebrütet.
Das Gras, die Blumen, grüner Klee,
sie sind nun ganz verschwunden,
die Vögel, die sind fortgeflogen,
den Bäumen ist das Laub entrissen,
der Sonne nahm das Wintertreiben
bei Hauenstein den Glanz.

Der Bauer hier bedrängt mich sehr,
nach Brixen trau ich mich nicht hin,
ich hab ihn nämlich sehr erzürnt,
den kleinen Herrn Anonymus –
nur einen sanften Rippenstoß
hab ich dem ›großen Held‹ verpaßt.
Dem gäb ich gerne ein Geschenk,
der diesen Mißstand dort behebt!
Dies stünde eher Riesen zu:
daß man in ein verrufnes Haus
zu seiner Nutte geht, wie er,
und alle jene Gassen fegt
mit seinem Mantel. Gabriel,
dir faul deshalb so manches ab!
Ich wäre äußerst überrascht

(als würde Straßburg mir geschenkt!),
wenn mal mit einem Feuerbesen
sie alle würden fortgefegt,
die offen Hurerei betreiben
in wüster Ausgelassenheit.

Ich dachte, mein Prozeß läuft gut,
doch fehlte leider Redlichkeit –
das zeigte mir bald ein Gerücht,
das dort aus üblem Mief entstand.
Hier schien mir Schweigen angebracht!
Für alle Hilfe dank ich Gott.
Man hätte mich gern eingesperrt
und fest den Riegel zugestoßen!
»Noli me tangere!«
Stell mir kein Beinchen, Purzel, Ulli!
Was man gerecht nicht schlichten kann,
das kommt vor jenes Richterstühlchen,
wo man auf neue Weise schlau
das alte Recht verdreht.
Das ginge über meine Kraft,
nähm ich den Fall alleine auf!
Ja, hätte ich noch mehr an Mumm,
ich stünde dem gern bei,
der diesen Richterstuhl dort packt
und tief ins Meer versenkt!

Ach, Köln und Wien und Mainz, Paris,
und Konstanz, Nürnberg, Avignon –
was ich an Schönem je erlebt,
das bleibt mir hier sehr fern!
Denn statt im Flachland hause ich
zu oft auf hohem Berg. Dran schuld
ist meine Frau von Schwangau;
wir leben unter einem Dach.
Dazu noch eine Kinderschar,

die raubt mir beinah den Verstand,
denn ständig muß ich überlegen,
wie ich sie hier beschützen soll,
damit die Wölfe ihnen nicht
das Brot wegreißen und den Wein.
Und einer Mühe folgt die nächste,
sobald man sich um alles kümmert.
Dies tu mein Herr von Österreich,
im Himmel findet er den Lohn.
Auf Dauer richtet, schlichtet viel
der Tod, macht Krummes grad.

Evident, daß mit »Purzel« und »Ulli« der Bischof von Brixen gemeint ist. Wer aber ist Bauer Winterklaub? Einen Hof mit diesem Namen gibt es heute noch, bei Seis.

Ein alter Bauernhof mit Schindeldach und seitlich ausbuchtendem Backofen. Selbstverständlich ist dies nicht das Bauernhaus, das Oswald gesehen hat, das war bestimmt kleiner, aber dieser Winterklaubhof steht an der Stelle des damaligen Winterklaubhofs. Also noch immer die gleiche Blickperspektive: westlich, am Berghang Hauenstein, hellgrau im Fichtendunkelgrün. Und von dieser Burg aus sieht man ostwärts den kleinen, gedrungenen, schindelgedeckten Winterklaubhof.

Der Winterklaub-Bauer wohnte vom Frühjahr bis zum Herbst im Passeierhof (ich habe in der Übersetzung »Bösaier« geschrieben, um Oswalds Wortspiel nachzubilden). Dieser Hof liegt an der Straße, die hinaufführt zur Seiser Alm – einer der höchstgelegenen Bauernhöfe dieses Gebiets und eines der ältesten Gebäude dazu: gotischer Türbogen, ein Gewölbegang und im Keller ein Verlies mit einer Säule, an die früher Gefangene gekettet wurden.

Wenn nun der Winterklaub-Bauer vom Passeierhof in den Winterklaub-Hof umzog (damit in die Nähe der zugehörigen Mühle am Frötschbach, in der, seit alters, im Winter Holz gesägt wurde, wie mir ein Bauer erzählte), so kündigte sich damit für Oswald ein neuer Winter an.

Wie exakt sein Text ist, bestätigte, indirekt, ein anderer Einheimischer: Hauenstein, am Nordhang des Schlernmassivs, unter der Santnerspitze, hat im Winter monatelang keine Sonne. »Der Sonne nahm das Wintertreiben bei Hauenstein den Glanz.«

Beim nächsten Lied (Kl 116) ist die Datierung schwieriger: Oswald hätte es auch zwei oder drei Jahre früher schreiben können. Aber es hat so eindeutig den ›sound‹ des vorigen Liedes, daß ich mich Müllers Vorschlag anschließe, es in diesen Kontext einzuordnen.

> Ich blase keine Trübsal mehr,
> seit nun der Schnee zu taun beginnt
> am Flack und auf der Seiser Alm:
> der Mosmaier hat mirs erzählt.
> Die Erde fängt nun an zu dampfen,
> die Wasserläufe schwellen an
> von Kastelruth hinab zum Eisack –
> das macht mir gute Laune!
> Ich hör die Vögel groß und klein
> in meinem Wald um Hauenstein
> den Klang melodisch modulieren;
> sie singen sehr genau nach Noten,
> vom c hinauf bis an das a
> und wieder abwärts dann zum f
> mit schönen, hellen Stimmen:
> da freut euch drüber, gute Leute!
>> Was geht dies Lied den Plätscher an?
>> Mein Singen werd ich doch nicht lassen!
>> Wem es mißfällt, der hör nicht hin,
>> der ist und bleibt mir Wurst.
>> Wenn schlechte Leute mich nicht mögen,
>> so halte ich mich an die guten –
>> obwohl ja heuer falsche Münze
>> recht hoch bewertet wird.

> Mein großer Kummer war verflogen,
> als ich die erste Nachtigall

hab singen hören hinterm Pflug
im Matzen-Feld dort drüben.
Da sah ich vier Gespanne pflügen,
zwei Tiere akkurat im Joch,
die rissen gut den Boden auf –
der Mutzenbauer kommandierte!
Wer sich im Winter hingekauert
und vor der bösen Welt verdrückt,
der freute sich der grünen Zeit,
die uns der Mai nun bringen wird.
Ihr armen Tiere, räumt die Höhlen,
geht, sucht euch Weiden. Alles Gute!
Der Hang, das Tal, die Aue: grün!
Bestimmt gefällt euch das!
    Was geht dies Lied den Plätscher an?
    Mein Singen werd ich doch nicht lassen!
    Wem es mißfällt, der hör nicht hin,
    der ist und bleibt mir Wurst.
    Wenn schlechte Leute mich nicht mögen,
    so halte ich mich an die guten –
    obwohl ja heuer falsche Münze
    recht hoch bewertet wird.

Auf, auf, ihr Guten, und seid froh!
Wer Ehre hat, der wünscht uns Glück!
Was schändlich ist, das ändert auch
kein Deuteln, keine Rechtsverdrehung.
Es wird seit altersher gesagt:
Das Rechte tun, das zahlt sich aus,
denn alles kommt mal an den Tag –
nur hört man kaum darauf!
Herr Christus in der höchsten Pfarre,
Er ist ganz sicher auf der Hut:
wer Ihn betrügen will, im Rechtsstreit,
der muß schon früh aufstehn!
Ein Weilchen wartet Er, doch dann

verpaßt Er eine Firmungs-Watsche:
die treibt die böse Absicht aus,
da gibts nichts mehr zu lachen!
    Was geht dies Lied den Plätscher an?
    Mein Singen werd ich doch nicht lassen!
    Wem es mißfällt, der hör nicht hin,
    der ist und bleibt mir Wurst.
    Wenn schlechte Leute mich nicht mögen,
    so halte ich mich an die guten –
    obwohl ja heuer falsche Münze
    recht hoch bewertet wird.

Bezeichnend das Bild, das Oswald sich vom Herrn Christus macht:
jemand, der wie Oswald rangeht, zuschlägt – eine Projektion?
    Auch bei diesem Text: alle topographischen Angaben sind verifi-
zierbar, alle Namen nachweisbar, mit einiger Sicherheit. Der Mutzenhof liegt östlich von Hauenstein – der Name steht in Oswalds
Urbaren. Und der Mosmaier? Es gibt Belege für mehrere Mos-
maiers der Umgebung, gemeint ist sicher Heinrich Mosmaier, Bürger von Brixen, Beamter des Domkapitels; ein Mann also, mit dem
Oswald dienstlichen, wohl auch privaten Kontakt hatte. Und der
Plätscher, der Oswald beinah das Singen vermiest hätte? Er könnte
identisch sein mit Hans Plätscher, der in dieser Gegend als Parteigänger des Herzogs galt.

D ie Ermordung des Johann von Annenberg bei der Aktion gegen Bischof Ulrich hatte Konsequenzen nicht nur für Oswald,
sondern auch für Michael: als Verwandter und Freund des Ermordeten machte er Jakob Trautson als dem Hauptschuldigen Vorwürfe; Trautson ließ ihn warnen, drohte, es kam bald zum Count-
down.
    Oswalds Bruder soll selbst darüber berichten – seine Aussagen
sind zusammengefaßt in einem Gerichtsprotokoll, das damalige
Umgangsformen dokumentiert.
    »Sigmund und Viktor Trautson traten vor und erhoben Anklage:

Herr Michael von Wolkenstein habe ihren Verwandten Jakob Trautson erschlagen und vom Leben zum Tode befördert; sie wüßten nicht, aus welchem Grund er dies getan habe.

Darauf entgegnete Herr Michael, er leugne diesen Totschlag nicht ab; Jakob Trautson habe ihm gegenüber jedoch so viel Feindseligkeit gezeigt, daß er dies aus Selbstachtung nicht länger habe hinnehmen können; außerdem habe der ihm seinen lieben Verwandten und Freund Hans von Annenberg gehängt; weiterhin habe er auch ihm selbst nach Leib und Leben getrachtet, so daß er nicht mehr wußte, wo er sich vor ihm in Sicherheit bringen sollte; er sei auch von vielen angesehenen Personen gewarnt worden: er solle auf der Hut sein, sonst werde es ihm ergehen, wie es dem Annenberger ergangen sei, oder es werde sonst etwas mit ihm passieren, das ihm nicht lieb sei.

Und er legte eidesstattliche Erklärungen vor, nach denen Jakob Trautson auf dem Ritten erklärt hatte: Herr Michael hat allen Grund, vor mir auf der Hut zu sein!

Auch legte er Urkunden gerichtsfähiger Personen vor, in denen sie bezeugten, Jakob Trautson und Vigilius von Thun hätten ihnen einen höflichen Brief geschrieben: Herr Michael habe in Gegenwart unseres gnädigen Herren von Österreich sehr harte Worte fallen lassen, so daß sie nicht gewußt hätten, ob sie an Leib und Leben vor ihm sicher wären. Darauf habe er, Herr Michael, durch ihre Boten ausrichten lassen: Sie brauchen mir nicht so höflich zu schreiben, das ist der reinste Hohn, sie haben mir meinen Freund aufgehängt und mich wollen sie gleichfalls hängen, wozu da diese Ergebenheitsfloskeln! Sie müssen mich freilich erst mal töten; lebendig werden sie mich nicht hängen! Sie haben Grund, sich vor mir zu hüten – und ich mich vor ihnen! [...]

Er, Herr Michael, wäre dann im Auftrag unseres gnädigen Herrn von Österreich nach Trient geritten. Er sei gewarnt worden: Jakob Trautson und andere würden sich auf Salurn treffen, sie hätten vor, ihn dort anzugreifen, ihn aufzuhängen oder zu erstechen. Als er nun unterhalb von Salurn ankam und auf dem Steig oberhalb des Sees ritt, hatte Jakob Trautson oben auf dem Weg bereits Stellung bezogen, um zu verhindern, daß Herr Michael, schneller reitend, diese Angriffshöhe einnehme – der Trautson hätte ihm im Tal nichts anhaben können! Als er nun nach oben kam, hätte der Trautson bereits das blanke Schwert in den Händen gehabt, und sie seien auf beiden Seiten zum Angriff übergegangen. Dabei habe Gott Herrn Michael geholfen, daß er und seine Knechte den Trautson getötet und einen Knecht verwundet hätten.«

Im Gerichtsprotokoll wird vermerkt, daß es nun Auseinandersetzungen gab, ein offenbar erregtes Hin und Her. Schließlich wurde Michaels Tat als Notwehr ausgelegt: »redlicher Totschlag«. Nach der Urteilsverkündung wurden beide Parteien gebeten, im Namen des Herzogs, den Streit gütlich beizulegen, schließlich seien sie Verwandte. Nach einigen Diskussionen erklärte sich Michael zur Sühne bereit. Das hieß: er trat hervor und bat die Mitglieder der Familie Trautson demütig um Verzeihung. Und ließ für Jakob Trautson eine Seelenmesse, acht stille Messen, lesen von insgesamt zehn Priestern. Michael und seine drei Knechte standen währenddessen an der Bahre mit brennenden Kerzen.

Michael stiftete für den Ermordeten ein ewiges Licht in der Frauenkirche zu Sterzing. Und mußte geloben, mit zwei der Knechte eine Wallfahrt nach Rom zu machen; dem dritten wurde eine Wallfahrt nach Aachen auferlegt. Außerdem mußte sich Michael dazu bereit erklären, der Familien Trautson in eigener Person zu dienen, sobald es gewünscht werde. Erst mit Erfüllung dieser Auflagen galt der Totschlag als gesühnt.

Oswald und die Feme: mit dem Jahr 1430 können wir hinter dieses Kapitel einen Schlußpunkt setzen. Zwar wurde Oswald noch einmal, von allerhöchster Stelle aus, mit der Feme in Verbindung gebracht, aber nicht in eigener Sache: in einem Schreiben kündigte König Sigmund einem Freigrafen den gestrengen Oswald von Wolkenstein an, er habe etwas zu überbringen, das heimliche Gericht betreffend, man solle ihn in jeder Hinsicht unterstützen, würde ihn, den König, dadurch zu besonderer Dankbarkeit verpflichten – Oswald als königlicher Bote in Sachen Feme.

Aber nun wirkte Vergangenheit nach: die Ermordung des Johann von Annenberg bei der Aktion gegen Bischof Ulrich von Brixen.

Parzival von Annenberg klagte Eitel Volmar, Oswalds Feme-Boten, vor dem Freistuhl Villigst an, weil er an diesem Mord beteiligt war. Und Volmar wurde (gemeinsam mit Heinrich Seldenhorn und anderen) verfemt, das hieß: Niemand mehr durfte mit ihm Umgang haben – daran hatte sich auch Oswald zu halten!

Ich nehme an, dieser Fall hat seine Berechnungen, Erwartungen, Hoffnungen zumindest gestört: Oswald als Freischöffe, der einen Freischöffen zum Stellvertreter ernannt hatte, der sich später an einem Mord beteiligte – dies wird sich bis zu den Freistühlen herumgesprochen haben, an die er sich seinerzeit gewandt hatte.

Unabhängig davon hatte sich längst gezeigt, daß bei Hans von Villanders durch Mahnbriefe und Vorladungen der Feme nichts zu erreichen war: er gab Oswald keinen Gulden zurück!

•

Als würde für den Erzähler alles nach Wunsch arrangiert, kündigt sich nun eine Wende an, ein neuer Aufschwung für Oswald! König Sigmund als Retter aus der Misere.

August 1430 reiste er aus Ungarn ins Reich: acht Jahre lang war er dort nicht gewesen! Höchste Zeit also, endlich mal wieder die Reichsstände einzuberufen.

Bei einem ersten Besuch in Nürnberg, wohl zu Vorbereitungen des Reichstags, ließ Sigmund am 20. September einen Geleitbrief für Oswald ausstellen. Der wird sofort nach Erhalt dieses Reisepapiers aufgebrochen sein – Mitte Oktober wurden »Oswald Wolkenstein von der Etsch« Reisespesen erstattet.

Oswald hat Sigmund auf dessen Reise zum Bodensee begleitet, über Ulm nach Überlingen. Dort traf der König mit seinem Gefolge am 21. November ein. Und am 25. November sollte die Eröffnung des Reichstags sein. Dennoch ließ sich der König Zeit, viel Zeit: einen guten Monat blieb man in Überlingen, dann ging es nach Konstanz, dort wurde Weihnachten gefeiert, man blieb auch hier wieder einen Monat, während die versammelten Herrschaften in Nürnberg (unter ihnen der eigentlich reiseunfähige Pfalzgraf Ludwig) immer ungeduldiger wurden. Es wird berichtet von Festen, von Tanzveranstaltungen, beispielsweise im neuerbauten Zunfthaus »Zur Katz«.

In dieser Zeit schrieb Oswald (nach der Datierung durch Mayr) ein Lied über den Aufenthalt in Überlingen: Kl 45.

Die freie Reichsstadt Überlingen kommt in diesem Lied sehr schlecht weg: die alte Gattung des Scheltliedes mit neuem Glanz, neuer Wucht. Präzision der Beschreibung, aber auch: Stilisierung durch Übertreibung bis zur Karikatur, Stilisierung durch das Rollenspiel des erzählenden Sängers – als wären die Herren vom Wirt behandelt worden wie Bauerndeppen oder hessische Fuhrleute.

Bevor ich die Übersetzung vorlege, eine doppelte Danksagung: Bert Okken hat mir wieder einmal beim Übersetzen geholfen; für die alemannischen Zitate, die Hans Moser nachwies, hat mir Günter Herburger schwäbische Versionen geschrieben. Und nun: der Überlingen-Song!

Wer sein Geld verplempern will,
keine Hemmung dabei kennt,
frag sich durch nach Überlingen:
vierzehn Pilzlein kosten dort
fünfzehn Schilling
Konstanzer Währung.
Sechzehn Heller für ein Ei,
zweiunddreißig kosten zwei.
Fleisch ist mickrig, Kraut in Haufen,
klein die Schüssel für die Runde,
hungrig bleiben die Kumpane,
die draus löffeln.
Wassermus aus einer Pfanne,
Bratenstücke klein,
Wildbret, Fisch »sind aus«:
»Dösch ischt scho zviel für euch!
S'Maul zua und gloffe wird,
wer hockt, braucht nüatz zum Esse!
Jeder zahlt zwei Silbergroschen –
so was wird hier nicht vergesse!
Itzt verschlupft, ihr Hesse!
Länger warte ich nicht mehr.

Macht schon eure Beutel auf.
Keine große Diskussion –
augenblicklich wird gezahlt.
(Lange Zahlfrist steht nur mir zu!)
Laßt die Mäuse springen!
Zahlt und blecht, nun los! Ich rat es,
helf sonst mit der
Kelle nach.«

Wein so süß wie Schlehensaft
rauht mir meine Kehle auf,
daß es den Gesang vergrätzt!
(Sehnsucht hab ich nach Traminer…)
Scharf sein Zubiß –
läßt mich nicht frohlocken,
gibt mir Schwung und gute Laune
wie das Sackgewicht dem Esel.
Seine Säure läßt mein Blut gerinnen,
macht mich schlapp, schlecht gelaunt.
Saurer Pansch-Wein
zieht das Maul mir kraus!
Reichlich Unterhaltung gibt es dort,
mitten auf dem Markt –
Tanz, Gesang und Saitenspiel:
»Haarig ist das Muschilein…«
Ich fahr nicht nach Überlingen,
um dort Schönes zu erleben –
stock den Pint zum
Prügel auf, zeig es ihnen!
Sehr geschickt war dort der Wirt,
schied das Gold vom Beutelleder;
schon am Bett hat sichs gezeigt:
nahm zwölf Pfennige pro Feder!
Käm man mit nem Karren an,
Räder müßte er dort lassen!
Sing sein Loblied lieber nicht –

ist aus keinem edlen Holz,
alter Sudler der!

Schönstes blieb als Pfand zurück:
alte Weiber, Haufen Mist,
feiste Schweine, Kleie fressend,
viele Flöhe, wenig Spaß.
Diese Bauern –
kann sie nicht mehr riechen!
Schmerzhaft ist auch der Verlust:
eine Krause; Magd war sie.
Vor der Hütte hingen Brüste
schwarz und schlaff wie Fledermäuse.
Hat mit Kratzen und mit Zausen
schon so manchen arg verschreckt.
Zarte Füßlein, bretterbreit,
in den ausgelatschten Schuhen.
Drüber Beinchen, zart geformt,
dick wie Buchenstämme.
Ärmchen, Händchen dicht behaart,
weiß wie Krähenschwarz.
Schläge gab sie reichlich gern;
hat mit Flüchen, wilden Schwüren
zugelangt.
Keine Spur von Perlenschimmer,
Spangenglanz
bei dem Tanz in Überlingen –
nichts von höfischem Dekor!
Ich lob auch nicht den Maienkranz,
der die Wangen rosig färbt.
Nur der Ofen blieb als Zuflucht –
Kindsgeschrei umgab ihn dicht,
hat mir Angst gemacht!

Zum Schimpflied auf Überlingen ein Preislied auf Konstanz: Kl 98.
Konstanz, für den etwa 53jährigen Dichter, als Erinnerung an einen

Höhepunkt seines Lebens, Konstanz zugleich als höchst erfreuliche
Gegenwart!

O wunderschönes Paradies,
allein in Konstanz find ich dich!
Ich höre, sehe, lese viel –
doch du erfreust mich weitaus mehr!
Hier drinnen, draußen, überall,
in Münsterlingen, anderswo,
hört man von dir das Beste nur.
Da ist denn keiner mißgestimmt!
 Viel Augenweide
 in buntem Kleide
 mit Geschmeide –
 in Konstanz prangen
 die Mündlein rot;
 vergeß die Not,
 bin hübsch bedroht
 von sanften Wangen.

In Körperhaltung, Lebensart,
beim Sprechen, Gehen – makellos
erscheint mir manche Schöne dort.
St. Peter ist dafür mein Zeuge!
Lobsingen werde ich ihm stets
mit tiefer Andacht im Gebet –
er ist für mich ein Ehrenmann.
Wer anders denkt, dem nehm ichs krumm.
 Viel Augenweide
 in buntem Kleide
 mit Geschmeide –
 in Konstanz prangen
 die Mündlein rot;
 vergeß die Not,
 bin hübsch bedroht
 von sanften Wangen.

Die Frauen zart und engelhaft,
so schimmernd schön und licht im Glanz,
die haben völlig mich betört
beim Tanz im Haus »Zur Katz«.
Vergessen kann ich sie wohl nie –
so hübsch bei jeder die Figur!
In Ehren Freude, Spiel und Spaß –
zu Konstanz gibts davon genug!
 Viel Augenweide
 in buntem Kleide
 mit Geschmeide –
 in Konstanz prangen
 die Mündlein rot;
 vergeß die Not,
 bin hübsch bedroht
 von sanften Wangen.

Beim Stichwort »Paradies« zeigt sich wieder eine der für Oswald typischen Doppelbelichtungen: das Paradies als siebter Himmel und zugleich als Vorort von Konstanz.

König Sigmund war nicht bloß in Überlingen und Konstanz geblieben, um ausführlich zu tanzen oder weil ihm vielleicht die Gegend gefiel, auch im Winter, er verhandelte mit Vertretern der Adelsorganisation St. Jörgenschild und mit Delegierten des Schwäbischen Städtebundes. Hermann Mau nennt in seiner Untersuchung *Die Rittergesellschaften mit St. Jörgenschild in Schwaben* das Verhandlungsziel des Königs: Er wollte in Schwaben einen Zusammenschluß des Ritterbundes und des Städtebundes erreichen, als Modell, als Präzedenzfall, wollte danach in den anderen Reichsgebieten diese verfeindeten Reichsstände aussöhnen. Das Römische Reich war eine Ansammlung der Herrschaftsgebiete von sieben Kurfürsten, dreiunddreißig deutschen und dreiunddreißig ausländischen Fürsten, fünfzig Bistümern, sechsundsiebzig Abteien, fünfundachtzig Reichsstädten – verständlich, daß wiederholt eine Reichsreform gefordert wurde, die Einführung einer einheitlichen Reichssteuer, eines Reichsheeres, eines Reichsgerichts, einer Reichsregierung, womöglich mit festem Sitz.

Für Sigmund gab es in dieser Situation zwei dringliche Anlässe, noch einmal das eigentlich Unmögliche zu versuchen. Erstens wurde es höchste Zeit, den Landfrieden wiederherzustellen – überall Fehden, Regionalkriege, dazu eine bedrohliche Zunahme von Räuberbanden. Zweitens mußte er nach mehreren militärischen Niederlagen in Böhmen ein großes, schlagkräftiges Reichsheer gegen die Hussiten aufstellen.

Sigmunds Verhandlungen blieben erfolglos. Einziges Ergebnis des langen Aufenthalts in Ulm, Überlingen, Konstanz: er schloß sich enger mit dem Adel zusammen, besonders mit dem St. Jörgenschild, dem neun Zehntel des schwäbischen Adels angehörten, aber auch nicht-schwäbische Mitglieder. Offiziell in einer Mitgliederliste geführt ist Michael von Wolkenstein. Oswald ließ sich in einem Verzeichnis (bisher) nicht nachweisen, dürfte aber ebenfalls dieser Standesorganisation angehört haben: die Ziele des Ritterbundes waren auch seine Ziele; außerdem stammte seine Frau aus dem schwäbischen Hochadel.

Im Sommer 1431, nun wieder zu Hause, wurde Oswald durch Hans von Villanders finanziell noch einmal zur Ader gelassen. Hatte dieser Vampir von Villanders vorausgesetzt, Oswald werde von der Reise Geld mitbringen?

König Sigmund war auch in dieser Zeit kaum liquide gewesen, hatte sich von der Stadt Nürnberg Geld ausleihen müssen, vor dem Ritt zum Bodensee: »Wir haben dem obengenannten Unserem gnädigen Herrn, dem Römischen etc. König Sigmund, aufgrund seiner großen, flehentlichen Bitte, die er mehrfach dem Rat gegenüber geäußert hat, in bar 9000 Gulden Landeswährung geliehen; darüber haben wir von Seinen königlichen Gnaden einen Schuldschein mit dem Siegel Seiner Majestät; er liegt in der großen Truhe bei den anderen Schuldscheinen.«

In dieser (am 13. September 1430) dokumentierten Notlage waren von Sigmund keine üppigen Reisespesen zu erwarten. Für die Anreise von Tirol nach Nürnberg waren »Oswald Wolkenstein von der Etsch« 12 Schilling, 8 Heller gezahlt worden – von der Stadt Nürnberg! Nach der Schwabenreise erhielten »die zwei Wolkensteiner aus Tirol« 1 Pfund, 8 Schilling, 4 Heller. Falls sich Michael und Oswald während der monatelangen Tour selbst versorgen mußten, waren damit nicht einmal die Grundkosten gedeckt. Ob Oswald wenigstens das Jahresgehalt als königlicher »Diener« erhalten hatte? Oder hatte die königliche Kammer um Stundung gebeten?

Hans von Villanders jedenfalls stellte nach Oswalds Rückkehr eine massive Forderung: er verlangte 600 Mark in bar für den Pfandschein über Neuhaus.

Wie konnte Hans von Villanders die Einlösung verlangen? Oswald hatte ihm Burg und Ländereien Neuhaus keineswegs verpfändet, dazu hätte der Verwandte die Pfandsumme zahlen müssen, der Pfandschein über Neuhaus war ihm nur hinterlegt worden. Eine »Rückgewährspflicht« bestand also nur gegenüber dem Verpfänder, in Görz. Dennoch, Hans von Villanders forderte Bargeld für den Pfandschein.

Ich übersetze das bisher noch nicht veröffentlichte Dokument der neuen Niederlage Oswalds. »Ich teile mit: Ich, Hans von Villanders, hatte von meinem lieben Verwandten Oswald von Wolkenstein einen Pfandschein in Verwahrung genommen über einen Betrag von 600 Mark Berner Meraner Münze für das Pfandobjekt Neuhaus. Ich erhielt diesen Schein aufgrund der Bürgschaft, die ich gegenüber dem hochgeborenen Fürsten Herzog Friedrich, Herzog von Österreich etc., meinem gnädigen Herrn, leistete. Ich erkläre hiermit, daß mir die 600 Mark übermittelt und ausgezahlt worden sind; daraufhin habe ich den Pfandschein zurückgegeben.«

Diese Bestätigung ist ausgestellt »am Freitag vor St. Oswald«, also am 3. August. Zu dieser Zeit war Oswald wahrscheinlich schon nicht mehr in Tirol, er nahm teil am neuen Feldzug gegen die Hussiten. Diese Terminüberschneidung stört freilich nicht: Oswald wird kurz vor seiner Abreise die geforderte Summe gezahlt haben, und der Verwandte stellte, nach ihrer Übermittlung, in Lienz die Quittung aus.

Ich frage mich, wie Hans von Villanders es geschafft hat, die Zahlung dieser Summe zu erzwingen, die (ungefähr) vier Jahreseinkommen des Grundbesitzers Oswald von Wolkenstein entsprach. Vielleicht war es so: der Besitzer der Burg Neuhaus wollte das Pfand einlösen; dazu brauchte Oswald den Pfandschein, forderte ihn von Hans zurück; der erklärte: Solange sich der Pfandschein in meiner Hand befindet, habe ich rechtlich den vollen Anspruch auf das Pfandobjekt Neuhaus; falls du den Pfandschein zurückhaben willst, mußt du ihn einlösen, und zwar in Höhe der Pfandsumme. So mußte Oswald den Pfandschein zurückkaufen, für den der Verwandte keine einzige Mark ausgelegt hatte.

Hier war Oswald an einen Gauner großen Stils geraten! Hans von Villanders hatte nun, umgerechnet, etwa 3700 Gulden eingezogen.

Oswald war übrigens nicht das einzige Opfer dieses Geldvampirs: auch dem Bischof Ulrich hatte er hohe Summen abgenommen. Putsch berichtete 1432 in seinem Tagebuch: »Hans von Villanders trieb mich so weit, daß wir unsere Rechtshändel vor neun adlige Schiedsrichter brachten. Da erhielt ich nun mit vollem Recht einen Pfandschein über 500 Mark zurück, den Hans in Händen hatte. Auch mußte er seine Forderung von 600 Dukaten aufgeben, die er von mir verlangte; ebenso über 30 Mark und weitere Beträge. Der Schiedsspruch war also völlig positiv für mich und gegen ihn.«

Am 12. August schickte, im Auftrag des Königs, der Kanzler Kaspar Schlick von Nürnberg einen Mahnbrief an Herzog Friedrich: »Freund und Fürst, Wir haben Dir früher schon wiederholt und kürzlich noch einmal geschrieben, haben Dir auch durch Deine Räte, die bei Uns waren, diesen Wunsch übermitteln lassen, daß Du Unseren lieben Gefolgsmann Oswald von Wolkenstein gnädig behandelst und ihm – Uns zuliebe – seine Urkunde zurückgibst. Dies ist bisher nicht geschehen, obwohl Wir stets darauf vertraut haben, Du würdest Dich Unserem Willen gemäß verhalten. Wir wünschen nun, und bitten Dich sehr nachdrücklich darum, daß Du Uns zuliebe dem obenerwähnten Oswald die Urkunde zurückgibst, und zwar unverzüglich. Wir werden Uns in wichtigeren Belangen dankbar erweisen, wenn Du Uns in dieser Angelegenheit freundlicherweise so viel Entgegenkommen zeigen würdest, daß Wir deswegen nicht noch einmal schreiben müssen. Damit würdest Du Uns einen besonderen Gefallen tun.« Auch dieses Schreiben blieb wirkungslos.

O swald nahm nun (aller Wahrscheinlichkeit nach) am fünften »Kreuzzug« gegen die Hussiten teil. Drei Punkte lassen darauf schließen.

Erstens: Sigmund hatte Oswald in Nürnberg in den Drachenorden aufgenommen. Die Ordensmedaille: ein Lindwurm, der unter einem Kreuz hängt; das Ende seines Schweifs ist dreimal um den Hals geschlungen, aus dem offenen Maul hängt spitz eine Zunge.

Diese ›societas draconica‹ war keine Organisation wie die alten Rittergesellschaften mit ihren Großmeistern und Kapitularversammlungen: zu dieser Gesellschaft gehörten Ritter, aber auch Geistliche, sogar Frauen. Die verbindende Devise war der Kampf gegen die »im Verborgenen wütenden falschen Christen«, die Feinde der katholischen Religion, also in erster Linie die Hussiten. Auch sollten die Träger des Drachenordens den Frieden im Königreich fördern, Gutes tun für die Armen, Witwen und Waisen unterstützen.

Oswald war offenbar in die Erste Klasse dieses Ordens aufgenommen worden, der nur etwa zwei Dutzend Auserwählte angehörten. Eberhard Windecke, der zeitgenössische Biograph Sigmunds, betonte: wem der König diesen Orden verlieh, »dem hatte er seine besondere Liebe erwiesen«.

Zweiter Punkt: Oswald hatte vier Jahre zuvor mit der Urfehde folgende Verpflichtung übernommen: »Ich soll und werde für diesen meinen gnädigen Herrn oder (im Falle seines Ablebens) für seine Verwandten oder Erben persönlich an einem Feldzug gegen die Hussiten teilnehmen oder wohin sie mich sonst schicken mögen. Falls ich aus zwingenden Gründen diese Auflage persönlich nicht erfüllen kann, soll und werde ich einen meiner Verwandten als Stellvertreter entsenden.«

Dritter Punkt: an diesem Krieg nahm, nach Mayr, die gesamte Gesellschaft vom St. Jörgenschild teil. Ich setze voraus, daß Oswald – vor allem nach der neuen Schwabenreise – eng mit dieser Gesellschaft liiert war, ihr wahrscheinlich als Mitglied angehörte.

Auf dem ersten Blatt einer Pergamenthandschrift des 15. Jahrhunderts, der Regensburger Goldschmiede-Zunftordnung, ist folgende Notiz eingetragen, nachträglich: »Vierzehnhunderteinunddreißig nach Christi Geburt, am St. Hippolyttag, ereignete sich eine schmähliche Flucht aus Böhmen. [...] Über diese Flucht hat der edle Wolkensteiner ein Klagelied geschrieben mit folgendem Anfang:

> Gott muß für uns fechten,
> solln die Hussiten weichen;
> mit Herren, Rittern, Knechten
> läßt sich da nichts erreichen.«

Dies war nicht Oswalds erster Liedreflex auf Hus und die Hussiten: 1415 hatte er ja zumindest seine Hohn- und Haßstrophe auf Hus verfaßt. In der Zwischenzeit hat er ein Spott-, Hohn-, Schimpf- und Kampflied gegen die Hussiten geschrieben. Ein beinah obligatorischer Beitrag; gegen die Hussiten wurde damals fleißig gedichtet.

Unseren Vorstellungen von einem Kampflied entspricht der Text kaum: uns ist vor allem die allegorische Verschlüsselung fremd, aber die war im Mittelalter beim politischen Lied weithin üblich. Freilich ist die Verschlüsselung (auch) hier recht simpel: die Hussiten sind die Gänse. Dabei nutzte man die slawische Klangform des Namens Hus: er selbst hatte sich zuweilen als Gans bezeichnet, weil die Sprache das anbot, und das griffen seine Feinde gern auf; als er verbrannt wurde, da wurde eben die Gans gebraten. Doch aus der einen Gans wurden viele Gänse, erst Gänslein, dann ausgewachsene Gänse in Scharen, und diese Gänsescharen sollen nun vernichtet werden. Und hier bleibt Oswald bei der Vogel-Metapher: auf der eigenen Seite nur edle Jagd- und Greifvögel. Da hat Oswald nichts

Neues erfunden, bezeichnend ist nur die Insistenz, mit der er von Adlern, Falken, Habichten, Sperbern schreibt. Dagegen die Gänse: die haben zwar Flügel, aber keine Schwingen, mit denen sie zum Flug abheben können, dennoch ergeht es den feineren Vögeln schlecht im Kampf mit den Gänsen. Und Oswald übernimmt Details aus der Beizjagd, Feldges belegt sie: die Glöckchen an den Krallen hört Oswald viel zu nah, denn diese Jagd- und Greifvögel heben nicht ab, fliegen nicht in den Kampf, und so sind die Hussiten weiterhin erfolgreich. Zur Animation werden Vorbilder genannt: die Wander- oder Pilgrimfalken, klerikal gesalbt. Die wenigen noblen Jagdvögel, Saker und Blaufuß, werden zum Kampf aufgerufen.

Aus manchem Schnabel hörte ich
den Spruch, der Dumme an der Nase führt:
»Ja, Bauernhansl wär ein tolles Gansl –
wenn er Schwingen hätte, fliegen könnte...«
Schon hieran zeigt sich jedermann:
die Zeit hat sich in mancher Hinsicht sehr geändert.
Das sieht man deutlich an den Gänsen:
sie steigern ihre Einfalt ganz bewußt
in Böhmen und auch andernorts,
wo sie die Federn plustern.

Was Schwingen hat, ist ganz verzagt.
Der Adler, Falke, Habicht, Sperber: putzt sich nur!
Ihr Jagdstil imponiert mir nicht:
ich hör die Glöckchen viel zu nahe klimpern.
So wird denn manches hohe Tier
von einer groben Gans erschlagen,
wird wild zerbissen, fortgejagt!
Ihr dürft nicht fragen, wie das möglich ist,
denn: »Alte Sünd bringt neue Schand«,
so höre ich die Weisen sagen.

Ihr edlen Falken, Wanderfalken,
im geistlichen Bereich mit Recht gefeiert,

und sehr viel höher fliegend
als die andren Falken – zeigt es ihnen!
Der große Meister aus dem Reich dort oben:
abschreckend hat Er eure Schnäbel, Krallen horngepanzert.
So zeigt denn endlich Reue;
ihr habt den Meister sehr erzürnt,
werft eure alten Federn ab –
die Gans wird eingepfercht! (Vielleicht.)

Ihr, Saker, Blaufuß, paßt doch auf,
ihr edles Viehzeug unter guten Christen:
es scharen sich die Gänse gegen euch
in einem Land – da blüht euch noch ein Wunder!
Man hört dort oft ein Gänselein
aus feistem Halse höhnisch lachen.
Nun los, ihr Vögel, wild und stark!
Hilf, großer Adler, reg die Schwingen!
Im Sturzflug greift die Gänse an,
daß ihre Rücken krachen!

Auch Oswald hat seine Liedtexte beim Singen modifiziert, je nach
Publikum, Situation, Stimmung. Und so läßt sich vorstellen, daß
er mit dieser Strophenfolge Kl 27 zu einem Kampflied gemacht, es
entsprechend vorgetragen hat: der rasante Appell am Schluß.

In der Handschrift folgt nun die Hus-Strophe: »He, Hus, das
Leid schlag um in Haß auf dich!« Hat er diese Strophe nach
1415 noch gesungen, Jan Hus wieder heraufbeschwörend? Wahr-
scheinlicher, daß er diese Strophe übersprang: die Hussiten waren das akute Problem, und damit: die Bedrohung der sozialen
Ordnung.

Ein jeder Vogel in der Welt
bleib dort, wohin ihn die Geburt gestellt,
soll seinen Glauben nicht verraten.
Allein die Gans will Teufelshörner tragen,
mit denen sie die andren, braven Vögel

niederstoßen will, um dann herabzustürzen,
sehr tief, aus der Gemeinschaft;
doch schwenkt sie vor dem Höllenfeuer ab –
um dann die Schrift zu fälschen, und das mehr,
als man es früher je für möglich hielt!

»Der beste Vogel, den ich kenn,
war eine Gans«, so hat man einst gesungen.
Das wurde im Gebiet von Böhmen
widerlegt; es trifft auf sie nun nicht mehr zu.
Mit einem Wort: wo es bisher im Lied
»der beste« hieß, und zwar betont,
dort schreiben Meister und Adepten
»der schlimmste« – dies in allen Landessprachen!
So hat sich dort die Gans verändert –
dies sehr zu ihrem Nachteil!

Sie lebte nicht auf großem Fuße,
wenn unser Schöpfer das nicht dulden würde.
Vergäße Er nur seinen Wutanfall,
und steckte, sich erbarmend, Seine Waffe ein,
die Er gezückt hat gegen uns
mit scharfer Schneide, grauser Spitze,
weil wir so große Missetat begehen,
jeden Tag, vom Sündenglanz verlockt –
das alles wird einst abgebüßt
im Feuer, das uns quält.

Ihr edlen Christen, laßt euch mahnen:
Mit Andacht fleht den Himmelsfürsten an,
damit Er seinen Zorn besänftigt,
der sich in Sühnezeichen offenbart
in Frankreich, England, Katalonien,
der Lombardei, zentral in Böhmen –
die Zeichen: Totschlag, großes Sterben,
dazu die Ketzerei im Glauben.

Hilf, Maria, stimm dein Kind versöhnlich –
ich Wolkenstein, ich bitt darum.

Was Oswald empört: Die Hussiten halten sich nicht an die ›gott-
gegebene‹ soziale Ordnung. Läßt sich hier ablesen: Oswald unterstützt die Reaktion ideologisch, sogar durch Teilnahme an einem
Feldzug? Oswald demnach als militanter Konservativer?

Kein Zweifel: Oswald demonstrierte Standesbewußtsein. Er
wird 1438 eine Reimpaar-Rede (Kl 112) schreiben, in der er unter
anderem sein Gesellschaftsbild skizziert: Gott selbst hat »Klerus,
Adel, Dienstbarkeit« erschaffen und jedem Stand spezifische Aufgaben übertragen.

Dem Klerus ist es zugewiesen,
daß er da betet, Tag und Nacht,
um Gottes Kraft für beide Stände.
Der Ritterschaft obliegt der Kampf
für beide vorgenannten Stände.
Der Dienstbarkeit ist auferlegt,
daß sie ihr Tagewerk vollbringt
für unsre Nahrung und für sich.

Die jahrhundertealte Ständelehre – ohne jede Einschränkung, ohne
jede Korrektur! Hier wird das Bürgertum nicht einmal zur Kenntnis genommen; daß die Bürger mehr und mehr politische und ökonomische Macht gewannen, war für Oswald nicht vorgesehen, war
gegen die (vom Adel entworfene, Gott zugeschriebene) Ordnung.
In einer Ständepredigt (Kl 113), die er ebenfalls im Alter schreibt,
wird das Bürgertum immerhin erwähnt, jedoch auf eine Stufe gestellt mit dem Bauerntum. Und die Bauern sind keine rechtsfähi-
gen, landständischen Vertragspartner, sie gehören zur Dienstbarkeit.

Wie sich Oswald in Kl 112 über Bauern äußert, ist für uns heute
empörend. Etwa wenn er ihnen jede Legitimation abstreitet, sich an
der Rechtsprechung zu beteiligen.

Ein Bauer ohne Bücherkenntnis,
der dumm ist wie ein Ochs,
was soll der mehr vom Recht verstehn
als weitgereiste Edelmänner,
als ausgebildete Juristen?
Wo kriegt er denn sein Wissen her?

Oswald ignoriert die gesellschaftliche Realität des Landes Tirol, reproduziert damalige, im Reich und in Europa übliche Vorstellungen: die Geistlichen sollen beten, die Ritter kämpfen, die Bauern und Bürger arbeiten.

Oswald, in seiner Textproduktion progressiv, eine Einmann-Avantgarde, der in seiner Zeit niemand folgte, auch nicht in den Jahrzehnten, Jahrhunderten danach – war er gesellschaftlich restaurativ, ja reaktionär?

Oswalds Gesellschaftsbewußtsein (soweit es das überhaupt gab!) war geprägt von einer Zeit, in der kritische Analyse des eigenen sozialen Standorts auch nicht ansatzweise denkbar war. Es gab Predigten gegen Auswüchse des Reichtums, gab später auch Predigten gegen die schlechte Behandlung von Bauern, aber die Ständelehre wurde noch lange nicht in Frage gestellt.

Oswald und die Hussiten: dies war kein Kampf gegen soziale Emanzipation. Das hätte vorausgesetzt: Oswald analysierte die Verbindung von sozialen Antrieben und religiöser Argumentation, erkannte die revolutionären Impulse der Hussiten, beschloß, diese für seine Klasse gefährliche Entwicklung bekämpfen zu helfen. Auf solche Gedanken wäre man damals überhaupt nicht gekommen! Auch das Hussitenlied zeigt: Es dominierten religiöse Vorstellungen. Die Hussiten erhoben sich gegen die göttliche Ordnung der Schöpfung, in ihrem Namen mußten diese Ketzer bekämpft werden. In den Hussiten sehen *wir*, rückblickend, soziale Revolutionäre, sie selbst aber, das muß betont werden, waren sich dieser mitwirkenden Antriebe kaum bewußt, sie wollten das Urchristentum verwirklichen.

Wieder ein Feldzug, an dem Oswald teilnahm; wie mag er in einer Rüstung ausgesehen haben? Wie auf dem Gedenkstein von Brixen?

Üblich war im Römischen Reich diese Ausrüstung – ich fange oben an: ein Helm, auf jeden Fall. Hier gab es verschiedene Formen und Namen. Das Visier wurde·entweder um seitliche Bolzen gedreht oder mit einem Scharnier hoch- und runtergeklappt: das Klappvisier. Dies vor allem war damals in Gebrauch. Also: Oswald wahrscheinlich mit einem Scharnier vor der Stirn, keinen Bolzen über den Schläfen. Zum festen Bestand der Ausrüstung gehörte auch die Brustplatte, sie wurde mit gekreuzten Riemen festgezurrt; der Rückenschutz vielfach aus kleinen, stoffüberzogenen Eisenplatten. Die Arme fast völlig eingefaßt von Ober- und Unterarmröhren, muschelförmigen Armkacheln, alles verzurrt mit Bändern. Die Schultergelenke durch »Schwebescheiben« abgedeckt. Ein Schurz aus Kettengeflecht. Panzerhandschuhe. Beinschutz. So war man ziemlich gut geschützt, aber es gab noch genügend Lücken, in die geschlagen, gestochen, geschossen werden konnte.

Und die Waffen, mit denen Oswald ausgerüstet war, mit denen er kämpfte, die er vielleicht zu spüren bekam? Das war vor allem das Schwert. Bis in Oswalds Zeit war recht beliebt das Krummschwert, einseitig geschliffen; der Griff meist mit einem Parierbügel geschützt. Die Blankwaffe, das Hiebschwert, das lange Kriegsschwert. Weil man mit einem Schwert bei Harnischplatten kaum noch durchkam, wurde als harnischknackende Waffe vor allem der Streitkolben eingesetzt und der Streithammer; der Streitkolben vielfach mit einem gefächerten Metallkopf; am langstieligen Streithammer ein »Rabenschnabel«, zum Aufhacken. Der Wurfspieß und die Lanze. Die Hellebarde als Hieb- und Stichwaffe: so mußte man hieb- und stichfest gewappnet sein. Als Schußwaffen bereits Büchsen; die Ritter aber benutzten meist noch Bogen und Armbrust. Die Bogen etwa anderthalb Meter lang, sie gaben den fast einen Meter langen Pfeilen eine oft sehr große Durchschlagskraft. Die Armbrust hatte den Vorteil, daß man sie auch längere Zeit gespannt vor sich hertragen konnte – einem Bogenschützen hätten da bald die Arme gezittert. Die Sehne der schußbereiten Armbrust rastete in einer

Einkerbung eines drehbaren Zylinders ein, der Nuß. Zum Spannen hatte man vielfach am Gürtel einen Haken, hier wurde die Sehne eingehängt, man setzte einen Fuß in den Bogen der Armbrust, trat ihn nach unten, bis zum Einrasten. Größere Armbrustwaffen wurden mit Flaschenzugwinden gespannt – das vergrößerte die Durchschlagskraft der Bolzen.

König Sigmund ernannte Kurfürst Friedrich von Brandenburg zum Befehlshaber des Reichsheeres. Er selbst hatte zwar einmal erklärt, er werde an diesem »Kreuzzug« gegen die Hussiten persönlich teilnehmen, aber nun hatte er sich bei einem Sturz verletzt, offenbar am Fuß, und bedauerte.

Aktivität, Initiative vor allem durch den Kardinallegaten Julian Cesarini: er mahnte, munterte auf, schloß sich dem Heer an, das sich vor der böhmischen Grenze sammelte. Es war viel kleiner als erwartet, dennoch, so erklärte er, mit einiger Entschiedenheit könne der Kriegszug gewagt werden; kehre das Heer unverrichteter Dinge zurück, sei es um den christlichen Glauben in diesen Ländern geschehen.

Den ganzen Juni blieb das Reichsheer an der Grenze des Böhmerwalds liegen; jenseits des Waldes die Hussiten. Weil sie weit und breit alles kahlgefressen hatten und weil Verhandlungen ergebnislos blieben, zogen sie sich zurück. Dadurch ermutigt, brach das Reichsheer auf, marschierte durch den Böhmerwald Richtung Tachau.

Obwohl man in Nürnberg beschlossen hatte, sich diesmal nicht mehr mit Belagerungen aufzuhalten, blieb das Hauptheer eine Woche lang vor Tachau – die Umgebung wurde geplündert, verwüstet. Am 8. August zog man weiter, in drei Marschsäulen; wohin man auch kam, die Bevölkerung wurde niedergemetzelt. »Sie hatten sich vorgenommen, die böhmische Nation auszurotten«, heißt es in einem böhmischen Bericht. Keine Strategie, nur: Verheeren, Vernichten, Liquidieren. Beginnende Auflösung der Disziplin.

Wieder blieb das Heer vor einer befestigten Stadt liegen: Taus. Kurfürst Friedrich plante freilich keinen Angriff, er stellte sich auf Verteidigung und Rückzug ein. So ließ er Gepäck- und Proviantwagen hinter der Gefechtslinie aufstellen, reisefertig, von Soldaten bewacht. Das fiel auf, sprach sich herum, hob nicht gerade die Stimmung im Heer. Am nächsten Tag sah der Kardinallegat von einem Hügel aus, wie sich lange Wagenkolonnen zum Wald bewegten, aus dem sie gekommen waren; er wollte wissen, was dies zu bedeuten habe, erfuhr, was man bei solchen Fragen stets erfährt: Es handle sich um einen Befehl. Die ersten Absetzbewegungen, und noch kein Hussit in Sicht. Als man zum erstenmal von ihrem Anmarsch erfuhr, wichen die Fürsten »ein wenig hindan«. Erneut wurden Kundschafter ausgeschickt, und bald hatte Ritter Rechberg Erschreckendes zu berichten über das heranrückende Hussitenheer. Nun begann bei den hohen Herren das große Schlottern. Fern hörte man die Trompetensignale der Hussiten, das berüchtigte Hussitengebrüll, das hinausgeschriene Taboritenlied »Die ihr Gottes Krieger seid...«, mit der Schlußzeile: »Schlagt zu, schlagt tot, laßt keinen leben.« Diese akustische Demonstration reichte: Panik, beginnende Flucht, dann Massenflucht Richtung Böhmerwald. Unter den davongaloppierenden Reitern wohl auch Oswald von Wolkenstein.

Die Hussiten nahmen sofort die Verfolgung auf. Fußsoldaten, die so rasch nicht vorankamen, wurden von nachsetzenden Reitertrupps der Hussiten scharenweise niedergemacht. An der Grenze des Böhmerwalds versuchte der Kardinallegat die Flüchtenden aufzufangen, ließ Kampfeinheiten zusammenstellen, eine Wagenburg aufbauen, doch ehe man damit fertig war, griffen die Hussiten an, stachen nieder, schlugen mit Streitkolben zu, die gesamte Leibwache des Legaten fiel, er selbst konnte gerade noch fliehen. Flucht und Verfolgung in den Waldgebieten, fast alles Kriegsgut blieb zurück, Kanonen und Wagen: von 4000 Wagen sollen nur 300 über die Grenze gekommen sein, die wurden aber sogleich von Soldaten des Reichsheeres geplündert.

Am Abend konnten die Hussiten den Sieg feiern: zahlreiche Gefangene, enorme Beute. Sie soffen eroberten Wein, sprengten Pulverwagen in die Luft. Was den Siegesjubel steigerte, war die Erbeutung der päpstlichen Fahne, des Kardinalshuts, Kardinalsmantels. Hohn und Spott: Insignien der verhaßten päpstlichen Macht!

Am nächsten Morgen wurde die Verfolgung fortgesetzt in den

weiten Waldgebieten. Hochklettern auf Bäume nützte den Fliehenden nichts: die Bäume wurden gefällt, Feuer wurde gelegt. Wieder Gefangene, wieder Beute, wieder Liquidierungen. »Sie zergingen wie Rauch und zerflossen wie Wachs«, hieß es bald darauf in einem Hussitenlied.

Im Herbst kehrte Oswald nach Tirol zurück. König Sigmund gab ihm ein Beglaubigungsschreiben und eine mündliche Botschaft an Herzog Friedrich mit. Über ihren Inhalt wissen wir nichts. Persönliches? Oder eine Nachricht, die er nicht schriftlich fixieren wollte – über die wahre Lage des Reiches nach dieser Massenflucht? Der fragmentarisch überlieferte Text des Beglaubigungsschreibens läßt sich im Satz zusammenfassen: Glaub Oswald, was er sagt. Friedrich scheint Oswald geglaubt, scheint rasch reagiert zu haben.

Im Tagebuch des Reichsfürsten, Kanzlers, Bischofs Putsch finde ich für 1431 folgende Notiz: »Noch einmal reiste ich zum Herzog und blieb vierzehn Tage bei ihm. Auf seine Anordnung habe ich sämtliche Pässe besetzt und befestigt, alle Klausen, Städte und Burgen, gegen die Ungarn und andere Feinde, die das Land mit ihrem Einmarsch bedrohten.« Diese »Ungarn« konnten nur die Hussiten sein.

Man befürchtete also, der Verfolgung des geschlagenen Reichsheeres könnte eine Invasion der Hussiten folgen und sie könnten diesmal erheblich tiefer in das Reichsgebiet eindringen – der Widerstand noch geringer, die Furcht noch größer.

Zur militärischen Bedrohung kam eine Pestepidemie. Gegen Schluß der Aufzeichnungen dieses Jahres ließ Putsch notieren: »In diesem Jahr brach in Brixen eine große Pest aus, und ich floh nach Bruneck und blieb dort drei Monate mit großen Aufwendungen für meine Diener und weiteres Gefolge.«

Hatte Oswald Angst vor der tödlichen epidemischen Erkrankung? Achtete er auf mögliche Vorzeichen? Das wußte man doch, damals, das hörte man immer wieder: es fängt an mit Schüttelfrost, Fieber, mit Kopfschmerzen, Rückenschmerzen, Schmerzen in Armen und Beinen, man fühlt sich apathisch, schlapp, schwindlig, wie bei anderen Krankheiten auch, der Puls wird schwach, die Haut wird heiß, die Augen werden lichtempfindlich, die Zunge ist erst weißlich belegt, wird trocken, rot, rissig. Dann Übelkeit, Erbrechen, Galle beigemischt, Blut, der Unterleib aufgetrieben, Blut aus dem Darm, Blut aus der Blase, und Druck, Schmerz unter dem Brustbein, Atemnot, blutig gefärbter Schleim beim Husten, auch Blut. Und kleine Drüsengeschwulste unter der Haut, sie schwellen rasch an, werden zum Teil weich, platzen auf, Eiter, Gewebsfetzen, jaucheartiger Gestank. Und noch größer die Angst, wenn sich diese Pestbeulen in der Leiste, unter den Achseln, an den Oberschenkeln nicht öffnen, wenn sie wachsen und hart bleiben, da stirbt man sehr rasch. Ebenso, wenn aus dem Körper schwarze Stippchen hervorbrechen: Zunge und Schlund beinah schwarz, brennender Durst, Sprechstörungen, Zungenlähmung, Verstummen, Bewußtlosigkeit, Tod.

Gefahr für das Land, Gefahr für die eigene Person: sind auch hier Motivationen dafür, daß Oswald in dieser Zeit seine zweite Sammelhandschrift in Auftrag gab? Seine wirtschaftliche Situation konnte nach dem erneuten Zugriff des Hans von Villanders kaum miserabler sein, die Herstellung einer Handschrift aber war (selbst bei Kulanzpreisen) ein aufwendiges Unternehmen. Dokumentiert sich hier die Angst, die Hinterlassenschaft könnte vernichtet, das Werk vergessen werden?

Oswald selbst gibt das Stichwort zu solchen Überlegungen: er hat in einem späteren Liedbeginn die Angst vor dem Verstummen, vor dem Vergessenwerden artikuliert.

Und würde ich noch länger schweigen,
so wäre ich recht schnell vergessen:

paar Jährchen noch – und keiner dächt an mich!
So mach ich einen neuen Anfang nun
mit Singen – falls ich es noch kann!

Der dichterische Potenzerweis wird in diesem didaktischen Lied über zwölf Formen der Trunkenheit (Kl 117) nicht in voller Höhe erbracht; wichtig aber sind für uns diese ersten fünf Zeilen: Oswald, der ein neues Lied schreibt, um nicht vergessen zu werden – ließ er die neue Handschrift aus dem gleichen Grund herstellen?

Die erste Handschrift war in der Zwischenzeit nicht verlorengegangen, hier wurden weiterhin Lieder nachgetragen. Wenn Oswald nun (in einer wirtschaftlich noch schlimmeren Situation als 1424) eine zweite Handschrift in Auftrag gab, läßt sich damit also voraussetzen: er wollte nicht riskieren, daß sein Nachleben als Dichter und Komponist abhing vom Schicksal einer einzigen Handschrift, wollte sich doppelt absichern?

Diese neue Sammelhandschrift: war sie für Oswald so etwas wie eine ›Ausgabe letzter Hand‹?

Einige Philologen sind davon überzeugt. Schon in der repräsentativen Aufmachung der Handschrift B sehen sie einen Beweis. An der ersten Handschrift hatten allein acht Schreiber mitgewirkt, so sieht sie nicht gerade homogen aus; die zweite Handschrift dagegen wurde von nur einem Skriptor hergestellt: er ist identisch mit dem letzten Schreiber der ersten Handschrift, offenbar eine Spitzenkraft. Diese Textsammlung enthält auch das repräsentative Porträt des ordengeschmückten Dichterkomponisten, der sich – über dem Inhaltsverzeichnis – in stolzen Lettern als RITTER bezeichnen ließ, als DES ALLERDURCHLAUCHTIGSTEN KÖNIGS SIGMUND RAT IM 18. JAHR.

Und Oswald als Komponist? Es muß wieder einmal, nachdrücklich, daran erinnert werden, daß Oswald nicht allein Dichter war! Frage also jetzt: Wie hat Oswald als Komponist weitergearbeitet, seit Konstanz?

Es zeigt sich ziemlich konsequent eine Entwicklung zur Monodie. Seine Lieder über Kidnapping, Gefangenschaft, Folterung, seine neuen Reiselieder, seine Hauensteiner Winterlieder: alle einstimmig. Daraus ziehe ich den Schluß: Oswald hat in einem nur begrenzten Zeitraum polyphone Liedsätze kontrafaziert und komponiert – Höhepunkt war sein Großes Konstanzer Jahr. Hier hatte er die Möglichkeit, mehrstimmige Liedsätze aufzuführen, gemeinsam mit Musikern (vor allem aus Italien), die dazu ausgebildet waren; hier hatte er auch ein Publikum, das an polyphoner Musik interessiert war.

Da Brixen an einer der europäischen Hauptrouten lag, dürfte es auch später nicht schwer gewesen sein, reisende Musiker zu finden, mit denen er mehrstimmige Liedsätze einstudieren konnte – aber wollte man so etwas in seiner persönlichen Umgebung überhaupt hören? Oswald trat nun wohl vorwiegend vor Mitgliedern der Familie auf, vor Mit-Kombattanten im Kampf gegen den Landesfürsten, vielleicht auch vor einigen Bürgerlichen, mit denen er in Brixen zu tun hatte, beruflich – ein Publikum mit geringeren musikalischen Ansprüchen? Wenn ja: wollte Oswald auch bei diesem Publikum Resonanz finden, und er wurde in seiner Kompositionstechnik und vor allem in seiner Vortragsweise einfacher, lapidarer?

Hier soll keine These aufgestellt, nur eine Möglichkeit genannt werden. Wie hätte sich solch ein Stilwandel ausgewirkt? Nehmen wir an, Oswald hatte noch ältere Lieder im Repertoire, oder er nahm sie gelegentlich wieder in sein Programm auf, so konnte er rhythmische Figuren vereinfachen, Melismen verkürzen, melodische Sprünge ausstufen. Also: Nivellieren, Zurechtsingen. Dies geschah gewiß, wenn Oswald nicht gut disponiert war. Können wir aber generell annehmen, Oswald habe nun der musikalischen Differenzierung eine einfachere, damit (vielleicht auch) wirkungsvollere Artikulation vorgezogen?

Ein Beispiel für eine späte Arbeit kennen wir bereits: Kl 116. Der Text dieses Lieds über den Frühling zwischen Eisack, Kastelruth und Seiser Alm ist auf eine ältere Liedkomposition (Kl 40) geschrieben, und mit ihr hat Oswald differenzierte Intervallfolgen, schwierige Septsprünge übernommen. Wäre ihm dieser technische Schwierigkeitsgrad zu hoch geworden, mittlerweile, so hätte er eine andere

Vorlage suchen oder eine neue Komposition schreiben können, die seinem technischen Standard, seinem gegenwärtigen musikalischen Stil entsprochen hätte.

Auch wenn Oswald das Kontrafazieren und Komponieren mehrstimmiger Liedsätze nun wohl aufgegeben hatte (eine Ausnahme wird beispielsweise das Piacenza-Lied sein) – es kann nicht pauschal gesagt werden, bei Oswald zeige sich eine generelle Tendenz zu einer größeren musikalischen Einfachheit.

Oswald im Spätherbst, im Winter 1431: Dokumente aus jener Zeit lassen erkennen, daß er weiterhin Einkünfte aus Besitzungen zog, die ihm nicht gehörten, und daß er sich davor drückte, Schulden zu bezahlen.

Der erste, der sich in dieser Zeitphase über Oswald beschwerte, war Michael. Ich habe nirgendwo gelesen von Übergriffen Oswalds auf das Eigentum seines jüngeren Bruders, mehrfach aber von Übergriffen auf das Eigentum des älteren, in der Familie mächtigeren Michael – nur eine Überlieferungslücke?

Michael, wir hatten es schon im Jahre 1404 gesehen, besaß Anrechte auf Eigentum aus der Erbmasse der Barbara Jäger. Aber für die widerrechtliche Nutzung von Jägerschem Besitz fühlte sich Oswald wohl allein zuständig – er kassierte weiterhin Einkünfte aus solchen Besitzungen, auch wenn die seinem Bruder zustanden. Michael wandte sich nicht direkt an Oswald, jedenfalls nicht mehr in dieser Phase, er beschwerte sich beim Landesfürsten, und der diktierte am 15. November einen Brief an Oswald. »Unser getreuer und lieber Michael von Wolkenstein, Unser Rat, Dein Bruder, hat Uns berichtet, daß Du ihm seinen Anteil der Jäger vorenthältst und daß er ihn nicht von Dir bekommen kann. Wir wünschen mit Nachdruck, daß Du heute in drei Wochen vor Uns erscheinst und Dich in dieser Angelegenheit Deinem Bruder gegenüber verantwortest; Wir werden euch jeweils in Gegenwart des anderen aussagen und jeder Partei dann ihr Recht widerfahren lassen.«

Folgte Oswald, nach den schlimmen Erfahrungen vom Februar 27, dieser Vorladung? Er ignorierte diesen Gerichtstermin!

Im Dezember eine weitere Beschwerde, diesmal vermittelt durch Ulrich von Matsch junior: Johann Kellner, Schreiber in Meran, hatte seinerzeit von Barbara Jäger den Dörrhof übernommen, Oswald aber hatte den Hof weiter in seiner Gewalt. Ein Schlichtungstermin wurde angesetzt – sicher hat sich Oswald auch in diesem Fall einen Dreck darum geschert.

Auch Bischof Ulrich von Brixen mußte eine Beschwerde über Oswald aufnehmen: Kunz Kramer aus Brixen beklagte sich darüber, daß Oswald eine Schuldsumme noch immer nicht zurückzahlte. Der Bischof gab Oswald den entschiedenen Rat, die Sache möglichst rasch zu klären, sonst müßten Rechtsmittel eingesetzt werden. Nützte diese Drohung etwas, bei Oswald, in dessen Situation?

Ein Thema mit Variationen: Oswald wollte und konnte nicht zurückgeben, worauf andere berechtigte Ansprüche erhoben. So blieb auch Herzog Friedrichs Vermittlungsversuch ohne Ergebnis. Am 4. Dezember, nach Ablauf der gesetzten Frist, diktierte Friedrich noch einmal einen Brief an Oswald, der Wortlaut weithin identisch mit dem vorherigen Schreiben; erneut wurde ein Rechtstermin angesetzt. Ob Oswald ihn diesmal wahrgenommen hat?

D er sehr kalte Winter 1431/32: die Kälte setzte ein im November, wurde erst gebrochen nach Lichtmeß. Auf Rhein und Donau fuhren Lastkarren, überall im Reichsgebiet verhungerten, erfroren Menschen. Bischof Ulrich in seinem Tagebuch: »Der Winter dieses Jahres war sehr heftig, und eine so schneidende Kälte, daß unzählige Menschen erfroren und die Wölfe sehr viele Leute aufgefressen haben.«

Oswald auf Hauenstein: heulten auch in seinem Wald die Wölfe, sah er sie vorbeihuschen, von den Bergen herabkommend, auf die Hochebene ziehend? Was er ganz bestimmt gesehen hat, auch in diesem Winter wieder: Felsbrocken, Stauden, Schneestangen, Felsbrocken, Stauden, Schneestangen; die Berge; Stubenheizer in Holzschuhen. Die Familie mußte wahrscheinlich noch enger zusammenrücken als sonst im Winter – wie viele Kinder waren es inzwischen? Alle sieben? Oswald, Michael, Leo, Gotthart, Friedrich, Ursula und

Maria? Vielleicht noch andere Kinder dazwischen, die vor dem sechsten, siebten Jahr starben?

Am Ende der monatelangen Frostperiode wird auf Hauenstein das Schreiben eingetroffen sein, das König Sigmund am 10. Januar in Piacenza in der Lombardei diktiert hatte: »Edler und lieber Gefolgsmann. Deine Anwesenheit in diesem Lande ist erforderlich, denn Wir brauchen Dich für verschiedene Sonderaufgaben. Darum wünschen Wir dringlich, daß Du Dich so bald wie möglich zu Uns begibst; Wir dulden darin keinerlei Verzögerung.«

S chon seit mehreren Jahren hatte König Sigmund geplant, sich in Rom zum Kaiser krönen zu lassen; im Herbst 1431 war er aufgebrochen.

Amtsvorgänger früherer Jahrhunderte waren mit oft riesigen Heeren über den Brenner gezogen, um sich den Weg zur Kaiserkrönung freizuwalzen, Sigmund aber hatte einen nur kleinen Trupp. Denn die Reichsstände unterstützten diesen Romzug nicht, sie sahen nicht ein, weshalb Sigmund ausgerechnet in einer so kritischen Situation nach Italien wollte: im August noch die Massenflucht bei Taus, weiterhin die Gefahr einer erneuten Invasion der Hussiten. Außerdem war wenige Monate zuvor das neue Konzil in Basel eröffnet worden: eins der wichtigsten Verhandlungsthemen sollte die Lösung des Hussitenproblems sein. Sigmund aber ernannte einen stellvertretenden Schirmherrn, ließ sich in Basel gar nicht erst blicken.

Um an Geld zu kommen, berief er einen Reichstag nach Frankfurt, aber die Vertreter der Reichsstände blieben vorsichtshalber fern, sie wußten, der König würde eine Beisteuer fordern – so blieb er auf diesem Reichstag allein mit seinem Anhang. Kein Geld also. Und erst recht keine Truppen; zu groß die Angst vor den Hussiten. So hatte Sigmund nur ein geringes Reisebudget, als er aufbrach; etwa 800 Reiter begleiteten ihn, meist Ungarn.

Sigmund hoffte auf Unterstützung, vor allem durch den Herzog von Mailand. Mit ihm hatte er ein Bündnis geschlossen zum gemeinsamen Kampf gegen Venedig und Florenz. Philipp Maria Visconti hatte dabei zugesichert, er werde Sigmund mit gebührenden Ehren in Mailand empfangen, werde dafür sorgen, daß er die Eiserne Krone der Lombardei erhalte, werde ihm während seines Aufenthalts in Italien monatlich 5000 Gulden zahlen, werde ihm Truppen mitgeben für den weiteren Weg nach Rom.

Sigmund, manchmal allzu optimistisch, zog von Nürnberg über Donauwörth, Augsburg und Lindau nach Feldkirch. Hier blieb er mehr als einen Monat; er hoffte, die Reichsstände würden ihm doch noch Gelder und Truppen schicken – aber nichts kam. So brach er in der zweiten Novemberwoche wieder auf, überquerte die Alpen, erreichte Mailand am 21. November.

Hier begann ein eigentümliches Versteckspiel: der Herzog Philipp Maria Visconti ließ grüßen, übermittelte gute Wünsche, sehen aber ließ er sich nicht, obwohl er sich in Mailand aufhielt. Der Mailänder Erzbischof setzte König Sigmund die Eiserne Krone auf; der Herzog ließ dazu gratulieren. Sigmunds eigentliches Ziel war freilich die Kaiserkrone, er brauchte dringend eine Truppenverstärkung, um nach Rom zu kommen: in Italien wurde wieder einmal Krieg geführt.

Dies war auch der Grund, weshalb der Herzog von Mailand sich nicht sehen ließ, er hätte sich einen König gewünscht, der ihn mit großem Truppenaufgebot aktiv unterstützte, dieser Sigmund aber war kein militärischer Faktor, das ließ ihn der Herzog spüren: wochenlang hielten sie sich in derselben Stadt auf, noch immer keine Begegnung, so oft auch Sigmund darum bat.

Der Herzog wollte den nutzlosen Gast aus Deutschland loswerden, und so ließ er den Vorschlag überbringen, man solle sich südlich von Mailand treffen, in Piacenza. Sigmund zog folgsam dorthin, aber nun ließ sich der Herzog erst recht nicht blicken. Und erst recht keine Gelder und Soldaten. So saß Sigmund fest in Piacenza und war sicher froh, als Oswald von Wolkenstein aus Tirol kam.

Oswald schrieb während seines Aufenthalts in Piacenza ein Lied: Kl 103. Es läßt erkennen: in Piacenza herrschte mehr Galgenhumor als Frohsinn. Ein offenbar kalter, nasser Frühling – was sich Oswald auf Hauenstein von dieser Italienreise erträumt haben mochte, es traf nicht ein.

Wer seine Augen beizen will im Ofenqualm,
wer lebensmüde ist, mit guten Zähnen
schlecht essen will, auf Stroh sich betten,
der reis mal in die Lumpardei –
dort wird ihm gleich die Lust vergehn!
Tief ist der Straßendreck, teuer das Brot!
Bigotterie und Perfidie –
das findet man dort täglich neu.
Dies ist ein Fraß, den ich nicht kau!

Wer schlechtgewogne Hechte kaufen will
(mußt feilschen, Freund, sonst fällst du rein!)
und einen, dessen Leber steinschwer ist,
der frage nach der Kaiserkanzlei,
wo man an solche Fische kommt.
Mann aus Jülich, sag, was kost ein Pfund?
Cinque soldi, tre zecchini –
so viel ist wert das feine Leberchen
von diesem »leeven Heschtelschen«.

Hermann, Marquart! In Konstanz, Ulm, ja das war Leben!
Wir fanden Lust an schönen Lippen!
Und säß mein alter Freund noch hinterm Ofen,
das wäre beßre Lustbarkeit
als sich den Beutel leeren lassen
in Piacenza; die gute Absicht
wird hier schwach (und trotzdem gute Miene!),
so daß mein Schreiber reichlich oft
von seinen Sorgen jammern muß.

Sebastian, wärst du ein Ochs in Florenzola
oder ein »caniola« und zögst »cum dola«
täglich Mist auf einem schweren Wagen –
das ging mir ein wie Honigseim!
Fürwahr, ich wünsch dir einen Schlag
auf deine Brust, wie du ihn mir verpaßt,
voll böser Raublust, grob wien Stier.
So geige ich dir gerne heim!
Und kriegst du mehr ab, mir wärs recht!

Der Text dieses zweistimmigen Liedsatzes wurde wieder einmal für eine genau umgrenzte Zuhörergruppe geschrieben. Wir aber werden öfter vor die Frage gestellt: Wovon, bitte, ist hier die Rede? Was ist beispielsweise mit dem Hecht los? Vom Einkauf eines Hechtes auf einem Fischmarkt wird gewiß nicht berichtet, hier wird wohl mit einem Namen gespielt. Bei Norbert Mayr lese ich, daß der königliche Sekretär und Protonotar Hermann Hecht gemeint ist.

Und was ist mit der Leber dieses Mannes? Oswald bezeichnet sie als »ain staine leber«, das heißt, nach Mayr: eine Leber, die einen Stein schwer ist – eine Gewichtsangabe. Dieser Sekretär Hecht war also ein Mann mit einem Trumm von einer Leber. Was aber soll die Frage nach dem Preis für ein Pfund Leber? Achselzucken, auch unter Fachleuten.

Sonst hat man schon allerlei herausgefunden. Zum Beispiel: der »Mann aus Jülich« muß Peter Kalde aus Stetternich bei Jülich sein, ein geistlicher Würdenträger. Auf das heimische Idiom dieses Mannes spielt Oswald mit einem kurzen Zitat an – ein original rheinisches Diminutiv.

Der Marquart, der neben Hermann Hecht angerufen wird, ist der Registrator Marquart Brisacher aus Konstanz, oft nachweisbar in königlichen Urkunden jener Zeit. Und der Freund hinterm Ofen war wohl Mathias Schlick: königlicher Sekretär, Bruder des Kanzlers Kaspar Schlick.

Eine Anmerkung noch zur Kanzlei: Oswald schreibt von »des kaisers canceleie«, und das ist verwunderlich, denn zu diesem Zeitpunkt war Sigmund noch längst nicht zum Kaiser gekrönt. Es wird in Dokumenten unterschieden zwischen rex und imperator. In diesem Punkt war Oswald gewiß kein Versehen unterlaufen, es muß Absicht gewesen sein: Für uns, unter uns, ist er längst schon Kaiser; wir jedenfalls haben das Gefühl, in einer kaiserlichen, nicht bloß königlichen Kanzlei zu arbeiten... Kleine Aufmunterung für Sigmund, der gewiß unter den Zuhörern saß?

In der letzten Strophe wird ein Italiener besungen, auf den man sich bisher keinen Reim machen konnte. Ich nehme an, er war ein Straßenräuber, der Oswald überfallen und ausgeplündert hat – einen indirekten Beweis werde ich bald vorlegen.

Warum Sigmund in Italien noch lange warten mußte auf die Kaiserkrönung, warum Oswald schon einige Wochen später nach Basel geschickt wurde, dies muß begründet werden durch einige Hinweise auf das Konzil von Basel.

Die großen Probleme der damaligen Kirche, Ketzerei und Reform, sollten in Basel endlich gelöst werden. In Konstanz hatte man durch die Verbrennung des Jan Hus das Hussitenproblem erst richtig geschürt; die Beschlüsse zur Frage der Kirchenreform waren unzureichend gewesen. Das nächste Konzil, 1423 in Pavia, mußte wegen einer Pestepidemie nach Siena verlegt werden, wurde dort aber wegen zu geringer Beteiligung aufgelöst. Aber man hatte noch beschlossen, auf dem nächsten Konzil in Basel Beschlüsse zu fassen zur Bekämpfung der Ketzerei, zur Reform der Kirche »an Haupt und Gliedern«. Ein großer Teil der Geistlichkeit war mehr mit den Gliedern als mit den Häuptern aktiv; immer zahlreicher, dringlicher die Klagen über den Klerus.

Das Verhandlungsthema Ketzerei: hier sah man sich doppelt bedroht, durch Hussiten und Türken. Die Serie von Niederlagen in Böhmen hatte gezeigt, daß das Hussitenproblem militärisch nicht mehr zu lösen war; man wollte verhandeln, ehe sich die ›Irrlehre‹ in Europa durchsetzte, ehe eine neue Invasion stattfand. Die Hussiten zeigten Verhandlungsbereitschaft; der Krieg dauerte bereits zwölf Jahre, die Aufwendungen für die Heere waren enorm hoch, dazu ein

sehr trockener Sommer 1431, der sehr kalte Winter danach: Miß-
ernten und Hungersnot. Auch dies machte die sonst siegreichen
Hussiten kompromißbereit.

Nicht zu Kompromissen bereit waren dagegen die Türken. Deshalb wollte sich die griechisch-orthodoxe Kirche des bedrohten
Stadtstaates Byzanz mit der römischen Kirche arrangieren, in der
Hoffnung, militärisch unterstützt zu werden; Konstantinopel
mußte gehalten werden.

Höchst aktuelle Probleme also, eine brisante Lage. Die Voraussetzungen zu einem gemeinsamen Handeln der europäischen
Mächte waren freilich minimal. England und Frankreich setzten die
jahrzehntelange wechselseitige Zerfleischung fort; Jeanne d'Arc
war inzwischen aufgetreten, war verbrannt worden. Der fort-
dauernde Krieg zwischen dem Ordensland Preußen und Litauen-
Polen; der Handelskrieg zwischen den skandinavischen Ländern
und der Hanse; selten Ruhe auf der Iberischen Halbinsel; das Reich
zersplittert, Spannungen zwischen Regionalmächten.

So sah man, wie Aschbach in seiner *Geschichte des Kaisers Sigmund* betont, nur eine Möglichkeit: ein neues Konzil der geistlichen
und weltlichen Mächte Europas. Hier sollte der gordische Knoten
gelöst werden; hier hoffte man, durch Verhandlungen die Hussiten-
gefahr bannen zu können; hier sollte auf wundersame Weise ein
Zusammenschluß gegen die Türken erfolgen; hier sollten die Kirchenreformen beschlossen werden.

Das Konzil machte einen kümmerlichen Anfang im Februar
1431. Erneute Einladungen an säumige Teilnehmer; Beginn der
Diskussionen über Kirchenreformen; Unterhandlungen mit Hussiten über eine Teilnahme am Konzil: die Hussiten forderten Geiseln,
der Betrug von Konstanz sollte sich in Basel nicht wiederholen.

Entschiedenen Widerstand fand das Konzil beim neuen Papst
Eugen IV. Es wiederholte sich die alte Konstellation: Das Konzil
etablierte sich als höchste kirchliche Autorität, der Papst sah in sich
die höchste kirchliche Autorität, also lehnte er das Konzil ab, wollte
es auflösen. Dies teilte er König Sigmund mit, dem Schutz- und
Schirmherrn des Konzils, der sich während der Eröffnungsphase
freilich in Mailand aufhielt. Papst Eugen nannte mehrere Gründe

für die Notwendigkeit einer Auflösung. Erstens: die Zahl der Teilnehmer in Basel sei zu gering, deshalb könnten dort Entscheidungen über die Kirche nicht getroffen werden. Zweitens: diese Stadt sei zu weit von Rom entfernt, die Winterreise über die Alpen könne ihm nicht zugemutet werden. Drittens: für die Gespräche mit Vertretern von Byzanz sei eine italienische Stadt geeigneter. Viertens: mit Erstaunen habe er vernommen, in Basel solle mit Hussiten verhandelt werden – dies sei eine Mißachtung des apostolischen Stuhls und der heiligen Kirche, denn mit Ketzern werde nicht verhandelt! Eugen schickte eine Auflösungsbulle nach Basel, nannte als neuen Tagungsort Bologna.

Sigmund erklärte ihm, er mißbillige die Auflösungsbulle. Nach Basel schrieb er, das Konzil stehe weiterhin unter seinem Schutz.

Von beiden Seiten kamen entschiedene Erklärungen. Sigmund ließ durch eine Delegation dem Papst förmlich und unmißverständlich klarmachen, er sei entschlossen, mit allen Kräften das Konzil zu unterstützen; der Papst möge sich überlegen, ob er sich und seinen Kardinälen mit einer Auflösung des Konzils nicht letztlich den Untergang bereite. Zugleich gab er nach Basel den Wink: hart bleiben, der Papst wird schon weich werden. Der Papst wiederum bezeichnete das Konzil als »sogenanntes« Konzil und bestand darauf, es solle sich auflösen, wie angeordnet. Und er machte Sigmund die Spielregeln klar: Erst Auflösung des Konzils, dann Kaiserkrönung. So dauerte Sigmunds Aufenthalt in Italien schließlich zweieinhalb Jahre! Aber man dachte damals in anderen Zeitdimensionen: das Konzil dauerte insgesamt siebzehn Jahre!

Um die Sache wenigstens äußerlich etwas in Bewegung zu bringen, zog Sigmund im März von Piacenza nach Parma. Der Herzog von Mailand hatte sich noch immer nicht sehen lassen; als äußerste Konzession hatte er 600 Reiter zur Verfügung gestellt, aber keine Gelder. Sigmund mußte Schulden machen, wie immer, wollte sie offenbar auf verschiedene Städte verteilen, nun war Parma an der Reihe. Von dort aus führte er über Delegierte die Verhandlungen mit Papst Eugen weiter.

Anfang 1432 hatte Sigmund kurz nacheinander zwei Delegationen zum Vatikan geschickt. Sprecher der zweiten Gesandtschaft war Dr. Nikolaus Stock, mit dem Oswald dann nach Basel reiste.

Die Gesandtschaft brach am 20. Februar in Piacenza auf. Der Papst gewährte ihr eine Audienz am 17. März. Stock trug vor, der König werde eher die Kaiserkrone als das Konzil aufgeben. Der Papst äußerte sich noch nicht dazu, wollte zuvor die Rückkehr einer eigenen Delegation abwarten.

So fand die nächste Audienz erst am 24. April statt. Der Papst, so leise sprechend, daß man ihn nur in unmittelbarer Nähe hören konnte, äußerte sich über die dubiose Haltung des Königs zur Hussitenfrage, über dessen Einmischung in italienische Angelegenheiten. Er kündigte an, er werde eine Gesandtschaft nach Basel schicken; je nach Ergebnis werde er über Fortsetzung, Auflösung, Verschiebung oder Verlegung des Konzils entscheiden. Als darüber eine Diskussion entstand, erklärte der Heilige Vater, er sei nicht gewillt zu disputieren.

Am 18. Mai ließ König Sigmund einen Schutz- und Geleitbrief ausstellen für Oswald von Wolkenstein. Auch dieses Dokument im Nürnberger Archiv: ein sehr repräsentatives Stück! Auseinandergefaltet ist es gut einen halben Meter breit, einen viertel Meter hoch. Dieses Pergamentblatt (der Geleitbrief mußte wasserfest sein in einer Zeit, in der es noch keine regenfeste Kleidung gab!) wurde mehrfach zusammengefaltet, ungefähr auf Paßgröße.

Zuerst entbietet der König den Fürsten, Grafen, Rittern, Amtsleuten, Bürgermeistern, Zöllnern und so weiter aller Städte und Gemeinden und sonst allen Untertanen, denen dieser Brief vor Augen oder zu Ohren kommt, seine gnädigen Grüße und Wünsche. »Den Ritter Oswald von Wolkenstein, Unseren Diener und lieben Gefolgsmann, haben Wir als besonderen Gnadenerweis mit Leib und Gut in Unseren und des Heiligen Reiches Schutz und Schirm genommen und ihm, kraft dieser Urkunde und Römisch Königlicher Macht, sicheres und freies Geleit zugesichert. Wir haben vernom-

men, daß dieser Oswald auf mancher Reise gegen alles Recht überfallen und rücksichtslos beraubt worden ist. Das befremdet Uns
aufs äußerste und erscheint Uns ungebührlich; Wir sind nicht ge-
neigt, so etwas hinzunehmen.« Und noch einmal wird gefordert,
mit besonderem Nachdruck: keine ungesetzlichen Handlungen gegen Oswald, seine Diener, sein Hab und Gut, keinerlei Behinderun-
gen! Versiegelt mit anhängendem (inzwischen leider abgeschnitte-
nen) Siegel. Parma in der Lombardei.

D r. Nikolaus Stock sollte dem Konzil von den jüngsten Unterhandlungen mit dem Papst berichten. In einem Schreiben an
seinen Stellvertreter in Basel, den Herzog von Bayern, kündete Sigmund am 18. Mai den »ehrbaren Magister Nikolaus Stock, Lehrer
des Kirchenrechts«, und den »edlen Oswald (›Oswolten‹) von Wolkenstein« an. Dr. Stock und Oswald von Wolkenstein wurden nun
auch vor dem Baseler Konzil akkreditiert: »Mittimus honorabilem
magistrum Stock, decretorium doctorem, adiuncto sibi nobili viro
Oswaldo de Wolkenstein fideli nostro« – die Herren würden über
nähere Umstände verschiedener Punkte berichten, man möge ihnen
glauben wie ihm selber.

Ein ehrenvoller Auftrag für Oswald, aber was hatte er mit diesen
Verhandlungen zu tun? Oswald war Repräsentationsfigur: die
Standesperson, die den Bürger begleitet; so erhielt die königliche
Delegation Rang und Würde.

Wohl am 19. Mai brachen die beiden Herren mit ihren Knechten
auf; am 4. Juni erreichten sie die Konzilsstadt. Der Empfang der
Delegation war ehrenvoll: die Bischöfe von Como und Lausanne
kamen ihnen mit großem Gefolge vor dem Stadttor entgegen.

Am 7. Juni erstattete Dr. Stock vor der Generalversammlung Bericht; über eine Teilnahme Oswalds ist nichts vermerkt.

Ich nehme an, er hat sich in Basel ein paar angenehme Wochen gemacht: noch einmal Konzilsatmosphäre! In Gassen, auf Plätzen die Tische, die Stände, die Buden von Schneidern und Goldschmieden, von Schustern und Kürschnern, von Juwelieren und Geldwechslern, von Metzgern und Fischern, von Pastetenbäckern und Kerzenziehern. Delegationen, Verhandlungsteilnehmer zu Fuß, auf Pferden. Zwischendurch ein festlicher Umzug. Viel Glockenläuten. Vielleicht nahm Oswald an Tanzveranstaltungen teil. Vielleicht Besuche in einem der beiden neu eingerichteten Bordelle an der Stadtmauer. Wahrscheinlich sang er Lieder vor herrschaftlichem Publikum. Sicherlich stimmte er ein in die allgemeinen Klagen über die viel zu hohen Preise – das Fleisch, die Eier, das Brot, der Wein, die Zimmer, die Frauen, alles überteuert. Wohl auch, weil ihm das Geld ausging (das er in Parma erhalten haben dürfte), wird er im Juli die Konzilsstadt verlassen haben, um zurückzukehren nach Tirol.

Nach seiner Rückkehr wird Oswald bald die Schreibstube (von Neustift?) aufgesucht haben, um zu sehen, wie weit die Sammelhandschrift inzwischen gediehen war. Lag zu dieser Zeit das Porträtgemälde schon vor, fertig zum Einbinden, oder wurde es jetzt erst angefertigt?

Einige Autoren nehmen an, Oswald habe das Bild in Italien malen lassen, sogar von Pisanello. Der Meister hatte den König, seinen Kanzler und einen weiteren Mitarbeiter porträtiert, vielleicht in Piacenza, und so hätte Oswald die Chance wahrgenommen, sich auch gleich malen zu lassen. Ich habe hier Zweifel. Beispielsweise hätte Oswald die Abmessungen der Handschrift im Kopf haben müssen, denn dieses Bild ist auf Maß gearbeitet. Solange Kunsthistoriker nicht schlüssig nachweisen, daß dieses Porträtbild von Pisanello stammt, setze ich voraus: es wurde, speziell für diese Handschrift, von einem (vielleicht durchreisenden) Künstler in italienischer Manier gemalt. Ein Bild von hoher Qualität.

Das erste realistische Gemälde eines deutschsprachigen Dichters und Komponisten! Oswald mit allen Zeichen der Repräsentation:

rotes, golddurchwirktes Gewand; violette, mit Hermelin verbrämte Samtkappe; pelzbesetzter Kragen; die goldene Kette des Kannenordens mit dem Greifen; die weiße, diagonale Schärpe; der Drachenorden. Oswald über die Topps beflaggt!

Ich habe dieses Bild lange Zeit nur auf Reproduktionen gesehen, meist postkartenklein. Obwohl ich die Maße des Bildes kannte, war ich überrascht von seiner Größe, als ich mir in der Innsbrucker Universitätsbibliothek die Handschrift B anschaute: dieses Bild ist 46,5 mal 32,5 Zentimeter groß! In diesem Format zeigen sich Details, die kleinformatige Reproduktionen unsichtbar machen: die geduldig gemalten Bartstoppeln etwa.

Aufregend die schwarze Pinselvorzeichnung, die man auf der Rückseite des Pergamentblattes sieht und die sich deutlich abhebt, wenn man das (in Tempera gemalte) Bild vors Licht hält: da zeigt sich, daß dieses realistische Gemälde noch aufgeschönt ist. Das Doppelkinn wulstiger, zusätzlich Halsfalten, tiefe Kerblinien zwischen Nasenflügeln und Mundwinkeln, noch betonter die vorgeschobene Unterlippe mit der Narbe, und auf der Nasenspitze so etwas wie eine Warze.

Die Wolkenstein-Handschrift B: ich halte sie in Händen; vielleicht sogar mit dem Einband, mit dem Oswald sie in Händen hielt; der Holz- und Ledereinband stammt offensichtlich aus dem 15. Jahrhundert, wurde irgendwann einmal restauriert, das helle, fast weiße Leder unterlegt mit braunem Leder; eine Schnalle, die ebenfalls aus der Gotik stammt – »ave« steht auf ihr und »Yhs«; die Eckbeschläge sind verlorengegangen, aber im weißen Leder sehe ich die kleinen Nagellöcher.

Auf dem ersten Pergamentblatt, dem Deckblatt, ein paar Buchstaben und Wörter. Das Gemälde. Gegenüber das Inhaltsverzeichnis. Darüber in vier Zeilen ein Zertifikat: »Im Jahre 1432, am ersten Samstag nach St. Augustin, ist dieses Buch gedichtet und vollendet worden durch mich, Oswald von Wolkenstein, Ritter, des allerdurchlauchtigsten Römischen Königs Sigmund etc. Rat im 18. Jahr.« Hier war gemeint: an diesem 30. August wurde die Herstellung der Handschrift beendet, zumindest im Hauptteil – später wurden Lieder nachgetragen. Das Inhaltsverzeichnis ist mit wenigen Titeln fortgesetzt auf der nächsten Seite. Dann, gegenüber, das erste Lied: »Ain anefangk«. Darunter das Beglaubigungsschreiben, fragmentarisch, das König Sigmund seinem »Rat und lieben Gefolgsmann« an Herzog Friedrich mitgegeben hatte. Viel Repräsentation!

Ich blättre weiter: drei Seiten lang die Texte der sieben Lieder über die Zeit in Prissian und Forst. Die Strophen sind jeweils durchgehend geschrieben, mit dunkelbrauner Tinte. Zäsuren, Zierstriche, die meisten Notenlinien, technische Anmerkungen in roter Tinte. Die Noten meist braunschwarz, manchmal rot. Die Initialen blau und rot. Das sehe ich mir an, Blatt um Blatt: 48 Blätter insgesamt, doppelt so viele Seiten also.

Die Innsbrucker Wolkenstein-Handschrift B: Jahrhundertelang die Gefahr, daß sie beschädigt wurde, durch Ratten, durch Wasser, daß sie zerstört wurde, durch Feuer, daß sie verräumt, verschlampt wurde von Nachkommen, die sich längst an Buchdruck gewöhnt hatten, sich nicht mehr für so eine alte Schwarte interessierten, das Bild rausgerissen, der Rest weggeworfen – die Texte verstand man ja kaum noch, und was sollte man mit dieser altmodischen Musik anfangen? Aber die Handschrift blieb erhalten, die längste Zeit wohl im Familienbesitz, bis sie Graf Arthur schließlich an Kaiser Franz Joseph I. verkaufte, für 6000 Gulden. (Ausgerechnet 6000 Gulden: kleine Familienrache am Habsburger?) Der Kaiser übergab sie der Universitätsbibliothek Innsbruck.

Die zahlreichen Möglichkeiten des Verlustes bedenkend, staune ich, daß die Handschrift nun vor mir liegt. Noch einmal, abschließend, betrachte ich das Porträtbild, das Oswald von sich malen ließ und auf dem er sich gemalt sah: plötzliches Einschrumpfen von Zeitdistanz. Das Buch wieder auf dem Tisch: Präsenz des Gegenstandes.

König Sigmund in Italien: sieben Wochen Parma, die Verhandlungen mit dem Vatikan weiterhin ergebnislos. Papst Eugen ließ ausrichten: Sigmund hätte erst einmal den Krieg gegen die Hussiten beenden sollen, ehe er sich in italienische Angelegenheiten einmische! Und was das Verhältnis zur Kirche betreffe: Sigmund habe dem Papst und der Kirche zu gehorchen, habe sie zu verehren. Und er drohte: schon viele hätten versucht, der Kirche Gottes und seinem Statthalter zu schaden, doch Gott habe sie erniedrigt.

Die Wut des Königs wuchs; er brach mit seinem kleinen Heer auf. Als der Papst das erfuhr, ließ er Truppen sammeln und an der Nordgrenze des Kirchenstaates aufstellen. Der König, nun vollends in Rage, forderte das Konzil auf, diesen Papst abzusetzen. Das geschah nicht, immerhin aber wurde vom Konzil Anklage erhoben gegen den Papst, wegen Ungehorsams. Zugleich forderte man den König auf, endlich nach Basel zurückzukehren: eine Kaiserkrönung sei in dieser Lage nicht mehr zu erwarten.

Sigmund aber wollte nicht aufgeben, nicht ums Verrecken. Er wartete, verhandelte in Lucca, in Siena – hier mußte er weitaus länger bleiben als geplant: die Stadt wurde von Florentinischen Truppen belagert; von Juli 32 bis Mai 33 saß Sigmund fest, verglich sich mit einem wilden Tier im Eisenkäfig. Er langweilte sich in Siena, verkürzte sich die Zeit, so gut und oft es ging, mit Liebschaften, Gelagen, ließ durch seine Kanzlei weiterhin Briefe und Anordnungen schreiben. Der Erfolg: aus Basel wurde dem Papst mitgeteilt, falls er nicht binnen sechzig Tagen die Auflösungsbulle zurücknehme, werde ihm der Prozeß gemacht.

Nun wurde Eugen klar, daß er die Partie verloren hatte; am 16. Februar erkannte er das Konzil von Basel an – offiziös, noch nicht offiziell. Ein Erfolg für Sigmund. Aber noch immer saß er fest in Siena. Kanzler Schlick verhandelte mit dem Papst, erreichte dies: Sigmund wird gekrönt, wenn er sich verpflichtet, den Papst in all seinen Rechten zu schützen; die Kosten der Krönung trägt der Papst. Der Gegenspieler nun als Schutzherr des Heiligen Stuhls – Politik! In Viterbo trafen sich Papst und König; Geheimklauseln wurden ausgehandelt. Sigmund forderte vom Konzil ein milderes

Verhalten gegenüber dem Papst – man möge den Frieden der Kirche nicht stören.

Wahrscheinlich ritt Oswald zu dieser Zeit noch einmal nach Italien, um an der Kaiserkrönung teilzunehmen.

Ein Hinweis auf die Reise läßt sich herauslesen aus Oswalds großer Rechtsrede, die er fünf Jahre später schreibt oder beendet; hier äußert er sich sehr abfällig über römische Rechtspraktiken und römischen Klerus, bemerkt, er habe dies in Rom selbst erlebt.

In der Dokumenten-Überlieferung bietet sich eine passende Zeitlücke an. Am 4. April 1433 vollzog Oswald mit einem Brixener Bürger einen Gütertausch. Danach fünf Monate lang kein urkundlicher Beleg. Am 1. September tauschte Oswald mit Bischof Ulrich landwirtschaftlichen Besitz gegen Stadthäuser in Brixen und Klausen.

Es ist also anzunehmen, daß Oswald dabei war, als Sigmund zu Christi Himmelfahrt feierlich in die Stadt Rom einzog, vor 600 Soldaten zu Pferd, 800 Soldaten zu Fuß. Vorangetragen wurden seine Königsinsignien: Krone, Zepter, Schwert, Reichsapfel. Auf den Stufen der Peterskirche in vollem Ornat der Papst; rituelle Begrüßung. Am Pfingstfest, dem 31. Mai, die Kaiserkrönung. Dazu werden von Eberhard Windecke tolle Dinge erzählt: Sigmund kniend vor dem thronenden Papst, Eugen hatte ihm die Kaiserkrone nicht genau waagrecht aufgesetzt, sie hing leicht nach rechts, der Papst schob sie mit dem Fuß zurecht, gab Sigmund den Segen. Bei der Schwertübergabe hielt er Sigmund die Spitze hin – der Marschall griff zu, drehte das Schwert so, daß der Kaiser nicht in die Schneide greifen mußte, das Ritual wurde fortgesetzt. Historiker fragen sich, ob der Augenzeuge Windecke hier richtig gesehen hat.

Oswald in Italien: was sah er in Piacenza, in Parma, und nun in Rom?

In einem Museumsbüro sehe ich eine Originalausgabe der Rom-Radierungen von Piranesi, blicke neugierig hinein, schaue sie mir genau an: in diesem Italien des 18. Jahrhunderts ist noch viel vom

Italien des 15. Jahrhunderts zu sehen, in dem Oswald war. Eine Welt mit rauher, rissiger, faltiger, schrundiger, knotiger Oberfläche, der Blick verhakt sich an zahllosen Details, gleitet nicht ab, tastet sich langsam voran. Auf den Straßen, auf den Plätzen noch keine Pflasterung, nur auf dem Petersplatz, sonst Rinnen, Mulden – diese Straßen sind bei Regen aufgeweicht, tief ausgefahren, und Staub wirbelt hoch bei Trockenheit. Auf einem Platz Säulentrommeln – liegen dort seit Jahrhunderten, niemand kommt auf den Gedanken, sie wegzuschaffen: man setzt sich drauf, lehnt sich dran, und wer zu Fuß, zu Pferd, im Wagen kommt, weicht vor diesen Säulentrommeln eben aus. Und Grün auf Hausdächern, Kirchendächern, Grün aus Mauerschrunden, Mauerrissen, Mauerfugen, Grün auf Sockeln, Gesimsen, Kanten, das wächst dort, also wächst es weiter. Und mitten auf den Straßen, Plätzen: Stände, Verschläge, Buden von Händlern. Und Bäume, Büsche auf einem Platz vor einer Kirche, Bäume und Büsche in den Außenwinkeln von Kirchenbauten. Und ein alter Torbogen vor einem neuen Kirchengebäude und vor dem Torbogen ein großer Steinbrocken. Kein Begradigen, Planieren, Plattieren, kein Glätten, Kaschieren, Polieren, noch nichts funktionsgerecht gemacht für rasches, leichtes Durchgleiten.

O swald versuchte (nach der Rückkehr aus Rom) noch einmal, wenigstens an einen Teil des Vermögens zu kommen, das er zehn Jahre zuvor bei Hans von Villanders hatte hinterlegen müssen.

Wo freilich Fehde- und Femeaktionen erfolglos blieben, auch ein Schreiben »ad mandatum dominis Regis«, da war mit bloßen Bitten oder Forderungen nichts zu erreichen. Hans von Villanders schickte am 22. August 1433 ein Absageschreiben an Oswald.

»Meinen Gruß. Lieber Herr Oswald, bezüglich Eurer Forderung von fünfhundert Mark und Eurer Mahnung, ich solle meine Zusage bei Eurer Schwester einlösen: meine Zusage und Euer Wunsch sind nicht vereinbar. Ungeachtet Eurer Bitte werde ich diesen Geldbetrag nicht auszahlen.«

Knapper und härter geht es kaum. Keine Ergebenheitsfloskeln zu Beginn des Briefs, nur ein Minimalgruß, und Oswald wird distanziert als Herr Oswald angeredet. Im Originaltext lautet der Schluß: »Nun wil ich auff solich begerung das gelt allso nicht außgeben.«

Herzog Friedrich hatte diesem geldschneiderischen Verwandten in die Hände gearbeitet, als er »gegen Gott und alles Recht« die Bürgschaftsurkunde zurückbehielt, trotz Urfehde. Wenn Hans von Villanders durch Freunde Oswalds aufgefordert wurde, die hinterlegten Gelder und Papiere endlich einmal zurückzugeben, wird er wohl erklärt haben: Solange der Herzog den Bürgschaftsbrief nicht zurückgibt, muß ich, zu meiner Sicherheit, die hinterlegten Gelder und Dokumente behalten.

N ach der Kaiserkrönung war Sigmund einige Monate in Rom geblieben, hatte versucht, Papst und Konzil zu versöhnen: Botschafter hin und her zwischen den Städten. Die Kirchenversammlung zeigte auch jetzt nicht die gewünschte Konzilianz, forderte den Papst vielmehr ultimativ auf, nach Basel zu kommen; er solle seine Auflösungsbulle offiziell zurücknehmen, das Konzil und damit die kirchliche Autorität der Versammlung formell anerkennen. Als Eugen diese Forderungen mitgeteilt wurden, wollte er sämtliche Bewohner und Gäste der Stadt Basel bis ins vierte Glied verfluchen, ließ es sich aber ausreden, dämpfte seinen Zorn.

In Basel wurde als Verhandlungstermin gegen Papst Eugen der 11. Oktober 33 angesetzt, aber an diesem Tag erschienen nicht (wie vorausgesetzt) Kaiser und Papst gemeinsam, nur Sigmund kam mit kleinem Gefolge auf einem Rheinschiff, nach hastiger Reise. Nachdem das Schiff angelegt hatte, soll, so wird erzählt, der Kaiser die Ratsherren als erstes um ein Paar Schuhe gebeten haben: seine Schuhe waren nach der Reise völlig verschlissen, ein zweites Paar besaß er nicht, schnell wurden ihm drei Paar Schuhe zur Auswahl vorgelegt. Und er ging, obwohl gichtgeplagt, rasch zum Münster, dort begannen die Glocken zu läuten, auch in allen anderen Kirchtürmen der Stadt. Auf dem Münsterplatz ein feierlicher Empfang. Danach wollte der Kaiser nicht in sein Quartier, er wollte sofort vor dem Konzil reden.

Wieder zeigte sich seine rhetorische Begabung, sein Verhandlungsgeschick: in wenigen Wochen erreichte er, was vorher undenkbar schien – eine Einigung zwischen Konzil und Papst. Das Konzil unterwarf sich der Autorität des Heiligen Stuhls unter den bekannten Bedingungen: Eugen muß seine Auflösungsbulle zurückziehen, muß das Konzil in seiner Rechtmäßigkeit anerkennen. Das akzeptierte nun der Papst, das Konzil triumphierte. Alle geistlichen Konzilsteilnehmer stimmten das Te Deum an, sämtliche Glocken läuteten, eine glanzvolle Prozession durch die Stadt, Sigmund voran mit den Insignien und Emblemen kaiserlicher Macht.

Am 8. Mai 1434 verabschiedete sich Kaiser Sigmund vom Konzil mit einer langen Rede, reiste ab.

Kaiser Sigmund hatte nach der Rückkehr von Rom und Basel wieder Zeit, auch an einen Oswald von Wolkenstein zu denken, und das tat er mit Dankbarkeit; zwei Verfügungen lassen darauf schließen. Im Juni wurde Oswald zum höchsten ›Vollstrekkungsbeamten‹ des Klosters Neustift ernannt.

Die Bestallungsurkunde habe ich in Nürnberg bestaunt, ein Prachtdokument: dreiunddreißig mal fünfundvierzig Zentimeter, selbstverständlich Pergament, angehängt eine lebkuchengroße, auch lebkuchenähnliche Bienenwachsform, die das kostbare Kaiserliche Siegel schützend einfaßt.

»Wir, Sigmund, von Gottes Gnaden Römischer Kaiser, allzeit Mehrer des Reiches, König zu Ungarn, Böhmen, Dalmatien, Kroatien etc., erklären und verkünden mit dieser Urkunde allen, die« etcetera, die üblichen Einleitungsformeln. Es heißt nun, das Kloster und Gotteshaus Neustift bei Brixen habe von seinen Vorfahren im Reich, von Römischen Kaisern und Königen, zahlreiche Gunst- und Gnadenerweise erhalten, und es sei in entsprechenden Urkunden niedergelegt worden, daß sich gegen diese Sonderrechte und Privilegien niemand ungestraft vergehen dürfe. »Man hat jedoch darüber Klage geführt, und Uns berichtet, daß die Freiheiten und Privilegien des genannten Klosters und Gotteshauses, seine Sonderrechte und Rechte von zahlreichen Personen wiederholt verletzt und übertreten wurden, wodurch dem Propst, dem Konvent und dem Kloster erheblicher Schaden widerfährt; dies werden Wir im Namen des Reiches weder dulden noch zulassen, und Wir wollen die Strafgelder eintreiben, die beim Übertreten solcher kaiserlichen Freiheiten fällig werden.« Welche Übergriffe hier gemeint sind, weiß ich im Detail nicht; bei Arthur von Wolkenstein-Rodenegg lese ich nur, dieses Kloster sei »infolge damals herrschender widriger Umstände von verschiedenen Adligen und ihren Anhängern mehrerer Stiftsgüter beraubt worden«.

In der Urkunde folgt nun die eigentliche Ernennung, ich kürze ab: »Da Wir besonders großes Vertrauen zum Ritter Oswald Wolkenstein haben, Unseren Rat und lieben Gefolgsmann, haben Wir nach reiflicher Überlegung, nach bestem Wissen und Gewissen dem genannten Oswald Wolkenstein und allen seinen männlichen Erben die Anweisung gegeben und ihm dazu jede Vollmacht erteilt, an Unserer Stelle die Strafgelder einzutreiben, die aufgrund solcher Übertretungen fällig werden.« Auf seine Anforderung hin solle ihn jedermann dabei unterstützen.

Oswald hat sicherheitshalber eine Abschrift dieser Urkunde herstellen lassen: »Ich, Oswald von Wolkenstein, Ritter, gebe hiermit bekannt« – und nun folgt eine kurze, einleitende Zusammenfassung, in der er sich als »bevollmächtiger Exekutor und Vollstrecker« bezeichnet.

Im Juli ließ der Kaiser für Oswald einen Lehnsbrief ausstellen über den Anteil seiner Frau am Schwangauer Reichslehen. Ein letztlich nur formaler Akt, denn Margarete hatte Oswald schon acht Jahre zuvor ihren Anteil übertragen; an den Einkünften änderte sich also nichts, sie wurden lediglich ›abgesegnet‹.

Kaiser Sigmund gab kund, daß sich der edle Ritter Oswald von Wolkenstein, »Unser Rat, Diener und lieber Gefolgsmann«, mit der demütigen Bitte an ihn gewandt habe, ihn als Lehnsträger seiner »ehelichen Hausfrau Margarete von Schwangau« einzusetzen für – und nun wird im Detail der Lehnsbesitz aufgezählt.

Diese Liste, dieses Dokument konnte Oswald vorzeigen: Ich, Oswald von Wolkenstein, kaiserlicher Lehnsträger zu Schwangau...

Das Ansehen Oswalds wird nach diesen kaiserlichen Gnadenerweisen gestiegen sein. An seinem Verhalten änderte sich freilich nichts, er gab weiterhin Anlaß zu Beschwerden.

So nahm er 1435 »Meister Peter« gefangen, den »Arzt, Diener und Hofmann« des Bischofs von Brixen. Ulrich beschwerte sich darüber beim Landesfürsten, der schickte Oswald ein knappes Schreiben: er habe Meister Peter aus dem Gerichtsbezirk Feldthurns entführt, in seine Burg, halte ihn dort weiterhin gefangen. »Das mißfällt Uns sehr und erscheint Uns ungebührlich. Wir geben Dir die dringende Empfehlung, den obengenannten Meister Peter zu Unseren, des Landesfürsten, Händen freizugeben. Auch sollst Du Dich am kommenden Margaretentag hier bei Uns einfinden und Dich in dieser Sache vor dem Genannten von Brixen verantworten.«

Derselbe Oswald, gegen den wiederholt Klagen erhoben wurden, er trat auch richtend und schlichtend auf, vor allem im Auftrag des Grafen Heinrich von Görz: Vermögensfragen, Erbfragen. Ja, 1437 wird Oswald (ausgerechnet!) »in Stellvertretung und im Auftrag des hochwürdigen Fürsten, des Herrn Bischofs zu Brixen, seines gnädigen Herrn zu Bruneck«, Recht sprechen, als »Richter des Hofgerichts«. Es geht hier um eine Geldforderung des Georg von Villanders an Bischof Ulrich, 30 Mark aus der Zollstation Klausen; Oswalds Urteil: Die Forderung des Klägers sei verjährt.

Oswald saß also zu Gericht und stand vor Gericht, Oswald fällte Urteile, und Urteile wurden über ihn gefällt...

Inzwischen war ein gutes Dutzend Jahre vergangen, seit Oswald bei Hans von Villanders Gelder und Papiere hatte hinterlegen müssen: noch immer hatte er dieses Vermögen nicht zurückerhalten. Nur in einem Punkt hatte man sich in der Zwischenzeit geeinigt: Anfang Juli 34 hatte ein Vergleich stattgefunden wegen der 600 Mark. Die Schuldscheine und Bargelder freilich gab Hans von Villanders auch jetzt nicht zurück.

Im Laufe des Jahres 35 scheint man in der Familie Wolkenstein folgenden Entschluß gefaßt zu haben: Nun tritt nicht mehr Oswald als der Fordernde auf, sondern Michael. Eigentlich, so hat man sich offenbar gesagt, eigentlich waren die Gelder und Papiere für die Bürgschaft *insgesamt* hinterlegt worden und nicht bloß für den Anteil des Hans von Villanders an der Bürgschaftssumme; er hat die Gelder und Papiere (sozusagen kommissarisch) für *alle* Bürgen in Verwahrung genommen; also konnte Michael nun, als der zweite Hauptbürge, seinen Anteil an dieser Sicherheitsleistung einfordern. Dies wird er schriftlich getan haben; die Antwort des Hans von Villanders war selbstverständlich abschlägig; daraufhin erklärte ihm Michael die Fehde, leitete Fehdeaktionen ein, vor allem gegen Pächter dieses Verwandten, der ja in der Vorderen Grafschaft Görz wohnte, an den man also nicht direkt herankam.

Oswald wollte vermeiden, daß der Streit so weit eskalierte, daß er vor den Landesfürsten gebracht wurde: er bat, Ende August, Georg von Villanders, auf Hans dahingehend einzuwirken, daß die Auseinandersetzungen in Freundschaft beigelegt würden; in gleichem Sinne wolle er sich bei Michael einsetzen.

Dieser Vermittlungsversuch scheiterte; noch im selben Jahr fand ein Schlichtungstermin statt vor Herzog Friedrich.

Diese Verhandlung wurde zur Farce, als Hans von Villanders erklärte, er habe die Urkunden über die Hinterlegung von Geldern und Papieren nicht bei sich – in der Fehde war es allein um diese Gelder und Papiere gegangen! Michael hatte ihre Vorlage erzwingen wollen, um hier eine Formulierung herauszulesen oder hineinzuinterpretieren, die ihm die Möglichkeit gab, einen Teil des Vermögens zurückzufordern. Die Taktik des Herrn von Villanders ist hier deutlich zu erkennen: Zeit gewinnen! Diese Zeit war für ihn im genauen Wortsinn: Geld, Oswalds Geld.

Hinter drei Namen, die in dieser Biographie oft schon genannt wurden, müssen nun Kreuze gemacht werden. Als erstes hinter dem Namen Martin Jäger; der war bereits einige Jahre zuvor gestorben, hatte sich über den Sieg also nicht lange freuen können.

Nun, am 29. August 1437, starb Ulrich Putsch. Oswald wird auch ihm nicht nachgetrauert, wird zu diesem Zeitpunkt aber auch kaum noch triumphiert haben.

Im selben Jahr noch, am 9. Dezember, starb Sigmund, in Znaim. Nach seiner testamentarischen Bestimmung wurde sein Leichnam drei Tage lang ausgestellt: sitzend, in vollem kaiserlichen Dekor.

Sigmunds Nachfolger wurde Herzog Albrecht von Österreich, sein Schwiegersohn. Mit ihm begann das »ewige Habsburgische Königtum«.

O swald sorgte vor für die Zukunft der Familie, setzte sich zum Beispiel mit Entschiedenheit für seinen Sohn Michael ein, 1439. Michael sollte Theologie studieren und Domherr in Brixen werden, wurde vom Domkapitel aber keineswegs mit offenen Armen aufgenommen; man befürchtete vielleicht, der beängstigend aktive Alte würde über seinen Sohn das Domkapitel noch direkter, intensiver zu beeinflussen versuchen. Wahrscheinlich sollte durch diese Pfründe auch das Studium mitfinanziert werden. Oswald wandte sich an Bischof Georg, den Nachfolger von Ulrich II., bat ihn, sich für Michael einzusetzen. Und Oswald hatte Erfolg: ein Jahr später war Michael Domherr in Brixen und Student an der Wiener Universität!

Ein Sohn Oswalds als Theologiestudent in Wien – das ist keineswegs selbstverständlich! Michael kam damit in eine soziale Gruppe, die vorwiegend aus Bürgern bestand. Und gegen Bürger, vor allem gegen Theologen und Juristen bürgerlicher Herkunft, hatte Oswald offenbar eine Aversion, bei der sicher Neid mitspielte; diese Leute rückten auf in die gesellschaftlich wichtigen, ökonomisch sicheren Positionen, während er selbst sich sein Leben lang hatte herumschlagen, durchschlagen müssen. Dies wollte er seinen Söhnen wohl ersparen, wollte in ihnen nicht, blind vor Standesbewußtsein, partout wieder Ritter sehen, notfalls Raubritter, er unterstützte die Neuansätze der nächsten Generation.

Nach dem kurzen Kapitel über Sohn Michael ein etwas längeres Kapitel über Tochter Maria, Nonne. Sie setzte Oswalds Auseinandersetzungen mit dem Bischof Ulrich von Brixen auf ihre Weise fort. Kontrahent der Maria von Wolkenstein war ein (heute) berühmter Theologe: Nikolaus von Kues.

Hermann Hallauer hat einen Aufsatz über diesen Streit geschrieben: *Nikolaus von Kues und das Brixener Klarissenkloster* – Grundlage dieses Berichts über die Streitigkeiten zwischen dem Cusaner und der Wolkenstein-Tochter. Ich habe die Dokumente übersetzt.

Im April 1452 wurde Nikolaus von Kues Bischof in Brixen. Er begann sofort mit Visitationen der Klöster seiner Diözese, mit Reformen; hier war vieles lax geworden, besonders im Klarissen-Konvikt. Was Cusanus, in Übereinstimmung mit anderen Reformern seiner Zeit, vor allem forderte, war: Observanz, also erneute Befolgung der alten Klosterregeln; Einhaltung der Klausur – hier war man besonders großzügig geworden, man korrespondierte, empfing Besucher; Gehorsam gegenüber den Oberen – als wichtiger Zusatz: ohne Unterschied der Herkunft; Pflege des Chorgebets; Leben in Demut. Einer der Leitbegriffe des Cusanus: vita contemplativa. Das setzte voraus: Verzicht auf Besitz, auf Reichtum. Ein Kloster sollte nicht mehr direkt Gelder und Lieferungen einziehen, dies sollte über den zuständigen Bischof abgewickelt werden. Einer der Zündpunkte des Streits!

Als der neue Bischof zum erstenmal das Klarissen-Konvikt visitierte, stellte er fest, daß sich zwei Gruppen gebildet hatten, die sich zankten, stritten, bekämpften. Auf der einen Seite die Äbtissin Agnes Rasner mit ihrem Anhang, auf der anderen Seite Maria von Wolkenstein, die Anführerin der Oppositionsgruppe. Sie hatte vorerst nur ein Ziel: die Rasner muß weg. Nikolaus von Kues in einem Brief, der protokollierend die wichtigsten Ergebnisse seiner Visitation zusammenfaßt: »Auch hat keinen geringen Eindruck auf Uns gemacht, was Schwester Maria von Wolkenstein, die Wir in vieler Hinsicht sehr achten, eidesstattlich ausgesagt hat: daß die Rasner diesem Amt nicht gewachsen sei.« Maria setzte sich durch, die Äbtissin wurde abgesetzt, eine neue Äbtissin wurde gewählt, Barbara Schwäbin. Hallauer vermutet: Maria hat sich Hoffnungen auf dieses

Amt gemacht, war nun enttäuscht, ging deshalb gleich wieder in Opposition, gegen die neue Äbtissin. Cusanus: »Entgegen ihrer Zusage ist besagte Maria dieser Äbtissin (der sie loyalen Gehorsam gelobt hatte) und auch Uns gegenüber ungehorsam geworden. Auch nimmt sie Uns gegenüber kein Blatt vor den Mund. Und schon gar nicht ist sie sparsam mit Drohungen.« Der Bischof forderte vom Konvikt: »Wir wünschen von Euch, daß Ihr Schwester Maria klarmacht, sie solle die Gelöbnisse einhalten und gehorsam sein, wie es die Klosterregel gebietet; dazu hat sie sich selbst verpflichtet. Und wenn sie das in diesem Kloster nicht tun will, soll sie das woanders tun – freilich nur mit Genehmigung, gemäß der Klosterregel. Außerdem soll sie ihre Drohungen unterlassen, denn sie gehören sich nicht für eine Schwester, die sich Gott ergeben hat.«

Diese Aufforderungen, Ermahnungen nützten gar nichts. Maria von Wolkenstein eröffnete mit drei anderen Nonnen den Kampf gegen die neue Äbtissin, es kam sogar zu Handgreiflichkeiten: schlug auch Oswalds Tochter zu? Das Nonnenquartett opponierte zugleich immer entschiedener gegen die Reformversuche des Bischofs. Maria in einem Brief an ihren Bruder Oswald: »Auch teile ich dir mir, daß es mir, dank Gottes Gnade, gesundheitlich gutgeht. Aber sonst geht es mir und allen Frauen nicht gut; schuld daran ist der Kardinalbischof von Brixen. Mein herzenslieber Bruder: ich und alle Klosterfrauen beklagen sich bei Dir über die ungerecht massive Macht, die der Bischof uns gegenüber ausübt. Er will Getreidelieferungen und Geldrenten nicht weiter dem Kloster zukommen lassen und erklärt, dies sei ein bischöfliches Kloster. Und er hat uns das Fleisch auf der Schlachtbank verboten. Und sooft er predigt, kritisiert er uns heftig.«

Hier zeigt sich, daß mehr stattfand als nur Nonnengezänk, persönliche Auseinandersetzung – bei diesem Streit spielten soziale Spannungen mit, entscheidend: auf der einen Seite der Bischof bürgerlicher Herkunft (er wurde in einer Chronik der Klarissen bezeichnet als »Nicolaus von Cusa bey Trier gebirtig eines schneiders sohn«), auf der anderen Seite Maria von Wolkenstein und zwei adlige Mitkämpferinnen. Maria an ihren Bruder Friedrich: »Auch hat der Bischof erklärt, er gebe weder etwas auf die Wolkensteiner noch auf andere Landherren. Und wenn man ihm auch nur einen Bauern angreift, werde unser Kloster das erste sein, das er seinerseits angreifen werde. Mein herzenslieber Bruder: im Namen aller anderen Frauen führe ich darüber Beschwerde. Laß es dir zu Herzen gehen. Und ich bitte dich bei deiner Bruderliebe sehr nachdrücklich, und alle Frauen schließen sich dieser Bitte an, daß du hierherkommst mit unserem sonstigen Anhang, wie es dir unser lieber Bruder Oswald ausrichten wird.«

Die Gebrüder Wolkenstein ließen ihre Schwester nicht im Stich. Sie gaben ihr taktische Ratschläge, die sie auch befolgte. Und Friedrich schrieb etwas später einen knappen Drohbrief an den Bischof, aus Waidbruck. Noch Jahre später wollten Oswald junior und Leo nicht nach Brixen, weil sie des Bischofs »erklärte Feinde« waren.

Bischof Cusanus hatte sich für den schweren Kampf mit den Klarissen unter Führung der Schwester Maria sogar Unterstützung in Rom geholt: er brachte, nach einer Besprechung mit dem Heiligen Vater, eine Bulle mit, die ihm freie Hand gab in der Durchführung der notwendigen Reformen. Und Cusanus berief einen Bevollmächtigten zur Durchführung dieser Reformen, einen »Guardian«, den Franziskaner Albert Büchelbach. Er hatte in Nürnberg bereits erfolgreich ein Klarissenkloster reformiert, danach in Bamberg, Amberg, Neustadt, Berg und Eger, war also Experte. In Brixen aber stieß er auf ungewohnt harten Widerstand – Maria hatte ihren Anhang im Kloster inzwischen vergrößert. Der »lange Mönch aus Nürnberg«, wie Maria ihn nannte, wollte schließlich die vier Rädelsführerinnen vor die Klostertür setzen. Aber sie folgten seiner Anweisung nicht: sie würden sich von ihren Schwestern nicht trennen lassen, erklärte Maria.

Es wurde immer dramatischer. Maria berichtete Leo, Oswald und Friedrich: »Dann, am Montag, verlangte der Guardian, wir sollten alle an die Stufen treten, und stellte uns die Frage, ob wir jetzt gehorsam sein wollten. Da haben wir uns alle an Eure Antwort gehalten und sagten weder Ja noch Nein. Indessen drangen Knechte des Bischofs ein, und wir waren in der Kirche nicht mehr sicher, und sie kamen herein über Balkons und durch Türen, mit Schwertern und Armbrüsten, als ginge es gegen Verbrecher, und sie brachen die Zellentüren auf, und ein junger Kerl stieß eine dahin, die andere dorthin, und ich war als erste an den Glocken, aber sie hatten die Glocken blockiert, so daß wir sie nicht mehr läuten konnten. Danach verlangten sie, daß eine nach der anderen aus der Kirche herauskomme, und sie wollten nicht zulassen, daß wir beieinander blieben, und sie trennten uns gewaltsam von den lieben Schwestern und führten sie zum Tor hinaus in das Bruderkloster. Das hat er getan, um sie zum Gehorsam zu zwingen. Aber auch jetzt wollen sie sich nicht von uns trennen.«

Bald aber brach der Widerstand zusammen. Das Kloster erhielt eine neue Äbtissin. Den vier Rädelsführerinnen wurde angedroht, man werde über sie in Rom Bericht erstatten; dies machte selbst auf Maria von Wolkenstein Eindruck – sie unterwarf sich, unter Protest. Ganz besonders ärgerte sie, daß sie alles verkaufen sollte, »Wiesen und Äcker und was wir besitzen«. Und es störte sie sehr, daß nun Ernst gemacht wurde mit der Klausur. »Wisse auch«, schrieb sie ihrem Bruder Leo, «daß sie hinten und vorn alles zumauern und sogar die Löcher verrammeln, von denen wir nie etwas gewußt haben, und das Dach, das du ja kennst, das wollen sie auch dichtmachen.« Briefe konnten nur noch wie Kassiber hinausgeschmuggelt werden.

Diese Art von Klosterleben gefiel Maria überhaupt nicht, sie stritt sich weiter mit dem Bischof herum, und einige Jahre später zog sie in das Meraner Konvent, dort war die Lebensart nobler. Hier starb Maria von Wolkenstein 1478 als Äbtissin.

A m 24. Juni 1439 starb Herzog Friedrich IV. Setzten auch bei Oswald sofort Überlegungen ein, wie nun die Landespolitik im Interesse seines Standes weitergeführt werden könnte?

Oswald wird an den oft dramatischen Vorgängen und Ereignissen der kommenden Jahre beteiligt sein, als einer der Hauptakteure: deshalb nun ein kurzer Bericht über die neue politische Konstellation.

Herzog Friedrich, verheiratet mit Anna von Braunschweig, war viermal Vater geworden: zwei Töchter, zwei Söhne. Die Töchter starben früh, von den Söhnen überlebte nur einer; König Sigmund war sein Taufpate gewesen, so trug er dessen Name. Als Friedrich starb, war Sigmund nicht einmal 12 Jahre alt; also mußte ein Vormund für ihn bestimmt werden, bis zur Volljährigkeit, mit 16. Wer sollte diese Vormundschaft übernehmen? Friedrich hatte keine Bestimmung hinterlassen. Eine heikle, ja gefährliche Situation für Tirol, denn rechtlich kamen zwei Männer in Frage, die Herzöge Albrecht und Friedrich (der »steirische Friedrich«), und die waren miteinander verfeindet, jeder wollte sich auf Kosten des anderen ausbreiten in den wiederholt geteilten österreichischen »Landen«, wollte nun sicher auch die Macht über Tirol.

Es gelang dem steirischen Friedrich, sich durchzusetzen gegen die gleichberechtigten Ansprüche seines Bruders: am 28. Juli, also nach etwa vier Wochen Verhandlungen, wurde er in Hall von den Landständen zum Vormund des kleinen Herzogs Sigmund ernannt.

Selbstverständlich sicherten sich die Vertreter der Landstände ab: Friedrich mußte zwei Verträge besiegeln. Oswald wird sie später offiziell in Verwahrung nehmen, auch deshalb müssen sie vorgestellt werden.

Der erste Vertrag: »Wir wollen und sollen Unseren Vetter Sigmund in der Luft, in welcher er erzogen wurde und bisher gewohnt hat, nämlich hier im Inntal, und zwar in jenem Schlosse oder in jener Stadt, die je nach der Jahreszeit die geeignetste sein wird, bleiben lassen und ihn weder selbst noch durch andere aus dem Lande führen.« Nach Ablauf der vier Vormundschaftsjahre werde Herzog Friedrich alle Lande, die er als Vormund in Besitz genommen, ferner alle Schätze und Urkunden ohne Verzug und Widerrede dem Herzog Sigmund überantworten.

Im zweiten Vertrag ging es um die reiche Hinterlassenschaft des verstorbenen Friedrich, der einmal »Friedel mit der leeren Tasche« genannt worden war. In dessen Schatzkammer (so lese ich bei Jäger und bei Seel) lagen Goldgeschmeide und Silbergeschirre, Halsbänder und Gürtel, Ringe und Becher, Kannen und Becken aus Silber und Gold, auch Perlen, Saphire, Smaragde, Türkise, Amethyste, Korallen, Diamanten. Allein das Silbergeschirr hatte einen Wert von 1272 Mark. Dazu Silber in sieben Fässern, im Gesamtgewicht von

16 Zentnern. Friedrich hatte außerdem 14 500 Dukaten, 54 500 rheinische Gulden hinterlassen.

Der steirische Friedrich besichtigte diesen Schatz, mußte in doppelter Ausfertigung das Inventar besiegeln, mußte zusichern, vertraglich, daß auch dieser ›Staatsschatz‹ in Tirol bleibe.

Herzog Friedrich behielt ein Exemplar des Inventars, Bischof Georg von Brixen bekam das zweite. Für den steirischen Friedrich wurde dieses Inventar zur Wunschliste.

Kaum hatte Herzog Friedrich kommissarisch die Regierung von Tirol übernommen, wurde er von Oswald über das Verhalten des Hans von Villanders informiert: nach dem Tod Friedrichs hätte er eigentlich sofort die Gelder und Schuldscheine zurückgeben müssen, denn nun bestand nicht mehr der geringste Vorwand für eine Fortsetzung der erzwungenen Sicherheitsleistung. Aber der Verwandte gab auch jetzt das Geld nicht heraus. Oswald wird dies dem kommissarischen Landesherrn berichtet, wird zugleich angefragt haben, ob er den Unrechtsakt seines Vorgängers weiterzuführen gedenke. Und Friedrich diktierte am 15. September einen Brief an Hans von Villanders: Er behalte einen Geldbetrag zurück, den ihm Oswald von Wolkenstein (»Unser getrewer«) ausgehändigt habe für die Bürgschaft gegenüber dem verstorbenen Herzog Friedrich; er empfehle ihm mit allem Nachdruck, diesen Geldbetrag unverzüglich zurückzugeben, in seinem und im Auftrag des Herzogs Sigmund (»den wir inn haben«). Auch dieses Schreiben nützte nichts.

Wenige Tage nach Ausfertigung dieses Schreibens verließ Herzog Friedrich Tirol. Es zeigte sich recht bald schon, daß er sich durch den Vormundschaftsvertrag nicht gebunden fühlte: er ließ Sigmund aus Tirol entführen und an seinen Hof in Graz bringen. Den Innsbrucker Schatz ließ er auch abholen.

Enttäuschung, Verbitterung, Wut in Tirol! Aber Friedrich hatte weder Lust noch Zeit, auf Anfragen und Anwürfe zu reagieren, er hatte bereits anderes im Sinn: er wollte König werden. König

Albrecht hatte die Türken geschlagen, in einer wichtigen Schlacht, war aber bald darauf gestorben: Ruhr. Der steirische Friedrich kandidierte für das vakante Amt und wurde am 2. Februar 1440 König des Römischen Reiches: Friedrich III.

Ein König als Gegner, das war nicht günstig für die Tiroler Landstände. Man wartete ungeduldig auf den 25. Juli 1443, den letzten Tag der Vormundschaftsfrist.

Auch Oswald setzte seine Hoffnung auf die Rückkehr des entführten Sigmund. In Graz und Wiener Neustadt wurde der kleine Herzog systematisch isoliert, rigoros bevormundet.

Achtzehn Jahre sind es mittlerweile her, seit Oswald Bargelder und Schuldverschreibungen bei Hans von Villanders hinterlegt hatte, unfreiwillig. Ob und wo Oswald für die 2200 Gulden Darlehen aufgenommen hat, weiß ich nicht; wenn er nicht Zinsen gezahlt hat, so hat er Zinsen verloren.

Offiziell wurden damals unter Christen keine Zinsen gezahlt, aber man hatte Modalitäten entwickelt, die Zinszahlungen entsprachen. Als Leonhard von Wolkenstein 1405 bei Heinrich von Rottenburg einen Kredit in Höhe von 600 Gulden aufnahm, garantierte ihm Leonhard jährliche Einkünfte von 60 Gulden aus Besitzungen bei Aichach – also eine zehnprozentige Verzinsung.

Setzen wir dies als Richtwert an, so hatten sich die 2200 Gulden, die Oswald 1422 an den Schwager auszahlen mußte, im ersten Jahrzehnt ungefähr verdoppelt; dieser Betrag verdoppelte sich (mit Zinsen und Zinseszinsen) im mittlerweile zweiten Jahrzehnt erneut. Selbst, wenn man einen geringeren Zinssatz annimmt, kommt man auf mindestens 6000 Gulden, vor allem wenn man die Nachzahlung für den Neuhauser Pfandschein mitrechnet. Bei einem Zinssatz von zehn Prozent aber nähert man sich bereits der Summe, mit der sich die Reichsstadt Nürnberg von Eroberung, Besetzung, Zerstörung durch die Hussiten freigekauft hatte.

Wieviel Zeit inzwischen vergangen war, zeigt sich auch daran, daß nun die nächste Generation den Kampf aufnahm: Oswald junior schickte einen Brief an Hans von Villanders. Leider ist das

Schreiben in der Datierungszeile beschädigt, aber es dürfte 1440 diktiert worden sein.

»Meinen Gruß, lieber Hans. Es geht um das Hab und Gut, das mein Herr Vater seinerzeit in vollem Vertrauen bei Dir treuhänderisch hinterlegt hat; ich bin diesbezüglich im Besitz Deiner besiegelten Urkunden, seitdem unser Herr Vater mir und meinen Brüdern die Aufgabe übertragen hat, von Dir zurückzufordern und einzuziehen, was Du ihm aufgrund der Rechtslage längst schon hättest aushändigen müssen, insbesondere nach Deinem Versprechen, Du würdest ihm und auch uns gegenüber – bevor wir in eine wirtschaftlich bedrohliche Lage gerieten – so handeln, daß wir Dir zu Dank verpflichtet wären; auch hierfür habe ich rechtsgültige Beweise. Ich verlange nun von Dir, für mich und meine Brüder, daß Du uns – um allzu empfindliche Vermögensverluste zu vermeiden – jenen Besitz, den Dir unser Herr Vater treuhänderisch übergeben hat, unverzüglich zurückgibst und übermittelst, einschließlich der Jahreszinsen, die Du ebenfalls widerrechtlich einbehalten hast. Solltest Du dies jedoch unterlassen und wieder einmal aufschieben (was wir aber nicht hoffen wollen!), so dürfest Du wohl selbst einsehen, daß wir solch ein Verhalten Deinerseits nicht länger hinnehmen können. Lasse uns in dieser Angelegenheit eine schriftliche Antwort zukommen.«

Im nächsten Jahr, am 14. Februar 1441 (nachdem wieder einmal ein paar hundert Gulden Zinsen verlorengegangen waren – mehr, als die gesamten landwirtschaftlichen Besitzungen einbrachten), wurde erneut ein Brief an Hans von Villanders geschrieben: es siegelten »Oswald junior und Gotthart, Gebrüder von Wolkenstein«. »Hans von Villanders! Der Sachverhalt ist Dir wohlbekannt: es handelt sich um das Hab und Gut, das Dir unser Herr Vater treuhänderisch zu Verwahrung übergeben hat und wovon er bisher nie etwas von Dir zurückerhalten konnte. Er hat sich auf Dein Wort und Versprechen verlassen, Du würdest – wenn er Dir nur Vertrauen entgegenbrächte – ihm und auch uns gegenüber so handeln, daß wir Dir zu Dank verpflichtet wären; dieses Versprechen hast Du nicht abgeleugnet. Daraufhin hatte er Dir, wie gesagt, seinen Besitz anvertraut. Ein Freundschaftsdienst im oben genannten Sinne wurde uns gegenüber bis dato nicht erwiesen; wir können keine entsprechende öffentliche Erklärung abgeben – es sei denn, Du änderst jetzt Dein Verhalten; dafür wäre Dir unser Dank sicher.

Da unser Herr Vater alle seine Ansprüche auf uns und unsere Brüder übertragen hat (er hat Dir das korrekterweise mündlich mitgeteilt), verlangen wir nun von Dir, daß Du jetzt Dein Versprechen, wie es urkundlich besiegelt ist, zwischen dem Datum dieses Schreibens und dem kommenden Freitag vor Pfingstsonntag bei uns einlöst und erfüllst und uns, sowie unsere Brüder, in bezug auf das Kapital und die entgangenen Vermögenserträge zufriedenstellst, und zwar so, wie Du es Dir selbst und uns gegenüber sowie den Geboten der Ehre und des Rechtes schuldig bist.

Solltest Du dies in genannter Weise jedoch nicht tun, so nimm zur Kenntnis: Nach Ablauf der Frist können und wollen wir bezüglich unseres Besitzes nicht länger in Güte und Freundschaft Außenstände hinnehmen, weder von Dir noch von Deinem Sohn; wir wollen uns hier mit ganzer Kraft einsetzen. Wir können allerdings nur wünschen, für uns, für unsere Helfer und Diener und überhaupt für alle, die wir gegen Dich werden aufbieten müssen, daß uns diese Aktion erspart bleibe, daß auch ohne sie dem schweren Übergriff, der Willkür und der Schädigung, die Du Dir unserem Vater und auch uns gegenüber jahrelang erlaubt hast, ein Ende gesetzt wird.«

Beim Lesen dieser Briefe könnte der Eindruck entstehen: Oswald ist den Kampf müde geworden. Im folgenden Kapitel wird sich zeigen, daß er nur diesen Fall weitergab, sich sonst aber durchaus noch zu helfen, zu wehren wußte, seine Energie keineswegs verloren hatte.

Zu berichten ist nun von einem Rechtsstreit, der Oswald sicher ebenfalls seit vielen Jahren beschäftigte, der ab 1441 jedoch zu eskalieren begann: Auseinandersetzungen mit der Gemeinde Am Ritten; es ging um Vorweiderechte.

Zu diesen Vorgängen ist erstaunlich viel Material überliefert: Faszikel 18 des Nürnberger Nationalmuseums enthält ungefähr 80 (achtzig!) Dokumente. Ich habe sie alle gelesen, zumindest angelesen, habe dabei einen aufregenden Fund gemacht.

Der Schauplatz dieser Auseinandersetzungen, für Leser skizziert, die Südtirol oder diese Region Südtirols nicht genauer kennen: der Ritten ist ein von der Bozener Ebene zwischen Sarntal und Eisacktal nach Norden hin sanft ansteigendes, heute reich bewaldetes, dünn besiedeltes Hügel- und Bergmassiv, das am Rittner Horn eine Höhe von 2260 Meter erreicht; von der Seiser Bergstufe und damit selbstverständlich von der Burg Hauenstein aus kann man Wälder und Wiesen des Ritten sehen, jenseits des Eisacktals: hat Oswald grimmig dort hinübergeblickt, wenn wieder einmal ein Schreiben, eine Aktion notwendig wurde?

Worum es bei diesem Streit grundsätzlich ging, darüber habe ich mich in einem Aufsatz von Nikolaus Grass informiert. Oswald besaß auf der Villanderer Alpe, einem nördlichen Sektor des Rittenmassivs, mehrere Almwiesen, wohl aus dem Erbteil seiner Mutter, der Katharina von Villanders. Diese Almwiesen (in Streulage!) grenzten vor allem an Weidegebiete der Gemeinden Ritten und Wangen. Es war üblich, einen Teil der Almgebiete als Weiden, den anderen Teil als Mahdwiesen zu nutzen. Oswalds Weideflächen und Mahdwiesen aber waren auf der Villanderer Alpe »völlig durcheinander vermischt«: weitere Voraussetzung für Komplikationen. Entscheidend war nun, daß Weideflächen wie Mahdwiesen in einer Region lagen, in der die Gemeinden Wangen und Ritten das Vorweiderecht besaßen. Das heißt, die Gemeinden trieben jedes Jahr große Herden (bis zu tausend Rinder) auf diese Almen, ließen sie dort vierzig bis fünfzig Tage lang »sömmern«, und dabei fraßen sie auch das Gras auf den Weideflächen und Mahdwiesen des Herrn Oswald von Wolkenstein. Das war weder Nachlässigkeit noch Provokation, dazu besaß man ein altverbrieftes Recht, eben die Vorweideberechtigung: erst nach dem Abtrieb der Herden durfte auf den Mahdwiesen Gras geschnitten, Heu geerntet werden. Wenn aber die Senner mit ihren Herden wieder abzogen, war nicht allzuviel Gras übriggeblieben. Die Ochsen und Rinder, die Oswald zur gleichen Zeit auf der Villanderer Alpe »sömmern« ließ, fanden durchaus ihr Futter, aber auch Oswald brauchte Heu, um sein Vieh über den Winter zu bringen.

Also letztlich Streit um Winterfutter. Ein Streit übrigens, der schon lange vor Oswald begonnen hatte und erst Jahrhunderte nach ihm beigelegt wurde: 1823 wurden die Weideberechtigungen der verschiedenen Gemeinden und Besitzer klar abgegrenzt. Mehr als ein halbes Jahrtausend Krach um den Ritten also; dabei war Oswald gewiß einer der härtesten Streithansl gewesen.

Ich kann die Vorgänge nicht bis in alle Verfilzungen darstellen, kann nur einige Phasen hervorheben.

Am 14. Februar 1441 bestätigte König Friedrich den Gemeinden Auf dem Ritten ihre (sowieso schon verbrieften) Vorweiderechte auf der Alm. Das konnte Oswald nicht akzeptieren. Er schrieb einen Brief, gemeinsam mit dem ebenfalls betroffenen Kaspar von Gufidaun, Hauptmann von Bruneck. Das Schreiben ist zwar in Bruneck verfaßt worden, am 26. Juni 1441, aber Oswald war offenbar der federführende Partner, er nennt sich auch jeweils zuerst.

»Der gesamten Bauerngemeinde Am Ritten und dazu allen anderen, die mir, Oswald von Wolkenstein, Ritter, und mir, Kaspar von Gufidaun, unser väterliches Erbe, gelegen auf der Villanderer Alpe, lange Zeit mit Gewalt, gegen Gott und alles Recht genommen und genutzt haben, nutzen und vielleicht auch noch zukünftig zu nutzen vorhaben – wovor Gott sei! –, stellen wir beiden Obengenannten nachdrücklich folgende Forderung: Ihr sollt uns den bisherigen Schaden wiedergutmachen und euch künftig von unserem Boden, unseren Wiesen- und Heuflächen, soweit sie zu unseren Höfen und Gütern gehören oder durch Marksteine abgegrenzt sind, fernhalten und davon wegbleiben, so daß ihr mit eurem Vieh und auch sonst keinerlei weitere Schäden mehr anrichtet, weder Uns noch den Unsrigen, und daß ihr künftig auf die Gewalt, wie ihr sie bisher angewendet habt, verzichtet. Geschieht dies aber nicht in der obengenannten Weise und müssen wir durch euch noch länger Schäden hinnehmen, so merkt euch folgendes: Wir tun es nicht gern, aber wir werden alles in unserer Kraft Stehende tun, damit uns für unseren Teil, sofern unser Grund und Boden davon berührt ist, solche Übergriffe und Schädigungen von eurer Seite erspart bleiben. Überdies wollt ihr bitte bemüht sein, uns beiderseits weitere Belästigungen, Verärgerungen und Schädigungen zu ersparen.«

Dieser Beschwerdebrief löste einen Beschwerdebrief der Gemeinde Auf dem Ritten aus, an den Sohn des Landeshauptmanns; Ulrich von Matsch junior schrieb an die beiden Herren, wies auf die neue (die bestätigte alte) Rechtslage hin; Oswald diktierte das Antwortschreiben; dieser Brief ist ebenfalls im Konzept erhalten. Nach den Begrüßungsfloskeln heißt es: »Euer gegenwärtiges und vorheriges Schreiben bezüglich der Bauerngemeinde Am Ritten habe ich zur Kenntnis genommen. Ich weise darauf hin, daß ich und der Gufidauner den obengenannten Personen unsere Meinung schriftlich dahingehend mitgeteilt haben, daß sie unser väterliches Erbe, die Wiesen- und Heuflächen auf der Villanderer Alpe, soweit sie zu unseren Höfen und Gütern gehören oder durch Marksteine abgegrenzt sind, künftig mit ihrem Vieh meiden und sich dort fernhalten sollen, damit wir und unsere Bauern von ihnen nicht weiter geschädigt werden; auch sollen sie uns für den bisherigen Schaden aufkommen, so, wie das im Schreiben ausführlicher niedergelegt wurde. Von all dem haben sie bisher nichts erfüllt, und sie haben sich auch nicht bereit erklärt, in Zukunft auf solche Behelligungen zu verzichten. Ja, sie haben vielmehr in aller Öffentlichkeit erklärt, sie würden sehr wohl mit Gewalt, gegen Gott und alles Recht, unsere Güter nutzen, ob es uns passe oder nicht. Daraus mögt Ihr und andere schließen, ob die Verletzung von Anstand und Recht bei uns oder bei denen liegt. Denn hätten sie irgendwelche Ansprüche an mein väterliches Erbe zu stellen, so hätten sie die ja vor Gericht geltend machen können, dort, wo es rechtens gewesen wäre, gemäß dem Landrecht, und ich hätte das von meiner Seite aus nicht abgelehnt.«

»Wir und unsere Bauern«: Oswald sprach, schrieb, handelte als Grundbesitzer, der daran interessiert war, daß seine Pächter (soweit sie Vieh auf der Villanderer Alpe »sömmerten«) genug erwirtschafteten, um ohne Abstriche die Grundrente zahlen und liefern zu können. Zugleich war Oswald in dieser Sache wohl auch direkt betroffen. Im Inventar der Burg Hauenstein war als letzter Posten angegeben: sechs Kühe. Hier muß gefragt werden: besaß Oswald im Schnitt nicht mehr? Und: ließ er diese Kühe auf der Villanderer Alpe »sömmern«?

Es geht um den Streitwert: ließ Oswald als ›Hörndlbauer‹ nur ein paar Stück Rindvieh auf die Alm treiben, oder war es eine Herde? Etwa ein Vierteljahrhundert nach seinem Tod kam es, so lese ich bei Nikolaus Grass, zu Rechtsstreitigkeiten zwischen der Gemeinde Kastelruth und Besitzern von Weiden auf der Seiser Alm. Oswalds Sohn Oswald, als Gerichtsherr von Kastelruth, vernahm mehrere Zeugen, die zu Oswalds Lebzeiten als Hüter auf der Seiser Alm gearbeitet hatten. Es wurde zu Protokoll genommen, daß die Familie Wolkenstein im Jahr durchschnittlich 24 bis 32 Ochsen auf die Seiser Alm treiben ließ. Wie viele Ochsen davon gehörten Oswald? Jennewein Schmelzl berichtete, der selige Oswald von Wolkenstein habe zwei Ochsen auf der Seiser Alm gehabt, zu Rechtsstreitigkeiten sei es nicht gekommen. Mathes Runnsoler bestätigte: er habe des öfteren zwei Ochsen des Herrn Oswald selig gesehen; an Schwierigkeiten, Rechtsstreitigkeiten könne er sich nicht erinnern. Ulrich von Cost sagte aus, zu seiner Zeit habe Herr Oswald selig vier Ochsen auf der Alm gehabt.

Die Eigenwirtschaft des Oswald von Wolkenstein war also in der Tat recht klein: zwei bis vier Ochsen jährlich auf der Seiser Alm. Und die lag in der Nähe von Hauenstein. Zur Villanderer Alm war der Weg sehr viel weiter, das Vieh mußte erst nach Waidbruck hinuntergetrieben werden, über oder durch den Eisack, dann den Ritten hinauf. Ich vermute, die Zahl seiner Ochsen und Kühe, die auf der Villanderer Alm sömmerten, war kaum größer als die Zahl der Ochsen und Kühe auf der Seiser Alm.

Damit sind nun die Proportionen erkennbar: hier kämpfte nicht der Besitzer einer großen ›Ranch‹ gegen eine kleine Bauerngemeinde, sondern: ein ›Hörndlbauer‹ namens Oswald von Wolkenstein, der ein paar Kühe oder Ochsen auf der Villanderer Alm sömmern ließ, kämpfte an gegen eine sehr selbstbewußte Gemeinde von Bauern mit eigenem Grundbesitz, die sich mit anderen Bauerngemeinden zusammengeschlossen hatte zu einem Interessenverband, die Protektion fand bei höchsten Tiroler Instanzen, sogar beim neuen König, den die Tiroler eigentlich ablehnten.

Von diesen Voraussetzungen her ist Oswalds folgendes Schreiben zu verstehen: das konspirative Getuschel zeigt, daß er sich bei diesem Kampf keineswegs sicher und mächtig fühlte, vielmehr mußte er seinen Helfern glaubhaft versichern, sie würden keinerlei Nachteile erleiden, er allein werde notfalls den Kopf hinhalten…

Der Brief an Michael ist nicht datiert, muß aber nach den beiden vorherigen Schreiben diktiert worden sein: die Aktionsgemeinschaft zwischen Oswald von Wolkenstein und Kaspar von Gufidaun war inzwischen zerfallen; Oswald suchte einen neuen Kampfgenossen.

»Zuvor meine freundlichen Grüße, mein lieber Herr Bruder. Wie Ihr wissen werdet, bin ich mit dem Gufidauner darin übereingekommen, daß wir den Rittnern unsere Meinung schriftlich dahingehend klarmachen wollen, daß sie von unserem Grund und Boden, unseren Wiesen- und Heuflächen, soweit sie als Teil unserer beiden Güter und Höfe mit Marksteinen gekennzeichnet sind, künftig fernbleiben und nicht weiter ihr Vieh darauf treiben sollen. Wenn sie dazu nicht imstande sind, dann sollen sie gänzlich von der Alm fernbleiben! Sollte unsere Forderung nicht erfüllt werden, dann würden wir nach besten Kräften das Unsrige vor ihnen schützen und behüten. Und diese Absicht möchten wir auf diese Weise verwirklichen (mit der geheimen Unterstützung durch Euch und andere bergberechtigte Leute), daß man sich nur an uns beide halten kann und sonst an niemand. Der Bischof von Brixen ist damit einverstanden; mit dieser Verabredung haben wir uns getrennt.

Nun höre ich aber, daß die Rittner danach beim Gufidauner gewesen sind und daß er in dieser Sache nun eine Haltung einnimmt, mit der ich nicht einverstanden sein kann; er macht jetzt Vorbehalte. Wenn ich sicher wäre, daß ich wenigstens auf Euch rechnen könnte und daß Ihr mich heimlich mit dem Bischof von Brixen in der besprochenen Weise unterstützen würdet, so würde ich den Streit, wie oben beschrieben, ganz allein auf mich nehmen und durchführen, so daß einzig und allein ich dafür geradezustehen habe.

So ist es denn auch nicht ratsam, daß wir uns an irgendeinem Tag zu einer gemeinsamen Beratung zusammensetzen. Denn wenn danach die Aktion beginnt, sei es durch einen oder durch mehrere, so würden die anderen mit hineingezogen.

Ich habe mich in dieser Angelegenheit auch mit Herrn Veit verständigt, und ich habe diesbezüglich keinen Zweifel, daß er wie ein

Freund handeln wird. Das gleiche bei Herrn Oswald von Säben. Wir verstehen uns also: Wenn die Aktion jetzt beginnt, in der oben beschriebenen Weise, so wird man hier niemand außer denen wahrnehmen, die den Streit anfingen und durchführten. Es ist sehr darauf geachtet worden, daß sonst keiner dafür geradezustehen hat und dadurch Schaden erleidet. Gebt mir dazu bitte schriftlich Nachricht.«

Kaspar von Gufidaun ist von der Rittner Delegation also nachdrücklich belehrt worden, sprang daraufhin ab. Und Oswald fühlte sich bedroht, bat den Bischof von Brixen um einen Schutz- und Geleitbrief für Tirol, um beim »derzeit gefährdeten Frieden besser geschützt zu sein«. Das Dokument wurde am 9. August in Bruneck ausgestellt.

Geschützt von diesem Dokument, brach Oswald den »derzeit gefährdeten Frieden«, ließ von Knechten ein paar Ochsen stehlen auf der Alm. Sollte das schon die konspirativ beraunte Aktion gewesen sein? Oswald wurde sofort eine schriftliche Vorladung des Landeshauptmanns zugestellt. Am 26. August schrieb er zurück.

»Dem wohlgeborenen Herrn Vogt, Ulrich von Matsch, Graf zu Kirchberg und Hauptmann an der Etsch, entbiete ich, Oswald von Wolkenstein, meinen Gruß.

Ihr habt mir kürzlich geschrieben wegen der vier Ochsen, die meine Knechte aus dem Gericht Sarntheim fortgetrieben haben sollen. Dazu gebe ich folgende Erklärung ab: Diese Ochsen haben meinen erklärten Feinden gehört. Ich hatte es nicht erwartet, daß irgendeiner von den Särntnern die Weidegebiete meiner Feinde in nächster Nähe meiner Alm benutzen würde; dadurch wurde mir täglich Schaden zugefügt.

Wenn nun die Rittner den seit langem erlittenen Schaden wiedergutmachen würden, mir und meinen Bauern, so würde ich auch meinerseits einen Ausgleich mit den Rittnern schaffen.

Ich höre ferner, falls ich die vier Kühe nicht wieder in das Gericht Sarnthein zurückbrächte, so würdet Ihr die Rechtsvertreter unseres gnädigen Herrn, des Römischen Königs, sowie der Landschaft ein Urteil darüber fällen lassen, inwieweit ich in dieser Sache schuldig sei; so stellt das in ausführlicheren Worten die besagte Vorladung dar – ich habe das schriftlich von Euch früher schon einmal vernommen. Dabei habe ich niemals etwas gegen die Ehre getan, habe also keinen Anlaß, solch eine Beleidigung hinzunehmen. Wenn mir nun dieses Unrecht widerfährt, so zweifle ich nicht, daß der allerdurchlauchtigste Römische König etc., Majestät und Gnaden geruhen werden, weder mich noch sonst jemand aus irgendeinem Grund ungnädig zu behandeln.

Nehmt weiter zur Kenntnis, daß ich diese Beleidigung, die mir unverdient und wegen einer Lappalie zugefügt wird, nicht auf mir ruhen lassen werde; ich will rechtmäßig verklagt werden und mich entsprechend verteidigen, um meiner Ehre Genüge zu tun, wie das ein Ehrenmann und Ritter beanspruchen darf. Gegeben zu Hauenstein.« Und zwar am 26. August 1441.

Die Almsaison ging nun also langsam dem Ende zu, im Winter ruhte der Streit, im Frühjahr ging es mit frischen Kräften weiter. Wieder griff König Friedrich ein: auf seiner Reise von Graz nach Aachen, zur Krönung, machte er Station in Innsbruck, zitierte Oswald von Wolkenstein in die Residenz, auf den 18. März: er solle sich wegen der Beraubung mehrerer Personen rechtfertigen.

Oswald hatte in der vergangenen Zeit wieder Anlässe zu Beschwerden gegeben. Beispielsweise hatte er (drei Jahre zuvor) seinem Schwager, Georg von Schwangau, angeboten, für ihn die Zinsen von einigen Gütern bei Villnöß einzuziehen, hatte ihm aber nur einen Teil ausgezahlt. Worum es in Innsbruck freilich in erster Linie ging, gehen sollte, war Oswalds Ochsendiebstahl. Die Rittner hatten bereits eine Delegation nach Innsbruck geschickt, in der Erwartung, daß Oswald verurteilt werde. Der löste das Problem auf bewährte Weise: er erschien nicht bei diesem Verhandlungstermin. In seinem Entschuldigungs- und Absageschreiben wies er darauf hin, daß dieser Termin in der heiligen Osterzeit liege, das sei ungebührlich. Der König konnte nicht auf einen neuen Termin warten, er reiste weiter.

Enttäuschung, Wut unter den Rittnern in Innsbruck. Nach der Rückkehr der Delegation fanden Bauernversammlungen auf dem Ritten statt, mit dem einzigen Tagesordnungspunkt: Rache an Oswald! Oswald soll zahlen, Oswalds Burg soll brennen, Oswald soll umgelegt werden! Wie er dieses Bauernkomplott aufdeckte, rechtzeitig, ist noch unbekannt – jedenfalls, es gelang ihm, den Hauptakteur zu fassen, auf Hauenstein einzusperren. Dieser Kunz Widmer wurde verhört, dabei auch gefoltert, es wurde ein Protokoll angefertigt. Es liegt im Ritten-Dossier: Entdeckerfieber, als ich es las!

Kunz Widmer berichtete einleitend, wie er mit mehreren Bauern des Ritten in Kontakt kam und von ihnen angeworben wurde; er suchte zu dieser Zeit Arbeit, auf einer der Burgen, aber nun bot man ihm 100 Gulden (plus anfallende Beute) für eine besondere Aufgabe an, bei der ihn zwei Helfer unterstützen sollten, ebenfalls für 100 Gulden pro Kopf. Widmer ahnte offenbar gleich, daß dies ein gefährlicher Auftrag sein müsse, er fragte, ob sich das etwa gegen die Herrschaft richte? Darauf teilten ihm die Verhandlungspartner beruhigend mit, sie hätten den König auf ihrer Seite, und wenn man den König hätte, hätte man auch den Landeshauptmann, der müsse sie unterstützen; der König sei den Wolkensteinern feind, weil sie gegen die Regierung und das ganze Land seien. Widmer erklärte nun, ihm sei es egal, wem er diene, und fragte, wo er hingehen solle. Darauf erhielt er zur Antwort, er solle mit den beiden anderen (Sengeisen und Kühleisen) nach Kastelruth gehen und ausspionieren, wie viele Leute auf der Burg Prösels, auf Hauenstein, auf der Trostburg und auf Wolkenstein seien und welche Gewohnheiten man auf den Burgen habe. Man solle versuchen, sich dort, zusammen mit anderen Knechten, zu verdingen; werde man in eine Burg nicht eingelassen oder aufgenommen, so solle man es gleich bei einer anderen versuchen; bei Hauenstein solle er den Anfang machen. Widmer erklärte den Rittnern, man werde ihn dort nicht hereinlassen. Der Bürgermeister von Siffian und »einer mit einem langen Bart, der dem Spital zu Bozen zinspflichtig sei«, hätten daraufhin vorgeschlagen, Widmer solle sagen, er werde von Veit von Wolkenstein geschickt, er solle sich bei Oswald von Wolkenstein verdingen. »Also gingen wir alle drei auf den Berg zu den Burgen und sollten auch den Berg Kastelruth ausrauben helfen, sobald die Friedensregelung demnächst am St. Georgstag abgelaufen ist.«

Man hatte sich also viel vorgenommen für die Zeit nach Ablauf des Waffenstillstands, der Fehde-Ferien: Aktionen gegen Oswald, Aktionen auch gegen Michael, seinen Verbündeten im Almstreit. Ihm gehörten ja die Trostburg, die Burg Wolkenstein, auch die Burg Kastelruth, von der heute nur noch der Sockel des Bergfrieds übriggeblieben ist, auf der bewaldeten Hügelkuppe nördlich des Dorfes. Und die Burg Prösels? Für den minderjährigen Kaspar von Völs, den Sohn einer Wolkenstein-Cousine, hatte Michael die Verwaltung übernommen, für die Zeit der Vormundschaft.

Die Hauptaktion sollte sich, selbstverständlich, gegen Hauenstein richten. Kunz Widmer, dem man einschärfte, er solle sich dabei höflich und friedfertig verhalten, sollte ausspionieren, wie man am leichtesten in diese Burg hinauf- und hineinkam. Ein spezieller Hinweis dabei auf die »Rohre«. Es muß sich hier um ein Zuleitungsrohr handeln: die Quelle oberhalb der Burg, am Sockel des »Wasserbergs« Schlern. Auf solch einem, entsprechend abgestützten Rohr vom Hang zur Burg hinüberrutschen, rittlings? Und dann? Entscheidend ist: man wollte die Burg Hauenstein angreifen, besetzen. Und diese Aktion sollten Widmer, Sengeisen und Kühleisen anführen, durchführen.

Es heißt nun im Protokoll: »Auch habe ich gestanden, daß der Kühleisen und der Sengeisen das Haus Hauenstein erstiegen haben sollten, und wenn sie hinaufgekommen wären, so sollten wir dann in dem Haus ein Feuer angezündet haben, da wären dann die Nachbarn hingelaufen und wenn sie dann hineinlaufen wollten, so sollten wir unter das Tor gegangen sein und die Nachbarn getäuscht haben, und es sollten dann die Rittner mit ihnen hineingelaufen sein. Hätten sie das aber nicht ersteigen können, so sollte ich ihnen ein Signal mit einem Stab aus dem Erker bei der Stube geben, und wenn ich das getan hätte, so sollte ich danach ein Feuer in dem Haus gemacht haben, so wären dann die Nachbarn ebenfalls herbeigelaufen und die Rittner mit ihnen hinein, wie es oben beschrieben wurde.

Weiter habe ich gestanden, daß ich und meine Gesellen Herrn Oswald bespitzeln sollten, wo auch immer, und wenn wir das getan hätten, so sollten wir ihnen das mitteilen; sie wollten uns dann genug Leute zuschicken, damit man ihn gut überwältigen könnte. Denjenigen, die ihn so brächten, denen wollten sie tausend Gulden

geben, und sie sollten ihn nach Stein am Ritten bringen oder anders-
wohin; wenn sie ihn dahin brächten, würde der Thun den Rittnern
die tausend Gulden dazu leihen, bis sie die untereinander gesammelt
hätten.

Auch habe ich gestanden, daß wir zu den Rittnern sagten: Wenn
wir ihn nicht von dorther bringen könnten, wie wir dann mit ihm
verfahren sollten. Da sagte ein Kunz Päurlen: So erschießt oder
ersticht ihn und bringt ihn um! Da sprach der Bürgermeister von
Siffian, dies solle man nicht tun, damit würde uns unser Schaden
nicht vergolten, und mit diesem Ratschlag setzte er sich durch. Und
er sagte noch Weiteres: Wenn es uns auf der einen oder anderen
Tour nicht gelingt, seiner habhaft zu werden, so gelingt es uns auf
der dritten, und sobald wir seiner habhaft werden, muß er uns 6000
oder 10 000 Gulden geben, damit uns unser Schaden entgolten sei.«
Und nun folgt eine Aussage, die wieder gestrichen wurde, ich übersetze sie trotzdem: (»Seine Frau und sein Bruder, die lassen ihn wegen des Geldes nicht fallen, die werden das für ihn erledigen.«) Und
das Protokoll wird wieder fortgesetzt: »Mit den anderen Burgen
Prösels, Trostburg und mit Wolkenstein sollte man auf gleiche
Weise verfahren haben, wie man es mit Hauenstein getan haben
wollte. Weiter habe ich ihnen gestanden, daß die Rittner zu uns gesagt haben, daß ihnen die Särntner und Möltner auf St. Jenesienberg,
die wollen ihnen mit vier- oder mit sechshundert Knechten zu Hilfe
kommen.

Weiter habe ich gestanden, daß die Rittner gesagt haben, sie wollten oberhalb von Hauenstein eine Holzrutsche anlegen und Baum-
stämme hinablassen, um den Graben vor dieser Burg zu füllen, und
wenn er gefüllt wäre, so wollten sie das Haus stürmen; wenn ihnen
das aber nicht gelänge, so wollten sie es anzünden. Ebenso habe ich
gestanden, daß sich Herr Oswald und Herr Michael mit Leib und
Gut vor den Rittnern sehr vorsehen sollten. Auch habe ich gestanden, daß die Rittner gesagt haben: Mein Bester, die Frau ist heute
vor acht Tagen nach Hauenstein geritten, und Herr Oswald ist jetzt
auch von Taufers nach Bruneck geritten.«

So fand die Aktion dann doch nicht statt. Es wurden Alternativ-
lösungen erörtert unter den Rittnern: Oswald und Michael vor Bri-

xen auflauern, sie einfangen – und so weiter. Auf jeden Fall: man wollte mit Oswald und seinem Bruder abrechnen.

Oswald wird dieses Verhör bald auswerten: ist das Protokoll dafür schon ›frisiert‹ worden? Die Wirrheit dieser Aufzeichnungen läßt kaum darauf schließen; auffällig ist nur, daß mehrere Aussagen gestrichen wurden – sie sollten in das Abschlußprotokoll nicht aufgenommen werden.

Selbst wenn wir in der Beurteilung dieser Aussagen sehr vorsichtig sein müssen – erkennbar wird doch, welche Emotionen damals geweckt waren. Man meint die Teilnehmer der Versammlung der Bauerngemeinde toben zu hören: Bringt ihn um, erstechen und erschießen! Nein, er soll zahlen, sechstausend, zehntausend Gulden! Eine absurde Forderung, denn so viel Schaden hätten nicht einmal grasende Dinosaurier anrichten können. Aber die Leute sahen rot vor Wut, sie wollten mit den Wolkensteinern endlich abrechnen, vor allem mit diesem Oswald auf Hauenstein!

Aufschlußreich ist übrigens, daß sich die Bauern aus dem Sarntal, von Mölten und Jenesien mit einigen Hundertschaften dieser Aktion anschließen wollten: vor allem Bauern aus dieser Region waren aufmarschiert, als die Gebrüder Wolkenstein die Belagerer von Greifenstein überrannt hatten – war die Kampfbereitschaft dieser Bauern auch motiviert worden durch langwierige Almstreitigkeiten?

Oswald, in direkten Aktionen offenbar unterlegen, versuchte es nun mit einer Propaganda-Aktion: auf der Grundlage dieses Verhörs verfaßte er eine öffentliche Erklärung, ließ sie in Brixen anschlagen. Auch diese Bekanntmachung ist im Konzept erhalten, glücklicherweise, denn an diesem Text läßt sich einiges über Oswald ablesen und auch darüber, wie er weithin eingeschätzt wurde.

»Allen Herren, Rittern, Knechten, Bürgern und selbständigen Bauern, die diese Bekanntmachung lesen oder sich vorlesen lassen, teile ich, Oswald von Wolkenstein, folgendes mit: Eine große Untat haben einige gegen mich und auch gegen meinen Bruder, Herrn Michael, in einer fehdefreien Zeit ausgeheckt. Ich halte seit einiger Zeit einen Verbrecher in Gewahrsam, sein Name ist Kunz Widmer; er hat – zur Hauptsache ohne Anwendung von Folter – eine Aussage gemacht und ein Geständnis abgelegt. Er wird dies auch heute noch vor gerichtsfähigen Personen wiederholen.

Ich habe ihn am Leben gelassen für den Fall, daß eine unter den Personen, die er belastet hat (es handelt sich um namentlich bekannte und anonyme Leute, darüber gleich Näheres), so ehrenhaft war und immer noch ist, daß er (einzeln oder in der Gruppe) entgegen den Aussagen des Kunz Widmer seine Unschuld unter Beweis stellen will. Dergleichen ist bisher aber nicht geschehen.

Ich beziehungsweise mein Bruder haben uns wegen jener Frevel vor dem Hauptmann und dem Hofgericht durch öffentliche Aussage und auch angemessen schriftlich beklagt; wir haben verlangt, daß auf solch unerhörte Vorgänge in gebührender Weise reagiert wird! Ich will hinzufügen, daß ich für mein Teil noch nie gehört habe, daß man Leute ungeschoren läßt, einzeln oder alle miteinander, die sich auf eine offene Anschuldigung hin noch nicht der Vorwürfe entledigt haben; von Rechts wegen müßten solche Leute verhört werden.

Es geht hier um den Kühleisen und den Sengeisen und einige, die zu ihrer Kumpanei gehören. Nach allem, wie sich die Rittner bisher aufführten, habe ich nicht den geringsten Zweifel daran, daß die Anschuldigungen, die der genannte Kunz Widmer in seinem Geständnis gegen sie vorgebracht hat und das untenstehend zu lesen ist, durchaus glaubwürdig sind; jeder Ehrenmann kann das deutlich erkennen und sehen. Gott sei Dank ist ihnen der Plan nicht gelungen!

Jeder Ehrenmann und jeder, der etwas auf sich hält, gleichgültig, ob er von Adel ist oder nicht, ob reich, ob arm – jedermann soll sich davor hüten, denen, auf welche Weise auch immer, zu helfen, denn sie sind die Unterstützung durch anständige und ehrenhafte Männer nicht wert. Im Gegenteil: von Rechts wegen sollten sie und ihre Kindeskinder von aller Welt wegen dieses Frevels geächtet und ausgerottet werden!

Nun wird in Bozen in aller Öffentlicht folgendes dahergeredet: Es gäbe den und jenen, der sich aus purem Eigennutz um unseren gnädigen Herren und Landesfürsten, Herzog Sigmund, verdient gemacht hätte, und der und jener hätte seinen Untertanen auf dem

Ritten Schaden zugefügt und hätte es erreicht, daß den Rittnern trotz rechtskräftigen Urteils nicht zurückgegeben würde, was er ihnen abgenommen hatte. Keiner wird wohl je erfahren, was ich alles für meinen gnädigen Herrn, den Herzog Sigmund, im bescheidenen Rahmen meiner Fähigkeiten tue oder getan habe. Die ganze Mühe hat mir bisher überhaupt nichts eingebracht; ich habe im Dienst für meinen Herrn und Landesfürsten aus Pflichtbewußtsein nur getan, was meiner Ehre förderlich war [...] Ich gönne jedem seinen Besitzstatus – mir selber übrigens auch –, nur nicht den falschen Rittnern. Zu dieser Auffassung haben sie mir wahrhaftig allen Grund gegeben.«

Und es geht weiter mit Vorwürfen! Bleiben wir noch einen Moment bei dieser Bekanntmachung. Die Formulierung »zur Hauptsache ohne Anwendung der Folter« will einschränken, offenbart zugleich die Tatsache: es wurde gefoltert auf Hauenstein, wenigstens in diesem Fall, möglicherweise auch in anderen Fällen. Wie weit man auf Hauenstein in der Anwendung von Foltermethoden ging, weiß ich nicht.

Aufschlußreich ist an diesem Dokument auch, wie Oswalds landespolitische Aktivität beurteilt wurde: alles nur zu eigenem Nutzen und Vorteil! Oswald verteidigt sich gegen diesen Vorwurf auffällig larmoyant; wir werden uns im nächsten Kapitel zu fragen haben, aus welchen Gründen er sich für Herzog Sigmund einsetzte.

Wie viele Faktoren bei diesem Rechtsstreit zusammenwirkten, läßt sich weiter an einem Schreiben Oswalds an Anton von Thun ablesen. Er war von Kunz Widmer als Drahtzieher und Geldgeber für die Aktion gegen Hauenstein und andere Wolkenstein-Burgen genannt worden; Kühleisen war einer seiner Knechte. Oswald verzichtete in diesem Brief auf einleitende Ergebenheitsfloskeln.

»Anton von Thun! Du schreibst mir sinngemäß, daß nach Deiner Meinung der Kühleisen ein anständiger Mensch ist. Nun ist aber längst bekannt, daß ich vor dem Hauptmann und der gesamten Landschaft Anklage gegen ihn erhoben habe. Auch habe ich zu Brixen auf dem Marktplatz durch Anschlag den Frevel bekanntgegeben, den er nach der Aussage des Kunz Widmer begangen hat. Der Anschlag erfolgte zu einer Zeit, als der Hauptmann, Du selber und andere Ritter und Knechte aus der Landschaft dort waren; sie haben gehört und gesehen, daß der genannte Kühleisen mir gegenüber nie die Anklage widerlegt hat, weder persönlich noch durch andere Leute. Deswegen hätte er gemieden werden müssen; er kannte seine Schuld sehr wohl.«

Mit diesem Anton von Thun wird Oswald später noch harte Auseinandersetzungen haben. Hier aber nun: die erwähnten Herren mußten Oswalds Bekanntmachung in der offenbar nur kurzen Zeit gesehen, gelesen, gehört haben, in der sie am Marktplatz von Brixen ausgehängt war; recht bald schon wurde sie entfernt, und zwar vom erwähnten Hauptmann. Wieder reagierte Oswald mit einer schriftlichen Stellungnahme: sie ist 1901 von Josef Schatz veröffentlicht worden. Verständlicherweise wird gern aus dieser Bekanntmachung zitiert. Erstens weil hier Oswalds Selbstbewußtsein als Dichter zum Ausdruck kommt, zweitens wegen eines drastischen Satzes. Das Konzept läßt erkennen, wie Oswald auch an dieser Formulierung gearbeitet hat. Zuerst hatte er diktiert, die Rittner und ihre Sympathisanten sollten alle miteinander zur Hölle fahren. Dann hatte er hinzufügen lassen, am Rand des Konzepts: »dem schwarzen Teufel hinten in sein Arschloch«. Danach hatte er das Adjektiv umstellen lassen: »dem Teufel hinten in sein schwarzes Arschloch«. Nun erst war er mit der Formulierung zufrieden.

Und damit die erste Hälfte der Erklärung, die er wohl ebenfalls in Brixen anschlagen ließ:

»Ich, Oswald von Wolkenstein, gebe jedermann bekannt, der diesen Anschlag lesen oder hören wird: Ich hatte eine Bekanntmachung in der Stadt Brixen öffentlich anschlagen lassen, als Anklage gegen schweres Unrecht, das mir in einer fehdefreien Zeit widerfahren ist. Ein Verbrecher, den ich in Gewahrsam halte, hat diesen Frevel vor gerichtsfähigen Zeugen eingestanden, zur Hauptsache ohne Anwendung von Folter – siehe das Protokoll des Verhörs dieses Verbrechers mit Namen Kunz Widmer.

Diese Bekanntmachung hat nun der Hauptmann abgerissen und an sich genommen. Dazu soll gesagt worden sein, vor jedermann, wie ich gehört habe: Mein Schreiben sei eine Erfindung, die sich niemals bestätigen würde – außer durch die Erklärung des genannten Verbrechers. Wer nun aber meiner Darstellung nicht glauben wollte und will, der kann den Verbrecher noch heute in dieser Sache befragen, denn er bleibt bei seiner Aussage, wie sie seither und auch früher viele gerichtsfähige Ehrenmänner von ihm gehört haben und noch heute hören können, wie oben erwähnt.

Deshalb wünsche ich, daß mir ein jeder das erspart, was er sich gerne selbst ersparen möchte; ich will nicht ins Gerede kommen. Nur dies noch: ich ließe die Rittner und ihre sämtlichen Freunde alle miteinander eher zur Hölle und dem Teufel hinten in sein schwarzes Arschloch fahren, ehe ich mir grundlos solch eine Geschichte ausdenken wollte – obwohl ich sonst dichten kann!«

Wenn man in Bozen (und gewiß nicht dort allein!) kritisch fragte, aus welchen Motiven Oswald sich für den jungen Herzog Sigmund einsetzte, so ist das kein Wunder: er hatte schließlich eine Kehrtwendung vollzogen! Bisher hatte man bei ihm nur *eine* Haltung gekannt: *gegen* den Landesfürsten und *für* den König. Hätten sich mit der neuen politischen Situation seine Wünsche nicht erfüllen müssen? Mit Sicherheit würde man nach 1443 einen schwachen Landesfürsten und einen zumindest ehrgeizigen König haben – eine günstige Konstellation für Adlige.

Außerdem: wenn Tirol von Friedrich in seine Erblande eingegliedert wurde, konnte das Rückwirkungen haben auf die Gesellschaftsordnung dieses Landes – möglicherweise fand eine Angleichung statt an die Verfassungen der anderen österreichischen Lande. Und das konnte bedeuten: die alte Grundherrlichkeit würde wieder eingeführt!

Bei einer aktiven Unterstützung solcher Restauration hatte der Tiroler Adel bei Herzog Sigmund kaum Widerstand zu befürchten: er galt als wenig selbständig, wenig energisch.

Geradezu ideale Voraussetzungen für eine Realisierung der Standespolitik des Adels! Und trotzdem: Oswald bekämpfte den König, unterstützte den Landesfürsten. Warum?

Ich nehme an, Oswalds Traum von einer mächtigen Monarchie, die auch den reichsunmittelbaren Adel stark macht, war ausgeträumt. Was Kaiser Sigmund nicht geschafft hatte, dieser phasenweise sehr energische Mann, das würde ein König Friedrich erst recht nicht erreichen, dazu kannte man diesen jungen Mann mittlerweile genug.

König Friedrich, Jahrgang 1413, sah zwar tatkräftig aus – ich lese in einer Skizze der *Allgemeinen Deutschen Biographie* von breiter Brust, starkem Körperbau – aber der äußere Eindruck täuschte. Nur wenn es um seinen Vorteil ging, brachte er Energie auf, sank aber bald zurück in Apathie. Er galt im allgemeinen als schwunglos, bedächtig, träge, wurde später als des Römischen Reiches Erzschlafmütze bezeichnet.

Die deutschen Kurfürsten und Fürsten hatten sich aus politischem Kalkül für ihn entschieden: sie wünschten sich wieder einen König, gegen den sie möglichst mühelos ihre Machtansprüche durchsetzen konnten. Und Friedrich erwies sich, im Sinne seiner Wahlmänner, als geradezu idealer König. Erst zwei Jahre nach der Wahl kam er über die Donau, um sich in Aachen krönen zu lassen. Und nach seiner ersten politischen Schlappe (beim Versuch, Schweizer Gebiete zurückzuholen) zog er sich hinter die Steirer Berge zurück, blieb dort für die nächsten Jahre.

Kompensierend aber träumte er von einem riesengroßen, letztlich weltweiten Habsburgerreich. Seine Lieblingsformel: Austria est imperare orbi universo. Und diese Weltherrschaft Österreichs setzte beispielsweise voraus, daß sich Tirol nicht selbständig machte.

E s bestanden Kontakte zwischen einigen Tiroler Adligen und Herzog Sigmund. Hans von Knörigen beispielsweise hatte sich mit einem (selbstverständlich geheimen, dem Herzog zugeschmuggelten) Schreiben über Willküraktе des Königs beschwert. Am 31. Januar 43 antwortete ihm Sigmund (im ebenfalls geheimen, geschmuggelten, möglicherweise abgefangenen Brief): er könne bekanntlich nicht so handeln, wie er wolle: »Wir sind so überwacht und beengt, daß Wir in keiner Weise weder für Unsern eigenen Nutzen noch den der Unsrigen zu sorgen in der Lage sind, oder auch nur davon sprechen dürfen.«

Und er kündigte, allzu optimistisch, an: »Auf dem künftigen St. Jakobstag wollen Wir mit Gottes Hilfe und mit Eurer und aller der Unsrigen Unterstützung zu Unserem väterlichen Erbe zu kommen trachten. Wir begehren mit großem Verlangen Unseres Herzens, ihr wollet die Unsrigen darauf vorbereiten, damit sie nach ihrem Vermögen Uns dazu verhelfen, denn Wir wollen Uns zu keiner längeren Verschiebung weder durch Liebe noch durch Leid bewegen oder nötigen lassen.«

Herzog Sigmund wandte sich an Oswald, schickte aus Graz einen Boten, genannt »der Sachse«, gab ihm ein Beglaubigungsschreiben mit, schrieb hier vorsichtshalber nur, sein Bote solle eine Angelegenheit mit ihm besprechen, Oswald möge ihm Glauben schenken. Und zum Schluß: er, Sigmund, habe besonderes Vertrauen zu Oswald.

Was berichtete »der Sachse«? Wurden Klagen des Herzogs über die entwürdigende Bevormundung wiederholt und die Bitte, ihm zu seiner Freiheit, zu seinen Rechten zu verhelfen?

Bevor man handelte, mußte man freilich den Stichtag abwarten, an dem die Vormundschaft auslief. An diesem Tag geschah nichts. Auch in den nächsten Wochen: keine Ankündigung aus Graz, daß der Herzog nach Tirol kommen werde. Die Nachricht, die schließlich eintraf, überraschte selbst Pessimisten: Aufgrund eines Abkommens zwischen Herzog Sigmund und König Friedrich sei die Vormundschaft um weitere sechs Jahre verlängert worden.

Ende August kamen zwei Schreiben aus Graz, die das bestätigten, eins von Friedrich, eins von Sigmund. Friedrich ernannte seine Stellvertreter in Tirol für die kommenden sechs Jahre: Bischof Georg von Brixen, Vogt Ulrich von Matsch, Hans Spaur, Wolfhart Fuchs, Wolfgang von Freundsberg und Parzifal von Annenberg; alle Beamten Tirols wurden zum Gehorsam gegenüber diesen kommissarischen Regenten verpflichtet.

Das Schreiben des Herzogs bestätigte: Er habe seinen Vormund gebeten, ihn, in Anbetracht seiner Jugend und der schwierigen Zeitläufe, auf weitere sechs Jahre gnädig in seiner Vormundschaft zu behalten. In einem besonderen Vertrag hatte er den König überdies von der Rechnungslegung über Einnahmen aus Tirol freigestellt.

Damit schrieb er Friedrich das Recht zu, den Innsbrucker Schatz sowie weitere Einkünfte zu behalten.

Als einer der Initiatoren des Vertragsbruchs wurde bald Hans von Ungnad genannt, königlicher Kammerherr. Er hatte Kaspar Schlick verdrängt, der als Kanzler von Sigmund und Albrecht übernommen worden war. Ungnad strebte offenbar eine hohe Machtstellung an.

In Tirol wurde ein Landtag einberufen, nach Meran. Die Initiative dazu kam in erster Linie von Städten und Bauerngemeinden. Die Regierungsbevollmächtigten unter Bischof Georg dagegen hielten sich zurück: sie wollten ihre neue Macht nicht verlieren.

In dieser Situation zeigte sich, daß der Tiroler Landtag nicht bloß Vollzugsorgan der Regierenden war, sondern eine recht selbständige Instanz. König Friedrich hatte das falsch eingeschätzt.

Sein Vertragsbruch wurde gerügt. Er wurde aufgefordert, Herzog Sigmund freizugeben. Es wurde beschlossen, von den königlichen Bevollmächtigten keinen Befehl mehr entgegenzunehmen. Und: alle Burgherren, alle Verwalter, alle Amtsleute und Beamten in höheren Positionen sollten klar bekennen, ob sie für den König oder für den Herzog seien.

Besonders wichtig war in dieser Situation die Haltung des Bischofs von Brixen: würde er weiterhin die Sache des Königs vertreten oder sich doch der »Landschaft« anschließen? Der Landtag benannte eine Delegation, die den kommissarischen Regenten aufsuchen und politisch bekehren sollte. Ihre Mitglieder: Oswald von Wolkenstein, Diepold von Wolkenstein (ein Sohn Michaels), Oswald von Säben und vier Bürger. Die Delegierten erhielten klare Instruktionen: Lehne es der Bischof ab, sich der Landschaft anzuschließen, so solle man sich an das Domkapitel wenden; sei auch hier die Antwort negativ, so müsse mit Entschiedenheit klargestellt werden: Wer nicht gehorche, den werde man »vertreiben und ächten mit Leib und Gut«.

Der Landtag beschloß zudem Verteidigungsmaßnahmen gegen einen möglichen Angriff von außen, durch ein königliches Heer, und gegen innere Unruhen, ausgelöst von Anhängern des Königs; man teilte das Land in fünf Distrikte auf, unterstellte sie jeweils einem Verweser. Oswald wurde »Verweser am Eisack und im Pu-

stertal«, war damit (unterstützt von Kaspar von Gufidaun) verantwortlich für den zu dieser Zeit wichtigsten Verteidigungsdistrikt
des Landes. Denn erstens war Brixen die Hochburg der kommissarischen königlichen Regentschaft, hier waren Unruhen am ehesten
zu befürchten. Und zweitens: wenn der König mit einem Heer nach
Tirol marschierte, so am ehesten durch das Pustertal – die einzige
direkte Verbindung zwischen der Steiermark und Tirol. Die Mühlbacher Klause, wenige Kilometer östlich von Neustift, erhielt damit
zentrale strategische Bedeutung. Falls der König versuchte, von
Norden her, über Salzburg, in Tirol einzumarschieren, so war Oswald ebenfalls verantwortlich für die Verteidigung: sein Distrikt
reichte bis zum Brenner.

Nach dem Landtag in Meran war Oswald einer der wichtigsten
und mächtigsten Männer des Landes! Welches Ansehen, welche Bedeutung er nun hatte, läßt sich ablesen an Erklärungen, die
ihm zugeschickt wurden. So schrieben Heinrich von Mörsberg und
andere, sie wollten getreulich zu ihm und zu Herzog Sigmund halten. Zu ihm und zu Herzog Sigmund – ja, das war nach Oswalds
Meinung wohl richtig akzentuiert!

Auch in Zweifelsfällen wandte man sich an Oswald. Joachim von
Montani schrieb ihm, auch er sei der Ansicht, Herzog Sigmund solle
ins Land kommen, es herrsche freilich auch eine Gegen-Stimmung,
und er fragte Oswald, wie er sich künftig verhalten solle. Die Antwort liegt mir nicht vor, sie wird klar und entschieden gewesen sein.

Oswald wohnte in der nächsten Zeit vorwiegend in Neustift, gewiß im Pfründnerhaus. Neustift hatte mehrere Vorteile für ihn, in
dieser Situation. Vor allem; er war hier leichter zu erreichen als auf
Hauenstein. Er konnte von hier aus rasch zur Mühlbacher Klause
reiten. Außerdem war er hier in der Nähe des Bischofs von Brixen.
Den hatte er mit der Delegation aufgesucht, Georg aber hatte auf
Verpflichtungen und Verbindlichkeiten gegenüber dem König hingewiesen. Hatte Oswald weisungsgemäß die massiven Drohungen
ausgesprochen? Hat er in weiteren Unterredungen versucht, den
Bischof politisch umzupolen?

Seine Aufmerksamkeit blieb nicht allein auf diesen kirchlichen Würdenträger und weltlichen Machthaber fixiert; Ende November wurde am Ritten – das heißt also wohl: auf der Nord-Süd-Straße, die am Hang des Ritten entlangführte – Hans von Ungnad festgenommen, der königliche Kammerherr, der mit dazu beigetragen hatte, daß Friedrich den Vormundschaftsvertrag von Hall gebrochen hatte. Was tun mit diesem Mann?

Bürgermeister und Rat der Stadt Bozen wandten sich mit einem Schreiben vom 2. Dezember an Oswald, baten ihn um Weisungen. Und: Oswald solle die (Mühlbacher) Klause gut versorgen – hatte man Angst nach der Verhaftung dieses königlichen Amtsträgers?

Am 4. Dezember schrieben Bürgermeister und Rat der Stadt Bozen erneut an Oswald, diesmal nicht mehr anfragend, sondern auffordernd: Oswald möge dafür sorgen, daß Ungnad und Friedrich von Thun samt Gesellen des Landes verwiesen würden. Am 5. Dezember schrieben Bürgermeister und Rat der Stadt noch einmal an Oswald: Man sei geteilter Meinung darüber, ob man Ungnad und Thun im Lande lassen oder ausweisen solle; Oswald möge seinen Rat dazu geben und tun, was das beste für Herzog Sigmund sei. Mit einem Schreiben vom gleichen Tag kündigten ihm Bürgermeister und Rat der Stadt Meran Geld an für den Ausbau der Mühlbacher Klause und die Einstellung von Söldnern für diese Grenzbefestigung. Wenige Tage später, am 9. Dezember, schrieben Bürgermeister und Rat der Stadt Meran noch einmal an Oswald, teilten ihm mit, Anton von Thun habe sich bereit erklärt, Herzog Sigmund in seinen Schlössern und Burgen zu empfangen und aufzunehmen. Man wolle ihm dies zur Kenntnis bringen, er möge in allen Dingen das Beste tun.

Oswald, nun Mitte Sechzig: ein damals wahrhaft biblisches Alter! Aber der Patriarch blieb bis in sein letztes Lebensjahr aktiv, und das nicht allein im politischen Bereich!

So fragte am 12. Dezember 1443 Kaspar von Gufidaun in einem Schreiben an, ob Oswald ihm zwei- bis dreitausend Star Roggen liefern könne, also 60 000 bis 90 000 Liter. War Oswald Getreide-Großhändler geworden?

Daß Oswalds ›Lebensabend‹ nicht ruhig war, dafür sorgte, unter anderem, auch Anton von Thun. Wir erinnern uns: Oswald hatte ihm einen knappen, bösen Brief geschrieben wegen des Kühleisen, der – wohl in Thuns Auftrag – an den Vorbereitungen der Aktionen gegen Hauenstein und andere Familienburgen beteiligt gewesen war. Die Auseinandersetzungen kulminierten in der zweiten Jahreshälfte, besonders nun im Dezember 43.

Anton von Thun war (in zweiter Ehe) mit Dorothea von Gufidaun verheiratet: so war er nach Gufidaun gekommen. Zeitweise wohnte er mit Frau und Kindern auch auf der Burg Stein am Ritten. Stein war Gerichtssitz. Eine der Rechtssachen, mit denen sich Anton von Thun befassen mußte: am 25. August 43 hatten sich sieben Rittner-Bauern schriftlich über »Herrn Oswalds Knechte« beschwert, die sie und ihr Vieh drei Tage zuvor »erheblich mißhandelt« hätten...

Oswald, über den diese Beschwerde geführt wurde, beschwerte sich wiederum bei ihm, und das offenbar nicht zum erstenmal: Anton von Thun raubte ihm Grundrenten, Zinsabgaben von Höfen in und bei Lajen – Methoden, die Oswald gegen andere angewandt hatte, vielleicht auch weiterhin anwandte!

Solche Übergriffe waren für den Thuner freilich naheliegend: vom Ritten aus sieht man, jenseits des Eisack, am Gegenhang die kleine Ortschaft Gufidaun, sieht auf ungefähr gleicher Höhe und nicht weit entfernt die noch kleinere Ortschaft Lajen – sichtlich im Einflußbereich, Machtbereich der Herren der Burg Gufidaun (Summersberg), und das hat Anton von Thun offenbar ausgenutzt. Oswald protestierte, Oswald forderte die Gemeinde Lajen auf, ihn in dieser Angelegenheit zu unterstützen.

»Ich, Oswald von Wolkenstein, Ritter, entbiete den Hofbesitzern von Lajen und der ganzen Bauerngemeinde des dortigen Gerichts meine freundlichen Empfehlungen. Ich habe vor einiger Zeit wiederholt Klage geführt über mehrfache Belästigungen, die mir und den Meinen täglich durch den Thuner widerfahren. Nun kommt Euch dies zur Kenntnis: Daß er mir und meinem Bruder unsere Bauern weggefangen hat und sie nicht, wie das rechtens wäre, herausgeben will. Ich bitte Euch, Ihr möget Euch mit Entschiedenheit in dieser Sache verwenden und ihm die Anweisung erteilen, er solle vor Gericht seine Ansprüche an unsere Bauern unter Beweis stellen. Dafür wäre ich Euch sehr verbunden.«

Oswald erhielt eine beruhigende Zusicherung, aber es änderte sich nichts. Oswald mußte einen weiteren Brief nach Lajen schicken.

»Den Hofbesitzern und der gesamten Bauerngemeinde von Lajen entbiete ich, Oswald von Wolkenstein, meine Grüße. Ihr habt mir schriftlich mitgeteilt, mit ausführlicheren Worten, daß mir von der Burg Gufidaun her kein Schade mehr zugefügt werden soll. Ich teile Euch hierzu mit, daß mir der Thuner in Lajen die Zinseinkünfte und auf Villanders die Wein-Einkünfte entzogen hat. Solche Anweisungen und Übergriffe gehen alle von der Burg Gufidaun aus. Hätte er diese Burg nicht, so könntet Ihr sicher sein, daß ich solche Übergriffe, sei es zu Lajen oder auf Villanders, von ihm nicht hingenommen hätte. Ich bitte Euch im Guten, Euch in dieser Sache einzuschalten: falls er Ansprüche an mich zu stellen hat, so möge er mich in dieser Sache vor Gericht verklagen. Ich habe mich ganz auf Euer Schreiben verlassen und bin auch nie darüber informiert worden, was er mir vorwirft und warum er mir meinen Besitz entzieht. Laßt mir Eure schriftliche Antwort binnen kürzester Frist zukommen.

Er hat eine gute Bürgschaft von mir gehabt, nach Wunsch, und doch hat er mir die Wein-Einkünfte entzogen und gedroht, er werde meine Bauern erschießen.«

Auch dieses Schreiben blieb erfolglos; Oswald schickte ihm am 11. Dezember eine Art Kriegserklärung, weckte hier den Eindruck, er hätte angesichts des himmelschreienden Unrechts (ausgerechnet einige jener Höfe zu berauben, deren Einkünfte er dem hl. Oswald gewidmet hatte!) die gesamte Landschaft Tirol gegen ihn aktiviert.

»Anton von Thun, eigentlich bin ich Dir keine Fehdeerklärung schuldig, weil kein ehrlicher Friede zwischen mir und Dir vereinbart ist. Aber nun hast Du gegen Gott und alles Recht meiner Kapelle die ihr zustehenden Einkünfte entzogen – entgegen Deiner Zusage, die mir unterstehenden Kapläne nicht unbillig zu belasten. Diese Zusage hast Du nicht eingehalten. Ich meinerseits will aber meine Ehre Dir gegenüber bewahren, gemeinsam mit all denen, die ich zum Kampf gegen Dich mobilisiert habe, mit Genehmigung meines gnädigen Herrn, des Herzogs Sigmund und der ganzen Landschaft, stellvertretend für unseren obengenannten gnädigen Herrn, nach Anweisung des Auftrags, der in Hall ausgestellt und der Anordnung, die zu Meran erteilt worden ist. Stelle Dich darauf ein.«

Viel konnte der Thuner auf den Höfen von Lajen nicht abkassiert haben – in den Urbaren zeigt sich, wie wenig sie im Schnitt einbrachten. Nun hatte Anton von Thun wohl auch einige Pächter Oswalds eingesperrt, sie massiv bedroht; aber auch das waren landesübliche Praktiken. Deshalb gleich eine Strafexpedition gegen Anton von Thun, mit spezieller Genehmigung des Landesfürsten im fernen Graz und der sehr beschäftigten Landschaft? Hat Oswald geblufft?

Etwa am 10. Dezember traf in Graz eine Tiroler Delegation ein. Der Landtag hatte ihr schriftliche Instruktionen erteilt: Die Freilassung Herzog Sigmunds und die Rückgabe des Innsbrucker Schatzes verlangen, sich nicht auf Verhandlungen einlassen, keine Erklärungen des Königs entgegennehmen, nur die Antwort Ja oder Nein fordern.

Die Antwort des Königs war nicht ganz so knapp, doch eindeutig: Er sei nicht verpflichtet, diese Forderungen zu erfüllen; Herzog Sigmund sei hier einer Meinung mit ihm. Sigmund selbst erklärte den Herren, er könne ihrer Aufforderung nicht nachkommen, denn er sei noch nicht so reifen Alters, daß er die Regierung des Landes zu übernehmen imstande sei.

Die Gesandten waren enttäuscht und empört: sie merkten sehr wohl, daß dies eine erzwungene Antwort war. Enttäuschung und Empörung in Tirol, als die Gesandtschaft eintraf, das Ergebnis sich herumsprach. Man bereitete sich noch entschiedener vor auf eine Verteidigung des Landes, ging noch schärfer vor gegen Anhänger des Königs: wer die geforderte Loyalitätserklärung für die Landschaft und für Sigmund nicht abgab, wurde seiner Ämter enthoben. Dem Bischof von Brixen wurde erklärt, falls er sich nicht endlich mit aller Klarheit für die Landschaft entscheide, werde er aus dem Lande gejagt.

Staunen in Graz. Enea Silvio Piccolomini (ein Höfling, der für die Erziehung des jungen Herzogs verantwortlich war) an Kaspar Schlick: »Das Land Tirol ist in voller Aufregung, die Verschwörung eine allgemeine. Adel und Volk machen gemeinsame Sache; alle, die im Namen des Königs das Land verwalten, sind abgesetzt, andere Beamte an ihre Stelle berufen. Jeder Eingang in das Land ist gesperrt.« Und kurz darauf, am 28. Dezember: der König gehe tagaus, tagein mit dem gleichen Marmorgesicht umher, keine Entschlüsse, keine Handlungen. Weiter berichtete er, einer königlichen Gesandtschaft habe man die Einreise nach Tirol verwehrt, die Gesandten säßen in Rottenburg am Inn, würfelnd, Fische zählend. »Das Bauernvolk steht in ganz Tirol unter den Waffen und bewacht die Pässe wie das Grab des Herrn, doch schlafen sie nicht wie die Anhänger des Pilatus, sondern Tag und Nacht setzen sie den Humpen zu.« Überall höre man die Forderung, man solle sich den Herzog »erobern«.

Friedrich weiterhin wie gelähmt: sobald eine Lage für ihn kritisch wurde, tat er nichts mehr. Eigentlich hätte er längst schon zum Reichstag nach Nürnberg reisen müssen, doch er verschob den Aufbruch Tag um Tag, Woche um Woche.

Inzwischen war in Brixen Bischof Georg gestorben, in der Tat ›plötzlich und unerwartet‹. Oswald wurde vom Dompropst schriftlich aufgefordert, als Gotteshausmann an der Neuwahl teilzunehmen. Diese Wahl war in der gegenwärtigen Situation ein Politikum, denn der König besaß das Recht, den Kandidaten für dieses reichsfürstliche Bischofsamt zu benennen; Oswald und seine Freunde aber wollten in Brixen nicht wieder einen Vertreter des Königs haben, sondern einen Mann, der ihre Politik unterstützte, und zwar energisch. Piccolomini an Schlick: »Ich bin der Ansicht, daß die Führer der herrschenden Partei in Tirol nicht gesäumt haben werden, nach Brixen zu eilen, um dort eine Bischofswahl in ihrem Sinne vorzunehmen.«

Er hatte recht; am 4. Januar 44 wurde der Domherr Dr. Johannes Röttel zum neuen Bischof gewählt, und er gab sogleich die Erklärung ab, er werde die Politik der Landschaft unterstützen, soweit sich das mit seinem Amt als Bischof und seiner Position als Reichsfürst vereinbaren lasse. Er schloß mit der Landschaft einen Vertrag zur gemeinsamen Verteidigung des Landes: ein politisches Novum, ein demonstrativer Akt.

Selbstverständlich akzeptierte König Friedrich diese Wahl nicht, hintertrieb die kirchliche Anerkennung, und so dauerte es noch etliche Zeit, ehe Johannes Röttel in seinem Amt bestätigt wurde, vom Heiligen Stuhl.

Von Streitfall zu Streitfall wurde so die Lage brisanter: würde es zum Krieg kommen? Mehrfach Gerüchte über einen Aufmarsch im Pustertal. Und die Stadt Trient – im südlichsten Bereich von Tirol sowieso schon recht selbständig – erklärte sich offen für König Friedrich. Neue Gerüchte: König Friedrich befinde sich gemeinsam mit dem Grafen Ulrich von Cilli im Anmarsch auf Trient.

In Brixen bildete sich ein Verteidigungsausschuß: Ulrich von Matsch, Oswald von Wolkenstein, einige weitere Herren. Sie beschlossen, ein Heer aufzustellen zur Eroberung von Trient.

Allgemeine Nervosität. Am 20. Januar 44 wurde Oswald von Wolkenstein von Bürgermeister und Rat der Stadt Meran darüber informiert, daß zwei Bürger von Trient zum König geritten seien, man habe daraufhin alle Pässe und Straßen Richtung Trient besetzt. Und Oswald wurde aufgefordert, die Mühlbacher Klause mit Soldaten zu besetzen, die sich alle 14 Tage abwechseln sollten. Das klingt, als habe es in dieser Klause bisher nur Zöllner gegeben; die Anlage dürfte aber bereits von Soldaten besetzt gewesen sein; der Name des Kommandanten ist überliefert: Erhart Zollner, Landrichter von Gries bei Bozen. Gewünscht, gefordert wurde in dieser Situation also wohl eine militärische Verstärkung dieser wichtigen Grenzbefestigung.

Oswald hat einen Brief an den Kommandanten der Klause geschickt, eins der letzten Schreiben, die von ihm überliefert sind – es ist mittlerweile sein vorletztes Lebensjahr. Ein Brief, der uns über die wirre Situation zu Beginn des Jahres 1444 informiert und über Oswalds wohl letzte diplomatische Mission: wie er sich mit dem Grafen Ulrich von Cilli treffen sollte und wie er sich davor drückte.

Die Grafen von Cilli: energische Herrschaften, die konsequent ein Ziel verfolgt, schließlich auch erreicht hatten, die Reichsunmittelbarkeit; 1436 waren Friedrich von Cilli und sein Sohn Ulrich in einem Festakt zu Prag von Kaiser Sigmund in den Reichsfürstenstand erhoben worden. Damit waren Spannungen, Auseinandersetzungen mit Herzog Friedrich IV. vorprogrammiert, der auch Kärnten verwaltete: hier saßen die reichsunmittelbaren Herren von Cilli auf ihren Reichslehen und ließen sich von ihm nichts mehr sagen.

Eigentlich wäre auch König Friedrich, »Herzog zu Österreich, zu Steier, zu Kärnten und Krain«, prädestinierter Gegner des ehrgeizigen Ulrich von Cilli gewesen, mit dem Macht und Ansehen derer von Cilli den Höhepunkt erreichten, aber hier schien sich eine Allianz zu bilden: Ende 1443 hatte sich Friedrich in St. Veit mit Ulrich von Cilli und Heinrich von Görz getroffen, um über eine gemeinsame militärische Aktion gegen Tirol zu beraten. Nun also, Anfang 1444, das Gerücht, der König befinde sich, gemeinsam mit Ulrich von Cilli, auf dem Vormarsch Richtung Trient.

Die Tiroler Landschaft wünschte, verständlicherweise, Klarheit über die gegenwärtige politische Einstellung dieses Grafen – konnte man eventuell doch mit ihm rechnen?

Oswald erhielt den Auftrag, mit Ulrich von Cilli zu verhandeln – eine prekäre Mission! Der Wolkensteiner solle, so ließ Graf Ulrich ausrichten, nach Lienz kommen – also befand er sich doch nicht auf dem Marsch Richtung Trient. Bald folgende Schreiben zeigen Ungeduld an, weil Oswald nicht prompt erschien: Er solle sich unverzüglich in Lienz einfinden: der gewünschte Geleitbrief werde ihm durch Graf Hochberg zugestellt. So hieß es am 17. Februar. Und gleich noch einmal: Er solle mit der Botschaft der Landschaft unverzüglich zu Graf Cilli nach Lienz kommen.

Wenige Tage später berichtete Oswald zu Beginn seines Schreibens an Zollner: »Meine Grüße, lieber Erhart. Mir schreibt die Landschaft, ich hätte es unterlassen, in einer bestimmten Mission zu dem von Cilli zu reiten. Dazu erkläre ich folgendes: Der von Cilli hat es unterlassen, nach Bruneck zu reiten. Hätte man mir statt dessen anbefohlen, mich mit dem von Cilli in Lienz zu treffen, so hätte ich sofort schriftlich eingewendet, daß mir dieser Auftrag nicht paßt. Kein Mensch wollte mir dazu raten (so viele ich auch darüber befragt habe!), vor die Lienzer Klause zu reiten. Insbesondere waren es mächtige Leute, die ich nicht nennen will, die mir insgeheim im Vertrauen abgeraten haben, obwohl mir ein Geleitbrief zugesichert wurde, wie ich belegen kann.«

Daß ursprünglich verabredet war, Graf Ulrich solle Oswald bis Bruneck entgegenkommen, dürfte kaum stimmen: Schließlich war Ulrich ein Reichsfürst, und der ließ einen Landedelmann zu sich kommen. Die vorhergehenden Schreiben zeigen auch klar, daß Lienz der Verhandlungsort sein sollte.

Oswald brach trotz aller Bedenken und Proteste auf, ritt erst einmal bis Toblach, sah hier Soldaten des Heinrich von Görz. Bis hierher konnte er sich einigermaßen sicher fühlen, er war Lehnsrichter dieses Grafen, und der hatte Schwierigkeiten (Erbfragen!) mit den Cilliern; zugleich aber deutete sich in dieser Zeit, zumindest gerüchteweise, die Möglichkeit einer Zweckallianz an zwischen Heinrich von Görz und Graf Ulrich von Cilli.

Oswald ritt weiter, ungefähr 20 Kilometer, bis Sillian. Weiter wollte er auf keinen Fall; bis Lienz waren es noch mal rund 40 Kilometer; standen dort schon Soldaten des Königs? Trafen die Gerüchte zu, nach denen der König und der Graf gemeinsame Sache machten? Oswald schickte andere Mitglieder der Delegation weiter. Und diktierte einen Brief, enttäuscht, verärgert.

»Nun habe ich der Landschaft meine Befürchtungen mitgeteilt, und trotzdem haben sie mir mit Nachdruck den schriftlichen Befehl gegeben, nach Lienz zu reiten – das hätte ich von einigen Herrschaften nun nicht erwartet, daß sie mich derart in Gefahr bringen würden! Ich habe es nicht verdient, daß man mich so leichtfertig aufs Spiel setzt! Ich würde mit Fug und Recht zu diesem Zeitpunkt im

Dienst der Landschaft und vor allem unseres gnädigen Herrn, des Herzogs Sigmund, lieber nach Frankreich oder nach England reiten als nach Lienz, wo doch Herr Graf Heinrich selbst sich von Lienz zurückgezogen hat nach Toblach und das Land diesseits der Klause mit großer militärischer Macht besetzt hält. Ich hoffe aber nun, daß es mir die gesamte Landesgemeinde nicht zumuten wird, mich auf ein derartiges Risiko einzulassen, und daß man meine bisherige Pflichterfüllung anerkennt, die ich dem gnädigen Herrn, Herzog Sigmund, und der Landschaft bisher erwiesen habe und auch weiterhin erweisen möchte.

Unter diesen Umständen bin ich immerhin bis Sillian geritten und habe meinen Neffen, Herrn Diepold, den Vintler, den Nocken und den Staudacher nach Lienz zu dem von Cilli geschickt, um seine Wünsche zur Kenntnis zu nehmen und sie mir auszurichten, gemäß meinem Auftrag.

Nun ist aber der Markgraf von Rötlan einen halben Tag vorher dort angekommen, so daß die Entgegennahme und Übermittlung des Auftrags dennoch richtig erfolgte und nichts unerledigt bleibt. Falls diesen Männern Unannehmlichkeiten widerfahren wären, so hätten sie mich ohne weiteres zum Verantwortlichen machen können, und das wäre weniger riskant gewesen, als wenn ich dort gewesen wäre. Immerhin bin ich so nah, daß man mich in vier Stunden leicht erreichen kann, sei es der von Cilli persönlich oder seine Räte oder unsere Boten. Das ist für die Landschaft ehrenhafter als meine Anwesenheit in Lienz; sie werden in dieser Angelegenheit weniger kritisiert. Warum sollten wir uns ihnen gegenüber unterwürfig verhalten, so, als würden wir gerne ihre Anweisungen entgegennehmen! Außerdem, es bleibt in dieser Sache ja nichts unerledigt.

Gegeben zu Sillian, am 22. Februar 1444. Oswald von Wolkenstein, Ritter.«

Krieg! Die Stadt Trient wurde von etwa 3000 Soldaten belagert, aufgeboten von der gesamten Tiroler Landschaft; Befehlshaber war Heinrich von Mörsberg.

Als erstes hatte man, zu Beginn des Jahres, die Umgebung der Stadt verwüstet; dann wurde der Belagerungsring geschlossen; reiche Bürger der Stadt hatten sich rechtzeitig abgesetzt. Mehrere Ausfälle der Belagerten, jeweils hohe Verluste unter den Tiroler Truppen, aber der Belagerungsring wurde nicht durchbrochen. Immer ungeduldiger wartete man in Trient auf ein Entsatzheer unter König Friedrich, aber der tat wieder einmal nichts, blieb in Graz. Sein Wahlspruch soll gelautet haben: Die Zeit verwaltet das Amt der Rache.

Die Belagerung dauerte insgesamt ein Vierteljahr, entsprechend hoch waren die Kosten. Einige Herren zeichneten am 4. März eine Kriegsanleihe in Höhe von insgesamt 1300 Dukaten; Oswald von Wolkenstein beteiligte sich mit 200 Dukaten (der Durchschnittsbetrag), ebenso Anton von Thun.

Am 5. April die Kapitulation von Trient; Heinrich von Mörsberg wurde Stadtkommandant. Ein Sieg, der von der Tiroler Landschaft im Triumph gefeiert wurde.

Der König zeigte nun Verhandlungsbereitschaft, wurde aber von Hofleuten, vor allem durch Konrad von Kreig, mit Entschiedenheit aufgefordert, hart zu bleiben: man kenne die Tiroler, »sie halten nicht aus, sie bleiben nicht beisammen«. Der König, wieder aufgerichtet, erklärte, er werde denen von der Etsch noch einen Strick um den Hals legen, daß sie vor ihm auf die Knie fallen müßten! Sympathisanten der Tiroler sorgten dafür, daß diese Äußerungen bekannt wurden: Trotzreaktionen in Tirol! Weiterhin blieben strategisch wichtige Pässe, Klausen, Burgen besetzt. Und die Distriktkommandanten kamen zu einer Besprechung in Meran zusammen: Koordination der Verteidigungsmaßnahmen.

Hier in Meran erhielt Oswald eine weitere, ehrenvolle Aufgabe: für die Aufbewahrung der beiden zu dieser Zeit wichtigsten Urkunden des Landes zu sorgen, des Vormundschaftsvertrages von Hall und der Inventarliste des ›Staatsschatzes‹; man wollte die Dokumente von der Bischofsburg in Brixen nach Meran bringen, dort waren sie nun sicherer, ein Angriff von Süden her war kaum noch zu befürchten, eher durch das Pustertal. Oswald traf die nötigen Vorbereitungen: er suchte einen Turmraum aus, gab den Auftrag, zwei Eisentüren einzubauen.

Im Juli berichtete ihm Konrad Vintler »betreffs des Gemachs, wie Ihr es besichtigt habt«, und informierte Oswald darüber, »daß die eine Eisentür völlig fertig ist; mit der anderen dauert es auch nicht mehr lange«.

Am 14. August 44 versammelte sich der Rat der Landschaft noch einmal im Meran; Oswald wieder unter den Teilnehmern. König Friedrich drohte weiterhin mit Krieg; obwohl das mittlerweile nicht mehr völlig ernstzunehmen war, blieb man in Alarmbereitschaft.

V or Ostern 1445 war Margarete von Wolkenstein in Meran, schickte von dort einen Brief nach Hauenstein, an »meinen hochgeschätzten Diener Jörg«. Ich lege eine Übersetzung dieses Briefes vor: er gibt uns (trotz einiger Texträtsel) ein wenig Einblick in die häuslichen Verhältnisse, erlaubt vielleicht auch einen Rückschluß auf Oswalds damaligen Gesundheitszustand.

Vorbereitend noch diese Anmerkung: an zwei Stellen des Briefs (Okken hat mich darauf hingewiesen) hat Margarete schwäbische Sprachformen diktiert; das habe ich in der Übersetzung berücksichtigt.

»Lieber Jörg, ich habe zur Kenntnis genommen, daß ich während der Osterfeiertage no Hauenstein zurückkehren soll. Du weißt ja selbst, daß ich nicht im Kopf habe, wem wir noch Geld schulden; das soll nun alles bereinigt werden, damit man nichts Schlechtes über uns redet. Am liebsten wäre mir, Dein Herr würde Dich selber hierher schicken, damit alles ordnungsgemäß erledigt wird. Übrigens, die Anweisungen, die mir Dein Herr erteilen läßt, für meinen Aufenthalt hier und au für Hauenstein, die will ich sehr gern ausführen. Und richte Deinem Herrn aus, ich hätte hier keinen Aufseher außer Christel, diesen Narren, wenn der Schneider nicht länger bliebe. Und der Geyer gibt reichlich an! Und wenn der Wein alle ist, soll ich dann den roten anzapfen? Gib mir auch hierüber Bescheid, lieber Jörg. Und kümmere Dich gut um Deinen Herrn, ich werde es dir anständig lohnen. Und schicke mir den Ring, der von Oswald dem Goldschmied stammt, und zwar schicke ihn mir zu Händen des Richters von Meran. Und laß Dir den Bächle anempfohlen sein, dafür wäre ich Dir sehr dankbar. Ferner teile ich Dir mit, daß mir der Burggraf von Tirol während der Osterfeiertage die Pferde nicht leihen kann, weil er und seine Frau nach Villnöß wollen. Wenn er mir ein Maultier schicken würde, egal, ob groß oder klein, so wäre mir das schon recht. Und, lieber Jörg, informiere mich genau und umfassend darüber, was ich tun und lassen soll, ich will mich danach richten. Schicke die Antwort bitte zu Händen des Richters.«

Margaretes Bitte an den Diener, sich um seinen Herrn zu kümmern – ist sie bemerkenswert? Daß ein Diener für seinen Herrn sorgte, galt als selbstverständlich, mußte damals kaum erwähnt werden – und dieser Jörg scheint ein zuverlässiger Diener gewesen zu sein, besaß offenbar eine Vertrauensstellung. Sonderlich beunruhigt klingt Margaretes Brief nun allerdings nicht: Personalprobleme, der Wein geht zur Neige, sorg für Deinen Herrn... Freilich folgt nun Margaretes Zusicherung, sie werde ihn dafür belohnen. Also doch Aufgaben für diesen Diener, die über seine sonstigen Tätigkeiten hinausgingen, deshalb zusätzlich honoriert werden sollten?

Wozu Margarete nach Meran geritten war, läßt dieser Brief nicht erkennen. Ein privater Besuch, oder reiste sie im Auftrag, in Stellvertretung ihres Mannes? War Oswald zu dieser Zeit krank, pflegebedürftig? Deshalb die Bitte, das Angebot?

Woran Oswald erkrankte oder krankte, woran er schließlich starb, wissen wir nicht. Aus seiner Altersklage, die er bereits zwei Jahrzehnte zuvor geschrieben hatte, lassen sich keine eindeutigen Schlüsse ziehen. Vielleicht aber können uns hier – bei aller literarischen Stilisierung – zwei Hinweise weiterhelfen: »Was an mir rot war, wird nun blau.« Und: »Kein Gesang, nur Husten in der Kehle; der Atem wird mir knapp.«

Allzu ernst dürfen wir das nicht nehmen, denn mit ausgeprägter Blausucht und chronischer Herzinsuffizienz hätte Oswald die dann folgenden zwei Jahrzehnte kaum überlebt – und das derart aktiv! Nach einem Gespräch mit einem Arzt scheint mir dies zumindest denkbar: akute Herzinsuffizienz, nach Kidnapping, Haft, Folterung. Von robuster Konstitution, hatte sich Oswald in der folgenden Zeit dann wohl erholt. Verschlechterte sich sein Zustand nun wieder: erneut akute Herzinsuffizienz? Geschont hatte er sich wohl nie – begann er nun Folgen zu spüren?

Der Streit zwischen König Friedrich und der Landschaft dauerte mittlerweile drei Jahre. Reichsfürsten versuchten nun zu vermitteln; in Salzburg sollte eine Konferenz stattfinden, aber das war nur ein Gerücht. Dennoch, der König sah ein, daß er verhandeln mußte: er forderte die Landschaft auf, eine bevollmächtigte Delegation nach Wien zu senden.

Daraufhin wurde erneut ein Landtag nach Meran einberufen, auf den 16. Mai 1445. Oswald war unter den Teilnehmern. Es ging vor allem um die Bestimmung der Verhandlungsrichtlinien. An den beiden Hauptforderungen hatte sich freilich nichts geändert, konnte sich auch nichts ändern: Freigabe von Herzog Sigmund, Rückgabe des ›Staatsschatzes‹. Siegessicher erörterte man bereits Einzelheiten für den feierlichen Empfang des Landesfürsten, überlegte schon, wer ihn durch das Pustertal bis zur Tiroler Grenze geleiten sollte: Heinrich von Görz und Ulrich von Cilli?

Am 28. Mai diktierte Margarete auf Hauenstein einen Brief an ihren Mann in Meran, ließ ihn durch einen Knecht überbringen.

»Zuvor meine freundlichen und dienstwilligen Empfehlungen. Herzliebster Herr. Daß Euch nichts fehlt und daß es Euch gut geht, das wäre mir eine große Freude. Und ich will Euch berichten, daß verschiedene Leute in Kastelruth herumgeredet und Euch schwer verflucht haben wegen aller Bedrohung und Verwirrung, die nun im Lande sind, und weil man nach Trient marschiert ist und weil man den Brettlein gefangen und beraubt hat und desgleichen den Gerhart. Und weiter heißt es, niemand sei so schuld daran wie Ihr, daß man sich nicht für Herrn Theobald verwendet hat, und wo Ihr ihm nur schaden könntet, da würdet Ihr das mit Vergnügen tun; falls Euch diese Sache zum Guten ausschlage, so würde einen das aber äußerst wundern! Und man hoffe, Ihr würdet nicht länger im Landrat bleiben. Und es würden keine acht Tage vergehen nach Eurer Rückkehr vom Landtag, und es würde sich schon zeigen, wie es Euch dann ergeht! Auch hat Herr Theobald erklärt, er werde Euch nicht über seine Bauern rechtsprechen lassen, wie es urkundlich festgelegt ist, eher würde er die Fälle dem Landesherrn oder der Landschaft zur Erledigung übergeben. Ich bitte Euch, herzliebster Herr, seid in jeder Hinsicht sehr vorsichtig, damit Euch keine Schande und kein Schaden widerfahre; Ihr müßt hier wirklich aufpassen!

Lieber Herr, traut dem Gufidauner nicht, denn er und der Thuner und Herr Theobald, die stecken unter einer Decke. Auch möchte ich Euch berichten, daß hier gesagt wurde, Ihr wärt zu gut protegiert; wäre dies nicht der Fall, so würde man durchaus dafür zu sorgen wissen, daß Ihr die Leute nicht weiter schädigt.

Seid so gut, herzliebster Herr: Solltet Ihr noch länger im Landrat bleiben, so laßt mich kommen. Ich werde es Euch zu danken wissen, denn ich will nicht von Euch getrennt sein, wo immer Ihr auch seid.

Lieber Herr, ich habe gehört, daß der Herr Bischof aus Brixen nicht nach Meran gekommen ist. Ich habe Seine Gnaden so verstanden: Könntet Ihr nicht zu ihm kommen, um Euch mit ihm wegen der Urkunden zu verständigen, so wird er Euch (falls ihn der Rat schriftlich beauftragt) die Urkunden übergeben; er sei gern dazu bereit, auf Eure Bürgschaft hin.

Lieber Herr, solltet Ihr mit dem Jost reden können, so sagt ihm, er solle zurückkommen. Oder schickt sonst einen anderen guten Knecht, damit Euer Besitz in guter Hand ist; wir brauchen so jemanden dringend hier in der Burg.

Weiter lasse ich Euch wissen, daß ich zwei Ochsen gekauft habe, für 10 Dukaten und 1 Pfund; der Passeier hat die neun Dukaten dazu vorgestreckt. Eine andere Sache: Weder der Propst noch der Hauser wollen das Butterfett haben. Wollt Ihr es aber dem Großkopf überlassen, so will er es gerne abnehmen, ein Pfund für neun Vierer, aber nicht mehr. Der Fräl allerdings meint, er würde es zu Tramin günstig loswerden, falls Ihr es ihm übergebt. Laßt mich bitte schriftlich wissen, wie Ihr das geregelt haben möchtet, auch schreibt zu dieser und jener Angelegenheit, und wie es Euch geht und was Ihr vorhabt; der Geyer soll das übermitteln. Und schickt ihn mir gleich zurück, ich kann ihn in der Burg nicht entbehren. Sonst kann ich nur sagen, es ist alles in Ordnung auf Hauenstein. Und damit behüte Euch der allmächtige Gott. Gegeben zu Hauenstein, am Freitag nach Fronleichnam, anno domini 1445. Margarete von Wolkenstein.«

Der Brief zeigt, erst einmal: Margarete hat in Oswalds Abwesenheit die Burg Hauenstein verwaltet, Oswald wollte jedoch über alle Details informiert sein – sonst hätte sie ihn kaum mit der Frage behelligt, wieviel Butterschmalz man wem zu welchem Preis verkaufen solle. Auch sonst hat man den Eindruck: es wurde hart gerechnet auf Hauenstein. Um zehn Dukaten für zwei Ochsen ausgeben zu können, mußte man neun Dukaten ausleihen.

Weiter läßt sich aus diesem Brief schließen: Oswald hatte Feinde in seiner unmittelbaren Umgebung. Sie sahen äußerst ungern, daß er eine so wichtige Position besaß, und fürchteten, er werde nun noch rücksichtsloser seine privaten Interessen wahrnehmen.

Und warum wollte Oswald die Wahl des Theobald von Wolkenstein zum Bischof von Trient hintertreiben? Margarete deutet einen der Gründe an: Theobald stand in Verbindung mit dem Gufidaun. Mit Kaspar von Gufidaun? Der war für Oswald ein unsicherer Kantonist, seit dem Streit mit der Gemeinde Ritten. Außerdem der Thuner: ist das Anton von Thun? Wenn ja, so hätte dieser Theobald Umgang mit Leuten gehabt, die Oswald suspekt, ja verhaßt waren!

Kam auch Politisches hinzu? Theobald, Sohn des Michael von Wolkenstein und dessen Frau aus Schwangau, war Domherr in Brixen, wie sein Bruder Diepold, studierte Theologie an den Universitäten Wien und Padua, promovierte, war seit 1441 Domherr in Trient, wollte dort also auch Bischof werden – ausgerechnet in der Stadt, die sich für Friedrich erklärt hatte und in der es sicher noch zahlreiche Anhänger des Königs gab. Auch hier möglicherweise einer der Gründe, weshalb Oswald gegen die Kandidatur seines Neffen intrigierte. Er wurde trotzdem gewählt, die Tiroler Landschaft aber erkannte Bischof Theobald nicht an, er durfte die Verwaltung des Bistums nicht übernehmen, bevor der zukünftige Landesherr Sigmund in dieser Sache entschied. Gewiß stand Oswald hinter diesem Beschluß. Erst die Loyalitätserklärung für Sigmund, dann das Bischofsamt…

Margarete hatte Grund, besorgt zu sein: bald nachdem ihr Schreiben in Meran eingetroffen war, schickte Oswald einen Boten nach Neustift, bat den Dekan um eine Begräbnisstätte in der Stiftskirche; dies wurde ihm am 14. Juni schriftlich zugesichert.

Dachte Oswald in dieser Zeit über das Sterben nach, wie schon einmal, rund zwanzig Jahre zuvor, nach der Gefangenschaft? Damals hatte er ein Lied über sein Sterben geschrieben, Kl 6; es gehört nicht chronologisch, aber thematisch in dieses Kapitel.

> Ich riech ein Tier:
> die Füße breit, und scharf sind seine Hörner;
> das will mich in die Erde stampfen,
> mit einem Stoß durchbohren.
> Den Rachen hat es vor mir aufgerissen,
> als sollt ich ihm den Hunger stillen.
> Es kommt heran,
> die Mordlust auf mein Herz gerichtet –
> ich kann der Bestie nicht entfliehn!
> Wie ist die Not so groß,
> seit alle Jahre, die von mir vergeudet wurden,
> zu einem Tag nun aufgehäufelt sind.
> Zum letzten Tanz bin ich jetzt vorgeladen,
> und alle meine Sünden, zu einem Kranz geflochten,
> sie werden mir nun präsentiert –
> ich muß die Rechnung dafür zahlen.
> Doch will es Gott, der Eine Gott,
> sie wird mit einem Strich erledigt!
>
> Nun zeigt sich klar:
> wenn ich für eine Jahreslänge

vernünftig leben würde,
das könnte meine Schuld verringern,
da zahlte ich mit kleiner Münze,
wo ich nun, leider, alles geben muß.
So ist mein Herz
voll Sorge und Beklemmung –
die Angst vorm Tod wiegt nur gering.
Wo bist du morgen, Seele?
Wo wirst du Zuflucht finden,
wenn du im Fegefeuer büßen mußt?
Ach, Kinder, Freunde und Kumpane –
wo bleibt denn eure Hilfe, euer Rat?
Ihr nehmt nur den Besitz, laßt mich allein
eintauchen in das Scheidewasser,
das alles Geld entwertet, bloß bestehen läßt
die guten Taten. Ach, hätt ich sie gemehrt!

Allmächtiger,
von Ewigkeit zu Ewigkeit, sei mein Geleit,
zeig dein Erbarmen, göttlich groß,
damit der Luzifer und seine Helfer
von mir nicht mehr verlangen, als ich geben kann,
und mich der Höllenschlund verschlingt.
Maria, Jungfrau,
erinnere dein liebes Kind doch an sein großes Leid.
Er, der die Christenheit erlöste,
Er schließe mich nicht aus,
sein Martertod sei Hoffnung auch für mich,
wenn meine Seele aus dem Körperkerker flieht.
O Welt, nun gib mir schon den Lohn,
trag mich zu Grab, vergiß mich bald.
Hätt ich statt deiner nur dem Herrn gedient,
als Einsiedler im Wald,
da wär ich jetzt auf rechtem Pfad.
Gott, Schöpfer: so erleuchte mich, den Wolkensteiner.

Oswald erholte sich noch einmal, wenigstens so weit, daß er der Bitte des Konrad Öttinger nachkommen konnte, als Zeuge einen Schriftsatz zu siegeln: »der edel streng und vest herr Oswald von Wolkenstain ritter«. Dies war am 6. Juli 1445.

Am 2. August starb er, in Meran. Seine Frau war bei ihm. Noch am selben Tag übergab sie Ulrich von Matsch, dem »obersten Verweser Herzog Sigmunds«, die beiden Schlüssel des Turmraums, in dem der Vormundschaftsvertrag und die Inventarliste deponiert waren; Oswald hatte die Schlüssel der beiden Eisentüren bei sich getragen. Ulrich von Matsch ließ Margarete eine Empfangsbescheinigung ausstellen.

Im Kloster Neustift wurde notiert, Oswalds Leichnam sei unter erheblichen Mühen überführt worden und bei großer Hitze. Wenn das besonders vermerkt wurde, lateinisch, muß es schon eine Hitzewelle gewesen sein. So dürfte Oswald in den Stunden der höchsten Temperatur, damit der stärksten Kreislauf-Belastung, gestorben sein, mittags oder am frühen Nachmittag.

Die letzte Reise wird am nächsten Tag begonnen haben. Zuvor: das Waschen, Anziehen, Aufbahren des Leichnams; Gebete, die Totenwache. Ein Hitzestau wohl auch im Sterbezimmer. Es muß eine feuchte Hitze gewesen sein: die Sümpfe in der Ebene vor der Stadt. Und wenig Wind im August. Zahllose Fliegen. So konnte bereits nach zwei Stunden eine Leiche verfärbt, aufgequollen sein. Man wird deshalb, nach den kirchlichen Ritualen, den Leichnam in einen Keller getragen haben. Hat ihn vielleicht mit essiggetränkten Tüchern umwickelt. Oder hat ihn ein Bader eingerieben mit einer Alaunlösung, die gerbend einwirkt auf die Haut? Dies war damals eine teure, seltene Präparierungsmaßnahme. Was man in der kurzen Zeit auch unternahm: der Verwesungsprozeß konnte nur verzögert, nicht verhindert werden, bei diesem langen Transport in großer Hitze.

Man wird drei Tage gebraucht haben für den Weg über Bozen und Brixen, ein bis zwei Tage für die Route über den Jaufenpaß. Schon innerhalb des ersten Tages aber treten bei Hitze diese Veränderungen ein: Grünfärbung, rasches Auftreiben des Bauchs, zugleich des Hodensacks – »das sieht grotesk aus«, sagte der Pathologe, den ich befragte, und an den »abhängenden Körperpartien«, also seitlich und am Rücken, bilden sich Blasen, wachsen, platzen, ein Aufreißen bald auch des prall geblähten Körpers, es tritt ein gelbliches »sirupartiges« Sekret aus: das »Abtropfen«. »Wenn ich bedenck den bittern tod.« Das schmierige Grün der Oberfläche verwandelt sich in schmutziges Rosa; der »Schaumpilz« vor dem Mund; Sekret sickert aus den Winkeln der blau aufgetriebenen Lippen, aus den Augenhöhlen, aus der Nase, aus allen Körperöffnungen: Blutflüssigkeit, verflüssigtes Bindegewebe, verflüssigte Muskulatur. Zusätzlich wohl auch Madenfraß. »Got schepfer leucht mir Wolkensteiner klar.«

Über Oswalds ›Weiterleben‹ berichtet eine Sage; ich erzähle sie nach der Vorlage von Wolffs *Dolomitensagen*.

Der König des Rosengartens besitzt einen großen Jagdforst mit zahlreichen Goldfasanen, mit weißen Hirschen und in den Bergen Hunderte von Gemsen. Königlicher Jagdaufseher, Forstaufseher ist Partschótt. Er mäht Wiesen am Rand des Rosengartens, lagert das Heu in Stadeln, füttert damit im Winter die Gemsen und die weißen Hirsche. So ist alles gut und schön, wie es ist.

Aber plötzlich die Wende: der König läßt den paradiesischen Rosengarten versteinern, schickt seinen Hofstaat in Felsensäle, Felsenhöhlen – nur den Jagdaufseher Partschótt draußen, den vergißt der König.

Und dieser Partschótt sieht erschrocken, wie der Rosengarten zu einem wüsten Felsgebirge wird (Rosengarten Spitze, Catinaccio 2981 m). Partschótt ruft, Partschótt läuft umher – alles ausgestorben, alles tot. Da baut er sich eine Hütte am Grünser Bühel (2145 m), mäht weiterhin Gras, füttert im Winter mit Heu die Gemsen und die weißen Hirsche; tut, was er immer getan hat.

Aber nun, da der König des Rosengartens seine Herrschaft aufgegeben hat, kommen Fremde aus den Tälern herauf, dringen in den Wald ein, jagen das Wild. Und andere folgen mit Viehherden. Der alte Jagdaufseher versucht, den Wildbestand zu retten, aber alles Bitten, alles Mahnen bleibt vergebens, die Gemsen und die weißen Hirsche werden gejagt, große Flächen Wald werden abgeholzt, niedergebrannt, die Eindringlinge brauchen Weideflächen für ihre Viehherden: die Seiser Alm. Dem alten Partschótt nimmt man sogar seine Heustadel ab. Und hilflos sieht er zu, wie mehr und mehr Wald vernichtet wird, wie die Gemsen und die weißen Hirsche ausgerottet werden; der letzte der weißen Hirsche flieht hinunter in den Hauensteiner Forst.

Man beginnt den alten Partschótt zu vergessen. Wer ihn noch einmal sieht, der traut ihm nicht mehr, hält ihn für ein gefährliches Wesen. Der Alte wird immer scheuer, zieht sich tief in die Restwälder zurück. Alte Hirten sehen in ihm einen Berggeist.

Erst wenn im Herbst die Viehherden wieder zu Tal getrieben sind, wenn keine Menschen mehr auf der Hochfläche sind, kommt der Alte aus den Waldgebieten heraus, schaut über die Hochebene, geht zum Schlernmassiv, verschwindet in Felsschroffen. So wiederholt sich das jeden Herbst.

Aber eines Tages, wenn der alte Partschótt über die Seiser Alm zum Schlern geht, wird er hoch auf dem Grünser Bühel den Sänger Oswald von Wolkenstein sehen, in schimmernder Rüstung. Und Partschótt wird einen Jubel- und Jodelschrei ausstoßen, den man weit, weit hören wird, über das Grödnertal hinweg bis zum Raschötz, und hundertfach das Echo in den Bergen. Und dann wird Oswald erneut seine Lieder anstimmen, und aus dem kargen, schroffen Felsgebirge Rosengarten wird wieder ein paradiesisch schöner Rosengarten, blühend, blühend, und die alten Bergpaläste entstehen neu, und die schlafenden Zwerge erwachen, und der Wald wird wieder über die Seiser Alm wachsen, und der alte Partschótt wird wieder das Wild hegen, die Gemsen und die weißen Hirsche.

Der wiedergefundene Wolkensteiner
Nachtrag 1988

Ich schreibe diesen Bericht elf Jahre nach Erscheinen der Erstausgabe meiner Wolkenstein-Biographie. Der Anlaß: es wurden Teile eines Skeletts gefunden, das sich höchstwahrscheinlich Oswald von Wolkenstein zuschreiben läßt.

In den siebziger Jahren wurden in der Basilika von Neustift Reparatur- und Restaurierungsarbeiten durchgeführt, vor allem am Fußboden. Ein kleiner Bagger legte dabei November 1973 ein mittelalterliches gemauertes Grab frei; Teile des Skeletts wurden mit Schutt abtransportiert; der Stifts-Bibliothekar konnte im letzten Moment verhindern, daß sämtliche Knochen weggeschafft wurden, und barg die Reste des Skeletts. Er vermutete, dies seien möglicherweise Gebeine Oswalds von Wolkenstein: das Grab wurde in einem Bereich freigelegt, in dem sich nach der Überlieferung Oswalds Grab befunden haben muß. Die Knochen wurden in einen Karton gelegt, und den – so erzählt man – schob der Bibliothekar in der Zelle unter sein Bett.

Der Karton mit den Knochen blieb dort etwa vier Jahre. 1977 kam ein hoher Beamter nach Neustift; dieser Besucher war (und ist) davon überzeugt, mit den Wolkensteinern verwandt zu sein – so ergab sich ein Gespräch über Oswald; der Pater berichtete von den Knochen und holte die Schachtel hervor; der Besucher bot an, die Skelettreste mitzunehmen und einem Anthropologen zu übergeben, mit dem er gut bekannt sei. So kamen die Knochen nach Linz. Dort ruhten sie erst mal wieder. Schließlich begann ein Medizinstudent, sie zu vermessen. Als der Anthropologe Ämilian Kloiber davon erfuhr, übernahm er die Knochen, untersuchte sie. Zur Identifizierung wurde die Mitarbeit eines Gerichtsmedizinischen Instituts notwendig – hier ergab sich ein Kontakt zwischen den Universitäten Linz und Bern. Zur Identifizierung ist vor allem der Schädel notwendig; er wurde von der Frau des Anthropologen auf eine Reise in die Schweiz mitgenommen und auf einem Bahnsteig des Bahnhofs Basel dem Gerichtsmediziner Dr. Glowatzki übergeben. In diesem

Karton befand sich allerdings nur die Hirnschale; den Unterkiefer hatte der Anthropologe in den Weihnachtsurlaub mitgenommen, nach Saarbrücken. Dieser Knochen (abgekürzt UK) war zur Identifizierung allerdings sehr wichtig – die Zusammenführung von Hirnschale und Kiefer fand ein halbes Jahr später statt. Über die Untersuchung im Gerichtlich-medizinischen Institut der Universität Bern werde ich gleich berichten, ich nehme hier das Ergebnis vorweg: mit an Sicherheit grenzender Wahrscheinlichkeit liegen die sterblichen Überreste des Oswald von Wolkenstein vor. Auf dem Internationalen Symposion 1982 in Seis am Schlern wurden seine Skelettreste ausgestellt, auf einem Tisch mit grünem Tuch, wurden vom ORF gefilmt. Danach wurden die Knochen erneut aufgeteilt: Hirnschale und Unterkiefer kehrten nach Bern zurück; die Knochen von Rumpf und Beinen kamen wieder nach Linz; die Beinknochen machten von dort einen Abstecher nach Würzburg. Nach den Reisen der Skelettreste des vielgereisten Oswald von Wolkenstein werden die Rumpf- und Beinknochen im Institut zu Linz aufbewahrt und die beiden Kopfstücke im Institut von Bern.

Bevor ich zu den anthropologischen und kriminologischen Untersuchungen komme, müssen zwei Vorfragen erörtert werden.

Die erste: läßt sich genau bestimmen, wie alt die Knochen sind? Hier scheint sich die Radiokarbonmethode anzubieten, aber nach diesem Verfahren können nur größere Zeiträume eingegrenzt werden, so höre ich aus Bern; sie ist nicht empfindlich genug, um beispielsweise messen zu können, ob Knochen aus dem 13. oder aus dem 15. Jahrhundert stammen. Auch können Boden-Beimengungen die Ergebnisse beeinflussen. Die Knochen stammen jedenfalls aus einem Grab des Mittelalters.

Der zweite Punkt: es hat eine kurze öffentliche Diskussion stattgefunden über die Position des Grabes. Dieses »gemauerte Grab« liegt im nördlichen Seitenschiff, wenige Meter westlich vom Taufstein, an der Öffnung der Gnadenkapelle. Nun haben auch Marx Sittich und Engelhard Dietrich von Wolkenstein berichtet, Oswalds Grab liege »vor dem Taufstein« beziehungsweise »bei dem Taufstein«. Zur Ergänzung: Marx Sittich hat auch überliefert, daß die Grabplatte aus weißem Marmor bestand, mit den Wappen der Wolkensteiner und

Schwangauer. Und oberhalb, an der Kirchenwand (»droben an der Mauer«) war ein Gemälde (Fresko?) des Verstorbenen mit seiner Frau, mit zwei Töchtern und fünf Söhnen. (Ist das Gemälde überkälkt worden, später? Wie wäre es mit einer Infrarot-Untersuchung?!)

Erörtert wurde die Frage, ob bei einer der Umgestaltungen der Basilika der Taufstein versetzt worden ist: die romanische Kirche wurde gotisiert; die romanisch-gotische Kirche wurde umgebaut im Stil des Rokoko. Was dabei mit dem Taufstein geschah, eventuell, das müßte baugeschichtlich untersucht werden. Weiter: es wurde erörtert, ob beim zweiten Umbau die Gräber unter dem Fußboden ausgeräumt worden sind. Dafür liegen keine Belege vor. Wohl mit Recht weist Glowatzki in einem kleinen Aufsatz darauf hin, daß es bei einer Erneuerung des Fußbodens nicht notwendig war, alle Gräber auszuheben. So konnte es durchaus das Grab des Wolkensteiners sein, das 1973 freigelegt wurde. Es liegt, genau wie es die Wolkensteiner berichteten, »vor dem Taufstein« oder »bei dem Taufstein«.

Nun zu den Untersuchungen. Es konnten ungefähr zehn Knochen vor dem Klein-Bagger gerettet werden, dazu die Hirnschale ohne Oberkiefer; dafür aber blieb, wie schon erwähnt, der Unterkiefer erhalten. Ich fasse die wichtigsten Ergebnisse der anthropologischen und anthropometrischen Untersuchungen durch Professor Kloiber zusammen – auch sein Bericht wurde publiziert im zweiten Jahrbuch der Oswald von Wolkenstein-Gesellschaft.

Es handelt sich, laut Kloiber, um Skelettreste eines Mannes, der in seinen sechziger Jahren gestorben ist – eine erste Übereinstimmung mit der Überlieferung. Sehr wichtig sind weiter die Rückschlüsse auf Statur und Größe des Toten. Er maß etwa 1,67 m, war also mittelgroß für jene Zeit. Und: er war in seinem Knochenbau von »besonderer Kräftigkeit«. Damit würde sich bestätigen, was ich über Oswalds äußere Erscheinung geschrieben habe: ein untersetzter, robuster, mittelgroßer Mann.

Nach dem Vermessen wurden die Knochen genauer untersucht. Eins der Ergebnisse: der Verstorbene hatte sich als Kind das linke Schienbein gebrochen – Mediziner schreiben und sprechen in solch einem Fall von einer »Grünholzfraktur«. Was damals am grünen Holz geschah, war rasch wieder verheilt.

Weiter: an den Oberschenkeln zeigen sich Rauhigkeiten und Verformungen, wie sie typisch sind für Menschen, die einen großen Teil ihres Lebens im Sattel verbracht haben: das »Reitermerkmal«.

Weiter: am linken Wadenbein deutet eine zweieinhalb Zentimeter lange »Knochenauflagerung« auf eine Verletzung hin. Auch am linken Schienbein hatte der Verstorbene eine schwere Verletzung; eine Entzündung der Knochenhaut hinterließ eine mehr als zehn Zentimeter lange Spur. Dieser Mann hat oft die Knochen hinhalten müssen!

Ein weiteres Detail: Pfanne und Kopf der Hüftgelenke waren nicht optimal koordiniert, das führte zu Verschleißerscheinungen, zur Arthrose. Zumindest im höheren Alter dürfte der Mann Gelenkschmerzen gehabt haben: beim Gehen, beim Reiten?

Und ein letztes Detail, das mir besonders wichtig ist: auf beiden Schienbeinen sind linsenförmige »flachlappige bis zu einem Millimeter hohe Auflagerungen knöcherner Art.« An diesen Stellen ist demnach die Knochenhaut verletzt worden, sie hat als Reaktion Knochensubstanz nachgebildet in schützenden »Auflagerungen«. Als ich dies telefonisch erfuhr, stellte sich sofort diese Assoziation ein: in der Fahlburg hatte man Oswald »Schraubstiefel« angelegt.

Um daran zu erinnern: Martin Jäger aus Meran hatte, als Kopf einer Gläubiger-Gemeinschaft, Oswald gekidnappt, in seiner Burg eingesperrt und durch Folterungen zu rechtlichen Zugeständnissen zwingen wollen. Dabei waren offenbar Spanische Stiefel angewendet worden: Halbröhren mit Innen-Noppen, durch Schraub- oder Spindeldrehungen wurde der Druck auf die Unterschenkel verstärkt; so drangen die Noppen durch die Haut, verletzten die Knochenhaut der Schienbeine.

Nun zum Unterkiefer, von dem nur ein kleines Stück fehlt. Die fünf erhaltenen Zähne sind in relativ gutem Zustand. Ich zitiere aus dem zahnärztlichen Befund (der Klinik für Zahnerhaltung) der Universität Bern: die »Zähne zeigen keine Schmelzkaries, jedoch kann an drei Zähnen eine Zahnhalskaries beobachtet werden, die sich in späteren Lebensjahren entwickelte. (...) Sicher verursachte die eine oder andere Knochenentzündung Zahnschmerzen. Der Parodontalzustand kann für jene Zeit dem Sterbealter entsprechend als durchschnittlich bezeichnet werden.« Weiter wurde diagnostiziert: die Zähne sind kürzer geschliffen. Im Fachidiom: Abrasion dritten Grades. Ich habe im ersten Band der *Trilogie des Mittelalters* beschrieben, wie Mühlstein-Partikel in Schrot und Mehl die Zähne kürzer schliffen. Bei diesem Mann, der in damals hohem Alter starb, sind die Zähne entsprechend »stark« abgeschliffen. Konklusion: unsere Dichter des Mittelalters zeigten beim Sprechen und Singen verkürzte Zähne.

Unterkiefer und Schädel: diese Knochenfunde machen eine Identifizierung möglich. Im Gerichtlich-medizinischen Institut der Universität Bern wurden hierzu die üblichen Methoden der Kriminologie angewandt.

Eins der wichtigen, der bewährtesten Verfahren der »Identitätsprüfung«: man fotografiert einen aufgefundenen, nichtidentifizierten Schädel, projiziert und kopiert diese Schädelaufnahme auf eine Porträtfotografie des mutmaßlichen Toten – das Foto des Kopfes und das Foto des Schädels selbstverständlich im selben Blickwinkel. So kann man in einer Doppelbelichtung feststellen, ob Kopfform und Schädelform übereinstimmen; die völlige Kongruenz als Beweismittel.

Der Wolkensteiner hat sich glücklicherweise porträtieren lassen: das große Bild der Handschrift B zu Innsbruck; dieses Porträt wurde fotografiert. Man setzte Hirnschale und Unterkiefer »in anatomisch richtigen Positionen« zusammen, fotografierte sie aus dem Blickwinkel des Malers. Dann wurde die Aufnahme des Schädels in die Aufnahme des Porträts hineinkopiert, selbstverständlich ohne Retuschen – beide Fotos waren in allen Konturen deckungsgleich. Das Schädel-Foto wurde weiter in die Infrarot-Aufnahme der Vorzeichnung dieses Porträts hineinkopiert – es ergab sich ebenfalls »eine gute Kongruenz ohne Überschneidungen bzw. Verzerrungen«. Diese Kongruenz sogar beim besonders auffälligen, charakteristischen Unterkiefer. Oswald hat, wie das Porträt zeigt, ein außerordentlich ›energisches‹ Kinn. Das machen die beiden »Kinnhöcker«, die das Gemälde wiedergibt; charakteristisch für den Neustifter Unterkiefer sind ebenfalls »außerordentlich betonte Kinnhöcker« mit einer »relativ starken Einziehung in der Mitte«. Auch in diesem

Detail zeigt sich bei der Fotomontage Kongruenz zwischen der Fotografie dieses Knochens und der Fotografie des Porträtgemäldes. Ich habe diese Doppelbelichtungen bereits vor der Veröffentlichung im Jahrbuch der Wolkenstein-Gesellschaft gesehen: die Aufnahmen passen genau ineinander.

Die Knochen, die also mit größter Wahrscheinlichkeit von Oswalds Skelett stammen, wurden im Berner Institut auch toxikologisch untersucht. Es ergab sich dabei ein auffälliger Befund: der Bleigehalt beträgt etwa das Fünffache der Normen des Mittelalters. Als ich dies aus Bern telefonisch erfuhr, fiel mir sofort der Brief ein, in dem Margarete von Wolkenstein ihren Mann (der am Landtag zu Meran teilnahm) vor einem Anschlag durch den »Gufidauner« warnt. Ist Oswald vergiftet worden? Dazu wurden im Mittelalter meist Thallium oder Arsen verwendet, beide Gifte ließen sich jedoch nicht nachweisen. Wie also kam das Blei in Oswalds Knochen?

Der Wolkensteiner, ein Dichter auch sehr suggestiver Trinklieder, dürfte in seinem langen Leben viel pokuliert haben – die damals üblichen Zinnbecher enthielten auch Blei, und das war zum Teil löslich. Oswald könnte auf diese Weise etliches Blei zu sich genommen haben, das sich in den Knochen anlagerte.

Zweite Ursache: ich wies hin auf die wahrscheinlich chronische Entzündung des Unterlids seines geschlossenen Auges; die übliche Wundsalbe bestand damals aus Bleiweiß; wurde sie regelmäßig angewendet, drang etliches Blei in den Körper.

Dritte und letzte Möglichkeit: Oswalds Leiche war während einer Hitzewelle von Meran nach Neustift transportiert worden: dazu hatte man sie bestimmt präpariert, und dabei konnte, laut Glowatzki, auch »Bleiwasser« oder »Bleiessig« verwendet worden sein; in dem Fall konnten während der Verwesung Blei-Ionen in den Körper eindringen und sich in den Knochen anlagern.

Die Untersuchungen sind abgeschlossen. Bei einer Nachuntersuchung durch Glowatzki ergab sich ein weiteres Indiz, das für eine Identität des Toten mit Oswald spricht. Schon bei der Röntgenaufnahme des Schädels war eine Anomalie aufgefallen: »Linksseitig sind drei normale Stirnhöhlen ausgebildet, rechtsseitig nur eine, die auch noch nach links abgeknickt ist.« Im Gerichtlich-medizinischen

Institut wurde nun eine Abformung, ein »Ausguß« der Stirnhirn-partie hergestellt, und es zeigte sich eine weitere Anomalie: »ver-stärkte Knochenbildung an der Innenseite des rechten Stirnbeins«. Wie kam es dazu, was bedeutet das? Ich kann keine schlüssige Ant-wort vorlegen, vermerke nur: die Anomalie der fehlenden Stirn-höhlen rechts; die Anomalie der verstärkten Knochenbildung am rechten Stirnbein; die Anomalie des geschlossenen rechten Auges, möglicherweise von Geburt an. Könnten hier Zusammenhänge be-stehen?

Ich habe mir mehrfach überlegt, ob ich nach Linz und vor allem nach Bern fahren soll, um mir die sterblichen Reste des Wolkenstei-ners anzuschauen. Ich sah mich, vorwegnehmend, in einem Raum des Gerichtlich-medizinischen Instituts mit Oswalds Schädel in der Schreibhand. Was würde ich in diesem Moment empfinden, fühlen, denken? Daß unter dieser Knochenschale die großartigen Lieder entstanden? Und bevor ich den Schädel in das Behältnis zurücklege (das ich als Karton vor mir sehe), küsse ich die Schädeldecke? Ich habe Oswald von Wolkenstein als einen meiner literarischen Väter ›adoptiert‹ (sein breites Spektrum literarischer Artikulation!), und so ist er mir nah geblieben, auch nach Erscheinen der Biographie; Anblick und Berührung seines Schädels könnten diese Nähe, diese Präsenz kaum intensivieren – so sagte ich mir und verzichtete auf die Fahrt nach Bern.

Anhang

Kleiner Werkbericht

Bei meiner ersten Fahrt nach Südtirol machte ich Zwischenstation in Innsbruck, kaufte einen (sehr wichtigen) Sammelband, den es nur im dortigen Institut für Deutsche Philologie gibt: *Oswald von Wolkenstein, Beiträge der philologisch-musikwissenschaftlichen Tagung in Neustift bei Brixen 1973*. Bei diesem Besuch im Seminar lernte ich den Dozenten Anton Schwob kennen, unser Gespräch über Oswald wurde fortgesetzt durch einen Briefwechsel. Der brach auch nicht ab, als Schwob später von einem Bozener Verlag die Anregung erhielt, seine biographische Skizze zu Oswald auszuarbeiten zu einer Biographie.

Kontakt auch mit Erika Timm, spezialisiert auf Fragen der Textüberlieferung bei Oswald, damit auch (für mich sehr wichtig) auf die Frage der Datierung von Liedtexten. Briefwechsel, Telefonate, dann ein Besuch in Trier: in ihrem Dozentenzimmer wurde stundenlang über Detailfragen aus ihrem Forschungsbereich gesprochen.

Weiter: ein erst schriftlicher, dann telefonischer Kontakt mit Ulrich Müller, den ich schließlich in Stuttgart besuchte, zwei Tage lang. Wir haben ausführlich über Oswald gesprochen, vor allem über Interferenzen zwischen literarischen Mustern und biographischen Fakten.

Bei Müller lernte ich Hans-Dieter Mück kennen, der bei ihm promovierte, selbstverständlich über Oswald. Mück hatte die wohl umfangreichste Sammlung von Sekundärliteratur über Oswald, meist in Ablichtungen. Er baute den Pulk von Aktenordnern auf einem Tisch auf und fragte: Was wollen Sie haben? Nach einer Bibliographie, die er zusammengestellt hatte, gab ich die Titel verschiedener Arbeiten an, und bald wuchs der Stoß von Fotokopien, die er noch mal für mich ablichtete.

Im nächsten Jahr wieder ein Besuch in Stuttgart, bei Müller, und in Kornwestheim, bei Mück. Auch in der Zwischenzeit, in der Zeit danach Briefwechsel und Telefongespräche zwischen Kornwestheim und Düren. Mück wies mich auf neue Publikationen hin, aber auch auf ältere, die er aufgespürt hatte, schickte mir solche Arbeiten zum Teil auch gleich in Ablichtungen.

Weil mir die Übersetzungen von Liedtexten immer wichtiger wurden, schrieb ich Lambertus Okken an, Dozent an der Rijksuniversiteit Utrecht. Er hat in Fachzeitschriften einige Wortschatzuntersuchungen zu Liedern Oswalds veröffentlicht, Arbeiten, die ich für meine Übersetzungen selbstverständlich genutzt habe. Okkens Spezialität ist das Entschlüsseln schwieriger Texte, er arbeitet hier wie ein Codebrecher. Ein langes Wochenende in Bilthoven, schwierige Textstellen wurden erörtert, manche Texte systematisch durchgearbeitet; mir rauchte der Kopf. Im Sommer 76 eine zweite Arbeitssitzung in Düren, im Herbst eine dritte in Bilthoven; hier hat mir Okken vor allem beim Übersetzen von Dokumenten geholfen. Okken hat seine Großzügigkeit so motiviert: Was er durch die Universität gelernt habe, das könne er nun, zum Teil, zurückgeben an eine größere Öffentlichkeit. Okken hat, neben Mück, am entschiedensten bei der Arbeit an diesem Buch geholfen.

Die Bereitwilligkeit, mit der man meine Arbeit unterstützte, war für mich ebenso erstaunlich wie erfreulich. Als ich einem Rundfunkredakteur davon erzählte, meinte er: Ich würde andere doch nicht an meinen Zettelkasten heranlassen!

Zu den Übertragungen

Es sind, kurz vor und kurz nach der Jahrhundertwende, erste Versuche gemacht worden, eine jeweils größere Zahl von Liedtexten Oswalds zu übersetzen. Auf verschiedene Weise läßt sich an diesen (und auch an späteren) Übersetzungen ablesen, warum sich Oswald als Dichter seiner Liedtexte in unserem Sprachraum noch nicht so recht durchgesetzt hatte. Ich will nun nicht die Übersetzungen von Eduard Passarge und seinen Nachfolgern rezensieren, hier könnte ich befangen sein, ich will nur auf drei Punkte hinweisen. Der erste: die Oswald-Philologie hatte damals noch nicht so viel dechiffriert, die Übersetzungen sind zum Teil falsch. Der zweite Punkt: das Sprachspektrum der Übersetzer (meist Gelehrte) war zu eng; regionalsprachliche Einfärbungen, zum Beispiel, wurden in allen bisher vorliegenden Übersetzungen ignoriert. Der dritte Punkt: (auch) Passarge versuchte, das metrische Schema und noch dazu das Reimschema (Endreime, Binnenreime, Schlagreime) im Neuhochdeutschen zu rekonstruieren, das hatte zuweilen groteske Folgen.

Ähnlich groteske Folgen auch (nach Erscheinen der Erstausgabe meiner Biographie) bei einem sehr anspruchsvollen Unternehmen: der ersten Übertragung sämtlicher Wolkenstein-Lieder (gereimt, und auch noch mit Notentranskriptionen) von Klaus J. Schönmetzler. Ich will auch diese Arbeit nicht rezensieren, nur ein paar Hinweise auf den Sprachstand.

In der Übersetzung von Kl 17, beispielsweise, reihen sich Formulierungen wie »spar mir nicht drin«, »ganz unverspart sei meines Herzens Trachten«, »ganz sonder Wank« – das ist Philologendeutsch der Jahrhundertwende, hier wird auf gespenstische Weise das Deutsch eines Passarge galvanisiert. Oder Kl 19 – hier, auch hier, wird auf Biegen und Brechen gereimt: »Grillen« auf »Dielen«, »allen« auf »zweieinhalbe« und Dirnen werden zu »Dieren« verformt, damit sie einen Reim hergaben auf »Hofieren«. Oder Binnenreime solchen Schlags: »Wie sich verschart der Sterne Gart.« So was versteht nur, wer den Originaltext des Tagelieds Kl 53 versteht. Und was geschieht in Kl 57? »Versteinert tret ich vor sie hin / und weiß mich nicht zu renken« – da soll doch der Steinerne Gast dreinschlagen! »Herr Wirt, rutscht nicht am Eise! Hier geht es gar nicht gleich.« No comment. »Die Heide steht in grüner Pflicht«, »ganz schlichte Ruh zu halten bloß«, »die holde Schanz«, »das ich nicht gehr«, und so weiter, immer so weiter – das ist exterritoriales Deutsch zwischen dem Spätmittelalter und dem Neuhochdeutschen unserer Zeit. In Oswalds Namen: so geht es nicht!

Was Oswald in der Sprache seiner Zeit artikulierte, muß in der Sprache unserer Zeit neu formuliert werden. Das heißt: der Übersetzer, der Oswalds (zuweilen sehr vertrackte, aufwendige) Reimschemata übernehmen will, muß in den meisten Fällen auch neue Reime suchen; diese Reime wirken zwangsläufig zurück auf Auswahl und Reihenfolge der Wörter des Liedtextes, und damit entsteht diese Gefahr: man baut das jeweilige Reimschema mit heutigem Sprachmaterial nach und weicht vom Wortsinn des Liedtextes ab.

Einige Übersetzer ziehen nun diese Konsequenz: sie verzichten auf die Reproduktion der Form, geben nur den Inhalt wieder, in Prosa. So hat Burghart Wachinger in einem Auswahl-Bändchen dem Originaltext jeweils eine Prosa-Paraphrase gegenübergestellt. Auch Okken faßt die Ergebnisse seiner Wortschatz-Untersuchungen in Prosa-Übersetzungen zusammen. Ich hatte in der ersten Phase der Arbeit vor, diese Methode zu übernehmen, habe mich aber doch entschlossen, einen Schritt weiterzugehen.

Bei Prosa-Paraphrasen wird zwar der Inhalt der Liedtexte ablesbar, aber was für Oswald bezeichnend ist, geht verloren: der oft sehr hohe Grad an Sprachverdichtung. Die Zahl der Silben und Wörter ist in einer Prosa-Übersetzung oft erheblich größer als in den Vorlagen. So habe ich denn in den meisten Liedtexten (vor allem, wenn sie ein regelmäßiges Taktschema haben) die Zahl der Hebungen und Silben pro Zeile übernommen. Allerdings ist mir Oswalds fast stereotypes Auftakt-Schema nicht heilig gewesen: in einigen Fällen (wie beispielsweise im Schnitterin-Lied, Kl 73) habe ich den Auftakt fortgelassen.

Daß ich die Zahl der Silben pro Zeile einhielt, beim Verzicht auf die Auftakt-Silbe auch unterschritt, dies hatte Rückwirkungen auf den Text: er geriet durch die erzwungene Verdichtung in einen anderen Aggregatzustand. Aber, das muß hier gleich gesagt werden: damit ist noch nicht erreicht, was Oswald schuf! Nur verhältnismäßig selten habe ich Texte, zumindest Refrains, gereimt, und so fehlt bei den meisten Übersetzungen, was formal für die Liedtexte bezeichnend ist: die Reimstruktur. Ein Kompromiß, ich gebe das ohne Schnörkel zu. Aber: die semantische Bedeutung der (zum Teil noch nie zuvor übersetzten) Liedtexte in unserer Sprache wiedergeben, die metrischen Muster beibehalten (soweit das möglich und sinnvoll ist), Klangqualitäten reproduzieren und auch noch die Reimschemata rekonstruieren – das erscheint mir in den meisten Fällen als Quadratur des Kreises.

Denn Oswald war ein unersättlicher Abschmecker und Feinschmecker von Reimen. Sicher, er geriet des öfteren in Reimzwang, das sieht und hört man den Texten an, aber was er an Klangpaarungen nur herausholen konnte aus der Sprache seiner Zeit, das brachte er ein in seine Liedtexte, gab sich dabei oft nicht zufrieden mit Endreimen, benutzte noch Binnenreime und Schlagreime!

Es ist schon schwierig genug, einen Oswald-Liedtext in knapper Form richtig zu übersetzen, dabei auch noch Entsprechungen zu schaffen im Klangbild, aber ich sehe keine Möglichkeit, zusätzlich auch noch Endreime und Binnenreime zu reproduzieren, ohne den Inhalt erheblich zu verändern.

Zu den Ausgaben dieser Biographie

Als ich Februar 1977 die Arbeit an diesem Buch abschloß, wußte ich: spätere Informationen werden Modifikationen, vielleicht sogar Revisionen notwendig machen. Nun kann dies nicht bedeuten, daß ich bis an mein Lebensende Abschnitte oder Kapitel dieses Buches umschreibe, neue Abschnitte und Kapitel einfüge. Andererseits: wenn ein Buch gedruckt ist, so ist damit nicht immer ein Schlußpunkt gesetzt – einige meiner Bücher habe ich für Taschenbuchausgaben überarbeitet.

Neue Forschungsergebnisse machten für die Neuausgabe 1980 vor allem in drei wichtigen Punkten Textrevisionen notwendig: Oswalds Hus-Hussiten-Lied; seine erste Ungarnreise; die Belagerung der Burg Greifenstein. Hier lassen sich jeweils neue Schlüsse ziehen auf Oswalds Charakter und Verhalten. Einige berichtende, erzählende Abschnitte wurden neu eingefügt; es entstanden ›Doppelbelichtungen‹, etwa der Trostburg, der Burg Hauenstein. Trotz der Änderungen – die Struktur, der Duktus dieses Buchs blieben erhalten. Es kam mir ja nicht allein an auf umfassende Vermittlung von Informationen über Oswald und seine Zeit, ich versuchte eine neue Form der Biographie zu entwickeln: Vielfalt von Ansätzen und Aspekten, in klaren Zäsuren; das Buch als großes Facettenauge.

Rechtzeitig vor dem Erscheinen dieser Neuausgabe 1996 hörte ich mich um bei Wissenschaftlern: Gibt es gravierende neue Textfunde und Interpretationen, die eine Überarbeitung sinnvoll machen? Sogar ein Symposion wurde – inoffiziell – befragt. Die Antworten lauteten: Eingreifende Revisionen sind nicht notwendig.

Und doch habe ich dieses Buch bearbeitet – nicht nach wissenschaftlichen, sondern nach ästhetischen Gesichtspunkten. Ich kann der Suggestion recherchierter Materialien nicht immer mit der nötigen angemessenen Kritik widerstehen; sie entwickelt sich zuweilen erst mit wachsender zeitlicher Distanz. Wieviel, beispielsweise, muß ich über König Sigmund oder über Herzog Friedrich wissen, um die Biographie in allen wichtigen Facetten zu schreiben? Oder: wenn ich im zweiten Band der *Trilogie* ausführlich über Reisen und Essen im Mittelalter berichte – muß das in diesem dritten Band verkürzt wiederholt werden? Oder: sollte ein Exkurs über Kalendergedichte nicht eher der Wissenschaft vorbehalten bleiben, auch manche philologische Erörterung? Oder: sollte die Auswahl der übersetzten Liedtexte nicht etwas strenger sein, in wenigen Fällen?

Ergebnis: ich habe gekürzt – aber nicht in Oswalds Lebenskapiteln! Einige kleinere Abschnitte habe ich umgestellt, in der Chronologie, in der inneren Logik des Buchs. Ich habe Fehler verbessert, Formulierungen präzisiert. Struktur und Duktus des Buchs bleiben weiterhin erhalten. Was ich über Oswald von Wolkenstein geschrieben habe, das wurde nicht umgeschrieben, es wurde verdichtet.

Bibliographie

Diese Bibliographie enthält im wesentlichen nur Titel, auf die in der Biographie hingewiesen wurde: meist Arbeiten über Person und Werk des Oswald von Wolkenstein sowie über Personen seines Umkreises. Arbeiten über Oswald, die ich zwar gelesen habe, die mir für diese Arbeit aber nicht wichtig schienen, habe ich nicht aufgezählt; diese Bibliographie schlüsselt lediglich Kurzhinweise auf. So habe ich auch nicht Bücher und Aufsätze genannt, die ich herangezogen habe, um mich (beispielsweise) über das Konstanzer Konzil zu informieren; auch hierzu bringt jedes große Lexikon Literaturhinweise, von denen man ausgehen kann.

I. Primärliteratur

Oswald von Wolkenstein. Handschrift A. In Abbildung hrsg. von Ulrich Müller und Franz V. Spechtler. Stuttgart 1974.

Oswald von Wolkenstein. Handschrift A. Vollständige Faksimile-Ausgabe im Originalformat des Codex Vindobonensis 2777 der Österreichischen Nationalbibliothek. Kommentar Francesco Delbono. Graz 1977 (= Codices Selecti LIX).

Oswald von Wolkenstein. Abbildungen zur Überlieferung I: Die Innsbrucker Wolkenstein-Handschrift B. Hrsg. von Hans Moser und Ulrich Müller. Göppingen 1972 (= Litterae. Göppinger Beiträge zur Textgeschichte 12).

Oswald von Wolkenstein. Abbildungen zur Überlieferung II: Die Innsbrucker Wolkenstein-Handschrift c. Hrsg. von Hans Moser, Ulrich Müller und Franz Viktor Spechtler. Mit einem Anhang zum ›Wolfenbütteler Porträt‹ und zur Todesnachricht Oswalds von Wolkenstein von Hans-Dieter Mück. Göppingen 1973 (= Litterae. Göppinger Beiträge zur Textgeschichte 16).

Oswald von Wolkenstein. Geistliche und weltliche Lieder. Ein- und mehrstimmig. Bearbeitet von Josef Schatz (Text) und Oswald Koller (Musik). Wien 1902 (= Denkmäler der Tonkunst in Österreich IX / 1, 18). Reprograph. Nachdruck Graz 1959.

Die Lieder Oswalds von Wolkenstein. Unter Mitwirkung von Walter Weiss und Notburga Wolf hrsg. von Karl Kurt Klein. Musikanhang von Walter Salmen. 2., neubearbeitete und erweiterte Auflage von Hans Moser, Norbert Richard Wolf und Notburga Wolf. Tübingen 1975 (= Altdeutsche Textbibliothek 55).

Dichtungen von Oswald von Wolkenstein (1367–1445). Übers., eingeleitet und erklärt von Ludwig Passarge. Leipzig (1891) (= Reclams Universalbibliothek 2839 / 2840).

Oswald von Wolkenstein. Lieder. Mittelhochdeutsch und Neuhochdeutsch. Auswahl. Hrsg., übers. und erl. von Burghart Wachinger. Stuttgart 1967 (= Reclams Universal-Bibliothek 2839/2840) – 2. Aufl. 1972.

Oswald von Wolkenstein: Fröhlich geschray so well wir machen. Melodien und Texte, ausgew., übertr. und erprobt von Johannes Heimrath und Michael Korth, erl. von Ulrich Müller u. Lambertus Okken. München 1975.

II. Sekundärliteratur

Abel, Wilhelm: Geschichte der deutschen Landwirtschaft vom frühen Mittelalter bis zum 19. Jh. Stuttgart 1962.

Abel, Wilhelm: Die Wüstungen des ausgehenden Mittelalters. 2. Aufl. Stuttgart 1955.

Ariès, Philippe: Geschichte der Kindheit. Mit einem Vorwort von Hartmut von Hentig. Aus dem Franz. von Caroline Neubaur und Karin Kersten. München/Wien 1975.

Aschbach, Joseph: Geschichte Kaiser Sigmunds, 4 Bde. Hamburg 1838 bis 1845.

Atiya, Aziz Suryal: Kreuzfahrer und Kaufleute. Die Begegnung von Christentum und Islam. Mit einer Einführung von Hellmut Diwald. München 1973 (= Menschen und Mächte. Geschichte im Blickpunkt. H. 8).

Ausserer, Karl: Ruine Hauenstein. Studie über die ältere Geschichte des Schlosses mit einer Stammtafel der Hauensteiner. In: Der Schlern. 6. 1925. S. 133–141.

Ausserer, Karl: Castelrotto – Siusi. Ein Bild ihres geschichtlichen Werdens. In: Der Schlern. 8. 1927. S. 221–252.

Bertau, Karl: Oswalds von Wolkenstein ›Es ist ain altgesprochen rat‹ als gesungenes Lied. In: Germanistik in Forschung und Lehre. Vorträge und Diskussionen des Germanistentages in Essen, 21.–25. Okt. 1864. Hrsg. von Rudolf Henss und Hugo Moser. Berlin 1965. S. 151–154.

Bezold, Friedrich von: König Sigmund und die Reichskriege gegen die Hussiten. 3 Bde. München 1872–1877.

Beyschlag, Siegfried: Zu den mehrstimmigen Liedern Oswalds von Wolkenstein. Fuga und Duett. In: Literatur und Geistesgeschichte. Festgabe für Heinz Otto Burger. Hrsg. von Reinhold Grimm und Conrad Wiedemann. Berlin 1968. S. 50–69.

Bösch, Hans: Wundsegen. In: Anzeiger für Kunde der deutschen Vorzeit. N. F. 25. 1878. Sp. 67.

Bösch, Hans: Margareta von Schwangau, Gemahlin Oswalds von Wolkenstein. In: Anzeiger für Kunde der deutschen Vorzeit. N. F. 27. 1880. Sp. 75–80, 97–101.

Bösch, Hans: Oswald von Wolkenstein und Aldriget von Castelbarco. In: Anzeiger für Kunde der deutschen Vorzeit. N. F. 28. 1881. Sp. 99–100.

Bösch, Hans: Ordnung und Gewalt des Minnesingers Oswald von Wolkenstein zur Vornahme der Inventur des Nachlasses seines Vetters Veit von Wolkenstein. In: Anzeiger für Kunde der deutschen Vorzeit. N. F. 28. 1881. Sp. 296–299.

Bösch, Hans: Inventar des Veit von Wolkenstein (gest. 1442). In: Anzeiger für Kunde der deutschen Vorzeit. N. F. 29. 1882. Sp. 121–128.

Brandis, Clemens Wenzeslaus Graf und Herr zu: Tirol unter Friedrich von Österreich. Wien 1823.

Bravi, Ferruccio: Mito e realtà in Osvaldo di Wolkenstein. Bolzano 1970 (= Centro di documentazione storica per l'Alto Adige. Collana d'attualità 3).

Brunner, Otto: Land und Herrschaft. Grundfragen der territorialen Verfassungsgeschichte Österreichs im Mittelalter. 5. Aufl. Wien 1965. Reprogr. Nachdr. Darmstadt 1973.

Coreth, Anna: Der ›Orden von der Stola und den Kanndeln und dem Greifen‹ (Aragonischer Kannenorden). In: Mitteilungen des österreichischen Staatsarchivs. 5. 1952. S. 34–62.

Coryate, Thomas: Die Venedig- und Rheinfahrt 1608. Stuttgart 1970 (= Bibliothek klassischer Reiseberichte).

Craft, Robert: Strawinsky. München o. J.

Dejori, Alois: Heimatempfinden und Heimatlieder Oswalds von Wolkenstein. Diss. (masch.) Innsbruck 1961.

Deutsche Privatbriefe des Mittelalters. Bd. 1: Fürsten und Magnaten, Edle und Ritter. Hrsg. von Georg Steinhausen. Berlin 1899 (= Denkmäler der deutschen Kulturgeschichte. 1. Abt.: Briefe 1).

Deutsche Reichstagsakten unter Kaiser Sigmund. 3. Abt.: 1427–1431. Hrsg. von Dietrich Kerber. Gotha 1887 (= Dt. Reichstagsakten 9).

Deutsche Reichstagsakten unter Kaiser Sigmund. 4. Abt.: 1431–1433. Hrsg. von Hermann Herre. Gotha 1906 (= Dt. Reichstagsakten 10).

Deutsche Sozialgeschichte. Dokumente und Skizzen. Bd. 1: 1815–1870. Hrsg. von Werner Pöls. München 1973.

Die Brunnenburg und das Landwirtschaftliche Museum. Landwirtschaftsmuseum Brunnenburg 1975.

Dieterich, J. R.: Vemegerichtsurkunden aus Tirol. In: Mitteilungen aus dem Germanischen Nationalmuseum. 1892. S. 89–93.

Doon, P. J., Lambertus Okken, Heinrich L. Cox: Wurde Oswald von Wolkenstein gefoltert? In: Neophilologus. 58. 1974. S. 391–394.

Eberhard, Wilhelm: Ludwig III., Kurfürst von der Pfalz und das Reich 1410–1427. Ein Beitrag zur deutschen Reichsgeschichte unter König Sigmund. Gießen 1896.

Emmel, Hildegard: Die Selbstdarstellung Oswalds von Wolkenstein. In: Gestaltung, Umgestaltung. Festschrift für Hermann August Korff. Hrsg. von Joachim Müller. Leipzig 1957. S. 39–45.

Feldges, Mathias: Lyrik und Politik am Konstanzer Konzil. Eine neue

Interpretation von Oswald von Wolkensteins Hussitenlied. In: Literatur – Publikum – historischer Kontext. Hrsg. von Gert Kaiser. – Bern/Frankfurt/Las Vegas 1977 (= Beiträge zur Älteren Deutschen Literaturgeschichte 1). S. 137–181.

Feldges, Mathias: ›In Katlon und Ispanien, do man gern ist kestanien‹. Wo liegt das ›künigreich‹ Spanien des Oswald von Wolkenstein? In: Zeitschrift für deutsche Philologie. 95. 1976. S. 374–399.

Gedichte 1300–1500. Nach Handschriften und Frühdrucken in zeitlicher Folge. Hrsg. von Eva und Hansjürgen Kiepe. München 1972 (= Epochen der deutschen Lyrik 2).

Gesammelte Vorträge der 600-Jahr-Feier Oswalds von Wolkenstein, Seis am Schlern 1977. Dem Edeln unserm sunderlieben getrewn Hern Oswaltten von Wolkchenstain. Hrsg. von Hans-Dieter Mück und Ulrich Müller. – Göppingen 1978 (= Göppinger Arbeiten zur Germanistik 206).

Göllner, Theodor: Landinis ›Questa fanciulla‹ bei Oswald von Wolkenstein. In: Die Musikforschung. 17. 1964. S. 393–398.

Grass, Nikolaus: Oswald von Wolkenstein und die Almwirtschaft. Ein Beitrag zur Kenntnis adeligen Landlebens im spätmittelalterlichen Tirol. In: Zeitschrift der Savigny-Stiftung für Rechtsgeschichte. Germanistische Abt. 92. 1975. S. 105–116.

Gruber, Karl: Notizen zur Familie von Wolkenstein. In: Der Schlern. 50. 1976. S. 725–726; 2 Abb.

Häusser, Ludwig: Geschichte der rheinischen Pfalz nach ihren politischen, kirchlichen und literarischen Verhältnissen. Bd. 1. Heidelberg 1845.

Hallauer, Hermann: Nikolaus von Kues und das Brixener Klarissenkloster. In: Mitteilungen und Forschungsbeiträge der Cusanus-Gesellschaft. 6. 1967. S. 75–123.

Herrmann, Max: Die letzte Fahrt Oswalds von Wolkenstein. In: Vierteljahrschrift für Literaturgeschichte. 3. 1890. S. 602–608.

Höfler, C.: Ruprecht von der Pfalz. Freiburg 1861.

Hömberg, Hans: Schnee fällt auf den schwarzen Harnisch. Roman. Bern 1947.

Hormayr, Joseph Freiherr von: Ueber Oswald von Wolkenstein und sein Geschlecht. In: Tiroler Almanach auf das Jahr 1803. Wien 1803. S. 85–125. 1804. S. 127–159.

Huizinga, Johan: Herbst des Mittelalters. Studien über Lebens- u. Geistesformen des 14. u. 15. Jhs. in Frankreich und in den Niederlanden. Hrsg. von Kurt Köster. 10. Aufl. Stuttgart 1969 (= Kröners Taschenausgabe Bd. 204).

Jäger, Albert: Der Streit der Tiroler Landschaft mit Kaiser Friedrich III. wegen der Vormundschaft über Herzog Sigmund von Österreich von 1439–1446. In: Archiv für österreichische Geschichte. 49. 1872. S. 89–265.

Jagt, Hendrik C. van der: Zum Wortschatz von Oswald von Wolkenstein 104: *Von trauren möcht ich werden taub*. In: Modern Language Notes. 88. 1973. S. 535–561.

Jones, George Fenwick: »Dichtung und Wahrheit« in den Liedern Oswalds von Wolkenstein. In: Wege der Forschung... S. 238–309.

Jones, George Fenwick: Oswald von Wolkenstein's *Mein sünd und schuld* and the *Beichtlied* tradition. In: Modern Language Notes. 85. 1970. S. 635–651.

Jones, George Fenwick: Oswald von Wolkenstein – Vogelsteller und Jäger (zu Klein Nr. 83 u. 52). In: Et multum et multa. Beiträge zur Literatur, Geschichte und Kultur der Jagd. Festgabe für Kurt Lindner zum 27. Nov. 1971. Hrsg. von Sigrid Schwenk, Gunnar Tilander und Carl Arnold Willemsen. Berlin/New York 1971. S. 133–145.

Jones, George Fenwick: Oswald von Wolkenstein. New York 1973 (= Twayne's World Authors Series 236).

Jones, George Fenwick: The ›Signs of old age‹ in Oswald von Wolkenstein's *Ich sich und hör* (Klein No. 5). In: Modern Language Notes. 89. 1974. S. 767–786.

Kersken, Wolfgang: *Genner beschnaid*. Die Kalendergedichte und der Neumondkalender des Oswald von Wolkenstein. Überlieferung – Text – Deutung. Göppingen 1975 (= Göppinger Arbeiten zur Germanistik Nr. 161).

Kéry, Bertalan: Kaiser Sigismund. Ikonographie. Wien/München 1972.

Klein, Karl Kurt: Der ›Minnesänger‹ Oswald von Wolkenstein in der Politik seiner Zeit. In: Die Brennerstraße. Deutscher Schicksalsweg

von Innsbruck nach Bozen. Bozen 1961 (= Jahrbuch des Südtiroler Kulturinstitutes 1). S. 215–243.

Kramer, Hans: Das Leben des Marx Sittich Freiherrn von Wolkenstein. In: Marx Sittich von Wolkenstein. Landesbeschreibung von Südtirol, verfaßt um 1600, erstmals aus den Handschriften hrsg. von einer Arbeitsgemeinschaft von Innsbrucker Historikern. Innsbruck 1936 (= Schlern-Schriften 34). S. 1–6.

Kramer, Hans: Die Grundlinien der Außenpolitik Herzog Friedrichs IV. von Österreich-Tirol in seiner späteren Regierungszeit. Teil 1.2. In: Tiroler Heimat. 17. 1953. S. 25–39. 21. 1957. S. 37–47.

Krieg, Walter: Materialien zu einer Entwicklungsgeschichte der Bücherpreise und des Autorenhonorars vom 15. bis 20. Jh. Wien/Bad Bocklet/Zürich 1953.

Ladurner, Justinian: Das Hereintragen des Fehmgerichtes in Tirol. Zugleich ein Beitrag zur Culturgeschichte im 15. Jahrhundert. In: Archiv für Geschichte und Altertumskunde Tirols. 5. 1869. S. 193–208.

Laußermayer, Maria Theresia: Ist das Porträt Oswalds von Wolkenstein in Hs. B ein Werk Pisanellos? In: Oswald von Wolkenstein. Beiträge. S. 63–67.

Das Leben König Sigmunds von Eberhard Windecke. Nach Hss. übers. von Dr. von Hagen. Leipzig 1886 (= Die Geschichtsschreiber der deutschen Vorzeit in dt. Bearb. 87).

Lindner, Theodor: Die Fragen des Königs Ruprecht über die Vemegerichte. In: Mitteilungen aus dem

Germanischen Nationalmuseum. 1. 1884–1886. S. 194–214.

Lindner: Theodor: Die Veme. Münster/Paderborn 1888.

Loewenstein, Herbert: Wort und Ton bei Oswald von Wolkenstein. Königsberg 1932 (= Königsberger Deutsche Forschungen 11).

Macek, Josef: Die hussitische revolutionäre Bewegung. Ins Dt. übers. von G. Jarosch. Prag 1958.

Mader, Ignaz: Brixner Häusergeschichte. Ergänzt von Anselm Sparber. Innsbruck 1963 (= Schlern-Schriften 224).

Malfèr, A.: Es war einmal... Versuch einer Wiederherstellung von Südtiroler Burgen. In: Der Schlern. 37. 1963. S. 1–43.

Marold, Werner: Kommentar zu den Liedern Oswalds von Wolkenstein. Diss. (masch.) Göttingen 1926.

Marx Sittich von Wolkenstein. Landesbeschreibung von Südtirol, verfaßt um 1600. Erstmals aus den Handschriften hrsg. von einer Arbeitsgemeinschaft von Innsbrucker Historikern. Innsbruck 1936 (= Schlern-Schriften 34).

Mau, Hermann: Die Rittergesellschaften mit St. Jörgenschild in Schwaben. Ein Beitrag zur Geschichte der deutschen Einigungsbewegung im 15. Jahrhundert. Diss. Teildruck. Stuttgart 1941.

Mayr, Karl M.: Zwei neue Urkunden zu Oswald von Wolkenstein. In: Der Schlern. 21. 1947. S. 7–8.

Mayr, Norbert: Die Belagerung von Greifenstein fand nicht statt – das Greifensteinlied Oswalds von Wolkenstein in neuer Sicht. In: Gesammelte Vorträge... S. 411–419.

Mayr, Norbert: Die Pilgerfahrt Oswalds von Wolkenstein ins Heilige Land. In: Germanistische Abhandlungen. Hrsg. von Karl Kurt Klein und Eugen Thurnher. Innsbruck 1959 (= Innsbrucker Beiträge zur Kulturwissenschaft 6). S. 129–145.

Mayr, Norbert: Die Reiselieder und Reisen Oswalds von Wolkenstein. Innsbruck 1961 (= Schlern-Schriften 215).

Meiners, Irmgard: Zu Oswalds von Wolkenstein Fuga ›Mit günstlichem herzen‹ (Klein Nr. 71). In: Zeitschrift für deutsches Altertum. 105. 1976. S. 126–131.

Mishiro, Mitsuyoshi: Osvaruto fon Vorukenshtain. Yaku oyobi kaisetsu. In: Neue Stimme. Hrsg. von der Shinsei-Kai Tokyo. 1962–63, 2. S. 49–57.

Mit 15 an die Kanonen. Eine Fallstudie über das Schicksal der als ›Luftwaffenhelfer‹ (LwH) eingesetzten Oberschüler in den Sperrfeuerbatterien (Flak Abt. 514) rund um Aachen während der anglo-amerikanischen Luftoffensive der Jahre 1943/44. Hrsg. von der Unterprima des Kaiser-Karl-Gymnasiums in Aachen. Aachen (Selbstverlag) 1975.

Mittelalterliche Inventare aus Tirol und Vorarlberg. Mit Sacherklärungen. Hrsg. von Oswald von Zingerle. Innsbruck 1909.

Moser, Hans: Durch Barbarei, Arabia. Zur Klangphantasie Oswalds von Wolkenstein. In: Germanistische Studien. Hrsg. von Johannes Erben und Eugen Thurnher. Innsbruck 1969 (= Innsbrucker Beiträge zur Kulturwissenschaft 15). S. 75–92.

Moser, Hans: Wie sorgt ein spätmittelalterlicher Dichter für die Erhaltung seines Werks? Nachlese zur Oswald-Überlieferung. In: Oswald von Wolkenstein. Beiträge. S. 85–120.

Moser, Hans: Zur Vorzeichnung des Oswald-Porträts in der Handschrift B. In: Oswald von Wolkenstein. Beiträge. S. 408–409, 2 Abb.

Mück, Hans-Dieter: Oswald von Wolkenstein – ein Frühpetrarkist? Überlegungen zur literarhistorischen Einordnung. In: Oswald von Wolkenstein. Beiträge. S. 121–166, 1 Abb.

Mück, Hans-Dieter: Die Vernehmungsprotokolle eines geplanten vierfachen Mordanschlags auf Oswald von Wolkenstein im Jahre 1442. In: Wege der Forschung... S. 423–452.

Mück, Hans-Dieter: Untersuchungen zur Überlieferung und Rezeption spätmittelalterlicher Lieder und Spruchgedichte im 15. und 16. Jahrhundert: Die ›Streuüberlieferung‹ von Liedern und Reimpaarrede Oswalds von Wolkenstein. Göppingen 1980 (= Göppinger Arbeiten zur Germanistik 263).

Müller, Ulrich: ›Dichtung‹ und ›Wahrheit‹ in den Liedern Oswalds von Wolkenstein. Die autobiographischen Lieder von den Reisen. Göppingen 1968 (= Göppinger Arbeiten zur Germanistik 1).

Müller, Ulrich: Oswald von Wolkenstein. Die ›Heimatlieder‹ über die Tiroler Streitereien (Kl 81. Kl 104, Kl 116). In: Zeitschrift für deutsche Philologie. 87. 1968. Sonderheft. S. 222–234.

Müller, Ulrich: ›Lügende Dichter? (Ovid, Jaufre Rudel, Oswald von Wolkenstein). In: Gestaltungsgeschichte und Gesellschaftsgeschichte. Literatur-, kunst- und musikwissenschaftliche Studien. In Zus.arbeit mit Käte Hamburger hrsg. von Helmut Kreuzer. Fritz Martini zum 60. Geburtstag. Stuttgart 1969. S. 32–50.

Müller, Ulrich: Beobachtungen und Überlegungen über den Zusammenhang von Stand, Werk, Publikum und Überlieferung mittelhochdeutscher Dichter: Oswald von Wolkenstein und Michel Beheim – ein Vergleich. In: Oswald von Wolkenstein. Beiträge. S. 167–181, 3 Abb.

Müller, Ulrich: Untersuchungen zur politischen Lyrik des deutschen Mittelalters. Göppingen 1974 (= Göppinger Arbeiten zur Germanistik 55 / 56).

Muffat, Karl August: Ueber Margareta von Schwangau. In: Sitzungsberichte der kgl. Bayer. Akad. der Wissenschaften. Philosoph.-philolog. und histor. Classe. Jg. 1875, 1.1. München 1875. S. 98–104.

Nössing, Josef: Ein Brief Michaels von Wolkenstein an den Kaiser Sigismund (1417). In: Der Schlern. 51. 1977. S. 560–562.

Noggler, Anton: Der Wolkenstein-Hauensteinische Erbschaftsstreit und dessen Austragung unter Oswald von Wolkenstein. In: Zeitschrift des Ferdinandeums für Tirol und Vorarlberg. 3. Folge. 26. 1882. S. 99–180.

Noggler, Anton: Eine unbekannte Reise Oswalds von Wolkenstein. (Mit einem) Excurs: Versuch einer näheren Zeitbestimmung der ersten Belagerung Greifensteins unter Herzog Friedrich dem Älteren. In: Zeitschrift des Ferdinandeums für Tirol und Vorarlberg. 3. Folge. 27. 1883. S. 3–70.

Noggler, Anton: Die Starkenbergische Streitschrift gegen Herzog Friedrich von Oesterreich. In: Zeitschrift des Ferdinandeums für Tirol und Vorarlberg. 3. Folge. 27. 1883. S. 71–118.

Noggler, Anton: Hat Oswald von Wolkenstein im Jahre 1424 Tirol verlassen? In: Zeitschrift für deutsches Altertum. 27. 1883. S. 179–192.

Noggler, Anton: Einige kleine Mitteilungen zur vaterländischen Geschichte. I: Ein Bericht Oswalds von Wolkenstein über die Zustände im heiligen Lande. In: Bothe von und für Tirol und Vorarlberg. 79. 1863. Nr. 269. S. 2129.

Noggler, Anton: Einige kleine Mitteilungen zur vaterländischen Geschichte. II: Ein dunkler Punkt in dem Leben Oswalds von Wolkenstein. In: Bothe von und für Tirol und Vorarlberg. 79. 1893. Nr. 271. S. 2293.

Oberrauch, Luis: Zur Belagerung von Greifenstein durch Herzog Friedrich (1423–1426). In: Der Schlern. 50. 1976. S. 319–320. 2 Abb.

Okken, Lambertus, Heinrich L. Cox: Untersuchungen zu dem Wortschatz der Lieder Oswalds von Wolkenstein 54, 55, 59 und 60. In: Neophilologus. 56. 1972. S. 298–310, 435–450. 57. 1973. S. 42–61, 156–172.

Okken, Lambertus, Heinrich L. Cox: Untersuchungen zu dem Wortschatz der Lieder Oswalds von Wolkenstein 81 und 116. I. Lied 81. In: Modern Language Notes. 88. 1973. S. 956–979.

Okken, Lambertus, Heinrich L. Cox: Untersuchungen zu dem Wortschatz der Lieder Oswalds von Wolkenstein 81 und 116. II. Lied 116. Mit einem Beitrag von Franz Viktor Spechtler. In: Modern Language Notes. 89. 1974. S. 367–391.

Okken, Lambertus: Oswald von Wolkenstein: Lied Nr. 44. Wortschatz-Untersuchung. In: Oswald von Wolkenstein. Beiträge. S. 182–218.

Oswald von Wolkenstein. Beiträge der philologisch-musikwissenschaftlichen Tagung in Neustift bei Brixen 1973. Im Auftr. des Südtiroler Kulturinstituts hrsg. von Egon Kühebacher. Innsbruck 1974 (= Innsbrucker Beiträge zur Kulturwissenschaft. Germanistische Reihe. Bd. 1).

Otten, Dirk: Oswald von Wolkensteins Lied ›Herz, prich‹. In: Neophilologus. 55. 1971. S. 400–417.

Paris, Edmond: Die große Zeit der Galeeren und Galeassen. Bielefeld 1973.

Pelnar, Ivana: Die mehrstimmigen Lieder Oswalds von Wolkenstein. Diss. (masch.) München 1977.

Pelnar, Ivana: Neuentdeckte Ars-Nova-Sätze bei Oswald von Wolkenstein. In: Die Musikforschung. 32. 1979. S. 26–33.

Petzsch, Christoph: Text- und Melodietypenveränderung bei Oswald von Wolkenstein. In: Deutsche Vierteljahrsschrift für Literaturwissenschaft und Geistesgeschichte. 38. 1964. S. 491–512.

Petzsch, Christoph: Kontrafaktur und Melodietypus. In: Die Musikforschung. 21. 1968. S. 271–290.

Piper, Otto: Österreichische Burgen. T. 4. Wien 1905.

Plangg, Guntram: Romanisches in der Dichtung Oswalds von Wolkenstein. In: Weltoffene Romanistik. Festschrift für Alwin Kuhn zum 60. Geburtstag. Hrsg. von Guntram Plangg und Eberhart Tiefenthaler. Innsbruck 1963 (= Innsbrucker Beiträge zur Kulturwissenschaft 9/19). S. 51–66.

Pörnbacher, Hans: Margareta von Schwangau. Die Gemahlin Oswalds von Wolkenstein ca. 1390–1448. In: Der Schlern. 48. 1974. S. 283–297, 5 Abb.

Politische Lyrik des deutschen Mittelalters. Texte II: Von Heinrich von Mügeln bis Michel Beheim. Von Karl IV. bis Friedrich III. Hrsg. von Ulrich Müller. Göppingen 1974 (= Göppinger Arbeiten zur Germanistik 84).

Die Reisen des Ritters John Mandeville durch das Gelobte Land, Indien und China. Bearb. von Theo Stemmler nach der deutschen Übersetzung des Otto von Diemeringen. Stuttgart 1966 (= Bibliothek klassischer Reiseberichte).

Richental, Ulrich: Das Konzil zu Konstanz. Bd. 1: Faksimileausgabe. Bd. 2: Kommentar und Text bearb. von Otto Feger. Starnberg/Konstanz 1964.

Robertshaw, Alan: Ein Brief Oswalds von Wolkenstein? In: Veröffent-

lichungen des Tiroler Landesmuseums Ferdinandeum. 56. 1976. S. 141–144. 1 Abb.

Rodank, Arthur von (d. i. Arthur Graf von Wolkenstein-Rodenegg): Sabina Jäger. Ein Zeit- und Lebensbild aus dem Anfange des 15. Jahrhunderts. Innsbruck 1905 (= Tiroler Romane von Arthur von Rodank 8).

Röhricht, Reinhold: Deutsche Pilgerreisen nach dem Heiligen Lande. Innsbruck 1900.

Röll, Walter: Zur Lingua franca. In: Zeitschrift für romanische Philologie. 83. 1967. S. 306–314.

Röll, Walter: Kommentar zu den Liedern und Reimpaarreden Oswalds von Wolkenstein. T. 1: Einleitung und Kommentar zu den Liedern Kl 1–20. Habil.-Schrift (masch.) Hamburg 1968.

Rupp, Heinz: Oswald von Wolkenstein ›Es ist ain altgesprochner rat‹. In: Germanistik in Forschung und Lehre. Vorträge und Diskussionen des Germanistentages in Essen, 21. bis 25. Okt. 1964. Hrsg. von Rudolf Henss und Hugo Moser. Berlin 1965. S. 149–150.

Salmen, Walter: Oswald von Wolkenstein als Komponist? In: Literaturwissenschaftliches Jahrbuch. N. F. 19. 1978. S. 179–187.

Salmen, Walter: Werdegang und Lebensfülle des Oswald von Wolkenstein. In: Musica Disciplina. 7. 1953. S. 147–173.

Salmen, Walter: Der fahrende Musiker im europäischen Mittelalter. Kassel 1960 (= Die Musik im alten und neuen Europa 4).

Salmen, Walter: Die Musik im Weltbilde Oswalds von Wolkenstein. Beiträge. S. 237–244.

Schäfer, Heinrich: Geschichte von Portugal. Bd. 2. Hamburg 1839 (= Geschichte der europäischen Staaten. Hrsg. von A. H. L. Heeren und F. U. Ukert).

Schaller, Viktor: Ulrich II. Putsch, Bischof von Brixen und sein Tagebuch. 1427–1437. In: Zeitschrift des Ferdinandeums für Tirol und Vorarlberg. 3. Folge. 36. 1892. S. 225–322, 568–572.

Schatz, Josef: Sprache und Wortschatz der Gedichte Oswalds von Wolkenstein. Wien/Leipzig 1930 (= Akademie der Wissenschaften in Wien. Philosophisch-historische Klasse. Denkschriften 69, 2).

Schönach, Ludwig: Neue Beiträge zur Geschichte des Hereinlangens der Femegerichte nach Tirol. In: Forschungen und Mitteilungen zur Geschichte Tirols und Vorarlbergs. 14. 1917. S. 147–152.

Schönmetzler, Klaus J.: Oswald von Wolkenstein, Die Lieder. In Text und Melodien neu übertragen und kommentiert. München 1979.

Schultz, Alwin: Deutsches Leben im XIV. und XV. Jahrhundert. Große Ausgabe. Prag/Wien/Leipzig 1892.

Schwob, Anton: Historische Realität und literarische Umsetzung. Beobachtungen zur Stilisierung der Gefangenschaft in den Liedern Oswalds von Wolkenstein. Innsbruck: (Institut für deutsche Philologie) 1979.

Schwob, Anton: Oswald von Wolkenstein. Eine Biographie. – Bozen 1977.

Schwob, Anton: Oswald von Wol-

kenstein. Sein Leben nach den historischen Quellen. In: Der Schlern. 48. 1974. S. 167–186.

Schwob, Anton: Oswald von Wolkenstein – Selbstbenennungen, Titel, Ämter und Würden. In: Der Schlern. 51. 1977. S. 331–349.

Schwob, Anton: Zum Grabstein Oswalds von Wolkenstein. In: Der Schlern. 48. 1974. S. 298–300, 2 Abb.

Schwob, Anton: Zwar disem fursten sol ich nymmer fluchen. Zur Stellung Oswalds von Wolkenstein im Streit zwischen König Sigismund und Herzog Friedrich IV. von Österreich. In: Oswald von Wolkenstein. Beiträge. S. 245–271.

Seel, Heinrich: Geschichte der gefürsteten Grafschaft Tirol. Bd. 3. München 1817.

Senn, Walter: Wo starb Oswald von Wolkenstein? In: Der Schlern. 34. 1960. S. 336–343.

Sinnacher, Franz Anton: Beyträge zur Geschichte der bischöflichen Kirche Säben und Brixen in Tyrol. Bd. 6. Brixen 1828.

Smitmer, Franz Paul Edler von: Über den Drachen-Orden. In: Jahrbuch der k. k. heraldischen Gesellschaft ›Adler‹. N. F. 5/6. 1895. S. 65–82.

Sommerfeld, Martin: Die Reisebeschreibungen der deutschen Jerusalempilger im ausgehenden Mittelalter. In: Deutsche Vierteljahrsschrift für Literaturwissenschaft und Geistesgeschichte. 2. 1924. S. 816 bis 851.

Spechtler, Franz Viktor: Beiträge zum deutschen geistlichen Lied des Spätmittelalters. In: Zeitschrift für deutsche Philologie. 90. 1971. Sonderheft. S. 169–190.

Spechtler, Franz Viktor: Beiträge zum deutschen geistlichen Lied des Mittelalters II: Oswald von Wolkenstein. In: Oswald von Wolkenstein. Beiträge. S. 272–284.

Stäblein, Bruno: Das Verhältnis von textlich-musikalischer Gestalt zum Inhalt bei Oswald von Wolkenstein. In: Formen mittelalterlicher Literatur. Siegfried Beyschlag zu seinem 65. Geburtstag. Hrsg. von Otmar Werner und Bernd Naumann. Göppingen 1970 (= Göppinger Arbeiten zur Germanistik 25). S. 179–195.

Stäblein, Bruno: Oswald von Wolkenstein, der Schöpfer des Individualliedes. In: Deutsche Vierteljahrsschrift für Literaturwissenschaft und Geistesgeschichte. 46. 1972. S. 113 bis 160.

Stäblein, Bruno: Oswald von Wolkenstein und seine Vorbilder. In: Oswald von Wolkenstein. Beiträge. S. 285–307.

Stäblein, Bruno: Hussiana. In: Festschrift Walter Senn zum 70. Geburtstag. Hrsg. vom Tiroler Landesmuseum Ferdinandeum Innsbruck unter Erich Egg, redigiert von Ewald Fässler. München/Salzburg 1975. S. 221–238.

Stolz, Otto: Geschichte des Zollwesens, Verkehrs und Handels in Tirol und Vorarlberg von den Anfängen bis ins 20. Jahrhundert. Innsbruck 1953 (= Schlern-Schriften 108).

Timm, Erika: Die Überlieferung der Lieder Oswalds von Wolkenstein. Lübeck 1972 (= Germanische Studien 242).

Timm, Erika: Ein Beitrag zur Frage: Wo und in welchem Umfang hat Oswald von Wolkenstein das Komponieren gelernt? In: Oswald von Wolkenstein. Beiträge. S. 308–331.

Toman, Hugo: Husitské válečnictvíz doby Žižkovy a Prokopovy. Praha 1869.

Trapp, Oswald: Tiroler Burgenbuch, IV. Band – Eisacktal. Bozen/Wien 1977.

Tumler, Franz, Karl M. Mayr: Herkunft und Terminologie des Weinbaues im Etsch- und Eisacktale. Innsbruck 1924 (= Schlern-Schriften 4).

Die Urkunden Kaiser Sigmunds (1410 bis 1437). Bd. 1: 1410–1424. Hrsg. von Wilhelm Altmann. Innsbruck 1896/97 (= Regesta Imperii XI).

Urkundenbuch des Augustiner Chorherren-Stiftes Neustift in Tirol. Hrsg. von Theodor Mairhofer. Wien 1871 (= Fontes rerum austriacarum. Österreichische Geschichts-Quellen. 2. Abt. 34).

Verskonkordanz zu den Liedern Oswalds von Wolkenstein. (Hss. B und A). 2 Bde. Hrsg. von George Fenwick Jones, Hans-Dieter Mück, Ulrich Müller. Göppingen 1973) (= Göppinger Arbeiten zur Germanistik 40/41).

Voigt, Johannes: Geschichte Preußens von den ältesten Zeiten bis zum Untergang der Herrschaft des deutschen Ordens. Königsberg 1832.

Waldbott von Bassenheim, Friedrich Reichsfreiherr von: Graf Oswald Gobert von Wolkenstein. Seine direkte Abstammung väterlicher und mütterlicher Seite von den Fürstenhäusern Rákóczy und Hohenzollern. Budapest 1908.

Wege der Forschung, Band 526. Oswald von Wolkenstein. Hrsg. von Ulrich Müller. Darmstadt (Wissenschaftliche Buchgesellschaft) 1980.

Weingartner, Josef: Die Trostburg. In: Der Schlern. 3. 1922. S. 1–6.

Wellmann, Hans: Ain burger und ain hofman. Ein ›Ständestreit‹ bei Oswald von Wolkenstein? In: Oswald von Wolkenstein. Beiträge. S. 332 bis 343.

Wendler, Josef: Studien zur Melodiebildung bei Oswald von Wolkenstein. Tutzing 1963.

Will, Cornelius: Der Anfang eines Klagelieds Oswalds von Wolkenstein auf die Hussitenschlacht bei Taus im Jahre 1431. Nach einer gleichzeitigen Handschrift mitgeteilt. In: Verhandlungen des historischen Vereines von Oberpfalz und Regensburg. 51. N. F. 43. 1899. .S. 89–100.

Wolff, Karl Felix: Dolomitensagen. Sagen und Überlieferungen, Märchen und Erzählungen der ladinischen und dt. Dolomitenbewohner. 11. erweiterte deutsche Aufl. Innsbruck / Wien / München 1963.

Wolkenstein-Rodenegg, Arthur Graf: Zum Aufsatze ›Zur Frage der Geburtsstätte Oswalds von Wolkenstein‹. In: Der Schlern. 6. 1925. S. 391–393

Wolkenstein-Rodenegg, Arthur Graf von: Oswald von Wolkenstein. Innsbruck 1930 (= Schlern-Schriften 17).

Wolkenstein-Trostburg, Heinrich Graf: Das Greifenstein-Lied des Oswald von Wolkenstein. In: Der Schlern. 34. 1960. S. 176–183.

Wurzbach, Constant von: Biographisches Lexikon des Kaiserthums Österreich. Th. 58. Wien 1889.

Bildnachweise

1
Oswald von Wolkenstein, Ritter: das repräsentative Porträt (mit allen Orden) in der Innsbrucker Liederhandschrift. Universitätsbibliothek Innsbruck. Foto: Ursula und Ulrich Müller.

2
Die Burgruine Wolkenstein und das Langental, auf einer Zeichnung von 1837. Bildarchiv: Tiroler Landesmuseum Ferdinandeum Innsbruck. Foto: A. Demanega.

3
Die Trostburg; im Vordergrund der Eisack. Eine Zeichnung von 1825. Bildarchiv: Tiroler Landesmuseum Ferdinandeum Innsbruck. Foto: A. Demanega.

4
Oswald als Kreuzritter auf dem Marmor-Gedenkstein von Brixen, aus dem Jahre 1408. Foto: Dieter Kühn.

5
Oswald von Wolkenstein neben einem Petrarca-Brief; Ausschnitt einer Seite einer Wolfenbütteler Handschrift. Bildarchiv: Herzog August Bibliothek Wolfenbüttel.

6
Burg Hauenstein, gezeichnet im 19. Jahrhundert, ohne Santnerspitze und Schlern. Bildarchiv: Tiroler Landesmuseum Ferdinandeum Innsbruck.

7
Die Burg Greifenstein über dem Etschtal, von Osten gesehen. Bildarchiv: Tiroler Landesmuseum Ferdinandeum.

8
Die Belehnung des Pfalzgrafen Ludwig durch König Sigmund, Mai 1417 in Konstanz. Bildausschnitt: Reiter des Gefolges, unter ihnen Oswald von Wolkenstein, zweiter von rechts. Im Besitz des Rosgarten-Museums Konstanz.

Inhalt

Flug und Fahrt nach Wolkenstein 5
Zur Familiengeschichte Oswalds 15
Wolkenstein und Burg Schöneck 17
Geschichte einer Kindheit 18
Kinderspiel und Schulzeit 19
Besichtigung der Trostburg 20
Zweiter Ortstermin Trostburg 22
Die Sage von Eisenhand 24
Kindheit und Jugend im Lied 26
Die Märchenwelt der Fremde 31
Missionierung in Litauen 32
Die Realität Krieg 36
Oswald wieder in Tirol 38
Vom Leben im alten Tirol 39
Wald damals, Wald heute 43
Ein Feldzug in Italien 44
Oswald erleidet Schiffbruch 51
Renditen im Seehandel 53
Oswald stiehlt Familienschmuck 54
Braucht er einen Wundsegen? 59
Erste Lieder des Wolkensteiners 60
Hauenstein: Erbe und Raub 64
Besichtigung eines der Höfe 66
Landwirtschaft und Pest 67
Oswald und Dieter? 69
Die fromme Stiftung Oswalds 69
Über den heiligen Oswald 70
Gedenkstein als Kreuzritter 71
Oswald und Sabina? 72
Lieder über eine Frau 73
Anna Hausmann, Geliebte 76
Erzählung einer Pilgerreise 77
Seefahrt und Sprachkunst 85
Ein Vögellied, ein Jagdlied 88
Verwaltungsarbeit beim Bischof 93
Ein Wohnrecht im Kloster 95
Chorherrenstift Neustift 97
Zwei geistliche Lieder 98
Lebensformen des Mittelalters 101
Ich an seiner Stelle 105
Zwei Tagelieder 106

Bohrprobe im Sprachsediment 110
Sigmund wird König 110
Die Macht der Landesherren 112
Herzog Friedrich IV. 113
Frühling und Liebe im Lied 115
Oswald als Musiker 118
Vom Umgang mit Instrumenten 121
Konstitution und Stimmlage 121
Das Konstanzer Konzil beginnt 122
Das doppelte Schisma 123
Der König und ein Papst 124
Die Falle für den Papst 126
Nachgeholte Königskrönung 126
Oswald in Konstanz 128
Blick in die Stadt 128
Oswald im königlichen Gefolge 130
Zwei Päpste zuviel! 131
Jan Hus trifft ein 135
Oswalds Spottlied 136
Hus wird verbrannt 137
Oswald reist südwärts 138
Am Kap Finisterre 139
Flug nach Portugal 140
Die Eroberung von Ceuta 141
Oswald: hochdekoriert 144
König Sigmund in Paris 146
Des Wolkensteiners Ballade 148
Ich Wolkenstein... 157
Ortstermin Konstanz 158
Anrüchige Einzelheiten 163
Entdeckung eines Bildes 166
Oswalds großes Publikum 169
Anthologie von Oswald-Liedern 170
Oswald als Komponist 182
Lieder im Funk 189
Neue Sprachklänge 191
Oswalds rauher Ton 196
Und polyphone Satzkunst 200
Oswalds Vielseitigkeit 203
Mehrstimmig dichten 204
Die Flucht des Herzogs 212
Der Tiroler Adelsbund 213
Mit Oswald in Tirol 216
Tour in Oswalds Region 217

Machtkämpfe in Tirol 221
Große Versöhnung 224
Der Dichter als Ehemann 224
Margarete von Schwangau 225
Die Grete wird besungen 227
Hauenstein wird besetzt 232
Besichtigung von Hauenstein 233
Zweiter Ortstermin Hauenstein 236
Vom Leben in einer Burg 238
Die Burg und die Bauern 239
Verzeichnis seiner Einkünfte 240
Oswalds Ritt nach Ungarn 242
Eine fromme Stiftung 244
Eine Dame und ein Bauer 245
Beispiel eines Pachtvertrags 249
Zinswein und Weinwörter 250
Oswald als Hörndlbauer 251
Der Wolkensteiner selbviert 252
Erneut: seine Geschäftsbücher 253
Oswald als Mafioso 255
Er stimmt ein Beichtlied an 258
Gläubiger nehmen ihn gefangen 261
Oswald im Burgverlies 263
Ortstermin Fahlburg, Prissian 264
Wurde Oswald gefoltert? 265
Was tun mit diesem Oswald? 267
Das Verlies der Burg Forst 267
Vergebliche Befreiungsversuche 268
Der Herzog schaltet sich ein 274
Oswalds Brüder rühren sich 277
Lieder von der Haft 281
Und zwei fromme Lieder 292
Oswald wird erpreßt 295
Äußerst schwierige Lage... 296
Die Flucht nach Ungarn 298
Zwei Reiseballaden 301
Der Herzog in der Klemme 305
Oswald hat einen Teilerfolg 307
Der Kampf um Burg Greifenstein 309
Das Greifenstein-Lied 310
Besichtigung von Greifenstein 311
Der Adel steckt zurück 315
Ein ruhiges Jahr für Oswald? 317
Die erste Liederhandschrift 317

Politischer Friedensschluß 318
Lebensklage, Altersklage 319
Das Auge, das Gesicht, die Stimme 326
Mußte Oswald kompensieren? 328
Herr Jäger klagt erneut 329
Als Verwalter in Neuhaus 330
Fahrt zur Burg Neuhaus 332
Oswald im Rechtsstreit 333
Der Landesherr kämpft weiter 335
Margarete beerbt ihren Mann 339
Er sagt eine Pilgerreise ab 340
Das große Hauenstein-Lied 341
Oswalds vergeblicher Fluchtversuch 344
Ortstermin Vellenberg 346
Klagestrophe von Vellenberg 347
Ein Lied über Todesgefahren 347
Oswald kapituliert juristisch 350
Große Ballade über die Haftzeit 353
Ein neues Hauptbuch wird angelegt 359
Das Inventar von Hauenstein 360
Oswalds Feind auf Unterbrunn 362
Bischof Ulrich räumt auf 363
Oswald unter Gelddruck 365
Reise nach München, Heidelberg 365
Preislied auf den Pfalzgrafen 369
Und ein deftiges Trinklied 371
Weiterreise nach Köln 373
Oswald konsultiert die Feme 374
Über Feme-Prozesse 376
Rückreise via Heidelberg 377
Die Feme in Tirol 378
Mit der Feme gegen den Schwager 380
Oswald schlägt Bischof Ulrich 385
Zwei Klagelieder 392
Oswalds großer Bruder mordet 398
Freischöffe Oswald: erfolglos 400
Zur Belohnung eine Reise! 401
Zwei Bodensee-Lieder 402
König Sigmund agiert 406
Oswald wird erneut geschröpft 407
Der König mahnt 409
Oswalds Verpflichtungen 410
Sein Lied gegen Hussiten 411
Der Wolkensteiner, gerüstet 417

Massenflucht vor den Hussiten 418
Oswald wieder in Tirol 420
Oswald und die Pest 421
Angst vor dem Vergessenwerden 421
Monodische Kompositionen 422
Beschwerden über Oswald 424
Ein sehr kalter Winter 425
Langer Weg zur Kaiserkrönung 426
Das Piacenza-Lied 428
Das Konzil von Basel 430
Verhandlungen 433
Ein Schutzbrief für Oswald 433
Der Wolkensteiner in Basel 434
Basler Impressionen 435
Er läßt sich porträtieren 435
Sigmund in Italien 438
Oswald wieder in Rom? 439
Was sah er in Rom? 439
Er erhält kein Recht 440
Kaiser Sigmund in Basel 441
Der Schirmherr von Neustift 442
Als Richter vor Gericht 444
Fortgesetzte Familienfehde 444
Drei Nachrufe 445
Oswalds Sohn wird Theologe 446
Maria von Wolkenstein 447
Der Landesherr stirbt 450
Der neue Herzog muß helfen 452
Kampf dem Helfer! 452
Oswalds Sohn muß helfen 453
Der Streit mit den Almbauern 455
Ein Kapitel Standespolitik 470
Landtag gegen Landesherr 471
Ein Mann von Bedeutung... 474
Der Patriarch streitet 475
Als Kommandeur einer Klause 478
Oswalds Erkundungsritt 481
Alarmbereitschaft in Tirol 484
Margarete schreibt Oswald 485
Der Landtag zu Meran 487
Margarete ist besorgt 487
Das Todeslied des Wolkensteiners 490
Oswald stirbt in Meran 492
Die Überführung seiner Leiche 492

Oswald als Sagengestalt 493
Der wiedergefundene Wolkensteiner 495

Anhang
Kleiner Werkbericht 505
Zu den Übertragungen 506
Zu den Ausgaben dieser Biographie 508
Bibliographie 509
Bildnachweise 521
Inhalt 523